基本行政法

第4版

中原茂樹［著］

日本評論社

第4版 はしがき

　本書第3版の刊行から6年近くが経過し、初版刊行から10年を超えたタイミングで、第4版を公刊することとなった。この間、読者からいただいたご支持に、心より御礼申し上げる。
　第4版では、最近の判例の展開や法改正、筆者自身の授業での経験等を踏まえ、基本事項を具体例に即して確実に理解できるように、本書の記述全体を見直した。初版以来の本書のコンセプトは変わらず、それを徹底するのが改訂の目的であるので、本書を初めて使用される方は、まず、「初版はしがき──本書の狙いと使用方法」をお読みいただきたい。
　第4版での主な改訂事項は、以下のとおりである。
① 最大の改訂は、拙著『基本行政法判例演習』（日本評論社、2023年。以下「基判」という）とのリンクを図ったことである。本書および「基判」は、それぞれ単独で読んでも理解できるように書かれているが、両者を連携させて判例を学習する読者には、利便性が高まったものと期待している。この点については後述する。
② 各講冒頭の「学習のポイント」について、あらかじめ講の概要を把握するだけでなく、各講を読み終わった後のチェックリストとしても使えるように、記述を改めた。復習の際に、この欄を見て内容を思い出せるか、チェックしていただきたい。
③ 「第8講　行政裁量」につき、裁量基準の説明を第9講から移動し、説明の順序を入れ替えるなど、全体的に記述を整理し、よりわかりやすい説明を目指した。
④ 2021年の個人・情報保護法制の一元化に伴い、第15講2を全面的に書き改めた。
⑤ 行政計画の処分性に関する重要判例の解説を、第12講から第19講に移した。処分性に関する他の判例と合わせて学んだ方が、理解しやすいと思われるためである。
⑥ 第20講に、原告適格に関する新たな注目判例を素材とした設問を追加した（【設問4】）。なお、旧【設問5】は、判断方法が他の設問と重なるた

め、頁数の増加抑制の観点から割愛した)。また、「周辺住民型」以外の原告適格の判断方法に関するコラムを追加した。
⑦ 『行政判例百選Ⅰ・Ⅱ（第8版）』（有斐閣、2022年）および『ケースブック行政法（第7版）』（弘文堂、2022年）の改訂に伴い、参照指示を更新した。

上記①について、本書と「基判」との関係を説明しておきたい。本書では、行政法理論と通則的法律について体系的に説明するとともに、主に判例を基にした設例を使って、事案への当てはめの方法を解説している。これに対し、「基判」は、判例そのものにフォーカスして、(1)特に重要な36件につき、正確な読み方および応用方法を詳説するとともに、(2)本書掲載判例よりも多い268件につき、コンパクトな要約を掲載している。そこで、本書の読者が「基判」を併用することにより、(1)判例の正確な読み方と応用方法を身につけること、および、(2)設例の基になった判例の概要を一覧・整理するとともに、本書に掲載されていない判例についても、必要に応じてカバーすることが可能になる。そのような観点から、本書では「基判」への参照指示を行っている。

上記のほか、事項索引について第3版と同様に工夫を凝らし、特定の訴訟類型の活用例、「裁量が認められない場合」の例、個別法やそれに基づく法的仕組みの例等について検索できるようにしてあるので、復習や体系的理解の促進に活用していただきたい。

また、第1講の【設例】および各講の【設問】を抜粋してまとめたものを日本評論社のウェブサイトに掲載している。ダウンロードして、簡易な問題集として利用できる（そのような利用を想定して、見出しに論点を掲載せず、自分で考えられるようにした）ほか、本書を読みながら第1講の【設例】や他の講の【設問】・条文を傍らに置いて参照したい場合などにも利用できる。まずは本書の【設問】について、解説を見ずに自分で答えられることを獲得目標にしていただきたい。

法科大学院制度がスタートし、行政法が必修とされてから、まもなく20年になる。行政法理論を抽象的に学ぶだけではなく、事案解決に応用できるようになるという目標は、制度創設の頃に比べると、かなりの程度共有され、浸透してきているように見える。もっとも、行政通則法の運用能力は向上したものの、個別法の読み解き方法の開発と教育については、なお改善の余地が残されているようにも思われる。筆者自身、道半ばであるが、今後とも研鑽を積んでいきたい。

本書は筆者の授業経験から生まれ、改良を重ねてきたものである。大阪市立大学（現・大阪公立大学）、東北大学、そして現任校である関西学院大学の学生と教職員の皆さんに感謝申し上げる。また、私事で恐縮であるが、筆者の日常を支えてくれている妻と娘、筆者に教育を受ける機会を与え、好きな道を歩ませてくれた両親にも感謝したい。

　第4版も日本評論社編集部の田中早苗さんとの共同作業により、完成へと至ることができた。良い本を作ることへの情熱と細やかな配慮には、頭が下がる思いである。厚く御礼申し上げる。

2024年1月

中原　茂樹

初版　はしがき──本書の狙いと使用方法

　本書は、法科大学院や法学部等で行政法を学習する読者が、基礎から始めて、行政法の理論と事案とを架橋する方法を習得できるように配慮したテキストである。
　法科大学院で行政法が必修とされたのを契機に、法学部も含め、行政法教育の目標として、「行政法理論・通則的法律」を用いて「個別法」を解読し、「事案」に当てはめて解決する能力の習得が重視されるようになってきている。法曹や公務員、さらには法学部を出て民間企業に進む人々にとっても、行政法理論を抽象的に理解するだけではなく、これを用いて具体的な事案を解決できることが重要であるから、上記の傾向は望ましいものと思われる。しかし、全行政分野に妥当するものとして構成された抽象的な「行政法理論・通則的法律」と、各行政分野における多様な「個別法」および「事案」との間には、大きな隔たりがあり、両者を架橋することは容易ではない。この点が、行政法を学ぶ者の最大の悩みであり、また、行政法教育の課題であると思われる。筆者は、特に2004年の法科大学院制度のスタート以降、この課題に取り組んできた。本書は、その成果をまとめたものであり、次の３点の特色を有する。
　第１に、行政法理論・通則的法律について、具体的な「使い方」が理解できるように、可能な限り個別法および設例を用いて説明していることである。行政法理論は、個別法を読み解き、事案を分析するための「文法」にたとえることができるが、実際の個別法や事案においては、文法事項が複雑に組み合わされており、単に文法を文法として知っているだけでは、直ちに「読解」には結びつかない。例えば、「行政処分と行政指導の違いを述べよ」といった問いには答えられても、実際の個別法や事案において、どこに行政処分や行政指導があるかを見極められるようになるには、もう１つ別の次元の学習が必要である。本書の設例は、そのような「読解」を可能にするための着眼点、頭の働かせ方を習得させることを目的としている。設例には、説明の便宜にかなうものとして筆者が作成した比較的単純なものと、判例の事案をベースにしたやや複雑なものとが含まれており、いずれも設問形式にな

っている。読者は、まず、解説を見ずに自分の頭で設問を考えたうえで、解説をよく読んで、考え方を身につけていただきたい。

　第2に、行政法を学ぶ読者の立場に立った解説を行っていることである。これまで授業等において多くの質問を受けてきた結果、学習者が抱く疑問や陥りがちな誤りについて、多くの共通する事項があることがわかった。その中には、学問的に高度な内容であることが原因と考えられるものもあるが、逆に、教科書等において自明の前提として特に説明されていないために、初学者に正しく伝わっていないと思われるものもある。筆者の経験では、勉強熱心な学生ほど積極的に質問を寄せる傾向があり、多くの学生から共通して寄せられる疑問については、学生の勉強不足に帰するのではなく、教え方を見直す好機と捉えるべきであるというのが私見である。そこで、本書では、コラムを活用して、これらの疑問に丁寧に答えるよう心がけた。また、本書では図表を多用しているが、これも、学生の疑問に答える中で、概念や論点相互の関係を有機的・立体的に説明するために考案されたものである。本書の大きな特長であり、行政法のイメージを膨らませるのに役立てていただきたい。

　第3に、「理論と事案との架橋」の前提となる基本的事項（第1で述べた「文法」事項）そのものについても体系的に説明し、本書のみで基本的事項を一通り学習できるように配慮したことである。正しい「読解」のためには、基本概念（「文法」事項）を行政法の体系の中に位置づけて正確に理解することが不可欠である。そこで、本書は、「行政法体系において行政処分概念がもつ意味は何か」、「行政手続を法律で定めることの意味は何か」といった根本的な問題から丁寧に説明している。また、本書は、初学者が無理なく読み進められるように配慮して書かれているが、行政法全体が体系的に関連している以上、後ろの部分を読んで初めて前の部分を十分に理解できる場合があることは避けられない。そこで、煩雑をいとわず、本文中の関連箇所への参照指示を徹底している。最初に本書を読まれるときは、参照指示に従って後ろの部分を読んでも、なお完全な理解には至らないかもしれないが、2度目以降には、参照指示を十分に活用して、本書を縦横に読んでいただきたい。本書の終章末尾に掲げた図は、取消訴訟のプロセスに即して本書の内容全体を体系的に位置づけたものであり、事案解決を考える際の手順として活用するほか、本書を読みながら適宜参照して、体系的理解を確実にしていただきたい。なお、本書で基本を習得した後は、事例問題集などで応用練習をしていただきたいが、その際にも、基本概念等について疑問が生じた場合

には常に本書に立ち返り、知識の整理・体系化のための羅針盤として本書を活用していただければ幸いである。

　本書は、大阪市立大学（2009年9月まで）および東北大学における筆者の授業から生まれたものであり、熱心に授業に参加してくださる学生の皆さんには、感謝申し上げるとともに、早くから要望をいただきながら、出版が遅くなったことをお詫びしたい。

　大学院で指導教官をお引き受けいただいてから今日に至るまで温かくご指導いただいてきた小早川光郎先生、学部演習に参加させていただいて以来様々なことを教えていただいている塩野宏先生の学恩に深く感謝したい。未熟な本書を両先生のお目にかけるのはお恥ずかしい限りであるが、本書を筆者の教育面の中間報告とさせていただき、今後一層研究・教育に精進して参りたい。

　末筆ながら、本書の出版を勧め、忍耐強い励ましと精緻な編集作業により完成へと導いてくださった日本評論社の田中早苗さんに、心より御礼申し上げたい。

2013年11月

中原　茂樹

●基本行政法（第4版）——目次

第4版　はしがき
初版　はしがき——本書の狙いと使用方法

序章

序章　行政法学習の目標 …………………………………………………… 2
 1　行政法は民事法・刑事法と並ぶ法の3大分野の1つ　2
 2　「行政法」という名の法律はない
  ——個別法の解釈が問われる　3
 3　行政法は実体法と訴訟法を包括する法分野　4
 4　「行政法理論・通則的法律」と「個別法・事案」との架橋　5
 5　本書の構成　6

I　行政法の基礎

第1講　行政の存在理由・行政法の特色
  ——民事法・刑事法との比較 ………………………………………… 10
 1　鉄道運賃・料金の規制　10
  (1)　設例A(1)(2)——契約自由の原則と行政規制の必要性　12
  (2)　設例A(3)——行政規制の多様な手法　13
  (3)　設例A(4)——行政救済法の仕組み　14
  (4)　設例A(5)——二面関係と三面関係　14
  (5)　設例A(6)
   ——民事法・刑事法による解決と行政法による解決　14
 2　自動車の運転免許制度　15

(1)　設例B(1)——事前規制たる行政法の特色
　　　　（民事法・刑事法との比較）　17
　　(2)　設例B(2)——行政処分の撤回　17
　　(3)　設例B(3)——行政手続　17
　3　建築物の規制　18
　　(1)　設例C(1)——事前規制たる行政法の特色　21
　　(2)　設例C(2)——事前規制と事後規制　22
　　(3)　設例C(3)——行政手続　22
　　(4)　設例C(4)
　　　　——行政上の強制執行（自力救済禁止の例外）　22
　4　生活保護：給付行政の例
　　　——憲法上の権利の実現、法律上の制度　23
　5　環境保護のための補助金：給付行政の例
　　　——政策目標の実現、法律に基づかない制度　25
　6　まとめ　26
　　(1)　行政の仕組みの特徴——民事法・刑事法との比較　26
　　(2)　近代行政法の基本構造——国家と市民社会の二元論　26
　　(3)　現代行政法の課題
　　　　——給付行政の増大と三面関係への対処　27
　7　補論——行政の定義と公法私法二元論　28
　　(1)　「行政」の定義　28
　　(2)　公法私法二元論　28
　　コラム　条文の構造と引用方法　18

第2講　行政と法律との関係——法律による行政の原理 ………… 31

　1　制定法のピラミッドと行政法の解釈　31
　　(1)　制定法のピラミッド　31
　　(2)　憲法学と行政法学の着眼点の違い　32
　　(3)　行政法令の構造——要件効果規定への着目　33
　　(4)　法律と条例との関係　35
　2　法律による行政の原理　37
　　(1)　法律の優位・法律の法規創造力　37
　　(2)　法律の留保　38
　　(3)　法律による行政の原理をめぐる諸問題　46
　　(4)　まとめ　50
　　コラム　「侵害」の概念　39
　　コラム　法律の留保と行政処分との関係（権力留保説）　44

第3講　法の一般原則 …………………………………………… 51

 1　平等原則　51
  (1)　法律による行政の原理と対立しない場合　51
  (2)　法律による行政の原理と対立する場合　52
  (3)　法律による平等原則の具体化　53
 2　比例原則　55
 3　信義則・信頼保護原則　57
  (1)　法律による行政の原理と対立しない場合　57
  (2)　法律による行政の原理と対立する場合　59
 4　権限濫用の禁止原則　61
 5　まとめ　63

第4講　行政組織法 ……………………………………………… 64

 総説　行政法における行政組織法の位置づけ　64
 1　作用法的行政機関概念　65
  (1)　行政機関・行政庁　65
  (2)　権限の委任・代理　68
  (3)　専決・代決　70
 2　事務配分的行政機関概念　72
  (1)　設問4(1)――国家行政組織法上の行政機関　73
  (2)　設問4(2)――地方支分部局　73
  (3)　設問4(3)――各省設置法　73
  (4)　事務配分的行政機関概念と作用法的行政機関概念　74
 3　国の行政組織　74
 4　地方公共団体　76
  (1)　地方公共団体の種類　76
  (2)　普通地方公共団体の組織　76
 5　国と地方公共団体との関係　77
 6　独立行政法人等　79
  (1)　独立行政法人　80
  (2)　特殊法人　81
  (3)　公共組合　81
  (4)　認可法人　81
  (5)　指定法人　81
  (6)　独立行政法人等の法的取扱い　81

II 行政過程論

第5講　行政過程論の骨格
――行為形式と行政手続・行政訴訟 …………………………… 84

1　行政処分の概念　84
　(1)　行政の行為形式――行政活動を型にはめる　84
　(2)　行政処分とは　85
　(3)　設問1(1)――行政処分の特徴①
　　　：国民の権利義務との関わり（行政指導・内部行為との違い）　85
　(4)　設問1(2)――行政処分の特徴②
　　　：具体性（法律・行政立法との違い）　86
　(5)　設問1(3)
　　　――行政処分の特徴③：公権力性（契約との違い）　87
2　行政処分を中核とする行政法体系の骨格　88
　(1)　制定法上の意味（行政手続および訴訟手続の適用基準）
　　　――ミクロのプロセス（後述3）　88
　(2)　行政法理論上の意味（行政過程の法的分析道具）
　　　――マクロのプロセス（後述4）　88
3　行為形式と行政手続・行政訴訟との関係
　　（ミクロのプロセス）　90
4　複数の行為形式の組み合わせ（マクロのプロセス）　93
　コラム　行政行為と行政処分との関係　93

第6講　行政処分手続(1) ………………………………………… 95

1　行手法の意義　95
　(1)　行政手続の重要性　95
　(2)　行手法によるスタンダードの設定　97
2　行手法の適用除外　99
　(1)　行政分野の特殊性等に基づくもの（3条1項）　99
　(2)　地方公共団体の機関がする処分（根拠が条例または規則に置かれているもの）（3条3項）　100
　(3)　国・地方公共団体の機関（4条1項）、独立行政法人、特殊法人、認可法人（4条2項）、指定法人等（4条3項）に対する処分　101

(4) 聴聞・弁明機会付与の適用除外（13条2項）　101
        3　申請に対する処分と不利益処分に共通する手続　102
           (1) 申請に対する処分と不利益処分の区別　103
           (2) 設問4(1)――意見陳述手続（13条）の有無　104
           (3) 設問4(2)――審査基準（5条）・処分基準（12条）　104
           (4) 設問4(3)――理由提示（8条・14条）　106
           (5) 理由提示と審査基準・処分基準との関係　108
         コラム　個人タクシー事件と行手法　109

  第7講　行政処分手続(2) ……………………………………………… 111

        1　申請に対する処分に特有の手続　111
           (1) 標準処理期間の設定・公表（6条）　111
           (2) 申請に対する審査・応答義務（7条）　112
           (3) 情報の提供（9条）　114
           (4) 公聴会の開催等（10条）　114
           (5) 複数の行政庁が関与する処分（11条）　115
        2　不利益処分に特有の手続――意見陳述手続
          （13条・15条〜31条）　115
           (1) 設問2(1)――行手法上の不利益処分手続　115
           (2) 設問2(2)――個別法の定める手続と行手法との関係　117
        3　処分等の求め（36条の3）――申請権がない場合　119
        4　届出（37条）　120
        5　手続の瑕疵が処分の取消事由になるか　123
           (1) 手続の瑕疵が処分の取消事由になるか　123
           (2) 手続の瑕疵を理由に処分が取り消された場合に
              行政庁のとるべき措置　125
         コラム　広義の聴聞と行手法上の聴聞　118
         コラム　「提示された理由（または審査基準）の内容が間違っている」という
              主張は、行手法違反の問題ではない　126
         コラム　行手法の二面性――行為規範と裁判規範　126

  第8講　行政裁量 ……………………………………………………… 128

      総説　裁量とは　128
        1　行政判断のプロセス　129
        2　裁判所による審査と行政裁量の所在　130
           (1) 判断代置　130
           (2) 裁量権の逸脱・濫用の審査　131

3　行政裁量の有無の判断基準　　131
　　(1)　法律の文言　　131
　　(2)　処分の性質　　135
　　(3)　裁量の有無の判断基準　　138
　 4　裁量審査の方法　　140
　　(1)　社会観念審査　　141
　　(2)　判断過程審査　　141
　 5　裁量基準と裁量審査　　144
　　(1)　設問 4(1)――裁量基準違反と処分の違法性　　145
　　(2)　設問 4(2)――裁量基準の合理性と個別事情考慮義務　　147
　 6　行政処分の附款　　149
　　(1)　附款の意義と種類　　149
　　(2)　附款の許容性と限界　　150
　　(3)　本問への当てはめ　　150
　　コラム　「行政法劇場」における「第 1 幕（行為規範）」と「第 2 幕（裁判規範）」　　143
　　コラム　解釈基準・裁量基準と処分の適法性審査方法　　148

第 9 講　行政立法　　152

　 総説　行政過程における行政立法の位置づけ　　152
　 1　行政立法の種類と許容性　　153
　　(1)　法規命令　　153
　　(2)　行政規則　　154
　 2　法規命令　　154
　　(1)　委任する法律の側の問題――白紙委任の禁止　　154
　　(2)　委任を受けた命令の側の問題
　　　　――法の委任の趣旨を逸脱していないか　　155
　 3　行政規則　　160
　　(1)　解釈基準　　160
　　(2)　裁量基準　　161
　 4　意見公募手続　　161
　　コラム　「行政立法」「行政規則」という用語　　154
　　コラム　「等」に注意　　162

第10講　行政指導　　164

　 1　行政指導とは　　164
　 2　行政指導の一般原則――不利益取扱いの禁止　　165

  3　申請に関連する行政指導
   ——行政指導を理由とする処分の留保の許否　168
  4　許認可等の権限に関連する行政指導　170
  5　行政指導の方式——明確原則　172
  6　複数の者を対象とする行政指導——行政指導指針　172
  7　行政指導の中止等の求め　173

第11講　行政契約 …………………………………………………… 175

  1　準備行政における契約　175
  （1）　訴訟類型　176
  （2）　本　案　177
  2　給付行政における契約　178
  （1）　設問 2(1)——指導要綱違反　179
  （2）　設問 2(2)——重大な違法　179
  （3）　設問 2(3)
   ——深刻な水不足を避けるためにやむをえない場合　180
  3　規制行政における契約——協定　180
  （1）　公害防止協定の法的拘束力　182
  （2）　法律上の争訟に当たるか　182
  （3）　本問への当てはめ　182

第12講　行政計画 …………………………………………………… 184

  1　行政計画の法的位置づけ・特徴——目標プログラム　184
  2　行政計画と裁量　185
  （1）　一般廃棄物処理計画と一般廃棄物処理業許可　185
  （2）　都市計画と都市計画事業認可——小田急訴訟　189
  3　行政計画と救済方法　194

第13講　行政調査 …………………………………………………… 195

  1　任意調査・間接強制調査（準強制調査）・強制調査　198
  2　行政調査と令状主義・供述拒否権　199
  3　行政調査の要件・手続　200
  4　行政調査で得られた資料を刑事責任追及のために用いることができるか　202
  5　行政調査の瑕疵が処分の取消事由になるか　203
  6　任意調査の限界　203

第14講　行政上の義務履行確保の手法 …………………………… 205

総説　行政上の義務履行確保手段の種類と位置づけ　205
1　義務履行強制　206
　(1)　行政代執行　207
　(2)　その他の行政上の強制執行手段　210
　(3)　行政上の強制執行の機能不全　210
　(4)　民事手続による強制　211
2　義務違反に対する制裁　213
　(1)　刑罰と反則金　213
　(2)　過料——行政上の秩序罰　215
　(3)　加算税　216
　(4)　課徴金　216
　(5)　制裁的公表　217
3　即時強制　219

第15講　情報公開・個人情報保護 ……………………………… 220

1　情報公開　220
　(1)　政府の説明責任・国民の知る権利　220
　(2)　情報公開条例と情報公開法　221
　(3)　情報公開法の対象　221
　(4)　開示請求権　222
　(5)　不開示情報　222
　(6)　開示請求に対する措置　223
　(7)　部分開示・裁量的開示・存否応答拒否　224
　(8)　第三者に対する手続保障　225
　(9)　救済制度　226
2　個人情報保護　227
　(1)　自己情報コントロール権　227
　(2)　公的部門と民間部門を包括する個人情報保護法　227
　(3)　行政機関等における個人情報等の取扱い　228
　(4)　マイナンバー法　229

III　行政救済論

第16講　行政上の不服申立て …………………………………………… 232

　総説　行手法・行審法・行訴法の相互関係　232
　1　行政上の不服申立ての長所・短所　233
　2　不服申立ての種類・要件　234
　　(1)　不服申立ての種類と相互関係　235
　　(2)　不服申立ての要件　236
　　(3)　適用除外　238
　　(4)　本問への当てはめ　238
　3　審査請求の審理手続　239
　　(1)　標準審理期間　239
　　(2)　審理員による審理手続　240
　　(3)　行政不服審査会等への諮問　241
　　(4)　本問への当てはめ　242
　4　裁　　決　243
　5　執行停止　244
　6　教　　示　245
　　(1)　教示制度　245
　　(2)　教示の不作為および誤った教示に対する救済　245
　7　不服申立てと取消訴訟との関係
　　（自由選択主義と不服申立前置）　246
　8　原処分主義と裁決主義　248
　　(1)　原処分主義（原則）と裁決主義（例外）　248
　　(2)　修正裁決の場合　249
　　コラム　「不服申立前置」と「審査請求前置」　247

第17講　行政訴訟の類型および相互関係 ……………………………… 252

　1　行政訴訟制度の沿革と概観　252
　　(1)　明治憲法下の行政裁判制度　252
　　(2)　日本国憲法下における行政訴訟制度　253
　　(3)　司法制度改革の一環としての行政訴訟改革
　　　　——2004年改正　254
　　(4)　行政訴訟の概観　255

2　取消訴訟（3条2項・3項）　256
　　　(1)　行政訴訟の中心　256
　　　(2)　取消訴訟の排他的管轄　256
　　　(3)　特徴——行為訴訟　257
　　　(4)　訴訟要件　258
　　　(5)　原告本案勝訴要件　262
　　3　取消訴訟の排他的管轄と国家賠償訴訟・刑事訴訟　262
　　　(1)　国家賠償訴訟　262
　　　(2)　刑事訴訟　263
　　4　無効の処分と救済方法（3条4項等）　264
　　5　不作為の違法確認訴訟（3条5項）　267
　　　(1)　訴訟要件　267
　　　(2)　原告本案勝訴要件　268
　　　(3)　限界・義務付け訴訟との関係　268
　　6　義務付け訴訟（3条6項）　268
　　　(1)　非申請型義務付け訴訟（3条6項1号）　268
　　　(2)　申請型義務付け訴訟（3条6項2号）　270
　　7　差止訴訟（3条7項）　271
　　　(1)　訴訟要件　271
　　　(2)　原告本案勝訴要件　271
　　8　法定外抗告訴訟（無名抗告訴訟）（3条1項）　272
　　9　形式的当事者訴訟（4条前段）　272
　　10　実質的当事者訴訟（4条後段）　273
　　11　民衆訴訟（5条）・機関訴訟（6条）　275
　　　コラム　出訴期間に関する注意点　261
　　　コラム　非申請型義務付け訴訟と申請型義務付け訴訟の区別　269
　　　コラム　無効確認訴訟、差止訴訟等の対象に注意　271

第18講　取消訴訟の対象(1)　276

　　1　基本的定式　276
　　　(1)　処分性の定式　276
　　　(2)　公共施設の設置・供用行為の処分性と民事差止訴訟　277
　　　(3)　処分の公定力　278
　　2　行政機関相互の行為——直接性（外部性）　278
　　3　通知・勧告等——法的効果　280
　　　(1)　輸入禁制品該当の通知　280
　　　(2)　公務員の採用内定通知　281

    (3) 開発許可申請に対する公共施設管理者の同意　281
    (4) 食品衛生法違反通知　282
    (5) 登録免許税還付通知請求拒否通知　286
    (6) 病院開設中止勧告　287
    (7) 土壌汚染対策法の通知　291

第19講　取消訴訟の対象(2) ……………………………………… 294
  1　一般的行為（一般処分）――直接性（具体性）　294
    (1) 二項道路の一括指定　294
    (2) 条例制定行為　297
    (3) 行政計画　301
  2　給付に関する決定――公権力性　313
    (1) 補助金交付決定　313
    (2) 労災就学援護費の支給決定　316
  3　まとめ　321
    (1) 「直接国民の権利義務を形成しまたはその範囲を確定する」
        ――訴えの利益の問題　322
    (2) 「公権力」――民事訴訟（または当事者訴訟）との
        振り分けの問題　324
    (3) 判例のまとめ　324

第20講　取消訴訟の原告適格 ……………………………………… 326
  1　原告適格とは　326
  2　判例の基本的枠組みと行訴法9条2項の新設　327
    (1) 法律上保護された利益説　327
    (2) 関係法令の考慮　328
    (3) 被侵害利益の考慮　329
    (4) 行訴法9条2項の意味　330
  3　原告適格の具体的判断手順
      ――行訴法9条2項の下での判例の展開　333
    (1) 小田急訴訟大法廷判決――リーディングケース　333
    (2) 場外車券発売施設設置許可
        ――申請書の記載事項および被侵害利益への着目　338
    (3) 納骨堂経営許可
        ――周辺住民の生活環境が個別的利益と認められた例　341
    (4) 鉄道運賃上限認可
        ――目的規定・意見聴取手続・被侵害利益への着目　344

コラム　関係法令についての注意点　332
　　コラム　「行訴法9条2項による個別的利益の切出し」とは異なる類型　346

第21講　取消訴訟と時間の経過
──狭義の訴えの利益・執行停止　348

　総説　時間の経過と狭義の訴えの利益および執行停止制度　348
　1　狭義の訴えの利益　350
　　(1)　9条1項かっこ書の典型例　350
　　(2)　免許停止処分・一般運転者としての免許更新処分と取消しの利益　350
　　(3)　建築確認・開発許可と取消しの利益　354
　　(4)　原状回復の事実上の不能と取消しの利益　358
　　(5)　保安林指定解除と取消しの利益　360
　　(6)　競願・更新と取消しの利益　360
　　(7)　処分基準による不利益取扱いと取消しの利益　362
　2　執行停止（行訴法25条）　365
　　(1)　仮処分の排除と執行停止制度　365
　　(2)　執行不停止原則（行訴法25条1項）　366
　　(3)　執行停止の対象（行訴法25条2項）　366
　　(4)　執行停止の積極要件（行訴法25条2項本文・3項）　366
　　(5)　執行停止の消極要件（行訴法25条4項）　368
　　(6)　執行停止の手続等　368
　　(7)　内閣総理大臣の異議　368

第22講　取消訴訟の審理・判決　370

　1　当事者主義と職権主義　370
　2　取消訴訟における主張制限（行訴法10条）　371
　　(1)　自己の法律上の利益に関係のない違法の主張制限　371
　　(2)　先行処分の違法性の主張制限──違法性の承継　373
　3　取消訴訟における立証責任　377
　　(1)　取消訴訟における立証責任に関する実務・学説　377
　　(2)　不開示情報該当性の立証責任・文書存在の立証責任　378
　　(3)　原子炉設置許可の判断に不合理な点があることの立証責任　379
　4　取消判決の効力　379
　　(1)　既判力　379
　　(2)　形成力　380

        (3) 拘束力　381
    5　「理由の差替え」と「異なる理由による再処分」　382
        (1) 設問4(1)——理由の差替え　382
        (2) 設問4(2)——異なる理由による再処分　384

第23講　無効等確認訴訟・義務付け訴訟　………………………　386
    1　無効等確認訴訟　386
        (1) 設問1(1)——争点訴訟を提起すべき場合　387
        (2) 設問1(2)——当事者訴訟を提起すべき場合　387
        (3) 設問1(3)——無効確認訴訟の方がより直截的で適切な
            争訟形態である場合　388
        (4) 設問1(4)
            ——民事差止訴訟と無効確認訴訟とが両立する場合　388
        (5) 設問1(5)——予防訴訟としての無効確認訴訟　389
        (6) 設問1(6)——処分不存在確認訴訟　389
        (7) 取消訴訟に関する規定の準用　390
    2　非申請型義務付け訴訟　391
        (1) 一定の処分（行訴法37条の2第1項）　392
        (2) 原告適格（行訴法37条の2第3項・4項）　392
        (3) 重大な損害を生ずるおそれ
            （行訴法37条の2第1項・2項）　393
        (4) 損害を避けるため他に適当な方法がないとき（補充性）
            （行訴法37条の2第1項）　393
        (5) 義務付け判決の効力と第三者に対する訴訟告知　394
    3　申請型義務付け訴訟　395
        (1) 一定の処分（行訴法3条6項2号）・取消訴訟等の併合提起
            （行訴法37条の3第3項）　396
        (2) 申請拒否処分が取り消されるべきものであること
            （行訴法37条の3第1項2号）　397
        (3) 原告本案勝訴要件（行訴法37条の3第5項）　397
        (4) 仮の義務付け（行訴法37条の5）　398
        コラム　「重大な損害を生ずるおそれ」（行訴法37条の2第1項・2項）と
            原告適格（同条3項・4項）との関係　395

第24講　差止訴訟・当事者訴訟・住民訴訟　………………………　400
    総説　差止訴訟と当事者訴訟（確認訴訟）との関係　400
        (1) 前提①——本件通達の処分性　402

(2)　前提②——本件職務命令の処分性　402
　　1　差止訴訟　403
　　　(1)　一定の処分がされようとしている場合
　　　　（行訴法3条7項・37条の4第1項）　403
　　　(2)　重大な損害を生ずるおそれ（行訴法37条の4第1項・
　　　　2項）　404
　　　(3)　補充性（行訴法37条の4第1項ただし書）　405
　　　(4)　原告適格（行訴法37条の4第3項・4項）　405
　　　(5)　仮の差止め（行訴法37条の5第2項～4項）　406
　　2　確認訴訟　406
　　　(1)　将来の処分の予防を目的とする場合　407
　　　(2)　処分以外の不利益の予防を目的とする場合　407
　　　(3)　確認の利益　407
　　　(4)　当事者訴訟における仮の救済——民事保全法　410
　　3　住民訴訟　411
　　　(1)　訴訟要件　411
　　　(2)　訴訟類型（地方自治法242条の2第1項）　412
　　　(3)　原因行為の違法と財務会計行為の違法　413
　　　(4)　住民訴訟の対象とされている損害賠償請求権等の放棄の
　　　　適法性　415

第25講　国家賠償(1) ……………………………… 417

　　1　国賠法1条の基本構造　417
　　　(1)　国賠法1条の基本構造
　　　　——民法上の使用者責任との比較　417
　　　(2)　「国又は公共団体」・「公権力の行使」
　　　　——民法上の使用者責任との振り分け　419
　　　(3)　「公務員」　419
　　　(4)　「その職務を行うについて」　421
　　2　国賠法1条の違法性と過失
　　　——抗告訴訟における違法性との比較　422
　　　(1)　逮捕・起訴、裁判、立法と国賠法上の違法性　423
　　　(2)　一般の行政処分と国賠法上の違法性・過失　425

第26講　国家賠償(2) ……………………………… 432

　　1　規制権限不行使の違法性　432
　　　(1)　宅建業法事件——リーディングケース　432

(2) 判例の展開　436
　　(3) 実質的考慮要素——裁量権収縮論との関係　437
　2　発展問題——公私協働における責任主体　438
　　(1) 児童養護施設に入所した児童に対する養育看護行為と
　　　　国賠責任　438
　　(2) 指定確認検査機関による建築確認と国賠責任　440
　3　公の営造物の設置管理の瑕疵（国賠法2条）　441
　　(1) 道　路　441
　　(2) 河　川　443
　　(3) その他の営造物　444
　　(4) 機能的瑕疵（供用関連瑕疵）　445
　4　費用負担者の賠償責任（国賠法3条）　445
　5　民法の適用（国賠法4条）　446
　6　他の法律の適用（国賠法5条）　447
　7　相互保証主義（国賠法6条）　447

第27講　損失補償 ……………………………………………………… 448

　1　補償の根拠——憲法29条3項の直接適用の可否　448
　2　補償の要否　449
　　(1) 規制目的への着目——警察制限と公用制限　449
　　(2) 規制の強度・期間の考慮　451
　　(3) 既存の利用形態への配慮　452
　　(4) 制限される権利の性質　454
　3　補償の内容　455
　　(1) 完全補償　455
　　(2) 事業認定時の価格固定制　457
　4　国家補償の谷間　459

終章

終章　事案解決の着眼点 ……………………………………………… 462

　1　行政活動の目的と法形式への着目　462
　　(1) 行政活動の目的への着目　462
　　(2) 法形式への着目　462
　2　訴訟類型（および仮の救済手段）の選択　463

3　訴訟要件（および仮の救済の申立要件）の検討　　464
　　　4　行政活動の違法性（本案）の検討　　464

事項索引　　467
判例索引　　474

凡　例

▽**法令名**
行訴法＝行政事件訴訟法
行手法＝行政手続法
行審法＝行政不服審査法
国賠法＝国家賠償法
情報公開法＝行政機関の保有する情報の公開に関する法律
廃棄物処理法＝廃棄物の処理及び清掃に関する法律
風営法＝風俗営業等の規制及び業務の適正化等に関する法律
補助金適正化法＝補助金等に係る予算の執行の適正化に関する法律

▽**判例集・判例解説**
民（刑）集＝最高裁判所民事（刑事）判例集
高民（刑）集＝高等裁判所民事（刑事）判例集
行集＝行政事件裁判例集
判時＝判例時報
判タ＝判例タイムズ
判例自治＝判例地方自治
訟月＝訟務月報
裁判集民（刑）＝最高裁判所裁判集民事（刑事）
裁時＝裁判所時報
最判解民事篇（刑事篇）＝最高裁判所判例解説民事篇（刑事篇）
基判＝中原茂樹『基本行政法判例演習』（日本評論社、2023年）
百選Ⅰ・Ⅱ＝斎藤誠・山本隆司編『行政判例百選Ⅰ・Ⅱ（第8版）』（有斐閣、2022年）
CB＝野呂充・下井康史・中原茂樹・磯部哲・湊二郎編『ケースブック行政法（第7版）』（弘文堂、2022年）

▽**文献**
・単行本は著者名の後に書名に『　』を付して入れ、論文は著者名の後に論文名を「　」を付して入れた。共著は「＝」で結んだ。
・判例評釈は論文名を略した。
　ex.稲葉馨・百選Ⅱ460頁
・本書の基本的な参考文献については、以下の略語を用いた。

阿部・解釈学Ⅰ・Ⅱ	阿部泰隆『行政法解釈学Ⅰ・Ⅱ』（有斐閣、2008〜2009年）
阿部・国家補償法	阿部泰隆『国家補償法』（有斐閣、1988年）
宇賀・概説Ⅰ〜Ⅲ	宇賀克也『行政法概説Ⅰ〜Ⅲ（Ⅰは第8版、Ⅱは第7版、Ⅲは第5版）』（有斐閣、2019〜2023年）
宇賀・新行審法解説	宇賀克也『Q＆A新しい行政不服審査法の解説』（新日

	本法規出版、2014年）
大橋・行政法Ⅰ	大橋洋一『行政法Ⅰ（第4版）』（有斐閣、2019年）
金子・租税法	金子宏『租税法（第24版）』（弘文堂、2021年）
基本憲法Ⅰ	木下智史＝伊藤建『基本憲法Ⅰ──基本的人権』（日本評論社、2017年）
小早川・行政法上	小早川光郎『行政法上』（弘文堂、1999年）
小早川・行政法講義下Ⅰ～下Ⅲ	小早川光郎『行政法講義下Ⅰ～下Ⅲ』（弘文堂、2002～2007年）
小早川編・行政手続法逐条研究	小早川光郎編『行政手続法逐条研究』（有斐閣、1996年）
小早川編・改正行政事件訴訟法研究	小早川光郎編『改正行政事件訴訟法研究』（有斐閣、2005年）
小林・行政事件訴訟法	小林久起『行政事件訴訟法』（商事法務、2004年）
櫻井＝橋本・行政法	櫻井敬子＝橋本博之『行政法（第6版）』（弘文堂、2019年）
塩野・行政法Ⅰ～Ⅲ	塩野宏『行政法Ⅰ～Ⅲ（Ⅰは第6版、Ⅱは第6版、Ⅲは第5版）』（有斐閣、2015～2021年）
曽和ほか編著・事例研究行政法	曽和俊文＝野呂充＝北村和生編著『事例研究行政法（第4版）』（日本評論社、2021年）
髙木ほか・条解行政手続法	髙木光＝常岡孝好＝須田守『条解行政手続法（第2版）』（弘文堂、2017年）
塩野＝原田・演習行政法	塩野宏＝原田尚彦『演習行政法（新版）』（有斐閣、1989年）
芝池・総論講義	芝池義一『行政法総論講義（第4版補訂版）』（有斐閣、2006年）
芝池・救済法	芝池義一『行政救済法』（有斐閣、2022年）
新堂・新民事訴訟法	新堂幸司『新民事訴訟法（第6版）』（弘文堂、2019年）
橋本・行政法解釈の基礎	橋本博之『行政法解釈の基礎──「仕組み」から解く』（日本評論社、2013年）
原田・要論	原田尚彦『行政法要論（全訂第7版補訂2版）』（学陽書房、2012年）
福井ほか・新行政事件訴訟法	福井秀夫＝村田斉志＝越智敏裕『新行政事件訴訟法──逐条解説とQ&A』（新日本法規出版、2004年）
藤田・総論上・下	藤田宙靖『行政法総論上・下』（青林書院、2020年）
山本・探究	山本隆司『判例から探究する行政法』（有斐閣、2012年）

▽その他

・引用においては、学習上の便宜を図るため、旧字を新字にし、漢数字をアラビア数字にし、促音等は現代仮名遣いで表記している。また、引用中に著者の注記を入れる場合は、〔　〕を付している。

序章

序章　行政法学習の目標

> ◆学習のポイント◆
> 　行政法は、行政活動と法との関係について、基本的な考え方を学ぶ科目である。法曹志望者等にとっての行政法学習の目標は、具体的な事案に関して、個別法の仕組みの下で、①行政活動が違法となるのはどのような場合か、②それを訴訟等で争うにはどうすればよいか、の２点を判断できるようになることである。そのためには、行政法理論および通則的法律を用いて、個別法を解読し、事案に当てはめる能力を身につけなければならない。

1　行政法は民事法・刑事法と並ぶ法の３大分野の１つ

　現代社会においては、環境問題、食品や医薬品の安全の確保、交通事故の防止、まちづくり、防災、社会保障、等々、個々人の問題として放置するのではなく、社会全体の問題として解決すべき多くの課題が存在する。これらの解決のためには、民事法による損害賠償や刑事法による処罰などの、裁判による事後的対応のみでは不十分である。そこで、公益上望ましくない事態が生ずるのを未然に防いだり、裁判よりも簡易迅速な手続で財の配分やサービスの提供を行ったりするための行政活動が、市民生活のほとんどあらゆる分野に及んでいる（→第１講）。

　しかし、行政活動が社会にとって必要なものであるとしても、税金によって運営される行政組織により、国民に対する公権力を伴って行われる活動である以上、行政担当者の恣意・独断によって行われてはならず、憲法の理念を実現するため国民代表議会が制定した**法律（条例を含む）**に基づいて、行われなければならない（→第２講）。現に、行政に関する膨大な数の法律や条例が制定されている（現在、日本に2,000以上ある法律の大部分は、行政関係の法律である）。

　このような行政活動と法との関係について、現状を分析するとともに、あ

るべき姿を構想するための、基本的な考え方を学ぶのが行政法という科目である。

　行政法は、民事法、刑事法とともに、法の3大分野を構成している。そして、憲法はこれらすべての上位にある国の最高法規なので、法規範のピラミッドにおけるこれらの相互関係は、次の図のようになる（参照、阿部・解釈学Ⅰ29頁）。

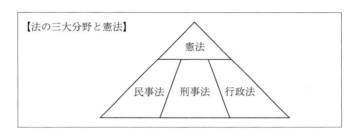

【法の三大分野と憲法】

2　「行政法」という名の法律はない
　　──個別法の解釈が問われる

　六法科目と異なる行政法の大きな特徴として、第1に、「行政法」と称する法典が存在しないことが挙げられる。すなわち、行政法の学習においては、「行政法」という法典の解釈について学ぶのではなく、道路交通法、食品衛生法、都市計画法、生活保護法、等々の、個別の行政分野を規律する様々な法律（これを**個別法**という）について、それらに共通する基本的な考え方（行政法理論）を学ぶのである。

　1で述べたように、行政活動の多様性に対応して、個別法の数は膨大であり（さらに、法律だけではなく、地方公共団体の条例や、行政機関が制定する政令、省令、等々も存在する）、そのすべてについて解釈をあらかじめ学んでおくことは不可能であるが、個別法を読み解くための文法あるいは道具立てを学ぶことによって、ある程度読めるようになる。

　　＊　もっとも、個別法を正確に理解するためには、各行政分野に特有の価値や技術（例えば、まちづくりであれば、都市工学など）についても知る必要があり、これはプロの法律家にとっても容易なことではない。しかし、実務においては、それぞれの個別法についての解説書等を参照することが可能なので、法学部・法科大学院では、関連文献等を調査し、（場合によっては批判的に）検討できるための、基礎的な考え方を身につければ十分で

ある。

ただし、上述のような個別法とは別に、全行政分野に共通する法的仕組みについて定めた、通則的法律が存在する。すなわち、**行政手続法（行手法）**、**行政代執行法**、**「行政機関の保有する情報の公開に関する法律」（情報公開法）**、**行政不服審査法（行審法）**、**行政事件訴訟法（行訴法）**、**国家賠償法（国賠法）**、等々である（かっこ内は本書で用いる略称）。これらの法律については、主要な条文およびその解釈を学習し、修得しておく必要がある。いずれも、ポケットサイズの法令集にも掲載されている、重要な法律である。

3　行政法は実体法と訴訟法を包括する法分野

六法科目と異なる行政法の第2の特徴として、実体法と訴訟法の両方を1つの科目で扱うということが挙げられる。すなわち、六法科目（憲法を除く）は、法律関係（権利義務や犯罪の要件・効果など）の内容を定める**実体法**（民法・商法・刑法）と、それを裁判でどのように実現するかという**訴訟法**（民事訴訟法・刑事訴訟法）とに分かれるが、行政法は、これらの両方を含む。

まず、実体法については、2で述べた**個別法**が、行政活動の要件・効果や、行政に関する国民の権利・義務を定めている。そして、これらに共通する基礎理論を扱うのが、**行政法総論**（→第1講～第15講）である。

次に、訴訟法については、**行政事件訴訟法**が、民事訴訟、刑事訴訟と並ぶ第3の類型として、行政上の法律関係に関する訴訟である行政事件訴訟について定めている。この行政事件訴訟を中心として、訴訟以外の行政紛争の解決手段も含めて扱うのが、**行政救済法**（→第16講～第27講）である。

	民事法	刑事法	行政法
実体法	民法・商法	刑法	行政法総論・個別法
訴訟法	民事訴訟法	刑事訴訟法	行政事件訴訟法

このように、行政法は、個別法を扱うことに加えて、実体法と訴訟法の両方を扱うことから、非常に範囲が広いという印象をもたれるかもしれない。たしかに、その点が行政法の特徴であるともいえる。もっとも、行訴法は行政事件訴訟に関する一般法であるものの、完結的な法典ではなく、民事訴訟の例によるとされている部分も多い（同法7条参照）。また、条文の数も民事訴訟法よりかなり少ない。したがって、民事訴訟法の基本的な理解を踏ま

えつつ、行政紛争の解決にふさわしい行政訴訟の独自性を考えることを心がければ、十分マスターできると思われる。

4 「行政法理論・通則的法律」と「個別法・事案」との架橋

　行政法学の課題としては、行政活動の違法性が訴訟で争われる場面について検討することにとどまらず、新たな行政課題に対応するために、法制度を設計することなども含まれる。しかし、法曹等を目指す人にとって、行政法学習の第1の目標は、具体的な事案に関して、**個別法の仕組みの下で**、①**行政活動が違法**となるのはどのような場合か（あるいは、**行政に関して、国民にどのような権利・義務**が生じているか）、②**それを訴訟等で争う**にはどうすればよいか、の2点を判断できるようになることである（①が行政法総論、②が行政救済法に対応する）。

　そのためには、行政法理論および通則的法律を用いて、個別法を解読し、事案に当てはめるという作業ができなければならない（下の図を参照）。行政法理論および通則的法律は、全行政分野に妥当するものとして理論化・立法化された、抽象度の高いものであり、これと具体的な個別法および事案とを架橋する作業が必要になる。

　これはなかなか困難な作業であるが、実は、行政法の**判例**が、まさにそのような作業を行ったお手本であり、有力な手がかりになる。ただし、判例はあくまでも特定の個別法および事案についての判断であって、個別法や事案が異なれば妥当しない可能性があるので、判例の**射程**を見極める必要がある。また、中には、「悪い手本」として、批判的に検討すべき判例もないとはいえない。しかし、いずれにせよ、上述のような観点から、判例の学習は極めて重要である。

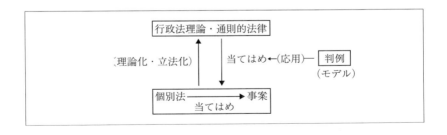

5 本書の構成

このような目標を達成するため、本書では、可能な限り、判例等をもとにした設例および個別法を用いて、行政法理論および通則的法律について説明することとする。

「第Ⅰ部 行政法の基礎」では、まず、行政の存在理由および行政法の特色について、民事法・刑事法と比較しながら理解する。行政活動には必ず存在理由・目的があり、これについて理解することは、行政紛争の背景および望ましい解決を考えるうえで不可欠である（→第1講）。次に、行政と法律との関係を分析するための最も基礎となる考え方を学ぶ（→第2講）。また、行政活動が法律に反するとはいえない場合でも、違法性を基礎づけうる「最後の手段」として、法の一般原則を扱う（→第3講）。さらに、「誰が」行政活動を行うかという点で行政作用法・行政救済法とも密接に関わる、行政組織法について学ぶ（→第4講）。

「第Ⅱ部 行政過程論」では、行政の行為形式の知識を用いて行政過程を法的に分析する手法を学ぶ。まず、第5講で全体像を把握した後、行為形式の中心である行政処分について、事前手続（行手法→第6講・第7講）および実体的違法性の問題（裁量→第8講）を扱う（事後手続については、第Ⅲ部で扱う）。次に、行政処分以外の行為形式、すなわち、行政立法、行政指導、行政契約、行政計画について、事前手続および実体的違法性の問題（裁量）等を取り上げる（→第9講～第12講）。さらに、行政上の一般的制度として、行政調査（広い意味での行政手続ともいえるが、行手法の対象外であり、個別法による。→第13講）、行政上の義務履行確保（「法律→行政処分→行政強制」の最終段階に位置し、行政過程を完結させる。→第14講）、情報公開・個人情報保護（→第15講）を取り上げる。

「第Ⅲ部 行政救済論」は、違法（または不当）な行政活動から国民を法的に救済する手法を学ぶ。①行政上の不服申立て（→第16講）、②行政訴訟（→第17講～第24講）、③国家賠償（→第25講・第26講）、④損失補償（→第27講）の4本立てである。①の行政上の不服申立ては、②の行政訴訟より簡易迅速な手段である点に特徴がある。②の行政訴訟については、まず第17講で全体像を把握した後、取消訴訟の3大訴訟要件である処分性（→第18講・第19講）、原告適格（→第20講）、狭義の訴えの利益（→第21講）について、判例を中心に学習し、さらに、取消訴訟の審理・判決（→第22講）および執行停止（時間の経過に関わる問題として、狭義の訴えの利益とまとめて第21

講で扱う）について学ぶ。次に、取消訴訟以外の抗告訴訟として、無効等確認訴訟・義務付け訴訟（→第23講）、差止訴訟（→第24講）を取り上げ、さらに、抗告訴訟以外の行政訴訟として、当事者訴訟（特に確認訴訟が重要であり、事案解決においては抗告訴訟としての差止訴訟と密接に関連するため、第24講でまとめて扱う）および住民訴訟（→第24講）を扱う。③の国家賠償および④の損失補償は、国家の行為を原因とする損害・損失を填補する点で共通するが、前者は原因行為が違法であるのに対し、後者は原因行為が適法である点で区別される。

　終章では、事案解決の手順に従って、本書全体を振り返る。

　なお、行政をめぐる紛争の訴訟による解決を考える際には、**訴訟類型の選択→訴訟要件の検討→行政活動の違法性の検討**という手順になり（終章「事案解決の着眼点」参照）、本書の内容との関係では、「第Ⅲ部　行政救済論」→「第Ⅱ部　行政過程論」の順に検討することになる。すなわち、本書（一般の教科書も）の説明順序とは逆の手順になることに注意してほしい。

I 行政法の基礎

第1講　行政の存在理由・行政法の特色
　　　　——民事法・刑事法との比較

> ◆学習のポイント◆
> 　行政とは何か、その存在理由、民事法・刑事法とは異なる行政法の特色・存在理由について、具体例をもとに考える。近代行政法の基本的な枠組み（国家と社会の二元論、防御権の重視、等々）と対比する形で、現代行政法の課題・特色（二面関係から三面関係へ、給付行政の比重増大、等々）についても理解する。

　本講では、行政活動やそれを規律する行政法の仕組みについて、具体的なイメージをもってもらうために、5つの設例を挙げる。それぞれの設問について考えるとともに、5つの設例の共通点や相違点についても考えてみてほしい。その際、関連する個別法の条文を掲げておくので、面倒がらずに条文に当たってみていただきたい。なお、この5つの設例は、次講以下でも繰り返し登場する。

1　鉄道運賃・料金の規制

【設例A】
(1)　鉄道会社と利用者との法律関係に関して、仮に私的自治の原則（契約自由の原則）を貫くとすると、鉄道運賃はどのようにして決まると考えられるか。
(2)　実際には、鉄道運賃（の上限）に関しては国土交通大臣の認可が必要とされている（鉄道事業法16条1項）。なぜだと考えられるか。
(3)　運賃ではなく料金（特急料金など）の規制については、どのような仕組みがとられているか、参照条文を見て、説明せよ。また、その理由も考えてみてほしい。
(4)　鉄道会社は、国土交通大臣の認可に不満がある（例：値上げの申請に対して認可が拒否された）場合、どのような手段をとることができるか。
(5)　鉄道利用者は、国土交通大臣の認可に不満がある（例：値上げの申請に対して認可がなされた）場合、どのような手段をとることができるか。
(6)　適正な運賃を確保するためには、行政が介入する以外の方法はありえな

いであろうか。一般論として、経済活動に対する行政の介入を安易に認めることに対しては、行政組織の肥大化や、行政と事業者との癒着を招くおそれがある等の批判がありうる。そこで、行政を登場させずに、適正な運賃を確保する仕組みはないか、考えてみてほしい。

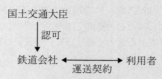

※ (4)および(5)は行政救済法の問題である。詳細は後に扱うので、ここでは問題の所在だけ知っておいてほしい。

◆鉄道事業法◆
（目的）
第1条　この法律は、鉄道事業等の運営を適正かつ合理的なものとすることにより、輸送の安全を確保し、鉄道等の利用者の利益を保護するとともに、鉄道事業等の健全な発達を図り、もって公共の福祉を増進することを目的とする。
（旅客の運賃及び料金）
第16条　鉄道運送事業者は、旅客の運賃及び国土交通省令で定める旅客の料金（以下「旅客運賃等」という。）の上限を定め、国土交通大臣の認可を受けなければならない。これを変更しようとするときも、同様とする。
2　国土交通大臣は、前項の認可をしようとするときは、能率的な経営の下における適正な原価に適正な利潤を加えたものを超えないものであるかどうかを審査して、これをしなければならない。
3　鉄道運送事業者は、第1項の認可を受けた旅客運賃等の上限の範囲内で旅客運賃等を定め、あらかじめ、その旨を国土交通大臣に届け出なければならない。これを変更しようとするときも、同様とする。
4　鉄道運送事業者は、特別車両料金その他の客車の特別な設備の利用についての料金その他の国土交通省令で定める旅客の料金を定めるときは、あらかじめ、その旨を国土交通大臣に届け出なければならない。これを変更しようとするときも、同様とする。
5　国土交通大臣は、第3項の旅客運賃等又は前項の旅客の料金が次の各号のいずれかに該当すると認めるときは、当該鉄道運送事業者に対し、期限を定めてその旅客運賃等又は旅客の料金を変更すべきことを命ずることができる。
　一　特定の旅客に対し不当な差別的取扱いをするものであるとき。
　二　他の鉄道運送事業者との間に不当な競争を引き起こすおそれがあるものであるとき。
（国土交通省令への委任）

第66条　この法律に定めるもののほか、この法律の実施のため必要な手続その他の事項は、国土交通省令で定める。

第70条　次の各号のいずれかに該当するときは、その行為を違反した者は、100万円以下の罰金に処する。
　一・二　略
　三　第16条第3項若しくは第4項……の規定による届出をしないで、又は届け出た運賃若しくは料金によらないで、運賃又は料金を収受したとき。
　四　第16条第5項の規定による命令に違反して、運賃又は料金を収受したとき。
　五〜十七　略

◆鉄道事業法施行規則（国土交通省令）◆
（旅客運賃等の上限の認可申請）
第32条　法第16条第1項の国土交通省令で定める旅客の料金は、特別急行料金……（……）であって、新幹線鉄道に係るものとする。
2　法第16条第1項の規定により旅客運賃等の上限の設定又は変更の認可を申請しようとする者は、次に掲げる事項を記載した運賃（料金）上限設定（変更）認可申請書を提出しなければならない。
　一　氏名又は名称及び住所
　二　設定し、又は変更しようとする旅客運賃等の上限を適用する路線
　三　設定し、又は変更しようとする旅客運賃等の上限の種類、額及び適用方法（変更の認可申請の場合には、新旧の対照を明示すること。）
　四　変更の認可申請の場合には、変更を必要とする理由
3　前項の申請書には、原価計算書その他の旅客運賃等の上限の額の算出の基礎を記載した書類を添付しなければならない。
4　略
（旅客の料金の届出）
第34条　法第16条第4項の特別車両料金その他の客車の特別な設備の利用についての料金その他の国土交通省令で定める旅客の料金は、次のとおりとする。
　一　特別車両料金、寝台料金その他の客車の特別な設備の利用についての料金
　二　特別急行料金等であって、第32条第1項に定めるもの以外のもの
　三　座席指定料金その他の座席の確保に係る料金
　四　略
2　略

（1）　設例A(1)(2)——契約自由の原則と行政規制の必要性

　私的自治の原則（契約自由の原則）からすれば、運送契約の内容たる運賃については、鉄道会社と利用者の交渉に委ねられるはずである。
　しかし、実際には、鉄道会社と個々の利用者が、利用のつど、運賃について交渉することは、お互いにとってコストがかかりすぎ、現実的ではない。

そこで、鉄道会社が**約款**で運賃について規定し、利用者はそれに納得すれば利用し（運送契約を締結し）、納得しなければ利用しないという形がとられる。この場合、利用者には、約款の内容を受け入れるか利用をやめるかの二者択一しかないことになる。

さらに、鉄道は地域独占性が高いため、利用しないという選択肢をとることは実際上困難である（利用者は約款の内容を受け入れざるをえない）場合が多いと考えられる。そこで、約款に定める運賃の上限を公益の代表者である行政機関がチェックして、**認可**するという仕組みがとられている（鉄道事業法16条1～2項）。

なお、この仕組みは、基本的には不当な値上げを防ぐためのものであるので、認可された上限の範囲内で、鉄道会社が運賃を定めることができる。ただし、定めた運賃を国土交通大臣に届け出なければならず（鉄道事業法16条3項）、一定の場合（特定の旅客に対し不当な差別的取扱いをするものであるとき、または、他の鉄道事業者との間に不当な競争を引き起こすおそれのあるものであるとき）には、国土交通大臣は運賃の変更命令ができる（同条5項）。

(2) 設例A(3)——**行政規制の多様な手法**

「運賃」ではなく「料金」（特急料金など）については、規制緩和が行われ、認可制ではなく**届出制**、すなわち、鉄道会社が料金を定め、国土交通大臣に届け出ることとされている（鉄道事業法16条4項）。ただし、一定の場合（上記の運賃の変更命令の場合と同様）には国土交通大臣は料金の変更命令ができる（同条5項）。

その理由は、特急料金等については、運賃に比べて、利用者に選択の余地がある（特急料金が高すぎる場合には、普通電車を利用することができる）ため、鉄道会社の創意工夫によって、多様なサービスの提供と料金設定がなされることに期待したものと考えられる。

ただし、新幹線の特急料金については、鉄道事業法16条1項・同法施行規則32条1項により、運賃と同様に、上限認可制がとられている。新幹線については上述のような考え方が妥当しないからだと思われる。なお、鉄道事業法16条1項で、「国土交通省令で定める旅客の料金」と規定し、それを受けて鉄道事業法施行規則（国土交通省令）で、「特別急行料金……であって、新幹線鉄道に係るもの」と定めているのは、**委任命令**といわれる立法上のテクニックである（詳しくは→153頁以下）。

このように、行政機関によるチェックには、許可や認可のように、事前に

チェックしてお墨付きを与えるという方法だけではなく、届出制によって、まずは行政機関に情報を集めておき、問題があれば事後的に改めさせるという方法もある（詳しくは→120頁）。規制緩和の流れの中で、後者の方法が増えてきている。色々なチェックの仕組みがありうることに注意してほしい。

(3)　設例A(4)——**行政救済法の仕組み**

鉄道運賃の認可は**行政処分**の一種であり、これに対しては行政上の不服申立（行審法に基づく。→第16講）および取消訴訟・義務付け訴訟（行訴法に基づく。→第17講）をすることができる。詳しくは行政救済法で扱う。

(4)　設例A(5)——**二面関係と三面関係**

【設例A】(4)と同様に不服申立ておよび取消訴訟が考えられるが、鉄道利用者は認可の直接の相手方ではないため、認可に対して不服申立てをする資格（**不服申立適格**）や取消訴訟を提起する資格（**原告適格**）が鉄道利用者に認められるかどうかが問題となる。

詳しくは後に扱うが（→344頁以下）、伝統的行政法理論は、行政による不当な介入から私人（設例では、鉄道会社）を保護するという**二面関係**を主として念頭に置いており、行政処分について利害関係を有する第三者（設例では、鉄道利用者）が行政に対して適切な権限行使を求めるという**三面関係**については、法制度および理論の構築が不十分であるという問題がある。

(5)　設例A(6)——**民事法・刑事法による解決と行政法による解決**

例えば、法律で、「運賃は能率的な経営の下における適正な原価に適正な利潤を加えたものを超えてはならない」と規定し、違反したら処罰することが考えられる（**刑事法による解決**）。しかし、このような規定では、超えてはならない金額が具体的に明らかではなく、構成要件の明確性が問題となる。したがって、この「直罰」方式は、明確な算定方法を法律に規定することができない限り、困難と考えられる。

もっとも、法律で（上限）運賃の額そのものを決めてしまえば、上記の問題は解決する。実際、運賃や料金が法律や条例で定められる例はある（旧国鉄の運賃、国営時代の郵便料金、公営水道の料金、等々）。しかし、民営鉄道の（上限）運賃について、金額そのものを法律で定めるというのは、営業の自由に対する過度の制約ではないか、また、実際問題として、経済情勢に応じた運賃改定の機動性を欠くことになるのではないかが問題となる。

それでは、法律で、「運賃は能率的な経営の下における適正な原価に適正な利潤を加えたものを超えてはならない」と規定したうえで、違反した場合には、利用者が鉄道会社に対して不当利得返還請求や約款の無効確認等の民

事訴訟を提起することを認めるというのはどうであろうか（**民事法による解決**）。これはありうる解決策であるが、違法な運賃によって利用者が受ける不利益は「薄く広い」ものであるのに対し、個々の利用者が訴訟を提起するのはコストがかかりすぎ、泣き寝入りしてしまうケースが多いのではないかという問題がある。

したがって、このような解決策をとるとしても、それと並んで、専門の知識と能力をもつ行政機関が、利用者の利益を代表して、チェックするという仕組み（**行政法による解決**）を維持する必要があるのではないか。その際、行政機関がきちんとチェックしているかどうかをチェックするための方策を考えるべきであろう。例えば、行政が利用者から意見聴取することを義務付ける、といった方法が考えられる。また、利用者に認可処分取消訴訟の原告適格を認めること（上述(4)参照）も必要と思われる。

2　自動車の運転免許制度

> 【設例B】
> (1)　自動車および原動機付自転車を運転しようとする者は、都道府県公安委員会の免許を受けなければならないとされており（道路交通法84条）、免許を受けないで運転した者は処罰される（同法117条の2の2第1号）。この制度の趣旨は何か（仮にこの制度がなかったとすると、どのような問題が生じうるか）。また、自転車については運転免許制度がとられていないのはなぜか。
> (2)　免許を受けた者が自動車等の運転に関し道路交通法（または同法に基づく政令・府令、同法に基づく処分）に違反したときは、公安委員会は、免許を取り消し、または効力を停止できるとされている（道路交通法103条1項5号）。なぜだと考えられるか。
> (3)　(2)で、免許の取消または90日以上の効力停止をしようとするときは、公安委員会は、「意見の聴取」をしなければならないとされている（同法104条）。なぜだと考えられるか。

◆道路交通法◆
（運転免許）
第84条　自動車及び原動機付自転車（以下「自動車等」という。）を運転しようとする者は、公安委員会の運転免許（以下「免許」という。）を受けなければならない。
　2〜5　略
（免許の申請等）
第89条　免許を受けようとする者は、その者の住所地（……）を管轄する公安委員会

に、内閣府令で定める様式の免許申請書（……）を提出し、かつ、当該公安委員会の行う運転免許試験を受けなければならない。
2・3　略
（免許の拒否等）
第90条　公安委員会は、前条第1項の運転免許試験に合格した者（……）に対し、免許を与えなければならない。（ただし書略）
　一〜七　略
2〜14　略
（免許の取消し、停止等）
第103条　免許（……）を受けた者が次の各号のいずれかに該当することとなったときは、……公安委員会は、政令で定める基準に従い、その者の免許を取り消し、又は6月を超えない範囲内で期間を定めて免許の効力を停止することができる。（ただし書略）
　一〜四　略
　五　自動車等の運転に関しこの法律若しくはこの法律に基づく命令の規定又はこの法律の規定に基づく処分に違反したとき（……）。
　六〜八　略
2〜10　略
（意見の聴取）
第104条　公安委員会は、第103条第1項第5号の規定により免許を取り消し、若しくは免許の効力を90日（……）以上停止しようとするとき、……公開による意見の聴取を行わなければならない。この場合において、公安委員会は、意見の聴取の期日の1週間前までに、当該処分に係る者に対し、処分をしようとする理由並びに意見の聴取の期日及び場所を通知し、かつ、意見の聴取の期日及び場所を公示しなければならない。
2　意見の聴取に際しては、当該処分に係る者又はその代理人は、当該事案について意見を述べ、かつ、有利な証拠を提出することができる。
3〜5　略
（行政手続法の適用除外）
第113条の2　……第103条第1項……の規定による免許の取消し及び効力の停止……については、行政手続法第3章（第12条及び第14条を除く。）の規定は、適用しない。
第117条の2の2　次の各号のいずれかに該当する者は、3年以下の懲役又は50万円以下の罰金に処する。
　一　法令の規定による運転の免許を受けている者（……）でなければ運転し、又は操縦することができないこととされている車両等を当該免許を受けないで（法令の規定により当該免許の効力が停止されている場合を含む。）……（……）運転した者
　二〜九　略
2　略

(1) 設例B(1)——事前規制たる行政法の特色（民事法・刑事法との比較）

自動車の運転によって事故を起こせば、損害賠償という**民事責任**や、「自動車の運転により人を死傷させる行為等の処罰に関する法律」による**刑事責任**を問われることから、仮に運転免許制度がなくても、運転に習熟していない者が公道を運転するおそれはない、という考え方もありうる。

しかし、世の中には慎重な性格の人もいれば楽観的な人もいるので、自分だけは大丈夫と考えて、軽率に運転する人が出てこないとも限らない。そして、ひとたび死亡事故が起きれば、たとえ後から損害賠償や処罰がなされても、死亡した被害者は二度と戻ってこない。自動車の危険性に鑑みると、やはり行政が事前にチェックする仕組みは必要と考えられる。

このように、自動車の運転免許は、民事法および刑事法による事後的な対応のみでは不十分であるとして、**行政**による**事前チェック**の仕組みがとられている典型例ということができる（阿部・解釈学Ⅰ4頁参照）。

これに対し、自転車については、自動車や原動機付自転車ほど危険ではないため、法的には民事責任や刑事責任に委ねられており、免許という事前チェックの仕組みはとられていない。

(2) 設例B(2)——行政処分の撤回

免許の取消しは、行政法の学問上の用語では「**行政処分の撤回**」に当たる（→47頁）。その機能ないし目的については、義務違反に対する制裁であるという考え方（芝池・総論講義177頁）と、（義務違反に対して非難し、懲らしめるという意味での）制裁ではなく、義務違反者を当該免許制から排除する（あるいは、排除するという制度を備えて、義務違反を抑止し、適法性を確保して秩序維持に奉仕する）ものであるという考え方（塩野・行政法Ⅰ195頁注(2)、小早川・行政法上245頁。なお、宇賀・概説Ⅰ310頁も参照）がある。

(3) 設例B(3)——行政手続

伝統的な行政法では、違法な行政処分が行われてしまった場合、事後的に訴訟によって正せば足りると考えられていた。しかし、事後的な裁判による救済のみでは実際上限界があるので、むしろ、違法な行政活動がなされないように、さらには、より望ましい行政活動がなされるように、あらかじめ行政活動を行う際の手順を法律で定めておくべきであるという考え方が強くなった。これが**行政手続**という考え方である。

免許の取消し・停止の際の「意見の聴取」は、行政手続の例である。行政

手続に関する一般法として行手法があるが、道路交通法104条はその特則を定めるものであり、同法113条の2が行手法の一部適用除外を規定しているのは、そのためである（→第7講【設問2】〔115頁〕参照）。

●コラム● 条文の構造と引用方法

　行政法の問題を論ずる際には（もちろん他の法律分野においても同様）、出発点として条文を正確に引用することが重要である。その際の注意点を以下に述べる。

　1　1つの条を内容に従って区分する必要がある場合に、行を改めて書き始められた段落のことを「項」という。通常、第2項以下には項番号が付される。なお、判決文や文献等で条文を引用する際には、「第」は省略するのが一般的なので、例えば【設例B】の道路交通法第84条の冒頭の条文は、「道路交通法84条1項」となる。

　2　条または項の中でいくつかの事項を列記する必要がある場合に、「一、二、三……」と番号を付けて列記したものを「号」という。「項」と異なり、「号」は単独の条文ではなく、条文の一部を構成するものである。【設例B】の道路交通法103条1項5号がその例である。なお、各号に列記されたものを除いた部分（例：道路交通法103条1項冒頭の「免許……できる。〔ただし書略〕」の部分）を「柱書」という。

　3　法改正の際に既存の法律に新しい条を挿入する方式として、既存の条の繰下げによってそれを引用している法律の改正が必要になるのを避けるため、**枝番号**が用いられることがある。例えば、【設例B】の道路交通法113条の2は、法改正の際に同法113条と114条の間に挿入されたものである。枝番号は「の2」から始まり、「の1」は使用されない。ここで注意すべきことは、113条の2は、本来114条となるべきものが、既に114条があるために枝番号を付されたものであって、113条とは別の、独立した条文であるということである。仮に113条に複数の項があった場合に、「113条2項」と「113条の2」を混同しないように注意してほしい。なお、仮に113条の2に複数の項がある場合は、1で述べた「第」を省略するという原則の例外として、「113条の2第2項」のように表記する。

　4　【設例B】の道路交通法117条の2の2のように、枝番号が2つ付される場合もある。この条は、117条の2と117条の3の間に挿入されたことによって生じたものである。この場合も、117条の2の2は、117条や117条の2とは別の、独立した条文であることに注意が必要である。

3　建築物の規制

【設例C】
(1)　建築物の建築は、財産権（憲法29条）の行使として自由に行えるようにも思われるが、一定の建築物の建築をしようとする場合には、建築確認を受けることが義務付けられており（建築基準法6条1項）、違反すると処罰される（同法99条1項1号）。この制度の趣旨は何か（仮にこの制度がなかったとすると、どのような問題が生じうるか）。
(2)　特定行政庁（建築基準法2条35号参照）は、建築基準法令に違反した建

築物（例えば、構造耐力の基準〔同法20条〕を満たさない建築物）については、建築主等に対して、除却等の是正措置を命ずることができ（同法9条1項）、これに違反した者は処罰される（同法98条1項1号）。この制度の趣旨は何か。

(3) 特定行政庁は、(2)の命令をしようとする場合には、あらかじめ、相手方に対して、意見書および自己に有利な証拠を提出する機会を与えなければならず（建築基準法9条2項）、相手方から請求があった場合は、公開による「意見の聴取」を行わなければならないとされている（同法9条3項・4項）。なぜだと考えられるか。

(4) 特定行政庁は、(2)の命令をした場合に、相手方が命じられた措置（除却等）を履行しないとき等には、行政代執行法の定めに従い、自ら義務者のなすべき行為をし、または第三者にこれをさせることができるとされている（建築基準法9条12項）。例えば、構造耐力の不十分な建築物の建築主Xに対して、特定行政庁Yが建築基準法9条1項に基づいて当該建築物の除却を命じ、Xがこれを履行しないときは、Yは自ら当該建築物を除却することができる。

この仕組みは、例えばXの隣人Zが、当該建築物によって危険にさらされているとして、人格権に基づいてXに当該建築物の除却を求める場合と比較して、義務履行強制の手段としてどのような特徴があるか。

また、そのような仕組みが定められているのは、なぜだと考えられるか。

①除却命令（行政処分）
②行政代執行（自力救済禁止の例外）

X ← 隣人Z
〔1〕除却要求（私人間の申入れ）
〔2〕民事訴訟（自力救済禁止の原則）

◆**建築基準法**◆
（目的）
第1条　この法律は、建築物の敷地、構造、設備及び用途に関する最低の基準を定めて、国民の生命、健康及び財産の保護を図り、もって公共の福祉の増進に資することを目的とする。
（用語の定義）
第2条　この法律において次の各号に掲げる用語の意義は、それぞれ当該各号に定めるところによる。
　一〜三十四　略
　三十五　特定行政庁　建築主事を置く市町村の区域については当該市町村の長をい

い、その他の市町村の区域については都道府県知事をいう。（ただし書略）
（建築物の建築等に関する申請及び確認）
第6条　建築主は、……建築物を建築しようとする場合においては、当該工事に着手する前に、その計画が建築基準関係規定（この法律並びにこれに基づく命令及び条例の規定（以下「建築基準法令の規定」という。）その他建築物の敷地、構造又は建築設備に関する法律並びにこれに基づく命令及び条例の規定で政令で定めるものをいう。以下同じ。）に適合するものであることについて、確認の申請書を提出して建築主事の確認を受け、確認済証の交付を受けなければならない。（以下略）
　一～四　略
2・3　略
4　建築主事は、第1項の申請書を受理した場合においては、……その受理した日から35日以内に……、申請に係る建築物の計画が建築基準関係規定に適合するかどうかを審査し、審査の結果に基づいて建築基準関係規定に適合することを確認したときは、当該申請者に確認済証を交付しなければならない。
5・6　略
7　建築主事は、第4項の場合において、申請に係る建築物の計画が建築基準関係規定に適合しないことを認めたとき……は、その旨及びその理由を記載した通知書を同項の期間（……）内に当該申請者に交付しなければならない。
8　第1項の確認済証の交付を受けた後でなければ、同項の建築物の建築、大規模の修繕又は大規模の模様替の工事は、することができない。
9　略
（違反建築物に対する措置）
第9条　特定行政庁は、建築基準法令の規定……に違反した建築物……については、当該建築物の建築主……又は……所有者……に対して、……当該建築物の除却、移転、改築……、修繕……その他……違反を是正するために必要な措置をとることを命ずることができる。
2　特定行政庁は、前項の措置を命じようとする場合においては、あらかじめ、その措置を命じようとする者に対して、その命じようとする措置及びその事由並びに意見書の提出先及び提出期限を記載した通知書を交付して、その措置を命じようとする者又はその代理人に意見書及び自己に有利な証拠を提出する機会を与えなければならない。
3　前項の通知書の交付を受けた者は、その交付を受けた日から3日以内に、特定行政庁に対して、意見書の提出に代えて公開による意見の聴取を行うことを請求することができる。
4　特定行政庁は、前項の規定による意見の聴取の請求があった場合においては、第1項の措置を命じようとする者又はその代理人の出頭を求めて、公開による意見の聴取を行わなければならない。
5　略
6　第4項に規定する者は、意見の聴取に際して、証人を出席させ、かつ、自己に有利な証拠を提出することができる。

7～11　略
12　特定行政庁は、第1項の規定により必要な措置を命じた場合において、その措置を命ぜられた者がその措置を履行しないとき、履行しても十分でないとき、又は履行しても同項の期限までに完了する見込みがないときは、行政代執行法（……）の定めるところに従い、みずから義務者のなすべき行為をし、又は第三者をしてこれをさせることができる。
13・14　略
15　第1項……の規定による命令については、行政手続法（……）第3章（第12条及び第14条を除く。）の規定は、適用しない。
（構造耐力）
第20条　建築物は、……地震その他の震動及び衝撃に対して安全な構造のものとして、次の各号に掲げる建築物の区分に応じ、それぞれ当該各号に定める基準に適合するものでなければならない。
　　一～四　略
2　略
第98条　次の各号のいずれかに該当する者は、3年以下の懲役又は300万円以下の罰金に処する。
　　一　第9条第1項……の規定による特定行政庁……の命令に違反した者
　　二～五　略
2　略
第99条　次の各号のいずれかに該当する者は、1年以下の懲役又は100万円以下の罰金に処する。
　　一　第6条第1項……の規定に違反した者
　　二　第6条第8項……の規定に違反した場合における当該建築物、工作物又は建築設備の工事施工者
　　三～十六　略
2　略

(1)　設例C(1)——事前規制たる行政法の特色

　自分の所有する土地に自分の資金でどのようなものを建築しても自由であるとも考えられるが、例えば、地震で容易に倒壊するおそれのある建築物が建てられると、周辺住民等の生命や財産が危険にさらされる。そこで、建築基準法は、国民の生命、健康および財産の保護を図るため、建築物に関する最低限の基準を定めている（同法1条）。

　そして、基準を満たさない建築物が建てられた後に、行政庁の命令や周辺住民による訴訟等によって是正させるのでは、周辺住民等の保護として不十分である（是正する前に大地震が来るかもしれない）。また、一度建築したものを除却等させるのは、社会的な損失でもある。そこで、違法な建築物の

出現を未然に防止するため、工事着手前に、建築計画が建築基準関係規定に適合するものであることについて確認を受けなければならないとされている（同法6条）。これが**建築確認**制度である。【設例B】の自動車の運転免許制度と同様に、事後的な対応では不十分であるとして、行政による事前チェックの仕組みがとられている例である。

(2) 設例C(2)——事前規制と事後規制

【設例C】(1)のような事前規制の仕組みがあっても、建築確認を受けないまま建築がされたり、建築確認を受けた計画どおりでない建築物が建築されたり（建築確認は建築計画についての確認であって、建築物を確認するわけではない）する可能性がある（また、本問では条文の掲載を省略したが、一定の小規模な建築物等は、建築確認を受けなくても建築できる）。そこで、建築基準法令に違反した建築物については、建築主等に対して、除却等の是正措置を命ずることができるとされている（建築基準法9条1項）。建築基準法は、建築のプロセスに応じて、各段階でチェックの仕組みを設けており（→357頁の図を参照）、**違反是正命令**は、事前規制では対応しきれない法令違反について、事後規制によって是正させるものである。

(3) 設例C(3)——行政手続

これは、【設例B】(3)と同じく、行政手続の例である。行政手続に関する一般法として行手法があるが、建築基準法9条3項～10項はその特則を定めるものであり、同条15項が行手法の一部適用除外を規定しているのは、そのためである（→第7講【設問2】〔→115頁〕参照）。

(4) 設例C(4)——行政上の強制執行（自力救済禁止の例外）

建築基準法9条12項は、行政代執行の仕組みを規定しており、これは、行政上の強制執行の一種である。行政上の強制執行とは、義務者が行政上の義務を履行しないときに、行政主体が自らの手で義務履行の実現を図る制度である。私人間においては「自力救済禁止の原則」があるため、例えば【設例C】(4)において、Zによる当該建築物の除却の求めにXが応じない場合に、Zが当該建築物を自ら除却することは認められず、訴訟を提起する必要がある。これに対し、Yによる建築基準法9条1項に基づく除却命令をXが履行しないときは、Yは裁判所の力を借りずに、自ら当該建築物を除却することができる。このように、行政上の強制執行は、私人間における「自力救済禁止の原則」の例外を成すものである。行政上の義務は、公益に関わるため、円滑に履行を確保する必要があること、および、行政機関は、私人とは異なり、国家機関として法の執行を担うものであることから、法律により、この

ような手段が認められている（→第14講１参照）。

4　生活保護：給付行政の例
――憲法上の権利の実現、法律上の制度

> 【設例D】
> 　国民の自由に対する行政の作用の仕方という観点から見た場合、生活保護法に基づく生活保護行政には、鉄道運賃の認可（【設例A】〔10頁〕）、運転免許（【設例B】〔15頁〕）および建築物の規制（【設例C】〔18頁〕）と比べて、どのような特徴があるか。

◆生活保護法◆
（この法律の目的）
第１条　この法律は、日本国憲法第25条に規定する理念に基き、国が生活に困窮するすべての国民に対し、その困窮の程度に応じ、必要な保護を行い、その最低限度の生活を保障するとともに、その自立を助長することを目的とする。
（最低生活）
第３条　この法律により保障される最低限度の生活は、健康で文化的な生活水準を維持することができるものでなければならない。
（保護の補足性）
第４条　保護は、生活に困窮する者が、その利用し得る資産、能力その他あらゆるものを、その最低限度の生活の維持のために活用することを要件として行われる。
２・３　略
（申請保護の原則）
第７条　保護は、要保護者、その扶養義務者又はその他の同居の親族の申請に基いて開始するものとする。但し、要保護者が急迫した状況にあるときは、保護の申請がなくても、必要な保護を行うことができる。
（基準及び程度の原則）
第８条　保護は、厚生労働大臣の定める基準により測定した要保護者の需要を基とし、そのうち、その者の金銭又は物品で満たすことのできない不足分を補う程度において行うものとする。
２　前項の基準は、要保護者の年齢別、性別、世帯構成別、所在地域別その他保護の種類に応じて必要な事情を考慮した最低限度の生活の需要を満たすに十分なものであって、且つ、これをこえないものでなければならない。
（実施機関）
第19条　都道府県知事、市長及び社会福祉法（……）に規定する福祉に関する事務所（以下「福祉事務所」という。）を管理する町村長は、次に掲げる者に対して、この法律の定めるところにより、保護を決定し、かつ、実施しなければならない。
　一　その管理に属する福祉事務所の所管区域内に居住地を有する要保護者
　二　居住地がないか、又は明らかでない要保護者であって、その管理に属する福祉

事務所の所管区域内に現在地を有するもの
２・３　略
４　前３項の規定により保護を行うべき者（以下「保護の実施機関」という。）は、保護の決定及び実施に関する事務の全部又は一部を、その管理に属する行政庁に限り、委任することができる。
５〜７　略
（申請による保護の開始及び変更）
第24条　保護の開始を申請する者は、厚生労働省令で定めるところにより、次に掲げる事項を記載した申請書を保護の実施機関に提出しなければならない。ただし、当該申請書を作成することができない特別の事情があるときは、この限りでない。
　　一　要保護者の氏名及び住所又は居所
　　二　略
　　三　保護を受けようとする理由
　　四　要保護者の資産及び収入の状況（生業若しくは就労又は求職活動の状況、扶養義務者の扶養の状況及び他の法律に定める扶助の状況を含む。以下同じ。）
　　五　略
２　略
３　保護の実施機関は、保護の開始の申請があったときは、保護の要否、種類、程度及び方法を決定し、申請者に対して書面をもって、これを通知しなければならない。
４〜10　略
（職権による保護の開始及び変更）
第25条　保護の実施機関は、要保護者が急迫した状況にあるときは、すみやかに、職権をもって保護の種類、程度及び方法を決定し、保護を開始しなければならない。
２・３　略

　【設例Ａ】から【設例Ｃ】までは、契約の締結、自動車の運転、建築といった私人の権利・自由を、行政機関が制限することによって、不当な値上げ、交通事故、建築物の倒壊等の望ましくない事態が起こるのをあらかじめ防ごうとするものである。このように、私人の権利・自由を制限することを通じてその目的を達成する行政活動を**規制行政**という。

　これに対し、【設例Ｄ】は、私人に対して金銭、物品、サービス等を給付するもので、**給付行政**の一種である。道路、市民会館、学校等の施設を提供するのも給付行政に当たる。

　もともと行政法の課題は、行政による不当な介入から国民を守るため、行政活動を法によって縛るところにあったので、規制行政が考察対象として重視された。これに対し、給付行政においては、国民は行政からお金やサービスをもらえるのであるから、ありがたい話であって、法によって縛る必要性はあまり感じられなかったと思われる。

しかし、現代の福祉国家の下で給付行政の役割が増大すると、税金の使い道に関することなのだから、行政機関の自由に委ねるべきではないのでないか、また、給付に不公平があれば、異議を唱える権利を認めるべきではないか、さらに、民間ではなく行政がサービスを提供することが本当に必要なのか、等々の問題意識が出てくる。現代行政法においては、給付行政は規制行政と並ぶ重要な関心分野である。給付行政にも様々なものがあるが、【設例D】の生活保護は、生存権という憲法上の権利を実現するために（→基本憲法Ⅰ267頁以下）、法律に基づいて行われるものであり、法律による規律や保護を受ける人の権利保障等が強く要請されると考えられる。今後、具体的な問題を学んでいく。

5　環境保護のための補助金：給付行政の例
　　——政策目標の実現、法律に基づかない制度

> 【設例E】
> 　住宅への太陽光発電設備の設置について、国および多くの地方公共団体が、設置費用の一部を補助している。このような個人の資産となる設備への公金の投入は、いかなる理由で正当化されるか。
> 　また、特定の設備の設置に対して国や地方公共団体が補助することは、個人のライフスタイルの選択やメーカーの生産活動に対する介入となり、自由主義・私的自治の原則に反しないか。

　これも給付行政の例であるが、【設例D】の生活保護のように、憲法上の権利を実現するために法律に基づいて行われているものではなく、政策目標（本設例では、環境保護のための太陽光発電設備の普及促進）を実現するために、必ずしも法律に基づかずに行われている行政活動の例である。

　このように、給付行政の分野では、必ずしも法律に基づかずに、行政機関が自ら政策目標を設定し、実現のための施策を行うことがよくある。環境保護のような場合を考えると、このような行政活動は必要であると考えられるが、設例の問いにあるような問題意識からは、これを完全に行政機関の自由に委ねるのではなく、何らかの法的コントロールを及ぼすべきではないかが問題となる。

6 まとめ

(1) 行政の仕組みの特徴——民事法・刑事法との比較

【設例A】～【設例E】で、行政活動の具体例を見てきたが、これらに共通するのは、公共料金の適正確保、交通事故の防止、建築物の安全性の確保、健康で文化的な最低限度の生活保障、太陽光発電の普及促進、等々の課題について、個々人の問題として放置するのではなく、社会全体の問題として（すなわち、私的な問題にとどまらない公的な問題として）捉え、国家機関が**公共の福祉**ないし**公益**の観点から管理するという点である（小早川・行政法上7頁参照）。

もっとも、民事法や刑事法の仕組みも、私人間の法的紛争の解決や犯罪の捜査・処罰について、当事者や被害者の私的な問題にとどまらない公的な問題として捉え、国家機関（裁判所や警察・検察）が管理するという意味で、行政の仕組みと共通しているともいえる。

しかし、行政の仕組みにおいては、①法的紛争や犯罪が起きてから事後的に対応するのではなく、公益に反する事態が生ずるのを防ぐために、**あらかじめ国家機関が介入する**点に特徴がある（→【設例A】～【設例C】の解説）。また、②訴訟手続ではなく**簡易な手続**（【設例B】(3)や【設例C】(3)の「意見の聴取」は、その一例である）によって事案が処理される点で、民事法・刑事法の仕組みとは区別される（小早川・行政法上13頁）。

このように、**公益に関わる様々な事柄について、第一次的には行政機関が法に照らして簡易な手続で判断・決定し、それに対して不服がある者が訴訟で争う**というのが、行政の基本的な仕組みである（→143頁のコラム「『行政法劇場』における『第1幕（行為規範）』と『第2幕（裁判規範）』」も参照）。

(2) 近代行政法の基本構造——国家と市民社会の二元論

上記のような行政活動について、法との関係を探究するのが行政法の課題である。

その際、前提とされる基本的な枠組みは、「国家と市民社会の二元論」である。すなわち、近代国家の成立によって、一方で、公的な仕事は国家に独占されるようになり、他方で、それ以外の事柄については、市民社会における個人の自由な意思に委ねられるようになる（「**中間団体の排除**」と「**私的自治**」。小早川・行政法上8～9頁）。

行政法学の中心課題は、そのような枠組みを前提にして、行政主体たる国

家と私人との関係を法的に構成し、行政作用に対する法的コントロールを及ぼすことにある。

なお、上記の「私人」は、公の活動を行う「国家」と対置され、自己固有の生活を営む個人および団体を指す行政法学上の用語であって、法令用語ではない。これに近い意味の法令用語としては、「国民」が用いられることが多い。これは、必ずしも「日本国籍を有する者」に限定されるわけではない（それぞれの法令の趣旨による）。「市民」の語を用いる行政法教科書もある。また、行政法規には経済活動の規制に関わるものも多いが、そこでは、事業活動を行う個人や団体（【設例A】の鉄道会社など）も「私人」に含まれる。そのような意味の法令用語としては、「事業者」が用いられる。

他方、行政主体である国家には、国とは独立の主体である**地方公共団体**も含まれる（憲法92条以下参照）。国と地方公共団体との関係（さらには、それぞれに属する行政機関の相互関係）も、行政法上の重要なテーマである（→下図の「横の関係」。77頁以下）。しかし、伝統的な行政法学の主な関心は、そのような国家内部の関係ではなく、**国家が（国家の外部にいる）私人に対して及ぼす行政作用**（→下図の「縦の関係」）を、**法的にコントロール**することにある。

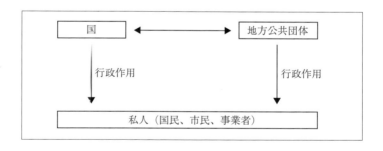

(3) 現代行政法の課題——給付行政の増大と三面関係への対処

行政活動には、私人の権利自由の制限を伴うもの（**規制行政**、【設例A】〜【設例C】）のみならず、私人に財貨・役務等を提供するもの（**給付行政**、【設例D】・【設例E】）もある。現代行政においては、後者が重要性を増してきている（上下水道、病院、学校、社会保障給付など）。

また、直接の名宛人（行政活動の相手方）との関係では規制的行政活動であっても、名宛人と一定の関係に立つ第三者にとっては、利益を与える行政活動である場合もある。例えば、【設例A】において、国土交通大臣が値上

げを認可することは、鉄道会社には利益を及ぼすが、利用者には不利益となる。すなわち、この場合、認可は**二重効果**をもつ。

このように、行政主体と名宛人との単純な**二面関係**ではなく、行政主体、名宛人、利害関係を有する第三者の**三面関係**が問題になるのが、現代行政法の特質である。

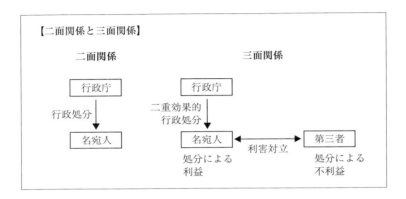

7 補論――行政の定義と公法私法二元論

(1)「行政」の定義

本講では、行政の存在理由や（民事法・刑事法と比べた場合の）特徴について説明したが、これとは別に、「行政」をどう定義すべきかという問題がある。これについては、何らかの積極的な定義を試みる**積極説**と、積極的な定義を断念し、**すべての国家作用から立法と司法を除いたものが行政であるとする消極説（控除説）**との対立がある。後者が通説とされている。

もっとも、この問題は、行政法上の問題解決に直接影響してくるわけではない。特に、現在の通説である消極説（控除説）をとる場合、それによって行政法の範囲が画されたり、行政法の特色が明らかになったりするわけではない。むしろ、本講の設例で見てきたように、行政活動がどのような機能を果たしており、いかなる理由で正当化されるのかを考える方が、行政法規を解読したり、今後に向けて構想したりするうえで重要である。

(2) 公法私法二元論

行政法の講義の冒頭でよく扱われる、もう1つの問題として、**公法私法二元論**がある。これは、ある法律関係が公法関係・私法関係のいずれに当たるかを判断し、それが公法関係とされた場合には、法律の明文がなくても、私

法関係とは異なった特別の取扱い（民法を適用しない等）を認めるという考え方である。

　これは、行政法のアイデンティティ（いわば、行政法の「自分探し」）に関わる問題である。「行政法」という名の法典をもたない行政法学にとって、「行政法（の独自性）とは何か」「行政法は（どのような意味で）存在するか」という問題は、避けて通れないテーマである。「行政法とは、行政に固有な法の体系である」と言ったとして、ではそこにいう「行政」とは何かが問題となる。そして、行政を控除説のように消極的にしか定義できないとすると、「行政に固有な法の体系」というだけでは行政法の独自性を十分に明らかにできないので、伝統的な通説は、「行政法とは、行政に関する国内公法である」としていた。

　これに対して、公法と私法との区別を当然の前提とし、明確な法律の根拠なく、ある法律関係が性質上公法関係に属することを理由に私法の適用を排除するのはおかしいとして、戦後の行政法学は、一貫して批判してきた。この点については、現在では共通の理解となっている。

　　＊　関連する判例として、自作農創設特別措置法に基づく農地買収処分について民法177条の適用を否定した最大判昭和28年2月18日民集7巻2号157頁、租税滞納処分により国が土地を差し押さえた事例につき民法177条の適用を肯定した最判昭和35年3月31日民集14巻4号663頁（基判35頁、百選Ⅰ9）、国の安全配慮義務違反を理由とする、被害者の国に対する損害賠償請求権について、消滅時効期間を会計法30条所定の5年と解すべきではなく、民法167条1項（平成29年改正前）により10年と解すべきであるとした最判昭和50年2月25日民集29巻2号143頁（基判41頁、百選Ⅰ22）等がある。これらの判例については、必ずしも公法私法二元論を前提とするものではなく、それぞれの法的仕組みの趣旨を解釈したものと理解することが可能であるとの指摘がなされている（塩野・行政法Ⅰ30頁以下）。

　　　なお、同一事項について矛盾するように見える民法の規定と行政法令との適用関係が問題になった判例として、接境建築に関する最判平成元年9月19日民集43巻8号955頁（基判34頁、百選Ⅰ8）がある。すなわち、民法234条1項は、建物を築造するには境界線から50cm以上の距離を保つべき旨を定めているのに対し、建築基準法65条は、防火地域等にある建築物で外壁が耐火構造のものについては外壁を隣地境界線に接して設けることができる旨を定めているが、最高裁は、建築基準法65条は民法234条1項の特則であるとして、建築基準法65条所定の建築物に限り、民法234条1項の適用が排除されるとした。

　しかし、そこから先、では行政法とは何かについては、様々な考え方があ

り、行政法の「自分探し」は、なお続いている。これについては、「生きるとは何か」を考えること自体が生きていくうえでの大きなテーマであるのと同じように、「行政法とは何か」を考えること自体が行政法学の大きなテーマなので、行政法の勉強をしながら、徐々に考えていけばよいと思う。

　なお、公法私法二元論を肯定するかどうかとは別に、「公法」「私法」という語自体は、様々な法を分類し、その特徴を説明するうえで便利なので、よく使われる。例えば、法科大学院のカリキュラムや司法試験の試験科目では、憲法および行政法を総称して、「公法系科目」と呼んでいる（司法試験法3条2項1号参照）。ここで「公法」とは、「国家と国民との関係を規律する法」という意味で用いられているものと思われる。もっとも、刑法や刑事訴訟法も、国家刑罰権の行使を規律する法という意味で、国家と国民との関係を規律する法といえるので、「公法」に分類されることがあるが、一般的には、「公法」とは別の「刑事法」に分類される。つまり、**公法**、**民事法（私法）**、**刑事法**が「法の3大分野」ということになる。

第 2 講　行政と法律との関係
　　　　──法律による行政の原理

◆学習のポイント◆
1　憲法・法律・命令（政令・省令等）を体系的に位置づけたうえで、法令の「要件・効果規定」に着目し、事案に当てはめるのが基本である。法律と条例との関係については、地方自治の本旨に照らした考慮が必要である。
2　法律の留保について、実務のとる侵害留保説の意味と問題点を理解する。その前提として、組織規範・規制規範・根拠規範の区別に注意する。
3　公表と法律の根拠の要否について、情報提供目的か制裁目的かに分けて理解する。
4　行政処分の取消しと撤回について、その意味、法律の根拠の要否、取消権・撤回権の制限を理解する。

1　制定法のピラミッドと行政法の解釈

(1)　制定法のピラミッド

　序章で述べたように、今日、行政に関する膨大な数の法律、政令・省令、条例・規則等が制定されている。これらを読み解くためには、これらを規範のピラミッドの中に位置づけて、その相互関係を理解する必要がある。
　まず、**憲法**は国の最高法規であり、憲法に違反する法律その他の法規範・行為は無効である（憲法98条1項）。
　次に、国会は国の唯一の立法機関であるが（憲法41条）、**法律の委任**（「政令で定めるところにより……」等の規定）があれば、内閣が**政令**（「〇〇法施行令」等の名称が用いられる）の形式で立法を行うことが可能であると解されている（憲法73条6号参照）。また、各省大臣が発する**省令**（「〇〇法施行規則」等の名称が用いられる）についても、法律（または法律の委任を受

けた政令）の委任の範囲内で制定可能である。このように、行政機関が行う立法の形式を**命令**という（行手法2条8号イ参照）。なお、これは、特定の誰かに対して何かを命ずるという意味の命令（例えば、第1講【設例C】(2)〔→18頁〕の違法建築物の是正命令）とは異なるので、注意が必要である。学問上の用語としては、行政機関が行う立法という意味で、**行政立法**という（→第9講）。

この場合、法律の委任の範囲を超える命令は無効である。その反面、法律の委任の範囲内にある限り、行政機関が命令によって法規（国民の権利義務に関する一般的・抽象的な定め）の定立を行うことができる（**法規命令**）。このように、**法律と命令とが一体となって法的効果を生じる**のであり、法律と命令とを合わせて**法令**という。

これらの規範の解釈にあたっては、規範のピラミッドのうち、**どのレベル（憲法か、法律か、政令・省令等か）で、何が決められているか（その反面として、何が決められていないか）**に着目することが重要である。その際、下位の規範が、上位の規範をどのように具体化しているか、また、上位の規範に反しないかに注意する必要がある。そのうえで、そのようにして整合的に解釈された法令と個別の行政活動との関係（これも上下関係である）を考察する（次頁の図参照）。

なお、このような上下関係において、上のレベルで決められていない事柄については、下のレベルで自由な判断の余地が認められうる。これが**裁量**の問題である（→第8講）。

(2) 憲法学と行政法学の着眼点の違い

規範のピラミッドのうち、憲法学においては、主に、憲法と法律との関係（法律が憲法に違反していないか）に着目するのに対し、行政法学においては、主に、法律と行政活動との関係（行政活動が法律に違反していないか）に着目する。

もちろん、行政法の考察においても、問題となっている法律が憲法に違反していないことが前提であり、また、法律は憲法の趣旨を踏まえて解釈されなければならない。その点は常に意識しておく必要がある。

ただ、憲法の規定内容は、国の最高法規という性質上、抽象的なものにとどまっている場合が多く、憲法の理念を具体的にどのような方法・仕組みによって実現するか、人権相互の対立を具体的にどのような形で調整するか、といった問題は、法律に委ねられていることが多い。したがって、憲法の規定の解釈・適用だけで具体的な法的紛争を解決できることは稀である。

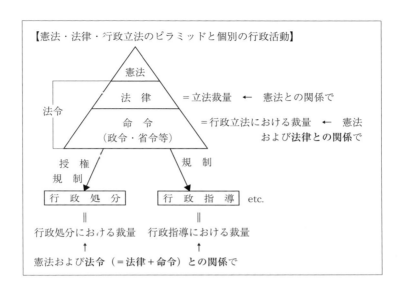

　行政法を学び始めたばかりの学生の中には、具体的な行政紛争（例：産業廃棄物処理施設の設置許可を周辺住民が争う）の解決を考える際に、個別法（例：廃棄物処理法）の仕組みをよく見ずに（あるいは、自信がないのであえて無視して）、憲法論（例：事業者の営業の自由と周辺住民の環境権との調整）だけで問題を処理しようとする人がいる。しかし、まさにそのような**人権相互の調整を具体的なレベルで行っているのが個別法なのであり、行政法においては、そのような個別法を**（それが憲法違反でない限り、かつ、憲法に適合するような方法で）**解釈・適用して、具体的な紛争を解決することが求められる**。なじみのない法律なので避けたくなる気持ちもわかるが、そのような個別法の解釈をできるようになることが行政法学習の目標であり、また、基本的な仕組みが理解されていれば、細部まで完璧な解釈が求められるわけではないので、恐れることなく挑んでほしい。

(3)　行政法令の構造——要件効果規定への着目

　個別法の仕組みを分析する際には、行政法令の基本的な構造を踏まえる必要がある。【設例A】（→10頁）で見た鉄道運賃の認可制度を例に、これを図示すると、次のとおりである。

```
法令（鉄道事業法16条）
┌─────────────────────────────────────────────────┐
│     行政処分の要件（基準）       ⇒  効果＝行うべき行政処分の内容    │
│  （適正原価＋適正利潤を超えないこと）      （上限運賃変更の認可）        │
└─────────────────────────────────────────────────┘
              │ 授権・規制
              ↓
        行政機関（国土交通大臣）
         要件効果規定を事案に当てはめ、
         行政処分（上限運賃変更の認可）を行う

        私　人 ←利害対立→ 私　人
       （鉄道会社）        （鉄道利用者）
  法的効果（上限運賃の変更）の発生
```

　行政法令の特徴は、民事法のように私人間の法律関係を直接規律するのではなく、行政機関の行政活動（私人間の利害調整等に関わるが、単純な２者間の利害対立にとどまらず、特定または不特定の多数者の利益を考慮すべき場合が多い）を規律するという点にある。その際、行政法令における行政活動の根拠規定は、基本的に、「**一定の要件（基準）を満たす場合に**」「**行政機関は一定の行政活動をする（ことができる）**」という**要件効果規定**の形になっている。これを行政機関が事案に適用（例：申請された運賃が「適正原価＋適正利潤」を超えていないかを判断）して一定の行政活動（例：上限運賃変更の認可）を行うことにより、私人（例：鉄道会社と利用者との関係）に一定の法的効果（例：上限運賃の変更）が生じる。

　　＊　ここにいう行政法令における要件効果規定は、行政機関が一定の行為をするための「行為要件」を定めるものであって、民事法のように、要件事実があれば法的効果が発生するという意味での要件効果規定とは異なる（橋本・行政法解釈の基礎87頁）。しかし、法の定める要件を当該事案が充足するか否かという判断枠組みは、共通している。

　したがって、行政活動が違法となるのは、上記のような行政機関による要件効果規定の事案への適用が誤っている場合、すなわち、典型的には、事案が法令の規定する要件（基準）を充足しないにもかかわらず、充足すると行政機関が判断して、その効果とされている一定の行政活動を行った場合である。そこで、この問題を検討する出発点は、当該行政活動の根拠法令を見て、当該行政活動について定める**要件効果規定を特定**し、**当該事案が要件**

（基準）を充足するか否かを検討することである。

ただし、行政法令においては、法律（およびその委任を受けた命令）自身が行政活動の要件・効果を明確に定めていない場合がしばしばある。そこで、行政裁量（→第8講）等の行政法理論が必要となるのであるが、そのような一般論を持ち出す前に、まずは根拠法令（個別法）の要件効果規定に着目するという出発点を忘れないように、十分注意してほしい。

(4) 法律と条例との関係

(1)で見たように、国会が制定する法律と行政機関が制定する命令とは上下関係にある。これに対し、国会が制定する法律と地方議会が制定する条例との関係は、上下関係ではなく、水平関係における役割分担の問題である。すなわち、憲法が地方自治を保障し（92条以下）、地方公共団体に公選の議員からなる議会を設置し（93条）、条例制定権を認めている（94条）ことからすると、憲法94条は、国会が国の唯一の立法機関であるとする憲法41条の例外として、地方公共団体に**自主立法権**を認めたものと解される。

ただし、法律と条例とが矛盾・抵触する場合には、これを調整する必要がある。その調整の原理を定めたと解されるのが、「地方公共団体は、……**法律の範囲内**で条例を制定することができる」とする憲法94条である。その判断基準について、最大判昭和50年9月10日刑集29巻8号489頁（徳島市公安条例事件、基判39頁、百選Ⅰ40、CB1-2）は、次のとおり判示している。

① 条例が国の法令に違反するかどうかは、両者の対象事項と規定文言を対比するのみでなく、それぞれの**趣旨**、**目的**、**内容および効果を比較**し、両者の間に矛盾牴触があるかどうかによって決しなければならない。

② ある事項について国の法令中にこれを規律する明文の規定がない場合でも、当該法令全体からみて、右規定の欠如が特に当該事項についていかなる規制をも施すことなく放置すべきものとする趣旨であると解されるときは、これについて規律を設ける条例の規定は国の法令に違反する。

③ 逆に、特定事項についてこれを規律する国の法令と条例とが併存する場合でも、次の場合には、国の法令と条例との間に矛盾牴触はなく、法令違反の問題は生じない。

（ⅰ）条例が法令とは**別の目的**に基づく規律を意図するものであり、その適用によって法令の規定の意図する**目的と効果を阻害しない**とき。

（ⅱ）法令と条例が同一の目的であっても、国の法令が全国一律に同一内容の規制を施す趣旨ではなく、**地方の実情に応じた別段の規制を容認する趣旨**であると解されるとき。

なお、地方公共団体の長は、**規則**を制定することができる（地方自治法15条）。地方公共団体の長は、国の行政機関の長と異なり、住民によって直接選挙されること（憲法93条2項）からすると、条例と規則との関係は、法律と命令との関係と全く同じ意味での上下関係であるとはいえない。しかし、地方公共団体の議事機関として議会を設置すると規定する憲法93条1項の趣旨（小早川・行政法上113頁）、および、地方自治法も議会が制定する条例を長の規則より重視していると解されること（宇賀・概説Ⅰ14頁）から、議会が制定する条例の定めと長の規則の定めとが抵触するときは、条例の規定が優先すると解される。

　条例と規則とを総称して、「**例規**」ということがある（多くの地方公共団体が、ウェブサイト上で「例規集」を公表している）。国の法令と地方公共団体の例規との関係について、以上に述べたところをまとめると、下の図のようになる。

　ただし、条例の中には、法律の委任を受けて制定されるものもある（**委任条例**。例えば、公衆浴場法2条3項の委任を受けて、公衆浴場の配置の基準を定める条例。→135頁以下）。この場合の法律と条例との関係は、法律と命令との関係と同様の上下関係となる（委任条例は、下の図における「法令」の山に属する）。すなわち、法律の委任の範囲を超える条例は無効である。

> ＊　委任条例（下の図の左の山）と自主条例（同図の右の山）の区別を意識することは重要であるが、この二分法では割り切れない場合もある。すなわち、法律に明示的な委任規定はないが、地域の特性に応じた自主的な処理を図る趣旨で、処分（許可）の具体的な要件が地方公共団体の条例または規則により補完されうることが当然の前提とされていると解される場合である（墓地埋葬法に関する最判令和5年5月9日民集77巻4号859頁参照。→第20講**【設問4】**〔341頁〕）。その法的性格については議論がある（→342頁）。

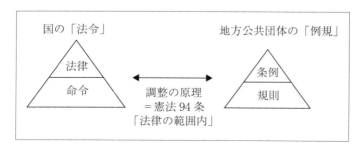

2 法律による行政の原理

(1) 法律の優位・法律の法規創造力
ア 法律に反してはならない⇒法律の優位の原理

1で見たように、行政機関が制定する命令（政令・省令等）は法律に反してはならず（これを「**法律の優位の原理**」ということがある）、行政機関による個別の行政活動は、法令（法律＋命令）に反してはならない。

イ 法律が存在しない場合は？⇒憲法との関係

それでは、ある行政活動について定める法律の規定が存在しない場合には、行政機関は当該行政活動について自由に命令を制定したり、個別の行政活動を行ったりすることが許されるであろうか。

規範のピラミッドとの関係でいうと、法律が存在しない以上、行政機関が自由に行動しても、法律に違反することはない。そこで、問題は、法律より上のランクにある憲法が、法律の規定がない場合に行政機関が自由に行動することを禁じているかどうかである。

ウ 命令の制定⇒法律の法規創造力の原理

まず、命令の制定については、国会が国の唯一の立法機関であるとされている（憲法41条）ので、「立法」に当たるものは法律の委任がなければ行うことができない（**委任命令**）。ただし、法律の執行に必要な事項については、法律の個別的な委任がなくても命令で定めることができると考えられる（憲法73条6号本文参照。いわゆる**執行命令**）。

そこで、憲法41条にいう「立法」の意味が問題となるが、少なくとも、**法規**（人の権利義務に関する一般的・抽象的な定め）の定立は「立法」に当たり、法律によってしか行えないと解される（これを「**法律の法規創造力の原理**」という）。

エ 個別の行政活動⇒法律の留保の問題

次に、個別の行政活動については、人の権利義務に関わるものであっても、必ずしも「立法」とはいえないので、法律の規定がない場合の行政活動の可否は、憲法41条からだけでは明らかでない（ただし、人の権利自由に対して個別的・具体的な制限を定めることも憲法41条にいう「立法」に含まれるとする学説もある。小早川・行政法上106頁）。そこで、憲法41条・65条を含む憲法の規定全体の趣旨から、どのような**行政活動**については**法律の根拠**がなければ行うことができないか、すなわち法律に留保されているか、が問題となる。これが「**法律の留保**」の問題である。

(2) 法律の留保
ア 伝統的な考え方——侵害留保説

　法律の留保に関する伝統的な考え方は、行政活動のうち、**私人の自由と財産を侵害する行為**については法律の根拠を必要とする（法律に留保されている）というものであり、これを**侵害留保説**という。

　この考え方によると、私人の事業活動や行動の自由に制約を加える規制行政（第1講【設例A】～【設例C】〔→10～23頁〕）や、税金の賦課・徴収は、私人の自由や財産の**侵害**に当たるから（後掲コラムを参照）、法律の根拠が必要である。これに対し、福祉活動を行ったり、補助金を交付したり（第1講【設例D】・【設例E】〔→23～25頁〕）、公共施設を作ったりすること、すなわち給付行政については、**法律にその旨の規定がなくても、行政機関の判断で自由に行える**。

　この考え方は、立憲君主制下のドイツで成立し、明治憲法下の日本の学説に取り入れられたものであり、もともとは、国の事務が理念的にはすべて君主の権能に属すること（いわば君主が国政においてオールマイティであること）を前提として、私人の自由と財産を侵害する行為についてのみ、国民代表議会の関与を認めるという考え方であった。したがって、国民主権原理を採用した日本国憲法の下では、もはや妥当しないのではないかが問題となる。また、そもそも「法律の留保」という問題の捉え方自体、上記のように行政権が君主の固有の権限に属することを前提とするものであって、もはや維持すべきでないという批判もありうる（以上につき、小早川・行政法上80頁および118頁）。

　しかし、日本国憲法の採用する国民主権原理の下でも、あらゆる行政活動が当然に法律に基づくものでなければならないかについては、なお問題が残されている。そして、この問題は、憲法の特定の条文の解釈論（例えば、憲法41条にいう「立法」の意味）によってはうまく捉えることができないことから、「法律の留保」という議論の枠組みは、依然として有効であると考えられる。

　法律の留保の範囲について、日本国憲法の下においても、**実務（とりわけ立法実務および行政実務）は侵害留保説に立っている**（なお、法律の留保にいう「法律」には、住民代表議会が制定する条例も含まれる）。すなわち、国民の自由と財産を侵害する行政活動（例：感染症のまん延防止のため、飲食店に休業を命ずること）が必要な事態が生じても、当該行政活動について法律の根拠がない場合には、当該行政活動は直ちには行われず、侵害に当た

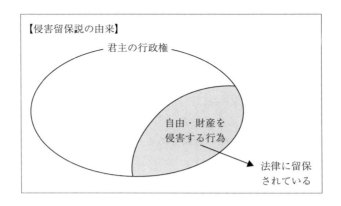

らない行政活動（例：休業の要請）によるか、あるいは、法改正等により対応される。他方で、国や地方公共団体による補助金の交付は、一般に、法律や条例に基づかずに行われており（後述する【設問2】〔→41頁以下〕および【設問3】〔→42頁以下〕を参照）、私人の任意の協力を求めて働きかける行政指導についても、一般に、法律や条例に基づかずに（地方公共団体においては、しばしば、行政機関が制定する要綱に基づいて）行われている。

　これに対し、学説上は、法律の留保の範囲を侵害行為以外にも広げる様々な試みがある。以下で見ていくことにしたい。

●コラム● 「侵害」の概念

　「侵害」については、「人権侵害」という言葉があるように、それ自体、法的に許されないもの、悪いものというイメージがあるかもしれない。しかし、行政法学でいう「侵害」は、国民の自由と財産に対する行政作用の方向（国民の側から見ると、給付行政は、自由や財産を与えられる方向に〔＝プラスに〕作用するのに対し、侵害行政は、自由や財産を奪われる方向に〔＝マイナスに〕作用する）を表す概念であり、当然に許されないとか、悪い行政活動を意味するわけではない。例えば、国民に税金を賦課し徴収するのは、国民の財産を強制的に奪うという意味で、侵害行政の典型であるが、税金を課すことが直ちに憲法違反であるとか、許されない行為であるというわけではない。むしろ、公共の福祉を実現する行政活動に必要な資金を得るという意味で、社会にとって不可欠のものである。しかし、国民の権利自由と重大な関わりをもっているため、法律の根拠を要求するなどして、法的コントロールを及ぼそうとしているのである。

　この「侵害」という言葉のもつイメージについて、興味深いエピソードがある。行手法制定に向けた審議会において、当初、「侵害処分」という言葉を用いることが検討された。しかし、学者以外の委員から、「侵害」というのは、「悪いことをしているような気がする」とか、「下手したら殺されそうな感じがする」などの意見が出されて、結局、「不利益処分」という言葉に変更された。「侵害」は、行政法の学問上の概念としては確立してい

るが、一般にはあまりイメージが良くないようである（このエピソードについては、高木光「もうひとつの行政法入門――作用法(3)・侵害といわれるのは心外」法学教室216号〔1998年〕59頁を参照）。

イ　組織規範・規制規範・根拠規範

　法律の留保の問題を考える際には、行政に関して定める法律に、3種類の異なる性質のものがあることに注意する必要がある。すなわち、①組織規範・②規制規範・③根拠規範の区別である（塩野・行政法Ⅰ81頁以下）。以下の設問を考えてみてほしい。

　　a　組織規範

【設問1】
　財務大臣が、財務省設置法3条1項・4条1項17号に基づき、現行法が規定していない新たな税の賦課および徴収をすることは、法的に認められるか。

◆財務省設置法◆
（任務）
第3条　財務省は、健全な財政の確保、適正かつ公平な課税の実現、税関業務の適正な運営、国庫の適正な管理、通貨に対する信頼の維持及び外国為替の安定の確保を図ることを任務とする。
2・3　略
（所掌事務）
第4条　財務省は、前条第1項の任務を達成するため、次に掲げる事務をつかさどる。
　一～十六　略
　十七　内国税の賦課及び徴収に関すること。
　十八～六十五　略
2　略

　財務省設置法は、行政組織の中で行政の事務を分配する規範の1つであり、このような規範を**組織規範**という。組織規範は、ある人間の行為の効果を行政主体に帰属させるものであり、これに反する行為は、行政活動としての法的効果を生じない（例えば、警察官が税金の支払いを命じても、課税の法的効果は生じない）。したがって、組織規範は行政活動のすべての領域において存在していなければならない（行政組織については、→第4講）。
　しかし、組織規範だけでは、具体的な行政活動（本問では租税の賦課・徴収）を根拠づけるには不十分である。財務省設置法は、租税の賦課・徴収が財務省の仕事の範囲（任務および所掌事務）に属することを規定するのみで

あり、具体的な租税の賦課・徴収を行うためには、それに加えて、課税の要件・効果（どのような要件を満たした人が、税金をいくら払わなければならないか）について定める法律（所得税法、法人税法、消費税法など）の規定が必要である。このように具体的な行政活動の根拠となる規範を**根拠規範**という。

　法律の留保を論じる場合の「法律」とは、根拠規範を指す。したがって、組織規範があるだけでは、法律の留保にいう法律の根拠があることにはならない。すなわち、【設問１】で、財務大臣が財務省設置法のみを根拠として、新たな税の賦課・徴収をすることはできない。

　　b　規制規範

> 【設問２】
> 　国が交付する補助金については、補助金適正化法（補助金等に係る予算の執行の適正化に関する法律）が定められている。この法律は、補助金交付の根拠を定めたものといえるか。仮にこの法律が存在しなければ、国が補助金の交付をすることは許されないか。

◆補助金適正化法◆
（この法律の目的）
第１条　この法律は、補助金等の交付の申請、決定等に関する事項その他補助金等に係る予算の執行に関する基本的事項を規定することにより、補助金等の交付の不正な申請及び補助金等の不正な使用の防止その他補助金等に係る予算の執行並びに補助金等の交付の決定の適正化を図ることを目的とする。
（補助金等の交付の申請）
第５条　補助金等の交付の申請（……）をしようとする者は、政令で定めるところにより、補助事業等の目的及び内容、補助事業等に要する経費その他必要な事項を記載した申請書に各省各庁の長が定める書類を添え、各省各庁の長に対しその定める時期までに提出しなければならない。
（補助金等の交付の決定）
第６条　各省各庁の長は、補助金等の交付の申請があったときは、当該申請に係る書類等の審査及び必要に応じて行う現地調査等により、当該申請に係る補助金等の交付が法令及び予算で定めるところに違反しないかどうか、補助事業等の目的及び内容が適正であるかどうか、金額の算定に誤がないかどうか等を調査し、補助金等を交付すべきものと認めたときは、すみやかに補助金等の交付の決定（……）をしなければならない。
２〜４　略

　補助金適正化法は、具体的な補助金の要件・効果（どのような要件を満た

した人が、いくらの補助金を受け取れるか）を規定したもの（根拠規範）ではなく、国が交付する補助金一般について、遵守されるべき手続等を規定し、交付の適正化を図るものである（→313頁以下の条文も参照）。このように、行政活動の適正を図るために規律を設ける規範を**規制規範**という。

規制規範の例として、このほか、行政処分等の手続を定める行手法がある（→第6講、第7講）。この法律は、具体的な行政処分等の根拠となるものではなく、一般に行政処分等が行われる場合に遵守されるべき手続を規定して、その適正を図ろうとするものである。

法律の留保にいう「法律」とは、規制規範ではなく根拠規範を指す。立法・行政実務が前提としている侵害留保説からは、補助金等の給付行政には法律の根拠は不要とされる。しかし、国民主権原理が採用された現行憲法の下では、法律の根拠が不要とされる行政活動についても、国会が適正を図るために法律で手続等を規定することは可能である。すなわち、【設問2】で、仮に補助金適正化法が存在しなくても、国が補助金交付をすることは許されるが、補助金適正化法は、そのことを前提として、補助金交付の適正化を図るものである。

ウ　全部留保説・重要事項留保説・権力留保説

> **【設問3】補助金交付と法律の根拠**
> (1) 第1講【設例E】（→25頁）の補助金交付は、実務上、特に法律（条例を含む。以下同じ）の規定に基づかずに行われているものが多い。これに対して、補助金の交付に法律の根拠が必要であると主張するとすれば、どのような理由づけが考えられるか。その主張に対して、法律の根拠が不要であるとする立場からは、どのような反論が考えられるか。自由主義と民主主義の両面から考えよ。
> (2) (1)で法律の根拠が必要であるとした場合、法律に基づかない補助金交付について、誰がどのような訴訟で争うことができるか（この問題は、現時点では難しいので、問題の所在だけ知っておいてほしい）。

a　設問3(1)――法律の根拠の要否に関する主張
① 法律の根拠が必要であるという主張の理由づけ

まず、**全部留保説**に立つことが考えられる。すなわち、日本国憲法の下では、自由主義とともに、民主主義が重要な憲法原理であることからすると、あらゆる行政活動は、国民代表議会が制定した法律（住民代表議会が制定した条例を含む）の授権に基づいて行われるべきである（憲法41条・43条1

項・73条1号参照。なお、法律の留保の問題は、従来、国の法律を念頭に置いて議論されており、「条例の留保」については、憲法上の根拠が必ずしも十分に論じられていないが、議事機関としての地方議会の設置とその議員の選挙を定める憲法93条、条例制定権について定める94条が根拠になると考えられる）。この説に立てば、補助金の交付にも当然に法律の根拠が必要である。

　次に、本質的（重要）な事項の決定は、議会自らが法律によって行うべきであるという**本質性理論（重要事項留保説）**に立つことが考えられる。この説によると、第1に、国民の権利利益の保護のために議会コントロールを及ぼすという法治主義の観点から、行政が複雑化・多様化した今日では、従来侵害とは捉えられてこなかった行政活動についても、基本的人権保障のために重要なものについて法律の根拠を要求すべきである。第2に、民主主義の観点から、基幹的制度、基本的計画などの行政システムにおける基本的決定に法律の根拠を要求すべきである（以上につき、大橋・行政法Ⅰ30頁以下参照）。これを本件について見ると、本件補助金は、単なる偶発的・個別的なものではなく、太陽光発電設備を普及させるという政策目標を設定して、その手段として創設・運営される制度であること（上記第2の観点）、また、その手段が、強制ではないにせよ、交付される金額によっては、強力な**誘導**作用を及ぼす可能性があるものであること（上記第1の観点）からすると、本件補助金制度の創設は、本質的な決定に当たり、法律の根拠が必要である。

　②　法律の根拠が不要であるとする立場からの反論

　まず、全部留保説に対しては、あらゆる行政活動に法律の根拠を要求することは、現実の行政需要への対応を困難にするものであり、また、民主主義の当然の帰結ともいえないという反論が可能である（塩野・行政法Ⅰ84頁参照）。

　次に、本質性理論（重要事項留保説）に対しては、「本質的（重要）な事項」という基準はあまりにも漠然としており、有効な基準たりえないと反論できる（小早川・行政法上130頁参照）。なお、仮に重要事項留保説に立つとしても、太陽光発電設備を普及させるという政策決定は、国や地方公共団体の様々な政策決定の中で特に重要であるとまではいえず、また、手段として用いられている補助金の金額もそれほど大きくないから、重要事項に該当しないという反論も考えられる。

　そして、国民の自由および財産を侵害する行政活動について法律の根拠を

要するという**侵害留保説**に立つことが考えられる。この説によれば、補助金の交付に法律の根拠は不要と考えられる。侵害留保説では行政活動の民主的コントロールが不十分であるという批判に対しては、行政活動に対する民主的コントロールの手段は法律だけではなく、補助金交付には**予算議決**を通じた議会のコントロールが及ぶし、また、国の行政機関は国会の多数派を基礎とする内閣の統轄の下に置かれており、地方公共団体の執行機関である長は直接公選されるという意味で民主的基盤を有するということができ、その他、議会による行政機関に対する様々なコントロール手段がありうるから（小早川・行政法上125頁参照）、侵害留保説によっても民主主義の要請に応えうると反論できる。

> ●コラム● 法律の留保と行政処分との関係（権力留保説）
>
> 　初学者にとって理解の難しい説として、権力留保説がある。**権力留保説**とは、行政庁が権力的な行為形式をとって活動する場合には、法律の授権が求められるという説である（原田・要論88頁）。ここにいう「権力的な行為形式」とは、**行政処分**（または**行政行為**。以下同じ。→84頁以下）のことである。したがって、この説によると、本問では、補助金交付決定が行政処分に当たる場合には、法律の根拠が必要である。
>
> 　そして、補助金交付決定が行政処分に当たるか否かは、国の補助金の場合、補助金適正化法の規定の仕方によって決まり、地方公共団体の補助金の場合、補助金交付の手続等について定める条例（補助金交付条例等）の規定の仕方によって決まる（もし、補助金交付の手続等について定める条例がなければ、補助金交付決定は行政処分とは認められない。以上につき第19講【設問5】〔→313頁以下〕）。
>
> 　したがって、権力留保説によると、補助金交付決定が行政処分と認められるためには、法律の根拠が必要であるが、法律の根拠がなくても、補助金交付自体ができないわけではない（行政処分以外の行為形式〔贈与契約等〕によるのであれば、法律の根拠がなくても、補助金交付ができる）。
>
> 　他方、侵害留保説によると、法律の根拠がなくても補助金交付はできるが、それが行政処分と認められるかどうかは、法律の留保とは別の問題であり、行政処分と認められるためには、法律の規定（規制規範であってもよい）が必要である。
>
> 　そうすると、権力留保説は、法律の留保の名の下に、侵害留保説とは次元の異なる問題を論じているのであり、権力留保説は侵害留保説を否定する説ではないと考えられる（小早川・行政法上127頁。なお、原田・要論88頁も参照）。ただ、理論的な整理としては、法律の留保の問題と行政処分の認定の問題とは、区別した方がわかりやすいように思われる。すなわち、議論の混乱を避けるため、法律の留保を論じる際には、行政処分の問題を持ち出さない方がよいように思われる。

b　設問3⑵——争い方

全部留保説または重要事項留保説に立って、補助金交付に法律の根拠が必要であると考えた場合、法律に基づかない補助金交付は違憲であって（→37

頁で述べたように、法律の留保の問題は、憲法論である)、違法であるということになる。なお、権力留保説からは、法律に基づかない補助金交付（決定）は、行政処分と認められないだけであって、違憲・違法になるわけではない（上掲コラムを参照）。

では、法律に基づかない補助金交付が違憲・違法であるとして、これを誰がどのような訴訟で争うことができるであろうか。この問題は、行政救済法を学習しないと完全に理解することはできないが、ここでは、問題の所在だけ知っておいてほしい（小早川・行政法上124頁参照）。

まず、補助金交付を受けた者は、それについて不服はないから訴訟で争わないであろうし、仮に訴訟で争ったとしても、訴えの利益が認められないと解される。

そもそも国民主権の観点から補助金交付に法律の根拠が必要なのだとすると、行政機関が法律に基づかずに活動することは、国民一般および議会との関係で違法になると考えられる。しかし、この点について国民一般が訴訟を提起したり、議会が行政機関に対して訴訟を提起したりすることは、法律上の争訟に当たらないから、特別の法律の規定がない限り、認められない（→第17講11〔275頁〕）。

ただし、地方公共団体による補助金交付については、**住民訴訟**（地方自治法242条の2）で争うという方法が考えられる。住民訴訟は、住民であれば誰でも、自己の権利利益とは関係なく、自分の属する地方公共団体の違法な公金の使い方について、裁判で争うことができるというものである（→411頁以下）。

以上を要するに、国民主権の観点から補助金交付に法律の根拠を要求したとしても、法律に基づかない補助金交付が誰か特定の人の法的利益を害するとは必ずしもいえないので、これを訴訟で争える場面は限られている。実際に、法律の留保の問題が裁判で争われることは稀である。

その意味で、法律の留保の議論は、裁判の基準を提供するよりも、議会および行政機関に対して行動の指針を提供する（例えば、全部留保説は、議会に対して、補助金交付について法律で規定することを求め、行政機関に対して、法律の根拠がない限り補助金を交付しないことを求める）とともに、現行法の構造を理解するための基礎を提供するもの（例えば、立法・行政実務は侵害留保説に立っているため、侵害行為に関する法律の規定と、非侵害行為に関する法律の規定とで、立法者が規定を置いた理由や規定の法的性格が異なる。後述【設問4】および第10講【設問1】〔→166頁〕を参照）と考え

られる。
(3) 法律による行政の原理をめぐる諸問題

以上に見てきた「法律による行政の原理」の3つの内容、すなわち、「法律の優位」、「法律の法規創造力」および「法律の留保」の原理の相互関係について、以下の設問について考えることにより、整理してほしい。

ア 公表と法律の根拠

【設問4】
　食品衛生法69条は、「厚生労働大臣……及び都道府県知事は、食品衛生上の危害の発生を防止するため、この法律又はこの法律に基づく処分に違反した者の名称等を公表し、食品衛生上の危害の状況を明らかにするよう努めるものとする」と規定している。仮にこの条文が存在しなかったとすると（同条に相当する条文は2002年の法改正により追加された）、このような公表を行うことは法的に許されないか。

公表については、①情報提供による国民の保護を主目的とするものと、②行政上の義務違反に対する**制裁**を主目的とするものとを区別する必要がある。

①の例として、大腸菌 O-157による集団食中毒の原因食材として、特定の業者から出荷されたカイワレ大根の可能性が否定できないという公表（東京高判平成15年5月21日判時1835号77頁、CB7-5参照）がある。

②の例としては、雇用の際に男女差別を行っている企業名の公表（雇用機会均等法30条）や、税金の滞納者の氏名公表（小田原市市税の滞納に対する特別措置に関する条例）等がある（→217頁以下も参照）。

侵害留保説からは、①情報提供目的の公表には法律の根拠は不要だが、②制裁目的の公表には法律の根拠が必要と考えられる。もっとも、①の公表の場合も、実際上大きな損害を被る人が出てくる可能性がある。しかし、伝統的な考え方では、そのような損害を与えることを目的として公表するわけではないから、結果的に損害が生じたとしても、それは法的ではなく事実上の効果にすぎず、侵害留保説にいう「侵害」には当たらないとされる（上述の東京高判もそのような立場に立っている）。

【設問4】の公表は、義務違反者を公表するものではあるが、食品衛生法69条は「食品衛生上の危害の発生を防止するため、……食品衛生上の危害の状況を明らかにする」と規定していることから、その主目的は、違反者に対する制裁ではなく、情報提供による国民の保護にあると考えられる。したが

って、侵害留保説からは、法律の根拠は不要と考えられる。この条文は、法律の根拠がなくても公表できることを前提として、積極的な公表を促すために規定されたものと考えられ、「努めるものとする」という文言からもそのことがうかがえる。すなわち、同条は、根拠規範ではなく**規制規範**であると解される。

イ　行政処分の取消し・撤回と法律の根拠

> 【設問5】
> 　産婦人科医であるXは、母体保護法14条1項に基づき、人工妊娠中絶を行いうる医師として医師会から指定を受けていた。ところが、Xは、中絶の施術を求める女性に出産を勧めたうえで、当該新生児を子どもを欲しがっている他の女性が出産したとする虚偽の出生証明書を発行する行為（いわゆる赤ちゃんあっせん行為）を繰り返したため、医師会は、Xが指定医師としてふさわしくないとの理由で指定を取り消した。これに対し、Xは、指定取消しの取消訴訟を提起し、母体保護法には指定取消しの根拠となる規定がないにもかかわらず、医師会が指定を取り消したことは違法であると主張した。この主張の当否を論ぜよ。

◆**母体保護法**◆
（医師の認定による人工妊娠中絶）
第14条　都道府県の区域を単位として設立された公益社団法人たる医師会の指定する医師（以下「指定医師」という。）は、次の各号の1に該当する者に対して、本人及び配偶者の同意を得て、人工妊娠中絶を行うことができる。
　一　妊娠の継続又は分娩が身体的又は経済的理由により母体の健康を著しく害するおそれのあるもの
　二　暴行若しくは脅迫によって又は抵抗若しくは拒絶することができない間に姦淫されて妊娠したもの
2　略

　　a　行政処分の取消しと撤回
　行政法学上、行政処分の取消しと撤回とは区別される。**行政処分の取消し**とは、成立時から瑕疵のある行政処分について、成立時に遡って効力を失わせる（初めからなかったことにする）ことである（行政庁の職権による取消しと、行政訴訟等の争訟による取消しとがあるが、後者は第16講以下で扱うので、ここでは前者の職権取消しを扱う）。これに対し、**行政処分の撤回**とは、瑕疵なく成立した行政処分について、その後の事情により、その効力を存続させることが妥当でなくなった場合に、将来に向かって効力を失わせる

ことである。なお、学問上の「行政処分の撤回」に当たる場合にも、法令用語としては、「取消し」の語が用いられることが多い。

　　b　行政処分の取消しと法律の根拠、取消権の制限

　行政処分の職権取消しについて、明文の根拠規定が置かれることは少ないが、もともとの行政処分の根拠規定による権限の中に、当該処分に瑕疵がある場合には職権で取り消す権限も含まれていると解される。ただし、**授益的処分の職権取消しは、処分の効果維持による不利益が取消しによる不利益と比較して重大**であり、取消しを正当化するに足りる公益上の必要がある場合に認められる（最判令和3年6月4日民集75巻7号2963頁、被災者生活再建支援金支給決定取消事件、基判40頁、百選Ⅰ85、CB2-10）。なお、成立時に違法または不当でなかった授益的処分について、違法または不当であることを理由に職権で取り消すことは許されないとする判例がある（最判平成28年12月20日民集70巻9号2281頁、辺野古埋立承認取消違法確認訴訟、基判41頁、百選Ⅰ84、CB16-7）。

　　c　行政処分の撤回と法律の根拠、撤回権の制限

　これに対し、行政処分の撤回に法律の根拠が必要かどうかについては争いがある。判例（最判昭和63年6月17日判時1289号39頁、基判2頁、百選Ⅰ86、CB2-3）は、優生保護法14条1項（現在の母体保護法14条1項）により人工妊娠中絶を行いうる医師の指定を受けていたXが、違法な赤ちゃんあっせん行為を繰り返したとして、医師会Yから指定の取消し（撤回）を受けた事件（優生保護法には、指定取消しについての明文の規定はない）で、次のように述べている。「Yが……指定医師の指定をしたのちに、Xが法秩序遵守等の面において指定医師としての適格性を欠くことが明らかとなり、Xに対する指定を存続させることが公益に適合しない状態が生じたというべきところ、実子あっせん行為のもつ……法的問題点、指定医師の指定の性質等に照らすと、指定医師の指定の撤回によってXの被る不利益を考慮しても、なおそれを撤回すべき公益上の必要性が高いと認められるから、**法令上その撤回について直接明文の規定がなくとも、**指定医師の**指定の権限を付与されているYは、その権限においてXに対する右指定を撤回することができる**」。

　この判例の注目される点として、まず、指定取消し（撤回）について、指定医師としての適格性を欠くことが明らかとなり、指定を存続させることが公益に適合しなくなったために行われたものと理解しており、**義務違反に対する制裁とは捉えていない**ということである。行政処分の撤回を制裁と捉えるかどうかについては争いがあるが（→17頁）、この判決は、撤回を制裁と

捉えていないことが、直接の法律の根拠を要求しなかったことの背景にあるとも考えられる。

次に、「法令上その撤回について直接明文の規定がなくとも、指定医師の指定の権限を付与されているYは、その権限において」撤回できると述べていることが注目される。これは、撤回自体について直接明文の規定はなくても、もともとの行政処分（指定）の根拠規定（優生保護法）によって授けられた権限の中に、一旦行った行政処分が公益に適合しなくなったときには撤回する権限も含まれていると解釈しているものと考えられる。

なお、「指定医師の指定の撤回によってXの被る不利益を考慮しても、なおそれを撤回すべき公益上の必要性が高い」と述べている部分は、撤回自体に直接の法律の根拠が不要であるとしても、**相手方に与える不利益と撤回の公益上の必要性との比較衡量により、撤回権が制限されること**を示していると考えられる。

ウ　租税の減免と法律の根拠

【設問6】
租税の減免措置（例えば、エコカー減税や住宅ローン減税）には、法律の根拠は必要であろうか。

租税の減免は授益的な行為なので、侵害留保説からは法律の根拠は不要であるようにも見える。しかし、もともと租税の賦課は侵害行為なので法律の根拠が必要であり（課税については、憲法84条に**租税法律主義**が明示されている）、かつ、租税法律主義を徹底する見地から、**法律で定められた租税を賦課・徴収するかどうかについて、行政機関に裁量はない**（法的には、必ず賦課・徴収しなければならない）と考えられている。したがって、行政機関が独自の判断で租税を減免することは、**法律の優位**の原理から認められず、租税の減免には法律の根拠（当該租税について定めている法律の改正や、減免のための特別法の制定等）が必要となる。

> ＊　租税法律主義を規定する憲法84条は、最大判平成18年3月1日民集60巻2号587頁（基判39頁、百選Ⅰ19）によると、「国民に対して義務を課し又は権利を制限するには法律の根拠を要するという法原則を租税について厳格化した形で明文化したもの」とされているが、学説からは、それにとどまらず、民主政原理の考え方を含むと指摘されている（山本・探究12頁）。

(4) まとめ

> 法律が**ない**ときに、一定の行政活動を行えるか　⇒**法律の留保**の問題
> 法律が**ある**ときに、一定の行政活動を行えるか　⇒**法律の優位**の問題
> 　　　　　　　　　　　　　　　　（行政裁量の有無も問題となる）

なお、以上の2つを区別して考えることは、考え方の筋道として重要であるが、法律の規定に反する行政活動が認められないことは現憲法下では当然のことなので、通常は、「法律の優位の原理から」という言い方をしなくても、単に、「行政活動が法律の規定に反するから」という言い方をすればよい。

第3講　法の一般原則

> ◆学習のポイント◆
> 1　行政活動が法令の明文に違反しない場合にも、法の一般原則との関係で、違法とされることがある。まず法令の要件効果規定の適用を検討し、法令の規定が明確でない場合、または、規定を形式的に適用すると正義に反する結論となるような場合に、法の一般原則の適用を検討すべきである。
> 2　行政活動には、契約等の非権力的な活動を含め、「平等原則」が適用され、合理的な理由のない差別的取扱いは違法となる。
> 3　行政目的を達成するために必要な範囲でのみ行政権限を用いることが許されるという「比例原則」が、人の権利自由を制限するあらゆる行政活動に妥当する。
> 4　「信義則（信頼保護原則）」が行政活動にも適用されるが、法律による行政の原理と対立する場合には、信義則の適用に厳格な要件が課される。判例による信義則の適用要件に注意する。
> 5　行政活動が形式的に法令の要件効果規定に適合していても、当該法令の趣旨と異なる動機・目的で行われた場合には、「行政権の濫用」として違法とされることがある。

1　平等原則

(1)　法律による行政の原理と対立しない場合

【設問1】補助金交付と平等原則
　第1講【設例E】（→25頁）で、市民には太陽光発電設備の設置に関して補助を受ける「権利」があるといえるか。ある設備の設置について市民Pには補助が認められたのに、同じ仕様の設備の設置について市民Qには補助が認められなかった場合、Qは自分に対して補助しないのは違法であると主張することができるか。

第1講【設例D】(→23頁)の生活保護が、憲法上の権利(生存権)を実現するために、法律(生活保護法)によって認められた制度であるのに対し、【設例E】の補助金交付は、政策目標(太陽光発電設備の普及)を実現するために、法律や条例に基づかずに(しばしば、要綱に基づいて)行われており(これは、立法・行政実務が侵害留保説を前提としているためである。→38頁)、市民に補助を受ける権利が保障されているとは言い難い。憲法13条・25条によって環境権を基礎づけるとしても、法律や条例の規定なしに、補助金を受ける具体的な権利を導くのは困難である。

しかし、私人が行う贈与(プレゼント)と異なり、国や地方公共団体が行政活動として(公金を用いて)行う以上、**平等原則**の適用を受け、合理的理由がないのに、一方に給付し、他方に給付しないことは、違法となる可能性がある。

そこで、市民Qは、平等原則違反を根拠として、自己に対し補助金を交付しないことは違法であると主張することが考えられる。その際、PとQとを**区別して取り扱うことに合理的な理由があるか**どうかがポイントになる。例えば、Pが申し込んだ時点では予算があったがQが申し込む前に予算が尽きたとか、予算に限りがあるために抽選によった結果であるとか、あるいは、Pの住宅は日当たりがよく太陽光発電の効果が高いのに対してQの住宅は日当たりが悪く設備を導入しても効果が薄いと判断された、などの理由がある場合には、平等原則に反しないと解する余地がある。

このように、平等原則の問題は、区別の合理性の問題に帰着し、その具体的な適用にあたっては、微妙な判断を要することが多い(→後掲【設問3】)。本問について言うと、限られた予算をどのように分配するのが(補助金の目的との関係で)公平で合理的かという問題である。これは抽象的な法律論によって答えが導かれる問題ではなく、日頃からニュース等に接して、事案の妥当な解決を考える習慣を身につけておくことが重要である。

なお、この問題を訴訟で争う場合の争い方については、後に学ぶ(第19講【設問5】〔→313頁以下〕)。

(2) 法律による行政の原理と対立する場合

【設問2】法律の要件不充足と平等原則
　事業者Pに対して、産業廃棄物処理施設の設置許可がされた後、事業者Qも、Pが許可を得たのと全く同じ仕様の施設の設置許可を申請した。ところが、この仕様の施設は廃棄物処理法の定める許可基準に適合しないことが判

明したため、Qに対しては不許可処分がされた。Qは、Pに対して設置許可がされたことを根拠に、自分に対しても設置許可をするように求めることができるか。

　本問の場合、**法律による行政の原理**からは、Pに対する設置許可を見直すべきであって、Qは、Pに対して設置許可がされたことを根拠に、自分に対しても設置許可をするよう求めることはできないと解される。すなわち、平等原則を根拠に、違法な行政処分をするよう求めることはできない（塩野・行政法Ⅰ95頁注6参照）。

　したがって、平等原則が機能するのは、私人Qに対して処分A（例：補助金交付、施設設置許可）をしても処分B（例：補助金不交付、施設設置不許可）をしても、根拠法令との関係では適法である場合、すなわち、処分Aをするか処分Bをするかが行政庁の**裁量**に委ねられている場合に、私人Pに対して処分Aがされたことを根拠に、同一の状況にある私人Qに対しても処分Aをするように求めるという場面である。

(3) 法律による平等原則の具体化

> **【設問3】別荘住民の水道料金格差と平等取扱い**
> 　Y町水道事業給水条例（以下「本件条例」という）によると、1カ月の基本料金は、Y町の住民基本台帳に記録されていない別荘に係る給水契約者（以下「別荘給水契約者」という）については、5,000円とされているのに対し、それ以外の給水契約者（以下「別荘以外の給水契約者」という）については、1,400円とされている。このように基本料金に格差が設けられている理由は、夏季に水道の使用量が集中する「別荘給水契約者」と、年間を通じて水道を使用する「別荘以外の給水契約者」との間で、1件当たりの年間水道料金の平均額がほぼ同一水準になるように、負担額を調整することにある。その際、「別荘以外の給水契約者」には、一般住民のみならずホテル等の大規模施設に係る給水契約者を含めて、1件当たりの年間水道料金の平均額が計算されている。別荘給水契約者であるXは、本件条例は別荘給水契約者を不当に差別するものであるとして、本件条例の無効確認訴訟を提起した。本件条例は無効と認められるか（訴訟法上の問題については、→298頁以下）。

◆**地方自治法**◆
（公の施設）
第244条　普通地方公共団体は、住民の福祉を増進する目的をもってその利用に供するための施設（これを公の施設という。）を設けるものとする。
2　略

3　普通地方公共団体は、住民が公の施設を利用することについて、不当な差別的取扱いをしてはならない。

　本問は、最判平成18年7月14日民集60巻6号2369頁（高根町給水条例事件、基判41頁、百選Ⅱ150、CB1-7）をモデルとしている。
　本件では、Y町の水道事業による給水という行政サービスについて、別荘給水契約者と別荘以外の給水契約者との間で、基本料金に大きな格差が設けられていることから、平等原則との関係が問題となる。ただ、Y町の水道事業の施設は、地方自治法244条1項にいう「公の施設」に該当するところ、同条3項が公の施設の利用について平等原則を具体化したものであるとすると、まず、同項の適用を検討すべきと解される。その際、同項は「住民」が公の施設を利用することについての規定であるので、住民基本台帳に記録されていない別荘に係る給水契約者にも同項が適用されるかが問題となる。
　この点につき、上掲平成18年判決は、以下のように判断した。公の施設の利用者の中には、当該地方公共団体の住民でないが、その区域内に事業所、家屋敷等を有し、その地方公共団体に対し納税義務を負う者など「住民に準ずる地位にある者」が存在する。そして、地方自治法244条3項が憲法14条1項の保障する法の下の平等の原則を公の施設の利用関係につき具体的に規定したものであることを考えれば、上記のような「住民に準ずる地位にある者」が公の施設を利用することについて、当該公の施設の性質やこれらの者と当該地方公共団体との結びつきの程度等に照らし合理的な理由なく差別的取扱いをすることは、地方自治法244条3項に違反する。これを本件について見ると、水道事業においては最大使用量に耐えうる水源と施設を確保する必要があるから、夏季等に使用量が集中する「別荘給水契約者」に対し年間を通じて相応な水道料金を負担させるために、「別荘以外の給水契約者」よりも基本料金を高額に設定すること自体は、水道事業者の裁量として許される。しかし、本件では、「別荘以外の給水契約者」にホテル等の大規模施設を含めた上で、契約者1件当たりの平均年間水道料金が「別荘給水契約者」と同水準になるように基本料金が定められており、これは不合理な料金設定方法であるから、地方自治法244条3項に違反して無効であり、憲法14条1項違反について判断するまでもない。
　このように、法の一般原則が実定法の規定に具体化されている場合には、まず、当該規定の適用を検討すべきである。また、本件は、差別的取扱いの合理性を具体的に考える素材としても、興味深いものである。

＊　もっとも、本件についていうと、地方自治法244条3項の内容は、それほど具体的であるとはいえず、また、「住民に準ずる地位にある者」というカテゴリーを設けるとしても、それらの者と「住民」とで常に同一の取扱いが求められるわけではなく、「当該公の施設の性質やこれらの者と当該普通地方公共団体との結び付きの程度等に照らし合理的な理由なく差別的取扱いをすること」が同項違反とされるにすぎないので、平等原則（憲法14条1項）そのものの適用と実質的に異ならないようにも思われる（中原茂樹・地方自治判例百選〔第5版〕17事件解説参照）。

2　比例原則

【設問4】公務員の懲戒処分と比例原則
　甲県職員Aは、休日に自動車を運転中、酒気帯び運転の嫌疑で警察に検挙された。Aの懲戒権者Bは、地方公務員法29条1項に基づき、Aに対し懲戒免職処分（以下「本件処分」という）をした。Aは、酒気帯び運転については深く反省しているものの、酒酔い運転に至らない酒気帯び運転で、かつ、人身事故や物損事故を起こしていないにもかかわらず、免職という最も重い懲戒処分を受けたことに納得できない。また、甲県で過去に行われた職員に対する懲戒処分の例を調べてみると、酒酔いに至らない酒気帯び運転で事故を起こしていないものについては、減給または停職とされた例が多数あることがわかり、それらの処分との関係でも、本件処分は重すぎるのではないかと考えている。Aは、本件処分の違法事由として、どのような主張をすることが考えられるか（→第8講【設問1】〔129頁〕および第8講【設問4】〔145頁〕も参照）。

◆地方公務員法◆
（懲戒）
第29条　職員が次の各号のいずれかに該当する場合には、当該職員に対し、懲戒処分として戒告、減給、停職又は免職の処分をすることができる。
　一　この法律……又はこれに基づく条例、地方公共団体の規則若しくは地方公共団体の機関の定める規程に違反した場合
　二　職務上の義務に違反し、又は職務を怠った場合
　三　全体の奉仕者たるにふさわしくない非行のあった場合
2〜4　略

　処分の違法性を検討する際には、まず、当該処分の根拠法令の規定が処分の要件・効果をどのように定めているかに着目する必要がある。本問では、地方公務員法29条1項が、「全体の奉仕者たるにふさわしくない非行のあっ

た場合」に、その職員に対し「懲戒処分として、戒告、減給、停職又は免職の処分をすることができる」と定めている。

次に、この要件効果規定を事案に当てはめる（詳細は→第8講【設問1】〔129頁〕）。本問では、休日の酒気帯び運転が「全体の奉仕者たるにふさわしくない非行のあった場合」に当たるとすると、その職員に対して免職処分をすることができることが選択肢の1つとして規定されているので、本件処分は、法令の文言上は違法とはいえないように見える。

このように行政活動が法令の明文の規定に違反するとはいえない場合であっても、違法性を基礎づける根拠となりうるのが法の一般原則であり、本問ではとりわけ比例原則が問題となる。**比例原則とは、行政目的を達成するために必要な範囲でのみ行政権限を用いることが許される**という原則である。もともとは、**警察作用**（これは、「公共の安全・秩序を維持するために私人の自由と財産を制限する作用」を指す学問上の概念である。組織としての警察が行うものに限られず、保健所が行う食品衛生行政等も含まれる）の発動を抑制するための原則であったが、現在では、人の権利自由に対するあらゆる制限について妥当すると考えられている。憲法13条に根拠を求める説もある（→基本憲法Ⅰ62頁）。

もっとも、目的達成のための必要度に比例する措置が何かということは一義的に明確ではないので、行政機関に**裁量**が認められ、社会観念上著しく妥当性を欠く場合に、裁量の逸脱・濫用として違法とされる（→140頁）。

本問では、非行の程度に比して免職処分は重きに失し、比例原則に違反するものであって裁量の逸脱または濫用に当たると主張することが考えられる。もっとも、この主張だけでは、甲県から、酒気帯び運転はそれ自体重大な非行であり免職処分をもって臨んでも重すぎるとはいえないと反論される可能性がある。そこで、例えば、より重大な非行に対する処分とのバランスを問題とすることが考えられる。すなわち、飲酒運転には、酒酔い運転と酒酔いに至らない酒気帯び運転という区別があり、また、人身事故を起こしたもの、物損事故を起こしたもの、事故を起こしていないものという区別があって、それぞれの重大性には違いがある（上記のうち、最も重大なのが酒酔い運転により人身事故を起こした場合であり、最も軽微なのが酒酔いに至らない酒気帯び運転で事故を起こしていない場合と考えられる）にもかかわらず、一律に最も重い懲戒処分である免職とするのは、バランスを欠いているという主張である。また、甲県において酒酔いに至らない酒気帯び運転で事故を起こしていない場合に減給または停職とされた例が多数あることは、そ

のような場合には減給または停職にとどめるのが相当であることを推認させる事情であり、平等原則の観点からも、減給または停職にとどめるべきであって、免職は重きに失すると主張することが考えられる（なお、甲県において懲戒処分の基準が定められている場合には、当該基準との関係についても論じるべきである。→第8講【設問4】〔145頁〕参照）。

このように、比例原則違反の主張においては、単に「公益上の必要性に比して処分が重すぎる」と主張するだけでなく、公益上の必要性がより大きい場合とのバランスを考慮したり、他の処分事例と比較したりすること等により、議論に具体性をもたせることが重要と考えられる。

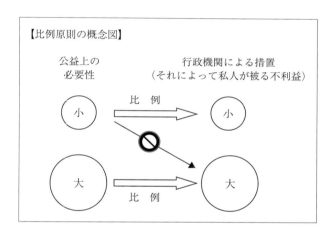

3 信義則・信頼保護原則

(1) 法律による行政の原理と対立しない場合

【設問5】行政計画の変更と信頼保護
　Xは、Y村に製紙工場を建設することを計画した。Y村の村長Aは、村議会の賛成の下に、Xに対し、工場建設に全面的に協力することを言明した。そこで、Xは、用地を取得して整地工事を行うとともに、機械設備を発注した。Aは、そのための融資を金融機関に依頼する等、終始一貫して工場建設に積極的に協力した。
　ところが、その後の村長選挙で、工場誘致反対派のBが当選した。このため、Xは、Y村の協力が得られなくなり、工場建設を断念した。
　Xは、Y村に対して損害賠償を請求することができるか。

本問は、最判昭和56年1月27日民集35巻1号35頁（宜野座村工場誘致政策変更事件、基判9頁、百選Ⅰ21、CB9-3）の事案を簡略化したものである。
　まず、前提として、**行政計画**が社会情勢の変化等に伴って変更されることはありうることであり、特に、**住民自治の原則**からすると、選挙によって示された住民の意思に基づいて施策が変更されること自体は、違法とはいえない。また、本問の事案では、XとY村との間で、工場建設に協力する旨の契約が締結されているわけではないことにも注意すべきである。したがって、Y村は、工場建設に協力するという当初の決定に法的に拘束されず、施策の変更は違法とされないのが原則である。
　これに対し、Xとしては、いわば最後の手段として、法の一般原則である**信義則**ないし**信頼保護原則**を援用することが考えられる。
　この点につき、上掲昭和56年判決は、①特定の者に対して一定内容の施策に適合する活動を促す**個別的・具体的な勧告**等があったこと、②その活動が**相当長期にわたる当該施策の継続**を前提とするものであること、③施策の変更により、**社会観念上看過できない程度の積極的損害**を被ること、④地方公共団体が上記損害を補償するなどの**代償的措置**を講ずることなく施策を変更したこと、⑤それがやむをえない**客観的事情**によるのでないこと、という5つの要件を満たす場合には、信頼関係を不当に破壊するものとして、地方公共団体の不法行為責任が生じるとしている（当該事案については、上記①②を満たすとしたうえで、③〜⑤の充足の有無、および、Y村の協力拒否とXの工場建設不能との因果関係の有無につき審理させるため、原審に差し戻した。したがって、本問でこれらの要件充足が否定されるような事情がないと仮定すれば、用地取得、整地工事および機械設備発注による積極的損害〔工場を建設すれば得られたであろう逸失利益は含まれない〕につき、賠償が認められると解される）。
　このように、判例は、一定の要件の下に信頼保護原則の適用を認めたが、私人が一方的に行政の施策（の継続）を信頼したというだけでは、保護されないことに注意が必要である。
　また、上記④の要件からは、補償をすれば施策変更をしても不法行為責任は生じないことになるので、この判決は、実質的には、**適法行為に基づく損失補償**を認めたものと理解することもできる。しかし、損失補償だとすると、実定法上の根拠が問題となる（本問のような場合の補償について定める法律はないので、直接憲法29条3項に基づく請求ができるかどうかが問題となる。→448頁）のに対し、**信頼保護原則違反**による**不法行為**として構成す

れば、実定法上の根拠（国賠法）が明確であるため、後者によったのではないかと考えられる（塩野・行政法Ⅰ241頁）。

(2) 法律による行政の原理と対立する場合

> 【設問6】租税法律主義と信頼保護
> 　Xは、1971年分の所得税について、青色申告の承認を受けることなく、青色申告書による確定申告をしたところ、税務署長Yは、Xにつき青色申告の承認があるかどうかの確認を怠って、申告書を受理し、さらに1972年分から1975年分までの所得税についても、Xに青色申告用紙を送付し、Xの青色申告書による確定申告を受理してその申告に係る税額を収納してきた。ところが、1976年3月に至り、Yは、Xが青色申告の承認を受けていないことに気づき、1973年・1974年分の所得税につき、青色申告の諸特典の適用を否定する更正処分を行った。これに対し、Xは、本件更正処分は信義則に反し違法であるとして、その取消しを求めて出訴した。裁判所はどのように判断すべきか。

ア　青色申告とは

原則として源泉徴収で課税関係が終了する給与所得と異なり、事業所得等については、納税者が自分で売上げや経費等をもとに税額を計算して申告（確定申告）する申告納税方式（国税通則法16条1項1号）がとられている。この方式においては、納付すべき税額は納税者の申告によって確定することを原則とし、申告が不相当と認められる場合または申告がない場合に限って、行政庁の更正または決定によって税額が確定される。この制度が適正に機能するためには、納税義務者が帳簿書類を備え付けて、収入・支出を記帳し、それを基礎として申告を行うことが必要である。そこで、正確な申告を奨励するため、一定の帳簿書類を備え付けている者に限って青色の申告書で申告することを認め、**青色申告**に白色申告（通常の申告書による申告）には認められない各種の特典を与えることとされている。

青色申告に与えられる特典は、①青色申告特別控除が認められること、②所得税法・法人税法・租税特別措置法に、損失の繰越控除等、青色申告にのみ適用される規定が多くあること、③青色申告に対する更正は、推計によって行うことができず、また、更正通知書に**更正の理由**を付記しなければならないこと（ただし、2011年改正後の国税通則法74条の14により、白色申告に対する更正を含め、原則としてすべての申請に対する拒否処分および不利益処分について、理由提示が要求されることになった）、である。

青色申告を行うためには、所轄税務署長の承認を受けなければならない。本問では、Xは青色申告の承認を受けていないが、数年間にわたって青色申告書による申告が受理されてきたことを理由に、これを青色申告として取り扱うべきか否かが問題となる。

イ　租税法規の適用における信頼保護

【設問5】の事案では、施策の変更について幅広い行政裁量が認められる（施策を変更しても変更しなくても、原則として違法ではない）ことが前提となっている。これに対して、租税の賦課のように、裁量が認められない処分（→49頁）については、信頼保護と法律による行政の原理とが対立する場合がある。

この点につき、本問のモデルである最判昭和62年10月30日判時1262号91頁（基判16頁、百選Ⅰ20、CB9-4）は、次のように述べている。「租税法規に適合する課税処分について、法の一般原理である**信義則**の法理の適用により、右課税処分を違法なものとして取り消すことができる場合があるとしても、法律による行政の原理なかんずく**租税法律主義**の原則が貫かれるべき租税法律関係においては、右法理の適用については慎重でなければならず、租税法規の適用における納税者間の平等、公平という要請を犠牲にしてもなお当該課税処分に係る課税を免れしめて納税者の信頼を保護しなければ正義に反するといえるような特別の事情が存する場合に、初めて右法理の適用の是非を考えるべきものである。そして、右特別の事情が存するかどうかの判断に当たっては、少なくとも、①税務官庁が納税者に対し信頼の対象となる**公的見解を表示**したことにより、納税者がその表示を信頼しその信頼に基づいて行動したところ、②のちに右表示に反する課税処分が行われ、そのために納税者が経済的不利益を受けることになったものであるかどうか、また、③納税者が税務官庁の右表示を信頼しその信頼に基づいて行動したことについて**納税者の責めに帰すべき事由**がないかどうかという点の考慮は不可欠のものである」（丸数字は引用者）。

そのうえで、本件については、「税務署長による申告書の受理及び申告税額の収納は、当該申告書の申告内容を是認することを何ら意味するものではない」し、「税務署長が納税者の青色申告書による確定申告につきその承認があるかどうかの確認を怠り、翌年分以降青色申告の用紙を当該納税者に送付したとしても、それをもって当該納税者が税務署長により青色申告書の提出を承認されたものと受け取りうべきものでないことも明らかである」として、「本件更正処分が……公的見解の表示に反する処分であるということは

できないものというべく、本件更正処分について信義則の法理の適用を考える余地はない」とした。【設問6】についても同様に考えられる。

ウ　地方公共団体による消滅時効の主張と信義則

上記判例のほか、法律の定めと信義則との関係が問題となった事案として、最判平成19年2月6日民集61巻1号122頁（在ブラジル被爆者健康管理手当不支給事件、基判42頁、百選Ⅰ23）がある。この事案では、被告（県）が原告の健康管理手当請求権の時効による消滅を主張したのに対し、上記判決は、原告が請求権を行使しなかったのは、原告らにつき失権の取扱いを定めた違法な通達があったこと等によるものであり、被告が消滅時効を主張するのは信義則に反するとした。そして、地方公共団体の金銭債務について、法律に特別の定めがない限り、時効の援用を要することなく、時効期間の満了により消滅することを定める地方自治法236条2項の趣旨は、地方公共団体の事務処理上の便宜および住民の平等的取扱いの理念に資する点にあるところ、地方公共団体が、既に具体的な権利として発生している国民の重要な権利に関し、法令に違反してその行使を積極的に妨げるような一方的かつ統一的な取扱いをし、その行使を著しく困難にさせた結果、これを消滅時効にかからせたという極めて例外的な場合においては、当該地方公共団体による時効の主張を許さないこととしても、上記規定の趣旨に反しないとした。

4　権限濫用の禁止原則

> **【設問7】余目町個室付浴場事件**
>
> Xは、Y県A町に個室付浴場を開業しようとしたが、それに対して周辺住民による反対運動が起きた。A町およびY県は、この個室付浴場の開業を阻止するため、Y県警察本部も交えて方策を協議したところ、児童福祉法上の児童福祉施設から200m以内の区域で個室付浴場を営むことが風俗営業等取締法（当時）により禁止されている（違反に対しては罰則がある）点に着目した。A町は、Xの開業予定地から135m離れた場所にある町有地を児童遊園（児童福祉法上の児童福祉施設）として急遽認可申請し（この申請は、それ自体としては、児童福祉法上の要件を満たすものであった）、Y県知事は異例の早さでこの申請を認可した。Xが個室付浴場を開業することは違法となるか。

本問は、最判昭和53年6月16日刑集32巻4号605頁（余目町個室付浴場事件、基判26頁、百選Ⅰ66、CB4-3）の事案を簡略化したものである。

まず、前提として、A町による児童遊園施設の認可申請は、それ自体としては児童福祉法の定める要件を満たしているのであるから、Y県知事による

認可は、これを一連の経緯や動機から切り離して見る限り、違法ではない（むしろ、要件を満たしている以上、Y県知事は認可を拒否できないとも考えられる）。このように、形式的には違法でないとすると、一般原則の出番となる。

すなわち、A町は、本件の町有地を児童遊園施設として整備する必要性や緊急性が特にないにもかかわらず、Xの個室付浴場営業の規制を主たる動機・目的として認可申請を行い、Y県知事もその経緯を知りつつ認可をしたとすると、児童に健全な遊びを与えるという児童遊園設置認可制度の**趣旨に反する**ものであって、**行政権の濫用**に相当する違法性があり、Xの個室付浴場営業を規制しうる効力を有しないと考えられる（上掲昭和53年判決参照）。

* なお、これは、風俗営業等取締法による個室付浴場の規制が警察規制であって、法によって禁止されない限り自由に営業しうるものであることを前提とした判断であり、立法政策として個室付浴場の営業を自由に認めるべきかどうかは、別問題である。

したがって、本問でXが個室付浴場を営業することは、違法とならない（なお、このことと行政処分の公定力との関係につき、→第17講【設問2】〔263頁〕）。

このように、行政権の行使は、単に形式的に法令の定める要件に適合していればよいのではなく、当該法令の趣旨に沿った運用がされなければならない。

ただし、行政権の濫用という一般原則は、個別法の仕組み自体からは行政活動が違法といえない場合に、いわば最後の手段として援用されるべきであり、判例上、これが認められたケースは稀である。【設問7】は、形式的には個別法（児童福祉法）の要件を満たす形で、一定の営業が違法となる状態を行政機関が巧妙に作出したという、特殊な事案に関するものであり、応用できるケースは少ないと考えておいた方がよいと思われる。

* 既に事業許可申請手続を進めていた事業者に対し、**条例制定により新たな規制を行う際の配慮義務**について、最判平成16年12月24日民集58巻9号2536頁（紀伊長島町水道水源保全条例事件、基判43頁、百選Ⅰ24、CB9－7）参照。この判例は、既存の法的仕組みを本来の趣旨とは異なる目的で利用したという事案ではなく、新たな条例制定により規制をした事案なので、上掲昭和53年判決のいう行政権の濫用とは異なる（中原茂樹「行政権の濫用――余目町個室付浴場事件」論究ジュリスト3号〔2012年〕17頁参照）。

なお、「行政権の濫用」と「裁量権の濫用」とは同じではないので注意し

てほしい。行政権の濫用は、裁量のない処分についても認められうる反面、上述のように例外的な場合にしか認められないのに対し、裁量権の濫用は、判例上、裁量権の逸脱と明確に区別されておらず、「裁量権の逸脱又は濫用」という形で、認められるケースが稀ではない（→第8講）。

5　まとめ

　以上に見てきた設問に共通するのは、**行政活動が法令（の明文）に照らして（形式的には）違法といえない場合に、法の一般原則を援用することによって、違法性を根拠づけられる場合がある**ということである。その意味で、行政活動の違法性を主張したい私人にとって、強力な武器になりうるものである。

　ただし、法の一般原則を安易に持ち出さないように注意してほしい。**行政活動の違法性を主張するには、まずはそれに関わる個別法の仕組みをよく見て、その解釈によって当該行政活動の違法性を導けないかを十分検討すべき**である。これに対し、法の一般原則は、あらゆる行政分野に適用できるという意味で汎用性が高い反面、内容が抽象的であるため、微妙な判断を要することが多く、また、その安易な適用は、法律による行政の原理に反するおそれもある。そこで、判例も、本講で見たように、法の一般原則の適用に比較的厳格な要件を課すことが多いように思われる。以上のような意味で、法の一般原則を援用するのは、最後の手段と考えてほしい。

第4講　行政組織法

> ◆学習のポイント◆
> 1　作用法的な行政機関（行政庁〔＝大臣、知事、市長村長等〕、補助機関、諮問機関、執行機関等）と行政主体（国・地方公共団体等の法人）との関係について理解する。行政庁の概念が特に重要であり、独任制と合議制とがある。
> 2　権限の委任・代理、専決・代決について理解する。特に、委任と専決との違いに注意する。
> 3　事務配分的な行政機関の概念（国家行政組織法、各省設置法等）を理解する。
> 4　国および地方公共団体の行政組織の概要、国と地方公共団体の関係を規律する法制度の概要を理解する。
> 5　国・地方公共団体以外の行政主体である独立行政法人、特殊法人、公共組合等について、制度の概要および行政通則法上の取扱いを理解する。

総説　行政法における行政組織法の位置づけ

「国家と市民社会の二元論」を基本的な前提として、「行政主体たる国家」と「私人」との関係を法的に構成し、行政作用に対する法的コントロールを及ぼすことが、行政法の中心課題である（→27頁）。

ところで、「行政主体たる国家」（地方公共団体を含む）においては、実際には、膨大な数の**公務員**が**行政組織**を構成して活動しているため、個々の公務員の活動をバラバラに考察していては、国家と私人との関係を法的に把握することができない。

そこで、国家と私人との関係を見通しよく把握するため、国家が1つの**法人**（地方公共団体については、それぞれが1つの法人）であると考え、その法人の**機関**（大臣、知事、市町村長、等々）が権限の範囲内で私人に対して

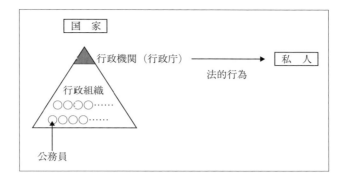

行った行為を国家の行為として把握する（その結果、国家と私人との間に権利義務関係が生じる）、という考察方法がとられる。

行政組織法は、「国家と市民社会の二元論」において、「国家」の中で具体的に「誰が」行政処分等を行うべきか、また、「誰を」訴訟の相手とすべきかという形で、行政作用法（行政過程論）・行政救済法に大きく関わり、事案解決にとって重要である。

さらに、国および地方公共団体以外の法人が行政主体と捉えられる（「国家」に含まれる）ことにより、行政手続や行政訴訟（処分性の有無等）に関する特別の取扱いがされる。

このように、行政組織法と行政作用法・行政救済法との関連に注意することが重要である。

1　作用法的行政機関概念

(1)　行政機関・行政庁

【設問1】
(1)　第1講【設例A】（→10頁）で、鉄道事業者は運賃の上限について「国土交通大臣の認可」を受けなければならないとされている（鉄道事業法16条）。「国土交通省」ではなく「国土交通大臣」の認可とされているのは、なぜだろうか。国土交通大臣は、実際に認可に関する事務をすべて1人で処理しているのだろうか。また、「国土交通大臣甲野太郎」の認可を受けた後で、国土交通大臣が乙山次郎に交代した場合、当該認可の法的効力はどうなるか。
(2)　同様に、第1講【設例B】（→15頁）で、自動車を運転しようとする者は、公安委員会の運転免許を受けなければならないとされている（道路交

> 通法84条）が、実際に、都道府県公安委員会の委員（各都道府県に3人または5人とされている。警察法38条）が免許に関する事務をすべて処理しているのだろうか。

ア　設問1(1)——行政機関と行政庁

　行政活動は、それを担当する公務員の行為を通じて行われる。その際、法的観点からみて重要なのは、実際に行政活動を行う人間が誰であれ、当該公務員に与えられた権限の範囲内で、法に従って行政活動が行われることであり、その場合に、当該公務員の行為が行政主体たる国家の行為として把握されるということである。このような観点から、行政主体のために（行政主体に法的効果が帰属するものとして）行政活動を行うべき地位を**行政機関**という。

　国家の私人に対する行政作用を法的に把握するという行政法の中心課題からは、行政機関のうち、**行政主体のために私人に対して法律行為（特に行政処分。→85頁）を自己の名において行う権限を付与された機関**が重視され、これを**行政庁**という。この行政庁を中心として、その周辺に、行政庁を補助する**補助機関**、行政庁の諮問に応じて意見を具申する**諮問機関**、および、私人に対して直接に実力を行使する**執行機関**が配置される。

　本問の国土交通大臣は、行政庁の例である。そして、上述の観点からは、国土交通大臣が甲野太郎から乙山次郎に交代しても、国土交通大臣甲野太郎が行った認可の法的効力には影響がない。つまり、「国土交通大臣の認可」という場合の「国土交通大臣」は、上述の意味での行政機関を指しているのであって、国土交通大臣の地位にある人間（個人）を指しているわけではない。

　日常用語や報道などでは、「国土交通省の認可」と言われることが多く、また、この言い方の方が、組織として意思決定がされる実態にも合致しているように思われる。しかし、法律上は、「国土交通大臣の認可」とされている。これは、行政処分を行う者を組織ではなく「点」として把握することにより、国家と私人との間の法律関係を単純化するための法技術であると考えられる。

　ただし、これは、法的な職務の帰属点であることを意味するにとどまり、国土交通大臣が実際に認可に関する事務をすべて1人で処理すべきであることを意味しない。実際には、国土交通省という組織に属する多数の公務員が認可に関する事務を行っており、大臣は、多くの場合、最終チェックをして

ハンコを押すだけであると思われる(さらに、その権限すら、委任や専決などの仕組みによって、より下位の行政機関に委ねられている場合がある。→【設問2】【設問3】)。しかし、行政作用法との関係では、国土交通大臣が処分を行う行政庁として位置づけられ、それ以外の国土交通省の職員は、行政庁の指揮監督を受けながら行政庁の権限行使を補助する**補助機関**として位置づけられる。

諮問機関の例としては、国家行政組織法8条、地方自治法138条の4第3項にいう**審議会**等が挙げられる(なお、国家行政組織法8条に基づかず、大臣決裁等により設置される「私的諮問機関」も多数存在する)。【設問1】(1)の国土交通大臣の認可については、運輸審議会に諮らなければならないとされている(鉄道事業法64条の2第1号)。なお、審議会手続の瑕疵については、最判昭和50年5月29日民集29巻5号662頁(群馬中央バス事件、基判57頁、百選Ⅰ115、CB3-3)参照。

執行機関は、代執行・直接強制・即時強制等(→第14講)の実力を行使する機関であり、警察官、消防職員、徴税職員、自衛官、海上保安官等がその例である。なお、ここにいう執行機関は、学問上の用語であって、地方自治法にいう執行機関(これは、地方公共団体の長、委員会等を指す。同法138条の2以下。77頁)とは異なるので、注意が必要である。

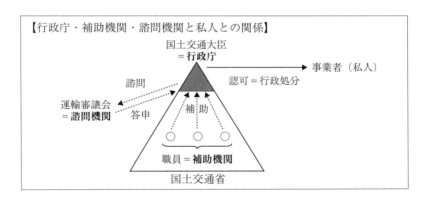

イ 設問1(2)——独任制と合議制

行政庁の多くは、上述の国土交通大臣のように、1人の人間によって担われる(これを**独任制**という)。しかし、複数の人間が合議を通じてあたかも1人の人間と同じように1個の行為をするものとみなされる場合(これを**合議制**という)もあり、【設問1】(2)の都道府県公安委員会は、その例である。

都道府県公安委員会は、3人または5人の委員から成る合議制の行政庁であるが、実際に公安委員会が免許に関する事務をすべて処理しているわけではないことは、上述の国土交通大臣の例と同じである。実際には、都道府県警察の職員が、補助機関として免許に関する事務に携わっている。

(2) 権限の委任・代理

> **【設問2】**
> 　第1講【設例A】（→10頁）で、実際には、鉄道事業法64条および同法施行規則71条1項6号イにより、運賃の認可の権限は地方運輸局長に委任されている。
> (1) 仮に、これらの規定がないにもかかわらず、地方運輸局長が認可処分をした場合、当該処分はどのような法的評価を受けるか。
> (2) 地方運輸局長がした認可処分の取消訴訟は、誰を被告として提起すべきか。

◆**鉄道事業法**◆ （→11頁も参照）
（旅客の運賃及び料金）
第16条　鉄道運送事業者は、旅客の運賃及び国土交通省令で定める旅客の料金（以下「旅客運賃等」という。）の上限を定め、国土交通大臣の認可を受けなければならない。これを変更しようとするときも、同様とする。
2～5　略
（権限の委任）
第64条　この法律に規定する国土交通大臣の権限は、国土交通省令で定めるところにより、地方運輸局長に委任することができる。

◆**鉄道事業法施行規則**◆ （ただし、引用者が内容を変えずに一部体裁を改めた）
（権限の委任）
第71条　法及びこの省令に規定する国土交通大臣の権限で次に掲げるものは、地方運輸局長に委任する。
　　一～五の二　略
　　六　法第16条第1項の認可であって次に掲げるもの
　　　イ　年間の旅客の運賃及び料金の収入額又は収入予想額（……）100億円を基準として国土交通大臣が告示で定める鉄道事業者の旅客運賃等に係るもの
　　　ロ　略
　　七～十六　略
2　略

　行政庁がその権限の一部を他の行政機関に委任することを「**権限の委任**」

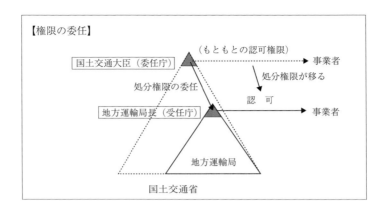

という。権限の委任は、法律で定められた行政庁の権限を他の行政機関に移すのであるから、**法律の根拠が必要**である。

　権限の「委任」という言葉が用いられているが、民法上の委任とは性質が異なることに注意してほしい。すなわち、民法上の委任は、代理権を伴うことが多く、その場合、委任をした本人の名が対外的に表示される（顕名主義。例えば、「A代理人B」）。これに対し、行政組織法における権限の委任は、法律に基づいて権限を移すものであって、代理権を伴わず、委任を受けた行政機関（設例では、地方運輸局長）の名で処分が行われる。委任をした行政庁（国土交通大臣）の名は表示されない。

　なお、行政組織法においても、上述の権限の委任と異なり、民法と同様に、**権限の代理**も認められる。この場合には、**顕名主義**がとられる（例えば、【設問2】が委任ではなく代理であるとすると、「国土交通大臣代理人地方運輸局長」と表示される）。権限の代理（授権代理）については、**法律の根拠は不要**であると解される（通説）。

　　ア　設問2(1)——委任に法律の根拠がない場合

　権限の委任には法律の根拠が必要であるから、鉄道事業法64条・同法施行規則71条のような規定がないにもかかわらず、地方運輸局長が運賃の認可をした場合、認可は違法となる。実際に、近鉄特急事件の第1審判決（大阪地判昭和57年2月19日行集33巻1＝2号118頁、CB14-3）は、委任規定が失効していることを理由に、大阪陸運局長の認可を違法とした（ただし、事情判決により、認可を取り消さなかった）。

　　イ　設問2(2)——委任と取消訴訟の被告適格

　2004年改正前の行訴法では、行政処分の取消訴訟の被告は、当該処分をし

た行政庁（設例では、地方運輸局長）とされていた（→259頁）。しかし、2004年の行訴法の改正で、取消訴訟の被告は、原則として、「当該処分をした行政庁の所属する国又は公共団体」に改められた（行訴法11条1項1号）。したがって、本問では、認可処分をした地方運輸局長の所属する国が被告となる（ここにいう国は、法人格を有し、権利義務の主体となる行政主体である。なお、地方運輸局や国土交通省は、法人格を有さず、権利義務の主体とならないので、訴訟の被告となることはない）。その点では、権限の委任が行われず、国土交通大臣が認可処分をする場合の被告と異ならない。

もっとも、改正行訴法においても、行政庁の特定が不要になったわけではない。被告を判断するには、まず行政庁を特定したうえで、それが所属する国または公共団体を判断することになるし、訴状に行政庁を記載することが求められている（行訴法11条4項。ただし、この記載が誤っていても、被告を誤ったわけではないから、訴えの適法性には影響しないと解される）。また、行政庁は、取消訴訟において、裁判上の一切の行為をする権限を与えられている（同条6項）。

なお、例外的に、私人に対して行政処分等の権限が委任される場合がある（→81頁）。この場合、行政処分権限の委任を受けた私人は、当該処分に関しては行政庁として扱われ、当該処分の取消訴訟については、行訴法11条2項により、行政庁である当該私人が被告となる。

以上の意味で、法令の委任規定に着目して行政庁を特定する作業は、行政組織法のみならず、行政作用法および救済法との関係でも重要である。

(3) 専決・代決

【設問3】
第1講【設例B】（→15頁）で、運転免許の取消し・停止は公安委員会の権限とされているが（道路交通法103条）、実際には、免許の停止は、都道府県公安委員会規則により、都道府県警察本部長に委任されている。さらに、ある県では、県警察本部訓令により、免許の停止については、交通部長が専決するとされている。
委任と専決の違いは何か。委任が規則（法令としての性格を有する）に基づいて行われているのに対し、専決は訓令（行政の内部規範であり、法令としての性格を有しない）に基づいて行われているが、これは法的に許されるか。

行政庁の行為を補助機関が当該行政庁の名前で行うことを**専決**という。委

任の場合には、委任を受けた行政機関の名で処分が行われるのに対し、専決の場合は、対外的には専決権者ではなく行政庁の名で処分が行われる点が異なる。なお、決裁権者が不在の場合に、補助機関によって緊急にされる案件処理を**代決**というが、実務上は、決裁権者が不在でないにもかかわらず代決が広く行われているとされ（宇賀・概説Ⅲ53頁）、しばしば、「専決・代決」として一括して論じられる。

　本問の例では、免許停止については、交通部長が決定するが、警察本部長の名で処分を行う（つまり、交通部長が警察本部長のハンコを押す）。【設問1】で述べたように、もともと行政庁（公安委員会や、その委任を受けた警察本部長）が行政処分（免許停止）についてすべて判断・決定するというのは、実態からかけ離れたフィクションなので、実際にはこのような処理が必要になるのである。

　専決は事実上の補助執行であって、対外的に権限を変更するわけではないので、**法律に基づかなくても可能**と考えられている。

　また、行政救済法との関係でも、権限の委任のように行政庁が変更されるわけではないので、原則として影響はない。ただし、住民訴訟（→411頁以下）において職員の個人責任が追及される場合には、専決権限の付与が結論に影響を与えうる。地方公営企業において総務課長の専決により違法支出がされた事案で、最判平成3年12月20日民集45巻9号1455頁（基判43頁、百選Ⅰ18①）は、専決を任されていた総務課長が不法行為責任を負うとともに、企業管理者は指揮監督責任を問われうるとした。

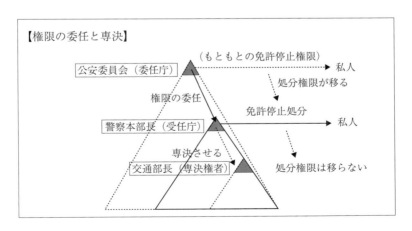

2　事務配分的行政機関概念

【設問4】
(1) 【設問1】(1)（→65頁）で、国土交通大臣が行政機関（行政庁）の例として挙げられていたが、国家行政組織法では、これとは異なる意味で、「行政機関」の語が用いられている。どのように異なるのか、説明せよ。また、国家行政組織法にいう行政機関においては、国土交通大臣はどのように位置づけられるか、条文を挙げて説明せよ。
(2) 【設問2】（→68頁）に登場した「地方運輸局長」は、国家行政組織法にどのように位置づけられるか、条文を挙げて説明せよ。
(3) 第2講【設問1】（→40頁）に登場した「財務省設置法」は、国家行政組織法にどのように位置づけられるか、条文を挙げて説明せよ。

◆国家行政組織法◆
（行政機関の設置、廃止、任務及び所掌事務）
第3条　国の行政機関の組織は、この法律でこれを定めるものとする。
2　行政組織のため置かれる国の行政機関は、省、委員会及び庁とし、その設置及び廃止は、別に法律の定めるところによる。
3　省は、内閣の統轄の下に第5条第1項の規定により各省大臣の分担管理する行政事務及び同条第2項の規定により当該大臣が管理する行政事務をつかさどる機関として置かれるものとし、委員会及び庁は、省に、その外局として置かれるものとする。
4　第2項の国の行政機関として置かれるものは、別表第1にこれを掲げる。
第4条　前条の国の行政機関の任務及びこれを達成するため必要となる所掌事務の範囲は、別に法律でこれを定める。
（行政機関の長）
第5条　各省の長は、それぞれ各省大臣とし、内閣法（昭和22年法律第5号）にいう主任の大臣として、それぞれ行政事務を分担管理する。
2　各省大臣は、前項の規定により行政事務を分担管理するほか、それぞれ、その分担管理する行政事務に係る各省の任務に関連する特定の内閣の重要政策について、当該重要政策に関して閣議において決定された基本的な方針に基づいて、行政各部の施策の統一を図るために必要となる企画及び立案並びに総合調整に関する事務を掌理する。
3　略
（内部部局）
第7条　省には、その所掌事務を遂行するため、官房及び局を置く。
2　前項の官房又は局には、特に必要がある場合においては、部を置くことができる。
3　略

4　官房、局及び部の設置及び所掌事務の範囲は、政令でこれを定める。
5　庁、官房、局及び部（……）には、課及びこれに準ずる室を置くことができるものとし、これらの設置及び所掌事務の範囲は、政令でこれを定める。
6～8　略
（地方支分部局）
第9条　第3条の国の行政機関には、その所掌事務を分掌させる必要がある場合においては、法律の定めるところにより、地方支分部局を置くことができる。

(1)　設問4(1)——国家行政組織法上の行政機関

　国家行政組織法3条2項は、国の行政機関として省を挙げている。したがって、**国家行政組織法上は、国土交通省**が行政機関であり（同法3条4項を受けた別表第1には、国土交通省が掲げられている）、**国土交通大臣**は、「**行政機関の長**」（同法5条）として**位置づけられる**。

　行政作用法（個別法）上の行政機関（行政庁）概念が一種のフィクションである（上掲1参照）のに対し、国家行政組織法上の行政機関の概念は、組織として行政活動が行われている実態に即したものである。この捉え方によって、同法7条にあるように、**内部部局**（官房、局、部、課、室）の位置づけも可能になる。

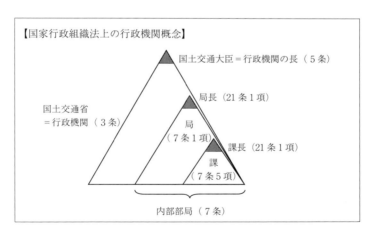

(2)　設問4(2)——地方支分部局

　地方運輸局は、国家行政組織法にいう**地方支分部局**（9条）であり、地方運輸局長は、地方支分部局の長である。

(3)　設問4(3)——各省設置法

　財務省設置法は、国家行政組織法3条2項にいう「国の行政機関」（省）

の「設置」を定め、かつ、同法4条にいう「国の行政機関の任務及びこれを達成するため必要となる所掌事務の範囲」を定める法律の1つである。

(4) 事務配分的行政機関概念と作用法的行政機関概念

国家行政組織法上の行政機関の概念は、このように、行政の仕事を行政組織内部で様々な機関（省、委員会および庁。さらに、それぞれの内部部局、すなわち官房、局、部、課および室）に振り分けるときの受け皿として用いることができるものであり、**事務配分的行政機関概念**といわれることがある。

これに対し、【設問3】までで見た行政作用法（個別法）上の行政機関（行政庁）概念は、私人に対する対外的な権限（特に行政処分権限）に着目したものであり、**作用法的行政機関概念**といわれることがある。

両者は観点を異にするものであり、どちらか一方が正しいというわけではない。現行法は、両者の概念を組み合わせて用いている。したがって、法律を読むときには、行政機関概念がどちらの意味で用いられているかに注意するとともに、両者の関係にも注意する必要がある。

3 国の行政組織

【設問5】
　行政活動に対する民主的コントロールを確保するため、憲法・内閣法・国家行政組織法は、国民・国会・内閣総理大臣・内閣・各省大臣・各省をどのように関係づけているか、説明せよ。

まず、国民・国会・内閣総理大臣・内閣の関係について見る。行政権は、内閣に属するが（憲法65条）、内閣の首長たる内閣総理大臣（憲法66条1項）は、全国民を代表する選挙された議員で組織される国会（憲法43条）が、国会議員の中から指名する（憲法67条）。内閣は、行政権の行使について、国会に対して連帯責任を負う（憲法66条3項）。内閣は、衆議院で不信任決議案が可決（または信任決議案が否決）されたときは、10日以内に衆議院が解散されない限り、総辞職しなければならない（憲法69条）。

次に、内閣総理大臣・内閣・各省大臣・各省の関係について見る。内閣総理大臣は、国務大臣の任免権を有し（憲法68条）、**閣議**にかけて決定した方針に基づいて、**行政各部を指揮監督**する（憲法72条、内閣法6条。なお、閣議にかけて決定した方針が存在しない場合であっても、指導、助言等の指示を与える権限を有することにつき、最大判平成7年2月22日刑集49巻2号1

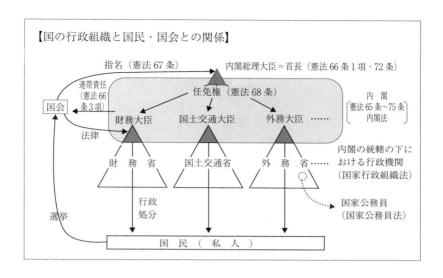

頁〔ロッキード事件、基判43頁、百選Ⅰ15〕参照）。各大臣は、内閣の構成員である（憲法66条1項）と同時に、主任の国務大臣（憲法74条）として、行政事務を**分担管理**する（内閣法3条1項、国家行政組織法5条。ただし、行政事務を分担管理しない大臣が存することは妨げられない。内閣法3条2項）。すなわち、大臣は、内閣の構成員（国務大臣）と行政機関の長（行政長官）の1人2役をこなす（これを**国務大臣・行政長官同一人制**という。上図で、閣議をイメージした ◯ 部分と各省のピラミッド組織を表わす三角形の重なった部分に大臣が位置するのは、そのような意味である）。この仕組みによって、各省の行政活動が、内閣の決めた方針に従って行われることが意図されていると考えられる。なお、主任の大臣の間における権限につい

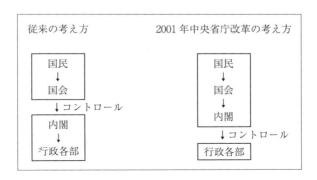

ての疑義は、内閣総理大臣が閣議にかけて裁定する（内閣法7条）。

　第2講で、少なくとも侵害行為については、国会が制定した法律に基づいて行われなければならないという、作用法的なコントロールについて学んだが、それ以外にも、上述のように、組織法的な民主的コントロールの仕組みが用意されていることに注意してほしい。

　もっとも、実際には、しばしば**縦割り行政**として批判されるように、各省がそれぞれ分担管理する行政事務について強い自律性をもち、内閣による総合調整やそれに対する民主的コントロールはうまく機能していないという問題がある。

　そこで、2001年（施行）の中央省庁改革においては、省庁再編によって省の数を減らすとともに、**内閣府**の設置等により**内閣機能を強化**し、内閣による総合調整および内閣を通じた民主的コントロールを強化することが目指された。これは、従来、「国民・国会」によって「内閣・行政各部」をコントロールすることを考えていたのに対し、内閣を国民・国会の側に引き付けて考え、「国民・国会・内閣」によって「行政各部」をコントロールする試みである。

4　地方公共団体

(1)　地方公共団体の種類

　地方公共団体は、普通地方公共団体（都道府県・市町村）と特別地方公共団体（特別区・地方公共団体の組合・財産区）とに分かれる（地方自治法1条の3）。

(2)　普通地方公共団体の組織

> 【設問6】
> 　普通地方公共団体における住民・議会・行政機関（地方自治法は「執行機関」と呼んでいる）の関係は、【設問5】で見た国における国民・国会・行政機関の関係と比べて、どのような違いがあるか、説明せよ。

　国の行政組織と比べて、次のような特徴がある。

　第1に、内閣の首長たる内閣総理大臣は、国会が指名し（憲法67条）、国民が直接選挙するわけではないのに対し、地方公共団体の**長**（都道府県知事、市町村長）は、**住民**が**直接選挙**する（憲法93条2項）。すなわち、地方公共団体の組織は、直接公選の首長および議会という二元的代表機関の相互

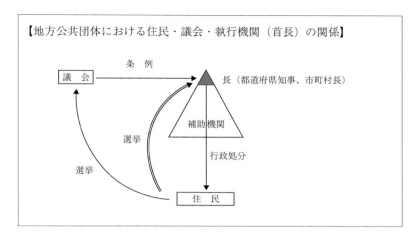

の抑制と均衡により、民主的行政を図る仕組みとされている。これを**首長主義**または**二元代表制**という。

　第2に、国の場合は、内閣という合議制機関が最高の行政機関であり、また、各省大臣による行政事務の分担管理体制がとられているのに対し、地方公共団体の場合には、長という独任制の機関が行政活動を統轄しており、国のような**分担管理体制はとられていない**（その意味で、縦割り行政ではなく、地域における総合行政を行いうる）。

　ただし、地方公共団体の執行機関としては、長のほか、長からの独立性を保障された各種**委員会**（教育委員会、公安委員会〔**【設問3】**（→70頁）〕、選挙管理委員会等）や委員（監査委員）も存在する（これを**執行機関の多元主義**という）。

5　国と地方公共団体との関係

> **【設問7】**
> 　行政法の判例の中には、しばしば、国の各省（大臣）が地方公共団体の長に対して通達を発したという事案が見られる（例えば、最判昭和43年12月24日民集22巻13号3147頁〔墓地埋葬通達事件〕、基判230頁、百選Ⅰ52、CB1-1。→160頁）。通達は、上級行政機関が下級行政機関に対して発する命令である（国家行政組織法14条2項）。憲法で地方自治が保障されており、国と地方公共団体との関係は、上下関係ではなく役割分担の関係のはずであるが、それにもかかわらず、各省（大臣）が地方公共団体の長に対して、通達によって指揮命令できるとされていたのは、どのような制度に基づくものであったの

か。また、現在では、その制度は、どのように改められているか。

　1999年の地方分権改革以前は、地方公共団体の長に国の事務を委任して処理させるという**機関委任事務**の制度があった。機関委任事務の処理に関する限り、地方公共団体の長は国の機関として位置づけられ、各省大臣の発する通達等による指揮監督を受ける。

　機関委任事務はあくまでも（国の機関として位置づけられた）長の事務であって、地方公共団体の事務ではない。しかし、実際には、地方公共団体の職員が補助機関として、機関委任事務に携わることになる。機関委任事務は、地方公共団体の仕事のかなりの部分を占めていたといわれており、その結果、地域における行政を自主的・総合的に行うべき地方公共団体（【設問6】〔→76頁〕）が、実際には、国の縦割り行政の系列（【設問5】〔→74頁〕）に組み入れられ、国の単なる下請け機関になってしまうという、地方自治にとって重大な問題をはらんでいた。

　1999年の地方自治法の改正によって、**機関委任事務制度は廃止**され、新たに**自治事務**と**法定受託事務**の2区分制が採用された。この区分は、地方公共団体の事務の中でも、その性質によって、国がどこまで関与すべきかが異なることから設けられたものである。

　すなわち、自治事務は、「地方公共団体が処理する事務のうち、法定受託事務以外のもの」であり（地方自治法2条8項）、法定受託事務は、「国が本来果たすべき役割に係るものであって、国においてその適正な処理を特に確保する必要があるものとして法律又はこれに基づく政令に特に定めるもの」（地方自治法2条9項1号。第1号法定受託事務）および「都道府県が本来果たすべき役割に係るものであって、都道府県においてその適正な処理を特に確保する必要があるものとして法律又はこれに基づく政令に特に定めるもの」（同項2号。第2号法定受託事務）である（第2号法定受託事務は、都道府県と市町村との役割分担に関わるものである）。

　ここで重要なのは、自治事務のみならず**法定受託事務も、国の事務ではなく地方公共団体の事務である**ということである。したがって、機関委任事務の場合のような大臣の包括的な指揮監督は認められず、国が地方公共団体の事務処理に関与するには、法律の根拠が必要とされる（これを**関与の法定主義**という。地方自治法245条の2）。関与の類型として、①助言・勧告、②資料の提出の要求、③是正の要求、④同意、⑤許可・認可・承認、⑥指示、⑦

代執行、⑧協議、⑨その他一定の行政目的を実現するための具体的・個別的に関わる行為がある（地方自治法245条）。

また、国の関与についての紛争を処理する第三者機関として、「**国地方係争処理委員会**」が設置されている（地方自治法250条の7以下）。同委員会の審査結果等に不服のある地方公共団体の執行機関は、高等裁判所に訴えを提起できる（同法251条の5。実例として、泉佐野市ふるさと納税不指定事件〔最判令和2年6月30日民集74巻4号800頁、基判141頁、百選Ⅰ48、CB1-9〕→158頁、辺野古サンゴ訴訟〔最判令和3年7月6日民集75巻7号3422頁〕がある）。他方、是正の要求等がされたにもかかわらず地方公共団体がこれに応じず、かつ国地方係争処理委員会への審査の申出もしない等の場合には、各大臣は、高等裁判所に対し、当該地方公共団体の不作為の違法確認を求めることができる（同法251条の7。実例として、辺野古埋立承認取消違法確認訴訟〔最判平成28年12月20日民集70巻9号2281頁〕→48頁がある）。

このように、現在では機関委任事務制度は廃止されているが、判例を理解するためには依然として重要な知識なので、覚えておいてほしい。また、国の地方公共団体に対する関与が完全になくなったわけではないことにも注意してほしい。

6 独立行政法人等

【設問8】
情報公開について、行政機関の保有する情報を対象とする法律のほかに、独立行政法人、特殊法人および認可法人の保有する情報を対象とする法律がある（「独立行政法人等の保有する情報の公開に関する法律」。→221頁）。

他方、行手法4条は、独立行政法人、特殊法人のほか、認可法人および指定法人の一部に対する処分について、同法の適用除外としている（→101頁）。

また、運輸大臣が日本鉄道建設公団（特殊法人）に対してした工事施行認可について、最高裁判所は、取消訴訟の対象にならないとしている（最判昭和53年12月8日民集32巻9号1617頁〔成田新幹線事件〕、基判230頁、百選Ⅰ2、CB11-4）。

このように、ある種の法人について、情報公開、行政手続、行政訴訟等に関する特別の取扱いがされているのは、なぜだと考えられるか。

近代行政法は、「国家と市民社会の二元論」を基本的な前提としている（→26頁）が、現代では、両者の中間的な法主体として様々なものが登場している。これは、「国家が公的な任務を独占し、私人は私的な活動のみを行

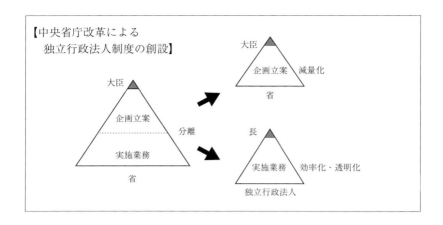

う」という前提が揺らいでいることを意味するが、これを行政法の枠組みの中にどのように位置づけるかは、困難な課題である。

(1) 独立行政法人

独立行政法人とは、①公共上の見地から確実な実施を要する事務・事業であって、②国が自ら主体となって直接に実施する必要はないが③民間主体に委ねたのでは実施されないおそれがあるものまたは1つの主体に独占的に行わせることが必要であるものについて、効率的かつ効果的に行わせる目的で設立される法人である（独立行政法人通則法2条1項）。中央省庁改革（→76頁）に伴って導入された制度であり、企画立案機能と実施機能とを分離し、実施機能を担う国の機関を法人化して国の行政組織の外に出すことにより、国の行政組織を減量化するとともに、独立行政法人については自発的な運営の余地を拡大し、企業会計原則の下で効率化・透明化を図ることを狙っている。このように、一定の業務を国とは別の法人に担わせるものであるが、上述の定義（特に③）から明らかなように、民営化とは異なることに注意してほしい。業務の特性に応じて、中期目標管理法人、国立研究開発法人、行政執行法人の3類型に分かれる。

なお、国立大学については、学問の自由を確保するため、大学の自治、教育研究の特性に配慮し、独立行政法人通則法に基づく独立行政法人とは異なる法人類型として、各大学単位で、国立大学法人法に基づく**国立大学法人**とされた。

また、地方公共団体については、**地方独立行政法人**法が制定されている。

(2) 特殊法人

特殊法人は、法律により直接に設立される法人、または、特別の法律により特別の設立行為をもって設立すべきものとされる法人のうち、独立行政法人を除いたものである。行政機能の拡大と業務運営の弾力化の要請等を背景として、高度経済成長期に急増したが、非効率な運営と税金無駄遣いの温床である等の批判が強まり、整理合理化（廃止、民営化のほか、上述の**独立行政法人への移行**）がなされた結果、現在は、NHK、日本中央競馬会等、わずかな例しかない。

(3) 公共組合

公共組合とは、行政事務を行うことを存立目的として設立された公の社団法人である。**土地区画整理組合**（土地区画整理事業につき→308頁）、健康保険組合等がその例である。行政事務であっても、直接の受益者が限定されていることから、国・地方公共団体とは独立の法人を設立させ、利害関係者に一定の費用負担を求め、他方において自主的な管理を行わせるものである（宇賀・概説Ⅲ304頁）。加入強制、組合に対する国の監督、組合の業務執行への公権力性の付与、組合費の強制徴収など、行政主体としての法的特色が認められる。

(4) 認可法人

認可法人とは、私人が任意に設立する法人であるが、その行う業務の公共性のゆえに、特別の法律により設立され、かつ、その設立に関して主務大臣の認可が必要とされているものをいう。日本銀行、預金保険機構、日本赤十字社等がその例である。

(5) 指定法人

指定法人とは、民事法上の法人に対して、法律に基づいて、行政庁により指定がなされ、特定の業務（試験、検査、検定、登録等）が委任（→68頁）されるものをいう。建築基準法6条の2に基づく建築確認を行いうる**指定確認検査機関**がその例である。指定確認検査機関は、民間企業ではあるが、建築確認という行政処分を行う権限を付与され、当該処分については行政庁として扱われる。したがって、指定確認検査機関がした建築確認の取消訴訟については、行訴法11条2項により、行政庁である指定確認検査機関が被告となる（→70頁）。

(6) 独立行政法人等の法的取扱い

「独立行政法人等の保有する情報の公開に関する法律」が、独立行政法人、特殊法人および認可法人の保有する情報を対象として、行政機関の保有する

情報とほぼ同じ扱いをしているのは、これらの法人が行政主体としての性格を有するという観点に基づくものと考えられる（塩野・行政法Ⅲ127頁）。なお、国および地方公共団体のように、憲法上行政主体たる地位を有する法人以外で、制定法上、行政を担当するものとして位置づけられているものを総称して、**特別行政主体**ということがある（塩野・行政法Ⅲ97頁）。

また、**行手法4条**が、独立行政法人、特殊法人のほか、認可法人および指定法人の一部に対する処分について、同法の**適用除外**としているのは、これらの法人に対する監督処分を、国家と私人との関係ではなく、**国家内部の関係**と見ているためと考えられる。もっとも、この点については、国とこれらの法人との関係における透明性の確保という観点から、疑問が提起されている（髙木ほか・条解行政手続法161頁）。

さらに、運輸大臣が日本鉄道建設公団（特殊法人）に対してした工事施行認可について、最高裁判所が取消訴訟の対象にならないとした（上掲成田新幹線事件）のも、これを**内部的監督関係**と見たためである（→280頁参照）。しかし、これに対しても、独立の法人格を与えたことは、自律的活動の余地を与えたことを意味するから、法律上の争訟として扱うべきであるという批判がある（塩野・行政法Ⅲ129頁）。

II 行政過程論

第5講　行政過程論の骨格
——行為形式と行政手続・行政訴訟

◆学習のポイント◆
　行政法の骨格を成す、行政処分・行政立法・行政計画・行政契約・行政指導等の行政の行為形式と、それぞれについての事前手続（行政手続）および事後手続（行政訴訟）の全体像を把握することが目標である。なお、行政訴訟の詳細は、第16講以下の行政救済論で扱うが、行政訴訟は、行政処分の問題と密接に関連するため、その限りで本講でも言及する。行政処分は、行政法の体系全体の「要(かなめ)」であり、行政法総論と行政救済法をつなぐ「蝶番(ちょうつがい)」でもある。

1　行政処分の概念

【設問1】
　第1講の鉄道運賃の認可（【設例A】〔10頁〕）、自動車の運転免許（【設例B】〔15頁〕）、建築確認（【設例C】〔18頁〕）および生活保護の決定（【設例D】〔23頁〕）に共通する法的特色は何か。次の3点において、他の行政活動とどのように異なるかという観点から、説明せよ。
(1) 国民に権利義務を生じさせない行政指導および行政の内部行為（例：通達）との違い。
(2) 国民に一般的・抽象的権利義務を生じさせる法令（例：第1講【設例C】の「建築基準関係規定」〔建築基準法6条1項〕、第1講【設例D】の「厚生労働大臣の定める基準」〔生活保護法8条1項〕）との違い。
(3) 行政主体と国民との合意によって権利義務が生じる契約（例：贈与契約による補助金交付）との違い。

(1)　行政の行為形式——行政活動を型にはめる

　行政法の中心課題は、行政活動を法によってコントロールすることであるが、行政活動は多様で流動的であるため、これに法の縛りをかけ、訴訟等の対象にするには、そのための手がかり・取っかかりが必要である。そこで、行政活動のうちで法的に見て特徴的な部分を捕まえて、型にはめるという方

法がとられる。この型が**行政の行為形式**である（塩野・行政法Ⅰ96頁によると、行政の行為形式とは、「行政の活動の基本的単位」とされている）。

(2) 行政処分とは

上述のような型（行為形式）のうちで、行政法学において伝統的に最も重視され、その中心に据えられてきたのが、**行政処分**（または**行政行為**。両者の関係については→93頁のコラム「行政行為と行政処分との関係」）である。【設問1】に挙げた鉄道運賃の認可、自動車の運転免許、建築確認および生活保護の決定は、いずれも行政処分の例である。

行政処分の定義については、教科書によって様々な表現がされているが、ここでは、行政訴訟との連続性の観点から、「行政庁の処分」（行訴法3条2項。これは、行政法学上の「行政行為」概念を基礎として作られたものである）に関する判例の定義（最判昭和39年10月29日民集18巻8号1809頁、基判229頁、百選Ⅱ143、CB11-2以来の判例の立場）によることとしたい。すなわち、行政処分とは、「**公権力の主体たる国または公共団体が行う行為のうち、その行為によって、直接国民の権利義務を形成しまたはその範囲を確定することが法律上認められているもの**」である（法律には条例を含む）。

この定義を踏まえ、以下、行政処分の法的特徴を、①国民の権利義務との関わり（行政指導・内部行為との違い）、②具体性（法律・行政立法との違い）、③公権力性（契約との違い）の3点に分けて、説明する。

(3) 設問1(1)——行政処分の特徴①：国民の権利義務との関わり（行政指導・内部行為との違い）

まず、行政処分は、「直接国民の権利義務を形成しまたはその範囲を確定する」ものであるから、**国民に権利義務を生じさせない行政活動は、行政処分に当たらない**。もともと行政法学は、行政活動を法的にコントロールして国民の権利利益を守ることを課題としているから、行政活動のうち国民に権利義務を生じさせるものを考察対象として重視してきたのである。

したがって、相手方に法的義務を課すことなく特定の行為を求める**行政指導**は、行政処分に当たらない。

また、上級行政機関が下級行政機関に発する**通達**のような行政の**内部行為**は、行政組織の外部にいる国民に直接権利義務を生じさせるものではないから、行政処分に当たらない（→160頁、280頁）。

これに対し、鉄道運賃の認可、運転免許、建築確認については、いずれも、認可を受けずに運賃を収受したり、免許を取らずに運転したり、建築確認を受けずに建築工事を行ったりすることは法的に禁止されており、**違反**に

対する罰則規定があるので、直接国民の権利義務を形成しているといえる。また、生活保護の決定についても、**これによって初めて具体的に保護を受ける権利が生ずる**ので、直接国民の権利義務を形成しているといえる。

(4) 設問1(2)――行政処分の特徴②：具体性（法律・行政立法との違い）

次に、行政処分の第2の特徴として、一般的・抽象的に国民の権利義務を生じさせる法令とは異なり、**国民に具体的な権利義務を生じさせる**という点が挙げられる。

例えば、第1講【設例C】（→18頁）で、国民は建築基準関係規定に適合する建築物を建築できる（適合しない建築物は建築できない）という一般的・抽象的権利（義務）を有するが、建築確認（建築基準法6条4項）によって初めて、具体的に特定の建築物について建築工事をすることが可能になる（逆に、建築基準関係規定に適合しない旨の通知〔建築基準法6条7項〕によって初めて、当該建築物を建築できないことが確定する）から、建築確認（または不適合通知）の段階で初めて行政処分と認められる。また、第1講【設例D】（→23頁）で、憲法25条およびそれを具体化した生活保護法8条1項に基づく「厚生労働大臣の定める基準」によって、一般的・抽象的には、すべての国民に健康で文化的な最低限度の生活を営む権利が保障されているが、国民が保護を受ける具体的な権利を取得するのは、保護の開始の決定（生活保護法24条・25条）によってであるから、その決定の段階で初めて、行政処分と認められる。

このように、行政法令においては、しばしば、法令自体で国民の権利義務を直接具体的に定めるのではなく、**法令においては国民の権利義務を一般的・抽象的に定めておき、行政機関が当該法令を具体的な事案に当てはめて決定を行うことによって初めて、国民の具体的な権利義務が生じる**という仕組みがとられる。これは、法令自体で権利義務の内容を具体的かつ明確に定めることが必ずしも容易ではなく、かといっていちいち裁判所の判断を求めなければ権利義務が確定しないという仕組みも適切でない場合に、まず行政機関が法令を適用して国民の権利義務の具体的内容を確定し、それに不服のある者が裁判所で争えるという仕組みをとったものと考えられる。

伝統的な行政法学は、この、行政機関による国民の権利義務の具体的な形成・確定を、行政活動のうちで法的にみて特に重要な局面と捉え、行政処分として把握したのである。行政処分は、「**①法律⇒②行政処分⇒③行政強制（義務履行確保）**」という「**3段階構造モデル**」の要となる重要な局面と位置

づけられる(→89頁)。また、行政訴訟との関係でも、国民の権利義務の具体的な形成・確定という性質に着目して、**訴訟の対象として取り上げるにふさわしいもの**として扱われる。

(5) 設問1(3)——行政処分の特徴③：公権力性（契約との違い）

例えば、行政主体が国民から贈与契約の申込みを受けてこれを承諾した場合、それによって国民に具体的な給付請求権が生じるから、「直接国民の権利義務を形成」したといえる。しかし、このような当事者の合意による契約は、「**公権力**」に当たらないから、行政処分ではないとされる。行政処分の要素である「公権力の行使」とは、伝統的通説によると、「優越的な意思の発動」とか「高権的権力の一方的発動」とも言われ、行政主体と国民とが対等の立場で合意によって権利義務を形成するのではなく、行政機関が法令に基づいて、国民より**優越的**な立場で**一方的**に国民の権利義務を形成することを指していると考えられる。

鉄道運賃の認可、運転免許、建築確認、生活保護の決定は、いずれも、行政主体と国民との合意によってではなく、行政機関が法令に照らして一方的に判断・決定することによって国民の権利義務が生じるので、公権力の行使に当たる。もっとも、鉄道運賃の認可、建築確認および運転免許は、私人の**申請**に基づくものであり、生活保護の決定も、職権による場合もあるが、原則としては申請に基づくものである（生活保護法7条参照）。しかし、申請は行政処分を行うためのきっかけにすぎず、行政処分はあくまでも申請者との合意ではなく行政庁の一方的判断によって行われる、と説明される。

行政法においては、このように、国民に具体的な権利義務を生じさせる行為のうち、「権力的」な性格を有するものについて、民法における法律行為とは異なる特殊性を見出し、これを行政処分として捉えるのである。訴訟との関係では、契約も行政処分も訴訟の対象にはなるが、行政処分は**民事訴訟ではなく抗告訴訟の対象になる**という点に、区別の実益がある。

   * もっとも、「優越的」とか「一方的」とかの基準で行政処分と契約とを区別できるのか、また、区別すべきなのかについては、現在では疑問が呈されている。特に、**給付行政**における行為（生活保護の決定や補助金交付決定など）について、「公権力」とは何を意味するのか、行政処分と契約とをどのように区別すべきかは、微妙で困難な問題である。

      詳細は後に学ぶが（→313頁以下）、ここで注意しておくべきなのは、行政法でいう「公権力」は法技術的な概念であって、政治学的な意味での権力とは異なるということである。例えば、巨額の資金の使い道を決定でき

る者には、実態として権力があるといえるかもしれない。しかし、行政法でいう「公権力」は、そのような実態を指すのではなく、**法律が「処分」の仕組みを規定している**ことを指しており、訴訟との関係では、民事訴訟ではなく抗告訴訟で争うべきとされているものを指す。行政処分の定義で「法律上認められているもの」とされているのも、そのような意味である。また、行政処分が行為「形式」とされているのも、行為の内容や実体とは一応別の問題として、法律が処分の形式を定めているという意味である。

2　行政処分を中核とする行政法体系の骨格

【設問2】
【設問1】のように各種の行政活動の中のある種の行為を「行政処分」として横断的に把握することには、どのような意味があるか。

次の2つの意味があると考えられる。
(1)　制定法上の意味（行政手続および訴訟手続の適用基準）
　　　――ミクロのプロセス（後述3）
行手法、**行審法**および**行訴法**は「処分」の概念を用いているため、これらの制度の適用の有無を判断することができる。例えば、行政処分に不服がある場合には、取消訴訟という共通の訴訟制度を利用できる（その反面、取消訴訟以外の訴訟で争うことができない。→256頁「取消訴訟の排他的管轄」）。
(2)　行政法理論上の意味（行政過程の法的分析道具）
　　　――マクロのプロセス（後述4）
様々な行政過程や法的仕組みを構成しているパーツ（行為形式）の1つである行政処分を認識し、他の行為形式（行政立法、行政計画、行政契約、行政指導等）と区別することにより、それらの**行政過程や法的仕組みを法的に分析するための道具**とすることができる。その際、行政機関が一方的に国民の具体的な権利義務を変動させる局面である行政処分は、特に重要なものであると考えられ、行政法学の中心に置かれてきた。

行政処分を中核とする行政法体系の骨格について、次頁図の丸付番号に沿って説明する。
① 国民代表議会が制定した**法律**（または住民代表議会が制定した**条例**）に基づいて、行政処分などの行政活動が行われる（**法律による行政の原理**。→第2講）。なお、法律で大枠を決めたうえで細部を**行政立法**に委任する場

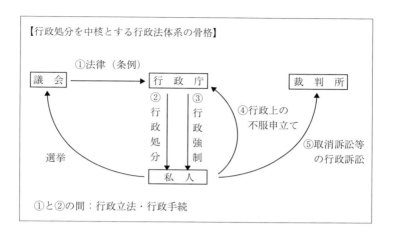

合もある（→第9講）。

②　法律および行政立法によって定められた一般的・抽象的権利義務を具体化し、個別の国民に具体的な権利義務を生じさせるのが**行政処分**である。なお、行政処分を行うための**行政手続**も、現在では重視されている（→第6講、第7講）。

③　行政処分によって課された義務に相手方が従わない（例：課税処分を受けた者が税金を払わない）場合、行政庁は裁判所の力を借りずに、自力で強制執行を行う（例：滞納者の財産を差し押さえて強制的に取り立てる）ことができる。これを**行政強制（行政上の強制執行）**という（ただし、行政上の強制執行の根拠となる法律〔例：国税徴収法〕がある場合に限られる。→第14講）。

ここまでの「①法律⇒②行政処分⇒③行政強制」の3段階は、行政過程の基本的骨格をなす「**3段階構造モデル**」とよばれている（藤田・総論上21頁）。行政処分は、その要となるものである。

④　ここから先は、違法な行政処分が行われた場合に、私人の側がどのように対抗すればよいかである（行政救済法）。まず、行政機関に対して不服を申し立てるという方法がある（**行審法に基づく行政上の不服申立て**。→第16講）。この方法は、簡易に行えるというメリットがある反面、裁判所に比べると中立性に劣るというデメリットがある。

⑤　そこで、最後の手段として（ただし、行政上の不服申立てを経なくても、直ちに訴訟を提起できるのが原則である。行訴法8条参照）、**行訴法**に基づき、裁判所に**行政訴訟**を提起する方法がある（→第17講）。行政処分についての原則的な争い方は、**取消訴訟**（処分の取消しを求める訴訟）である。この訴訟で原告が勝訴すれば、法的には処分が最初からなかったことになり、原告は救済される。

　以上が伝統的な行政法の骨格である。ここで重要なことは、様々な行政活動のうちで、行政処分に当たるものについては、行政庁は行政上の強制執行ができるし（ただし、行政上の強制執行の根拠となる法律がある場合に限る）、私人の側から行政上の不服申立てや取消訴訟で争うことができるが、逆に、行政処分に当たらないものについては、行政庁は行政上の強制執行ができないし、私人の側から行政上の不服申立てや取消訴訟で争うことはできない、という形で、行政処分を中核として、行政法の体系全体が組み立てられているということである。そこで、行政法を理解するためには、行政処分について理解することが不可欠である。

3　行為形式と行政手続・行政訴訟との関係（ミクロのプロセス）

　1で見た行政処分を中心とする行政の行為形式を法律によってコントロールするのが、行政法の主要な課題である。その際、大きく分けて2通りのコントロールの仕方がある。すなわち、それぞれの行為形式が成立し効力を生じるまでのプロセス（**事前手続**）を法律によってコントロールする方法と、それぞれの行為形式が成立し効力を生じた後で、それが法律に適合するよう

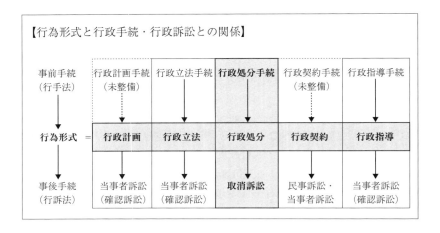

にコントロールする方法（**事後手続**）である。前者に関する一般法として、**行手法**があり、後者に関する一般法として、**行審法**および**行訴法**がある（2で見た行政法体系の骨格のうち、②、④および⑤の説明を参照）。

　これらのコントロール手段に関する法整備は、当初は行政処分に関する事後手続が中心であったが、行政法の発展とともに、事後手続から事前手続へ、また、行政処分からそれ以外の行為形式へ拡充されてきている。その概要は、前頁図のとおりである。

　この図を説明しよう。

　①　伝統的な行政法学では、「**行政処分→取消訴訟**」の部分に専ら着目していた。行政活動を法律で縛る場合の取っかかりとして、行政過程の中で重要な節目である行政処分を重視し、行政処分が法律に違反している場合には、取消訴訟を通じて裁判所が取り消すことにより、国民の権利が守られ、行政の適法性が担保されると考えたのである。

　②　しかし、訴訟による事後救済だけでは不十分であり、違法な行政活動がなされないように、さらには、より望ましい行政活動がなされるように、あらかじめ行政活動を行う際の手順を法律で定めておくべきであるという考え方が強くなり、1993年に**行手法**が制定された（→第6講）。

　こうして、「**行政処分手続**（事前手続）→行政処分→取消訴訟」のライン（図では縦のライン）ができた。

　③　他方、多様な行政活動を法的に把握してコントロールを及ぼすには、行政処分を捕まえるだけでは不十分ではないかという問題意識が生じ、行政処分以外の行為形式（**行政計画**、**行政立法**、**行政契約**、**行政指導**等）にも法の網を掛けることが考えられた（→第9講～第12講）。図では、「横のライン」に当たる。

　こうして、②の「縦のライン」と③の「横のライン」とでクロスができ、その交点に行政処分が位置することになる。

　④　そうすると、「横のライン」の上下に、それぞれの行為形式（行政計画、行政立法、行政契約、行政指導等）について、行政処分と同様に、事前手続および事後手続（訴訟）の整備の必要性が意識される。

　こうして、行政活動に対する法の網の目が（図では四隅に）広がっていく。

　⑤　まず、事前手続のうち、**行政指導手続**については、行手法にいくつかの条文が置かれた。また、**行政立法手続**についても、2005年の行手法の改正で、規定が整備された。

しかし、行政計画手続および行政契約手続については、いまだ一般法の整備はされておらず、今後の課題となっている。

　⑥　次に、事後手続（訴訟）については、①で述べたように、「行政処分→取消訴訟」というルートが確固たるものであるため、行政処分の概念を（ときにはやや無理をして）拡張することにより、行政計画、行政立法、行政契約、行政指導等の一部についても、処分性を認めて取消訴訟で争わせるという工夫が、判例・学説上、行われてきた（→下図。第18講、第19講）。

　これに対し、2004年の行訴法改正で、無理に処分性を拡げるよりも、行政計画、行政立法、行政指導等については、**公法上の当事者訴訟としての確認訴訟**（行訴法4条）を活用することにより、裁判的救済を図るという方向性が示された（なお、行政契約については、以前から、民事訴訟によって争う途があった）。

　　＊　ただし、行訴法4条には、行政計画、行政立法、行政指導等について、どのような要件で確認訴訟が認められるのかについては何も示されておらず、判例・学説に委ねられている。その際、確認訴訟である以上、**確認の利益**が認められる必要がある。その意味で、90頁の図における「行政指導→当事者訴訟（確認訴訟）」等のルートは、認められる可能性があるという程度の意味であり、「行政処分→取消訴訟」のルートが確立しているのとは意味合いが全く異なるので、注意が必要である（以上につき、322頁も参照）。

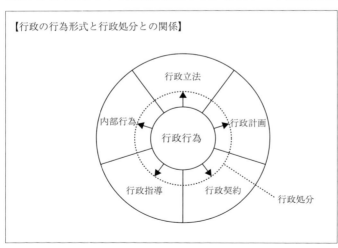

●コラム● 行政行為と行政処分との関係

　「行政行為」は、伝統的に行政法学の中心とされてきた学問上の（理論上の）概念であり、実定法上の概念ではない（「行政行為」という語を用いた法律は存在しない）。これに対し、「行政処分」（「行政庁の処分」または単に「処分」とされることも多い）は、学問上の「行政行為」概念をもとにして作られた、実定法上の（制度上の）概念である。したがって、両者は観点が異なる。

　「行政行為」は学問上の概念であるから、学者によって、その内容が完全には一致しないことがありうるし、一致しなくても、実務上、特に困るわけではない。これに対し、「行政処分」は、実定法上の（制度上の）概念であるから、ある行政活動が「（行政）処分」に該当するか否かについて争いがある場合には、実務上はどちらかに決める必要がある。そこで、それに関する判例がたくさんある（→第18講、第19講）。このように、実務上重要なのは「（行政）処分」の方であり、特に行手法、行審法および行訴法の適用を論じる際には、「（行政）処分」の語を用いるべきである（ある行政活動が処分に当たることを、その行政活動に「処分性がある」という）。

　「行政処分」に該当する行政活動の範囲は、もともとは伝統的な「行政行為」の範囲と一致していたと考えられるが、本文の⑥で述べたように、訴訟との関係で、実効的な権利救済の観点から、「行政処分」の範囲が伝統的な「行政行為」の範囲よりも拡大された。この拡がった部分について、「本来は行政処分でないものが、救済の便宜上、形式的に行政処分として扱われている」という意味で、「形式的行政処分」といわれることがある。これに対し、この用語の使用に反対する見解も有力である。行政処分はすべて、法律が行政処分の形式を規定しているから行政処分なのであり、その意味ですべての行政処分が「形式的」であって、「本来的な行政処分」と「本来的でない行政処分」を区別することはできない、という批判である（小早川・行政法上280頁参照）。

4　複数の行為形式の組み合わせ（マクロのプロセス）

　3で見たのは、1つの行為形式をめぐる、事前および事後のプロセスである（これを「ミクロのプロセス」〔塩野・行政法Ⅰ292頁〕または「個別的行政過程」〔小早川・行政法講義下Ⅰ4頁〕ということができる）。

　しかし、実際の行政活動や個別法の仕組みにおいては、1つの行為形式のみで事案の処理が完結することは稀であり、むしろ、複数の行為形式が組み合わせて用いられることが多い（「マクロのプロセス」または「連続的行政過程」）。

　例えば、個別法で基本的な仕組みが定められたうえで、その委任を受けた施行令等の「行政立法」で詳細が定められ、それらの規定に基づいて私人に対し勧告等の「行政指導」がされ、相手方が行政指導に従わない場合に命令等の「行政処分」がされ、相手方が行政処分に従わない場合に「罰則」が科されるといった形で、複数の行為形式が組み合わせて用いられる。

＊　上述の「行政指導」は、個別法に規定が置かれている場合と、規定は置かれていないが行政の運用により行われる場合とがある（→第10講【設問1】〔166頁〕）。

　　　また、「罰則」は、それ自体は行政の行為形式ではない（刑罰は裁判所によって科される）が、行政の法的仕組みにおいて重要な位置を占めていることが多い。

　このように、個別法の仕組みやそれに基づく行政活動を、行為形式という「文法」を用いて分析することにより、当該仕組みの全体像を把握したり、それぞれの行為形式に対する私人の手続保障や救済手段（上述3）を検討したりすることが可能になる。また、複数の行為形式を組み合わせて、新たな法的仕組みを設計すること（制度設計）もできる。

第6講　行政処分手続(1)

> ◆学習のポイント◆
> 1　行政手続を法律（一般法）で規律することの意義、個別法の規定との関係について理解する。行政処分（申請に対する処分または不利益処分）については、法律に適用除外規定が置かれていない限り、行手法が適用されることを常に意識する。
> 2　行手法に規定されている同法の適用除外について、概要を理解する。地方公共団体の機関等が行う処分等に対する行手法・行手条例の適用関係に注意する。
> 3　申請に対する処分と不利益処分の区別に注意する。申請拒否処分は申請に対する処分であって不利益処分ではなく、意見陳述手続は保障されていない。
> 4　申請に対する処分と不利益処分に共通する手続である審査基準・処分基準の設定・公表および理由提示について理解する。理由提示については、判例法理を踏まえ、趣旨、理由提示の程度、瑕疵の治癒の可否、審査基準・処分基準の適用関係を示す必要があるか、に注意する。

1　行手法の意義

(1)　行政手続の重要性

> 【設問1】
> 　行政機関（の職員）が行政処分（あるいは、広く行政活動）を行う際の手順を法律によって定めることは、国民にとってどのような意味があるか。当該手順を行政組織内部のマニュアルや指針等によって定める場合と比較しつつ論ぜよ。

　伝統的な行政法学では、行政活動が結果として法律に適合していることが

重要であって、もし違法な行政活動が行われれば、事後的に行政訴訟等によって正せばよいと考えられていた（「実体法による規律と事後的裁判的コントロール」——塩野・行政法Ⅰ293頁）。

しかし、訴訟等による事後救済だけでは、観念的には適法性が回復されても、実際の救済としては不十分であり、違法な行政活動がされないように、さらには、より望ましい行政活動がされるように、あらかじめ行政活動を行う際の手順を定めておくべきであるという考え方が強くなった。また、単に行政活動が結果的に正しければ良いというのではなく、利害関係者の主張を十分に聞いたうえで、**公正**な手続で行政活動が行われるというプロセス自体にも価値があり、その重要な前提として、行政運営の**透明性**（行政上の意思決定過程が国民にとって明らかであること）を確保すべきであると考えられるようになった（行手法1条参照）。これが**行政手続**という考え方である。

行政手続というと、申請等の際に国民が踏むべき手続（書類をたくさん書かなければならない等）というふうに誤解する人がいるかもしれないが、そうではない。**行政手続は、行政機関（の職員）が踏むべき手続**である。

もっとも、仮に行政手続を規律する法律がなくても、行政機関は、組織として仕事をする以上、取扱いを統一するためのマニュアルや指針等を作成することが多いと思われる。しかし、行政手続を規律する法律がある場合、それは、単なる組織内部のマニュアルではなく、行政機関（の職員）に対して、決められた手続に従って事案を処理することを義務付けるものであり（**違反すれば違法**となる）、国民の側には、行政手続の遵守を行政機関に求める**権利を保障**するものである。

> ＊　ただし、瑕疵ある手続を経てなされた処分が、そのことだけを理由に、当然に取り消されるべきかどうかについては争いがある（→123頁）。また、行手法の規定する手続の中には、**努力義務**を課すにとどまるものもある（→102頁の図）。

従来、個別法に行政手続を定める例はあったものの、行政活動一般については、行政手続は保障されていなかった。憲法13条・31条等の解釈によって行政手続を導き出す見解も有力であるが、憲法には行政手続について明文で定める規定はないため、具体的な行政手続を憲法から直接導き出すには困難が伴う。判例も、憲法31条による保障が行政手続に及ぶ場合がありうることを認めるものの、様々な要素の総合較量によって決定されるとするのみで、手続保障が及ぶための明確な基準を示していない（→最大判平成4年7月1日民集46巻5号437頁〔成田新法事件、基判54頁、百選Ⅰ113、CB3-6〕。ま

た、→基本憲法Ⅰ256頁以下）。そのような状況の下で、1993年に、行政手続に関する一般法として**行政手続法**（行手法）が制定されたことは、極めて重要な意味をもつ。

　行手法は、行政の行為形式のうち、行政処分、行政指導および行政立法の手続を規律しているが（→90頁の図【行為形式と行政手続・行政訴訟との関係】）、その中心を占めているのは、行政処分（申請に対する処分および不利益処分）の手続である。

(2) 行手法によるスタンダードの設定

> 【設問2】
> 　行手法が制定されても、個別法で適用除外を定めれば、行手法の適用を免れることができる（実際に、多数の適用除外規定が置かれている）ので、あまり意味がないのではないか。

　行手法は、行政処分、行政指導および行政立法という行為形式ごとに、必要とされる各種の手続をいわばパッケージとして定めている。したがって、ある行政活動が行政処分（申請に対する処分または不利益処分）に当たる場合には、原則として、行手法に定められた処分手続のパッケージが適用される。もっとも、実際には、行政分野の特殊性等により、行手法に定められた手続の全部または一部が適用されない場合がある。しかし、この場合には、行手法という一般法で定められた原則から離脱するのであるから、これを認める法律の規定が必要である。

　次頁の【個別法による手続保障と行手法によるスタンダード設定との関係（イメージ）】の図をご覧頂きたい。

　行手法の制定前は、個別法で定められている限度で、行政手続が保障されているにすぎなかった。例えば、B法上の処分については、非常に充実した手続が適用されるのに対し、A法上の処分については、それほど充実していないがある程度の手続が適用され、C法上の処分については全く事前手続がない、といった具合である。もっとも、憲法上、行政処分について一定の事前手続が要求されるとすれば、全く事前手続を規定していないC法は憲法違反となるか、あるいは、C法上の処分については、憲法から直接、一定の手続が保障されると考える余地がある。しかし、判例は、上述のとおり、行政処分一般について一定の手続が憲法上保障されるとはしていないし、手続保障が及ぶための明確な基準も示していない。

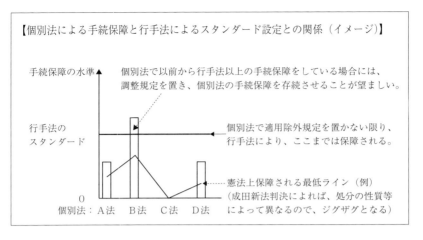

　これに対し、行手法の画期的な点は、行政処分（および行政指導、行政立法）一般について、一定水準の手続を保障したことである。
　ただし、同法自身が、多くの**適用除外**を定めており（3条・4条・13条2項）、また、個別法で適用除外を定めている例も多くある。
　行手法も法律の1つであり、法的効力の点で他の法律よりも上のランクにあるわけではないので、法律で適用除外を定めれば、行手法の適用を免れることができる。例えば、上述の例で、行手法の制定に合わせて、A法、B法、C法およびD法がそれぞれ、行手法の適用除外規定を置いたうえで、従来置かれていた手続をそのまま存続させれば、結果的には、行手法制定前と何も変わらないことになる。これは、行手法の限界ということもできる。
　しかし、それでも、行政手続の一般原則が行手法に規定されたことの意味は大きい。**法律で適用除外が定められない限り、行手法の一般原則が適用される**ことが明確となり、適用除外規定が置かれている（すなわち、スタンダードから外れている）場合には、なぜそのような例外を認める必要があるのか、批判的に検討することが可能になったからである。
　個別法の仕組みを分析する際の手順としては、「**行政処分には行手法が適用されるのが原則であり、適用されない場合には必ずその旨が法律に書いてあるはずだ**」という前提に立って、適用除外規定を探すという姿勢が重要である。その際、行手法自身が定めている適用除外（3条・4条・13条2項）については、おおよそどのようなものがあり、それぞれがどのような理由に基づくのか（次項で述べる）を、あらかじめ整理して覚えておくべきである。個別法上の適用除外規定については、すべてをあらかじめ学んでおくこ

とは不可能であるが、上述の基本的な姿勢を身につけていれば、(事例問題であれば参照条文から)探し出せるはずである。そのうえで、行手法の適用がないとされた部分について、個別法で独自の手続が定められていないかを、確認すべきである。

2　行手法の適用除外

> 【設問3】
> (1) 行手法自身が定めている処分手続の適用除外には、どのようなものがあるか、また、それぞれの理由は何か、説明せよ。
> (2) 都道府県知事が行う公衆浴場の経営許可（公衆浴場法2条。→第8講【設問3】〔→135頁〕）には、行手法が適用されるか。公衆浴場の経営許可の申請に関連して都道府県知事が行う行政指導には、行手法が適用されるか。これらについて行手法が適用されない場合、手続の定めが何もないことになるか。

1(2)で述べたとおり、行手法自身が定めている適用除外については、概要をあらかじめ把握しておくべきである。主に、次のようなものがある。

(1)　行政分野の特殊性等に基づくもの（3条1項）

1号～6号は、国会、裁判所、刑事司法等に関わるもので、一般の行政処分とは性質が異なるものである。

注意すべきは、7号の**学校教育**、8号の**刑務所**等、9号の**公務員**、10号の**外国人の出入国**等に関する処分である。これらについては、一般国民とはやや異なる地位に立つ者であるため、一般法である行手法については適用除外とされている。学校教育、刑務所等、公務員については、かつて特別権力関係とされていたものであるが、現在ではこの理論を否定するのが通説である。7号～9号は、特別権力関係論に基づいて手続保障を不要とする趣旨ではなく、それぞれに適した手続の整備を個別法に委ねる趣旨と考えられる（しかし、個別法による手続整備が不十分であるとして批判されている。公務員について、髙木ほか・条解行政手続法120頁参照）。

11号は**試験**等、12号は**三面関係における裁定**、13号は警察官等が**現場で行う処分**（この条文は、「現場において」というのがポイントであり、その場で生じている事態に対応して臨機に適切な措置をとる趣旨であって、飲食店の営業停止処分のように、ある程度時間をかけて検討され、役所で書面が作成されるような処分は、これに該当しない）、14号は**行政調査**、15号は**行政**

上の不服申立て（これは行審法の対象である。→第16講）、16号は**手続の過程において行われる処分**であり、それぞれ、一般の行政処分とは性質を異にする。

(2) **地方公共団体の機関がする処分（根拠が条例または規則に置かれているもの）（3条3項）**

地方公共団体の機関がする処分については、根拠が条例または規則に置かれているものに限り、行手法の適用除外とされている。地方自治を尊重する観点から、一律に行手法を適用するのではなく、手続の定めを各地方公共団体の判断に委ねる趣旨である。例えば、情報公開については各地方公共団体が独自の条例に基づいて行っているので、情報公開に関する地方公共団体の機関の決定には行手法は適用されない。ただし、行手法46条は、同法の趣旨にのっとった措置を地方公共団体が講ずるよう努力義務を課しており、実際にはほぼすべての都道府県・市区町村が**行政手続条例**を制定しているので、それが適用される。そして、行政手続条例の多くは行手法に準じた内容であるため、結果的には行手法が適用されるのとあまり変わらない。しかし、行手法か行政手続条例かという適用条文の違いがあるので、注意してほしい。

これに対し、**地方公共団体の機関がする処分であっても、根拠が法律に置かれているものについては、行手法が適用される**。例えば、【設問3】(2)に挙げられた公衆浴場の経営許可は、都道府県知事がする処分であるが、根拠が公衆浴場法2条に置かれているので、行手法が適用される（なお、公衆浴場の配置の基準は、都道府県条例で定められているが、この条例は公衆浴場法2条3項の委任を受けたものなので、条例の定める配置基準違反を理由に申請を拒否する場合にも、行手法が適用される）。このように、地方公共団体の機関がする処分であっても、根拠が法律に置かれている例は、非常に多い。地方公共団体の機関がする処分のすべてについて、行手法の適用が除外されているわけではないことに注意する必要がある。

なお、**地方公共団体の機関がする行政指導については、根拠がどこに置かれているかを問わず、すべて行手法の適用が除外されている**。行政指導は、もともと法律・条例の根拠がなくても行うことが可能なので（→39頁）、根拠がどこに置かれているかを厳密に確定することが困難な場合があるためである。したがって、【設問3】(2)に挙げられた、公衆浴場の経営許可の申請に関連して都道府県知事が行う行政指導には、行手法は適用されない。この場合、当該都道府県の**行政手続条例**に行政指導に関する定めがあれば、それが適用される。

(3) 国・地方公共団体の機関（4条1項）、独立行政法人、特殊法人、認可法人（4条2項）、指定法人等（4条3項)に対する処分

これらの法人等は、行政法の基本的な枠組みである「国家と市民社会の二元論」のうちの「国家」の側に属すると考えられており、国家と国民との関係を規律する行手法は適用されない（→79頁）。

なお、国の機関または地方公共団体（の機関）に対する処分については、これらの機関または団体が「**固有の資格**」において処分の名宛人となるものに限り、行手法の適用が除外されている（行審法にも同様の適用除外規定がある。→238頁）。ここで「固有の資格」とは、一般私人が立ちえないような立場をいう。例えば、競輪は、都道府県および総務大臣が指定する市町村しか施行することができない（自転車競技法1条）から、「固有の資格」に当たると解される。これに対し、地方公共団体がバス事業やガス事業など、私企業と同様の立場で事業を行う場合には、「固有の資格」に当たらないから、そのような事業に関して地方公共団体が処分の名宛人になる場合には、行手法が適用される。

下の図でいうと、ヨコの関係には行手法が適用されないのに対し、タテの関係には行手法が適用される。ただし、ヨコの関係（地方公共団体の事務処理に対する国の関与）については、地方自治法（245条以下）で、行手法の規定をモデルとする手続ルールが設けられている（→77頁）。

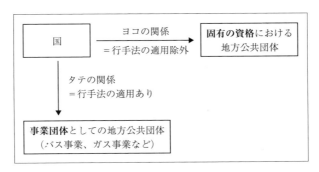

(4) 聴聞・弁明機会付与の適用除外（13条2項）

1号は**緊急性**、2号・3号は要件充足が客観的に明らかであること、4号は**金銭**に関わる問題なので事後的な回復が可能なこと、5号は不利益が著しく軽微であることを、それぞれ理由とするものと考えられる。

3　申請に対する処分と不利益処分に共通する手続

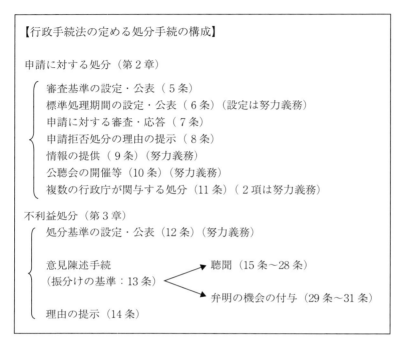

【行政手続法の定める処分手続の構成】

申請に対する処分（第2章）
- 審査基準の設定・公表（5条）
- 標準処理期間の設定・公表（6条）（設定は努力義務）
- 申請に対する審査・応答（7条）
- 申請拒否処分の理由の提示（8条）
- 情報の提供（9条）（努力義務）
- 公聴会の開催等（10条）（努力義務）
- 複数の行政庁が関与する処分（11条）（2項は努力義務）

不利益処分（第3章）
- 処分基準の設定・公表（12条）（努力義務）
- 意見陳述手続（振分けの基準：13条）　→　聴聞（15条〜28条）
　　　　　　　　　　　　　　　　　　　→　弁明の機会の付与（29条〜31条）
- 理由の提示（14条）

【設問4】
（第1講【設例A】〔→10頁〕に関して）鉄道会社Xは、鉄道事業法16条1項に基づき、上限運賃の認可を申請したが、行政庁Yは、これを拒否する処分をした（以下「本件処分」という）。本件処分について次の(1)〜(3)の事情があった場合、それぞれ、行手法違反となるか。
(1) Yは、本件処分をするにあたり、Xに対して、聴聞や弁明の機会の付与（行手法13条）を行わなかった（運輸審議会への諮問手続については問わないものとする）。
(2) Xは、申請前に、Yに対して、鉄道事業法16条2項にいう「能率的な経営の下における適正な原価に適正な利潤を加えたもの」は、具体的にどのような基準で算定されるのか教えてほしいと問い合わせた。これに対し、Yは、個々の申請ごとに個別の判断が必要なので、一般的な基準は教えられないと回答した。
(3) 本件処分の通知書には、処分の理由として、「鉄道事業法16条2項に規定

された『能率的な経営の下における適正な原価に適正な利潤を加えたもの』を超えているため」と記されていた。Xは、これに納得できず、具体的な算定根拠をYに問い合わせたところ、本件処分から1カ月後になって、具体的な算定根拠を示した書面がYから送付された。

(1) 申請に対する処分と不利益処分の区別

2で見た適用除外および個別法が定める適用除外に当たらない場合、行政処分には行手法が適用される。その際、行手法は、**申請に対する処分**（2条3号・第2章〔5条～11条〕）と**不利益処分**（2条4号・第3章〔12条～31条〕）とを区別し、両者で異なった手続を定めているので、まず、当該処分がいずれに当たるのかを判断する必要がある。

特に注意すべきなのは、**申請拒否処分は、申請に対する処分に当たり、不利益処分には当たらない**ということである。許認可等が欲しいのにもらえないのであるから、不利益処分であるようにも見えるが、行手法は、不利益処分の定義規定の中で、申請拒否処分を除外している（2条4号ただし書ロ）。この点を間違えると、行手法の適用関係をすべて間違えてしまうことになるので、十分注意してほしい。

なお、申請拒否処分を不利益処分とする誤解とは逆に、免許の取消し・停止等の処分を（免許が申請に基づくために）申請に対する処分とする誤解も時折見かける。しかし、免許が申請に基づくものであっても、免許の取消し・停止は申請に基づくわけではなく、交通違反があった場合等に職権で行われるものであるから、不利益処分に当たる。

 ＊ 行政処分の中には、行手法上の申請に対する処分にも不利益処分にも当たらないものがある。すなわち、処分のうち、申請に対する処分に対置されるのは、職権による処分であるが、職権による処分には、不利益処分のほかに、利益付与処分（例えば、職権による生活保護決定〔生活保護法25条〕）もある。しかし、職権による利益付与処分については、国民に申請権（→113頁）がなく、かつ、不利益を与えるわけでもないので、行手法による規律はされていない。

  また、行手法は、行政庁と処分の名宛人という二面関係に主眼を置いているため、行手法にいう申請は、「自己に対し何らかの利益を付与する処分（……）を求める行為」（2条3号）に限定されている。したがって、第三者に対する不利益処分を求める申請の仕組みや、いわゆる一般処分（特定の名宛人のいない一般的行為に処分性が認められるもの。→294頁以下）を求める申請の仕組みがある場合（例：保安林の指定の申請。→269頁）であ

っても、行手法上の申請には当たらない。同様に、不利益処分は、特定の者を名宛人とする処分に限定されている（行手法2条4号）ので、一般処分は、一定の範囲の者に不利益を与える場合であっても、不利益処分に当たらない。以上をまとめると、下図のとおりである。

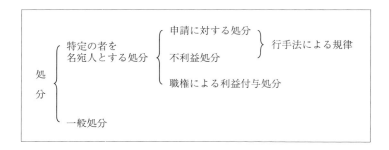

(2) 設問4⑴——意見陳述手続（13条）の有無

申請に対する処分と不利益処分の手続の最大の違いは、処分の名宛人となるべき者の**意見陳述のための手続**（「聴聞」または「弁明の機会の付与」）が、不利益処分についてのみ保障されていることである（行手13条）。つまり、**申請に対する処分については、申請者の意見陳述の手続は保障されていない**。申請に対する処分については、行政庁に具体的な審査基準を設定・公表させること（5条）により、申請者は、審査基準を満たすために主張すべきことを申請書に記載することができるため、不意打ちを防ぐために聴聞または弁明の手続を保障する必要はないというのが、行手法のとっている立場であると考えられる（塩野・行政法Ⅰ323頁）。

したがって、【設問4】⑴でYがXに対して聴聞や弁明機会付与を行わなかったことは、行手法に違反しない。

(3) 設問4⑵——審査基準（5条）・処分基準（12条）

ア 審査基準と処分基準

申請に対する処分と不利益処分の手続は、条文上は完全に別立て（前者が第2章、後者が第3章）になっている。しかし、前者についての**審査基準**（5条）と後者についての**処分基準**（12条）については、手続の内容が共通している（同様に、手続内容が共通する理由提示については、→後述(4)）。

* 審査基準・処分基準が5条と12条に、理由提示が8条と14条に、それぞれ分けて規定されているのは、申請に対する処分と不利益処分を別の章立てにして、それぞれについて手続の流れを規定した方が、行手法のユーザ

一である国民にとってわかりやすいという配慮に基づくものである。

審査基準・処分基準の設定・公表の趣旨は、行政庁の判断過程の公正と**透明性**を確保し、その相手方の権利利益の保護に資することにあると解される（処分基準につき、最判平成27年3月3日民集69巻2号143頁〔基判308頁、百選Ⅱ167、CB13-9〕。→364頁）。

ただし、**審査基準の設定・公表は義務**とされているのに対し、**処分基準の設定・公表は努力義務**とされている点が異なる。後者が努力義務とされているのは、不利益処分については個別の判断が必要で画一的な基準を定めることが合理的でない場合があること、および処分基準を公表することにより、基準ぎりぎりまでは違反しても処分されないと受け取られて、違反を助長するおそれがありうることを考慮したためである。

なお、行手法にいう処分基準は、不利益処分の基準を指し（2条8号ハ）、行政処分の基準一般を指すわけではないので、注意してほしい。申請に対する処分の基準は、行手法上、審査基準であって（2条8号ロ）、処分基準ではない。

イ　審査基準の設定・公表（5条）

【設問4】(2)で、本件処分は、申請に対する処分に当たるので、行政庁は、**審査基準**、すなわち、鉄道事業法16条2項にいう「能率的な経営の下における適正な原価に適正な利潤を加えたものを超えないものであるかどうか」を判断するために必要とされる基準（行手2条8号ロ参照）を定め、行政上特別の支障があるときを除き、これを公にしておかなければならない（行手5条）。

ところが、本件では、審査基準が定められていなかったか、または、仮に行政内部では定められていたとしても、公にされていなかった。

　　＊　行手法5条3項にいう「公にしておかなければならない」とは、（一般には「審査基準の公表」という言い方がされるが、厳密には）「公表」（行手36条）とは異なり、申請しようとする者に対して審査基準を秘密にしないとの趣旨であって、対外的に積極的に周知することまでは義務付けられない（行政管理研究センター編『逐条解説行政手続法〔改正行審法対応版〕』〔ぎょうせい、2016年〕136頁）。しかし、本件では、Xの問い合わせに対して、Yは「教えられない」と回答しているので、審査基準を公にしていなかったと認められる。

　　＊＊　審査基準は、「申請により求められた許認可等をするかどうかを……判断するために必要とされる基準」（行手法2条8号ロ）なので、例えばある事業を行うについて許認可等が必要かどうか（当該事業が許認可制度の対

象とされているかどうか）の基準は、審査基準には当たらない（塩野・行政法Ⅰ324頁注(3)）。

　もっとも、**法令の定めが十分に具体的であれば、それに加えてさらに審査基準を作る必要はないと考えられる**（行政管理研究センター編・上掲134頁）。しかし、本問では、「能率的な経営の下における適正な原価に適正な利潤を加えたもの」という法令の基準は抽象的・概括的であり、より具体的な審査基準を定めなければ、行政庁の判断過程の公正と透明性を確保し、その相手方の権利利益の保護に資するという審査基準の設定・公表の趣旨（上述ア）を全うすることはできないと考えられる。

　また、本件で、審査基準を公にすることによって「行政上特別の支障がある」かどうかが問題となるが、この要件については、「外交交渉上、日本が不利益を受けたり、国の安全が害されるおそれがあるなど、かなり、極端な場合が想定されており、単に行政がやり難くなるというのはこれに含まれない」とされており（高木ほか・条解行政手続法166頁）、本件ではこの要件を満たさないと解される。

　したがって、Yが本件処分の審査基準を設定せず、または公にしていないことは、行手法5条違反である（この違反が本件処分の取消事由になるかどうかについては、→第7講【設問5】〔123頁〕）。

(4)　設問4(3)——理由提示（8条・14条）

　申請拒否処分の理由提示（8条）と不利益処分の理由提示（14条）についても、手続の内容が共通している。いずれも、処分と同時に（8条1項本文・14条1項本文。例外は8条1項ただし書・14条1項ただし書・同条2項）理由を示さなければならず、処分を書面でするときは、理由も書面で示さなければならない（8条2項・14条3項）。

　　＊　申請を認容する処分も、それに反対している第三者にとっては不利益となる可能性があるが、行手法は二面関係における名宛人の手続保障に主眼を置いていること（上記(1)＊参照）から、申請認容処分には理由提示は義務付けられていない。

ア　理由提示義務と判例法理

　【設問4】(3)では、申請拒否処分の理由提示義務（行手法8条）との関係で、Yが本件処分において提示した理由が十分といえるか、また、不十分である場合、Yが処分後に具体的な理由を回答したことにより、理由提示不備の瑕疵が治癒されるかが問題となる。

　これらの点について、行手法には明文の規定がないが、同法制定前に個別

法上の理由提示（従来は、書面による処分を前提として、「理由付記」と言われていた）について確立した判例法理があり、同法8条はこの判例法理を一般化したものであると解されることからすると、従来の判例法理が同条の解釈にも妥当すると考えられる。なお、従来の判例法理は、申請拒否処分の理由提示と不利益処分の理由提示との区別に着目して論じられているわけではないため、理由提示に共通する法理として、行手法8条と14条の両方に妥当すると解される（後掲最判平成23年6月7日〔**【設問5】**〕は、行手法14条につき、従来の判例法理を踏襲している）。

　イ　理由提示の程度

　理由提示の程度については、最判昭和60年1月22日民集39巻1号1頁（旅券発給拒否事件、基判55頁、百選Ⅰ118、CB3-5）が、次のように述べている。すなわち、旅券法が一般旅券発給拒否通知書に拒否の理由を付記すべきものとしているのは、①拒否事由の有無についての外務大臣の判断の慎重と公正妥当を担保してその**恣意を抑制する**とともに、②拒否の理由を申請者に知らせることによって、その**不服申立てに便宜**を与える趣旨であり、このような趣旨に鑑みれば、付記すべき理由としては、**いかなる事実関係に基づきいかなる法規を適用して申請が拒否されたかを、申請者においてその記載自体から了知しうるものでなければならず**、単に申請拒否の**根拠規定を示すだけ**では、それによって当該規定の適用の基礎となった事実関係をも当然知りうるような場合を別として、法の要求する**理由付記として十分でない**。

　これを**【設問4】**(3)について見ると、本件処分において提示された理由は、鉄道事業法16条2項に規定された要件をそのまま記載しただけであり、具体的にどのような算定根拠に基づいてXの申請が拒否されたのかを、記載自体から了知することができない（なお、本件処分について審査基準が設定・公表されている場合は、審査基準の適用関係が記載されていないことが理由提示の不備に当たるかも問題となりうる。→後掲**【設問5】**）。したがって、本件処分には理由提示不備の瑕疵がある。

　ウ　理由提示不備の瑕疵の治癒

　理由提示不備の**瑕疵の治癒**について、法人税増額更正処分に関する最判昭和47年12月5日民集26巻10号1795頁（基判56頁、百選Ⅰ82、CB3-2）は、理由付記の趣旨（①恣意の抑制と②不服申立ての便宜）に鑑みて、処分の後から具体的根拠が明らかにされたとしても、瑕疵は治癒されないとしている（青色申告に対する更正処分に理由付記が義務付けられていることにつき、→59頁）。

したがって、【設問4】(3)で、本件処分から1カ月後のYの回答によって、本件処分の理由提示の瑕疵は治癒されない。

(5) 理由提示と審査基準・処分基準との関係

【設問5】一級建築士免許取消事件
　国土交通大臣は、一級建築士であるXに対し、建築士法10条1項1号および2号に基づき、一級建築士免許取消処分（以下「本件処分」という）をした。その通知書には、本件処分の理由として、①Xが12件の建築物につき建築基準法令に定める構造基準に適合しない設計を行い、それにより耐震性等の不足する構造上危険な建築物を現出させたこと、②このことは建築士法10条1項1号および2号に該当し、一級建築士に対し社会が期待している品位および信用を著しく傷つけるものであることが記載されていた。
　本件処分当時、建築士法10条1項に基づく懲戒処分については、意見公募の手続を経たうえで、処分基準（以下「本件処分基準」という）が設定・公表されていた。本件処分基準は、懲戒事由の類型ごとに処分ランクを定め、その処分ランクについて情状等に応じた加減方法を定め、さらに、複数の処分事由に該当する場合の処理方法を定めるなど、かなり複雑なものであった。
　Xは、本件処分の取消訴訟を提起し、本件処分には処分基準の適用関係が理由として示されておらず、行手法に違反するとして、本件処分の取消しを求めた。裁判所は本件処分を取り消すべきか。

◆建築士法◆
（懲戒）
第10条　国土交通大臣又は都道府県知事は、その免許を受けた一級建築士又は二級建築士……が次の各号のいずれかに該当する場合においては、当該一級建築士又は二級建築士……に対し、戒告し、若しくは1年以内の期間を定めて業務の停止を命じ、又はその免許を取り消すことができる。
　一　この法律若しくは建築物の建築に関する他の法律又はこれらに基づく命令若しくは条例の規定に違反したとき。
　二　業務に関して不誠実な行為をしたとき。
2～6　略

　本問は、最判平成23年6月7日民集65巻4号2081頁（基判46頁、百選Ⅰ117、CB3-8）をモデルとしている。
　上記判決は、まず、一般論として、次のように述べた。行手法14条1項本文に基づいてどの程度の理由を提示すべきかは、恣意の抑制と不服申立ての便宜という同項本文の趣旨に照らし、「当該処分の**根拠法令の規定内容**、当該処分に係る**処分基準の存否及び内容並びに公表の有無**、当該処分の性質及

び内容、当該処分の原因となる事実関係の内容等を**総合考慮**してこれを決定すべきである」。

* このように、上掲平成23年判決は、理由提示において常に処分基準の適用関係を示さなければならないとしているわけではなく、上記の諸要素の総合考慮によって決定すべきとしていることに注意が必要である。
** 上掲最判昭和60年1月22日（旅券発給拒否事件）のいう、「いかなる事実関係に基づきいかなる法規を適用して処分がされたかを、名宛人においてその記載自体から了知しうるものでなければならない」旨の規範（→107頁）は、上掲平成23年判決においても前提とされていると解される。したがって、理由提示の程度に関する一般論としては（審査基準・処分基準の適用関係が問題となっていないときは）上掲昭和60年判決の規範を用い、審査基準・処分基準の適用関係を示すべきかが論点になっているときは、上掲平成23年判決の規範を用いるのが良いと思われる。

この見地に立って建築士法10条1項による懲戒処分について見ると、同項1号および2号の定める**処分要件は抽象的**であるうえ、要件に該当する場合の処分の選択も行政庁の裁量に委ねられている。そして、**本件処分基準**は、意見公募等、適正を担保すべき手厚い手続を経て設定・公表されており、しかも、その内容は、多様な事例に対応すべく**かなり複雑**なものとなっている。そうすると、上記処分の際の提示理由としては、処分の原因事実および根拠法条に加えて、本件処分基準の適用関係が示されなければ、処分の名宛人において、**いかなる理由に基づいてどのような処分基準の適用によって当該処分が選択されたのかを知ることは困難**であるのが通例と考えられる。

これを本件について見ると、本件処分は一級建築士としての資格を直接にはく奪する重大な不利益処分であるところ、本件処分の提示理由によって、いかなる理由に基づいてどのような処分基準の適用によって免許取消処分が選択されたのかを知ることはできない。以上のことから、上掲平成23年判決は、本件処分は理由提示の要件を欠いた違法な処分であり、取消しを免れないとした。

* 審査基準が行手法上処分基準と同様の機能を果たすことからすると、上掲平成23年判決の射程は、審査基準が設定・公表されている場合の申請拒否処分の理由提示にも基本的に及ぶと解される（北島周作「判批」法学教室373号〔2011年〕57頁）。

●コラム● 個人タクシー事件と行手法

「申請に対する処分」の手続との関係で注意が必要なのは、最判昭和46年10月28日民集

25巻7号1037頁（個人タクシー事件、基判54頁、百選Ⅰ114、CB3-1）である。この判決は、行手法が制定されるよりはるか前に、個人タクシー事業の免許について、道路運送法上の聴聞（これは行手法に定める聴聞のような厳格な手続ではなく、担当官による申請者からの面談調査・聴取である。なお、→118頁のコラム）の規定の趣旨解釈として、行政庁は、法律上の免許基準を具体化する審査基準を内部的にせよ設定し、審査基準を適用するうえで必要な事項について、申請人に主張と証拠提出の機会を与えなければならないとして、手続の瑕疵を理由に免許拒否処分を取り消した。これは、行政手続の歴史上、画期的な判決であり、その後制定された行手法（特に5条）の内容に大きな影響を与えた。

　しかし、この判決が重視している点と、行手法が重視している点との間には、ズレがある。個人タクシー事件では、道路運送法に聴聞（意見聴取）の規定があるにもかかわらず、聴聞における主張・立証の主題がはっきりしなかったため、申請者が十分な主張・立証をできなかったことが問題とされた。これに対し、本文で述べたとおり、行手法は、申請に対する処分については、意見陳述の手続を保障しておらず、その代わりに、具体的な審査基準を設定・公表させることに重点を置いている（個人タクシー事件最高裁判決は、「内部的にせよ」審査基準を設定すべきとしており、審査基準そのものの公表までは要求していない）。

　したがって、個人タクシー事件最高裁判決は、あくまでも個別法に聴聞（意見聴取）の規定が置かれている場合についての判断であり、申請に対する処分一般については、個別法の定めがない限り、意見陳述の手続は保障されていないことに注意してほしい。その意味で、この判決の内容のうち行手法5条に結実した部分については、現時点では、この判決に遡って論じる必要はなく、端的に行手法5条から出発すればよい（これに対し、「手続の瑕疵が処分の取消事由となるか」という論点については、行手法に規定がないため、この判決がなお判例として一定の意味を有しうる。→123頁）。

第7講　行政処分手続(2)

◆学習のポイント◆
1　申請に対する処分に特有の手続について理解する。申請の仕組み（申請権）がある場合、行政庁に申請の審査義務および諾否の応答義務が課され、行政庁の応答は処分に当たり、申請型義務付け訴訟や（応答がない場合）不作為の違法確認訴訟の提起が可能である。申請の仕組みがない場合との違いに注意する。
2　不利益処分に特有の手続である意見陳述手続について、聴聞を行う場合と弁明機会付与を行う場合との振分けができるようになること。また、聴聞手続の概要（文書閲覧権や主宰者についての規定等）を理解する。
3　処分等の求めがどのような場合にできるかに注意する。
4　届出の法的取扱いに関して、行手法は受理を法的概念と認めていないことに注意する。
5　手続の瑕疵が処分の取消事由になるかについて、判例・学説の考え方を理解する。

1　申請に対する処分に特有の手続

(1)　標準処理期間の設定・公表（6条）

　行政庁は、申請処理に通常要すべき標準的な期間を定めるよう努めるとともに、これを定めたときは公にしておかなければならない。標準処理期間の設定自体は**努力義務**である（なお、設定した場合に公にしておくことは義務である）が、これが定められた場合には、行政庁が自ら定めた期間を守れないことは、申請者等から強く批判されることになり、実際上、申請処理の促進に大きな効果を発揮することが期待される。

　もっとも、法的には、「標準」処理期間なので、定められた期間を過ぎたからといって、直ちに違法になるわけではない。しかし、**不作為の違法確認**

訴訟における「相当の期間」(行訴法3条5項)を判断する際の考慮要素になる(→268頁)と考えられる。

なお、本条かっこ書は、いわゆる**経由機関**が法令上定められている場合(例えば、旅券の発給は、都道府県知事を経由して外務大臣に申請することとされている。旅券法3条)についての対応を定めたものである。この場合、行政庁は、**行政庁自体の処理期間とあわせて、経由機関の処理期間を定める努力義務**を負う。これによって、経由機関の処理を含めた全体としての処理の迅速化が期待される。

(2) 申請に対する審査・応答義務(7条)

> **【設問1】不受理・返戻と救済方法**
> (第1講【設例A】〔10頁〕に関して)鉄道会社Xは、鉄道事業法16条1項に基づき、上限運賃の認可を申請したが、行政庁Yは、Xに対し、申請前にYとの事前協議に応じるよう指導して、申請書を不受理とし、Xに返戻した。Xは、事前協議に応じるつもりはない旨を表明し、その後も繰り返し、申請書を提出しようとしたが、Yは、事前協議を経ていないことを理由に、申請書を受け取ろうとしない。Yのとった措置は適法か。XがYに申請書を受け取らせ、申請を審査させるには、どのような訴訟を提起すべきか。

行政庁は、申請がその事務所に到達したときは、遅滞なく当該申請の審査を開始しなければならない(行手法7条)。「不受理」と称して**申請書を受け取らないことは、個別法が受理の仕組みを定めている場合でない限り、許されない**。そのうえで、行政庁は、諾否の応答をしなければならない(行手法2条3号)。申請が形式上の要件(記載事項に不備がなく、必要な書類が添付されていること等)を満たさない場合にも、放置してはならず、補正を求めるか、または拒否処分をしなければならない(行手法7条)。

> * これらは、本来、申請という法的仕組みから当然に生じる義務であるが、従来、行政実務上、申請書類の「不受理」「返戻」等がしばしば行われ、不透明・不公正な行政運営がなされてきたという批判に応えて、あえて規定が置かれたのである。したがって、行手法7条の主眼は、不受理をさせないという点にある。しかし、条文に「不受理をしてはならない」と規定すると、「受理」という概念の法的意味をめぐって、争いが起きる可能性がある。そこで、同条は、あえて「受理」という文言を用いないことによって、「受理」を法的概念と認めないことを示すという、工夫された条文になっている(届出に関する同法37条についても、同様である。→【設問4】)。したがって、本問の解答としても、「Yは申請を受理しなければならない」と

するのではなく、「Ｙは申請の審査を開始しなければならない」とすべきである（「受理」を不用意に法的概念として用いないよう、注意してほしい）。

　申請者の側から見ると、申請が個別法の定める実体上の要件（本問では、鉄道事業法16条2項の「能率的な経営の下における適正な原価に適正な利潤を加えたものを超えないもの」であること）を満たしている場合には許認可等を与えられるという実体的な権利とは別に、**申請に対して審査および諾否の応答**（実体的要件を満たさないと行政庁が判断する場合には、申請拒否の応答）がされるという**手続的な権利**が保障されている。これを**申請権**という。いわば、「OKをください」という権利とは別に、「ダメならダメと言って！」という権利が保障されているのである。このことは、以下に見るように、行手法および行訴法上、重要な意味を有する。

　個別法に**申請**（行手法2条3号）の仕組みが定められている場合、

　①　行政庁に**審査義務**および**諾否の応答義務**が課される（国民に**申請権**が保障されている）。（行手法7条・33条参照）

　②　申請に対する行政庁の**応答は処分に当たる**（申請を認容する応答のみならず、申請を拒否する応答も処分に当たることに注意）。

　　＊　許認可等の申請の拒否が処分に当たる（かつ、拒否処分の相手方に取消訴訟の原告適格が認められる）ことにつき争いはない（したがって、事例問題では前提にしてよい）が、その理論的説明については、自由侵害説と申請権侵害説とがある。芝池・救済法55頁参照。

　③　行手法の「申請に対する処分」の手続（行手法第2章〔5条～11条〕：**審査基準**の設定・公表、拒否処分の**理由の提示**等）が保障される。

　④　申請を拒否する応答（拒否処分）に不服がある場合は、審査請求（行審法2条。→235頁）、**取消訴訟**および**申請型義務付け訴訟**（行訴法3条6項2号。→270頁）で争うことができる。

　　＊　なお、申請を拒否された場合に、不作為の違法確認訴訟で争えるとするのは、誤りである。②で述べたとおり、申請を拒否する応答は処分に当たるので、行訴法3条5項にいう不作為（何らかの処分をすべきであるにかかわらず、これをしないこと）には当たらない。

　⑤　相当の期間を経過しても応答が得られない場合は、**不作為についての審査請求**（行審法3条。→236頁）、**不作為の違法確認訴訟**（行訴法3条5項。→267頁）および**申請型義務付け訴訟**（行訴法3条6項2号）で争うことができる。

　本問について言うと、運賃値上げ申請の際に行政庁との事前協議を義務付

ける法令の規定はなく、また、事前協議を経ない場合に申請を不受理にできるという法令の規定もないので、申請書が行政庁の事務所に到達した時点で、審査義務が生じる（行手法7条）。もっとも、申請前に行政指導によって申請の取下げや変更を求めることは、申請者が任意にこれに応じる限り、違法ではない。しかし、申請者が行政指導に従う意思がない旨を表明したにもかかわらず、行政指導を継続し、申請の審査を開始しない（または、申請に対して諾否の応答をしない）ことは、申請権の侵害に当たり、違法である（行手法33条。詳しくは→168頁以下）。したがって、本問でYのとった措置は違法である。

Xの提起すべき訴訟について検討すると、**不受理や返戻は、法律上認められた行為ではなく、行政庁が事実上行っているにすぎないので、処分に当た**らない。そこで、法的には、Xが法令に基づく申請をしたが、Yが審査・応答をしていない状態にあるので、不作為の違法確認訴訟（行訴法3条5項）を提起すべきである。さらに、申請型義務付け訴訟（行訴法3条6項2号）を提起することも可能である。

なお、**申請権が保障されているか否かは、個別法の仕組みの解釈による**。文言が重要な手がかりになる（「許可」、「認可」、「申請」等の文言が用いられていれば、申請権が保障されていると解釈しやすい）が、「申出」等の文言が用いられている場合にも、当該仕組みの解釈によって、申請権が保障されているとされることはありうる（申請権がない場合の法的取扱いにつき→**【設問3】**）。

(3) 情報の提供（9条）

行政庁は、申請者の求めに応じ、審査の進行状況および処分の時期の見通しを示すよう努めなければならず、また、申請に必要な情報の提供に努めなければならない。

(4) 公聴会の開催等（10条）

行政庁は、申請に対する処分であって、申請者以外の者の利害を考慮すべきことが許認可等の要件とされているものを行う場合には、必要に応じ、**公聴会の開催等により、申請者以外の者の意見を聴く機会を設けるよう努め**なければならない。

行手法は、基本的には、行政庁と処分の相手方という二面関係に着目しているが、この規定は、**三面関係にも配慮している点で、注目される**。また、本条は、処分の適正さを確保するための情報収集を目的としているので、本条にいう「申請者以外の者」は、取消訴訟の原告適格を有する者（→第20

講)に限られない(塩野・行政法Ⅰ321頁)。

もっとも、**努力義務**にとどまっており、利害関係者に申請処理手続への参加権まで認めたものではない点で、二面関係に主眼を置く行手法の限界を示しているともいえる。第三者の本格的な手続保障については、(多数の利害関係者の調整を必要とする)計画策定手続の整備等とともに、今後の課題となっている。

(5) 複数の行政庁が関与する処分(11条)

申請が複数の行政庁の共管事務であったり、同一の申請者から出された複数の申請が相互に関連するとともに関与する行政庁も複数にわたる場合には、他の行政庁の出方をうかがう等のために審査を殊更に遅延させてはならず、また、相互に連絡をとり、審査の促進に努めるものとされている。

2　不利益処分に特有の手続──意見陳述手続 (13条・15条~31条)

> 【設問2】
> (1) 道路交通法違反を理由とする運転免許の取消し・停止(第1講【設例B】〔→15頁〕)および違法建築物に対する違反是正命令(同【設例C】〔→18頁〕)について、仮に行手法が適用されるとすると、どのような手続をとらなければならないか、説明せよ。
> (2) 上記のそれぞれの処分について、実際にはどのような手続が定められているか、また、行手法が適用される場合と比べてどのような違いがあるか、第1講【設例B】および【設例C】の参照条文を見て説明せよ。

(1) 設問2(1)──行手法上の不利益処分手続

行手法の定める不利益処分の手続としては、処分基準の設定・公表の努力義務(12条)および理由の提示(14条)のほか、申請に対する処分の手続との大きな違いとして、**聴聞**または**弁明の機会の付与**(13条・15条~31条)が重要である。

聴聞と弁明の機会の付与との区分は、処分による不利益の度合いに応じて、手続に軽重をつけるためのものである。すなわち、**聴聞**は、より厳格で丁寧な手続であり、不利益度の大きい処分、すなわち、**許認可等の取消し**(13条1項1号イ。行政法学上の取消しと撤回の双方を含む)、名宛人の**資格または地位の剥奪**(同号ロ。これは、許認可等によらずに取得した資格または地位の剥奪を指し、許認可等の効力停止等は含まない)、**役員の解任命令**

等（同号ハ）および行政庁が相当と認めるとき（同号ニ）に執られる。これに対し、弁明手続は、より略式の手続であり、上記以外の、比較的不利益度の小さい処分について執られる（行手法13条1項2号）。したがって、**許認可等の取消しは聴聞、許認可等の効力停止は弁明**の手続を経るのが原則である。

聴聞手続においては、**当事者**（不利益処分の名宛人となるべき者で、聴聞の通知を受けた者。16条1項参照）は、行政庁に対し、当該事案についてした調査の結果に係る調書等の資料の閲覧を求めることができる（18条）。この**文書閲覧権**は、聴聞において的確な意見を述べることを可能にするものであり、聴聞を実質化するものとして重要である。

なお、聴聞主宰者は、必要があると認めるときは、当事者以外の者であって当該不利益処分の根拠法令に照らし当該不利益処分につき利害関係を有すると認められる者に対し、聴聞手続への参加を求め、または参加を許可することができる（**参加人**：17条）。文書閲覧権は、当該不利益処分がされた場合に自己の利益を害されることとなる参加人にも、認められる（18条）。当事者または参加人は、**代理人**を選任することができる（16条・17条2項）。

聴聞は、行政庁が指名する職員が主宰する（19条1項）。**主宰者**については、当事者（処分の名宛人）およびその親族等に関する除斥事由が定められている（19条2項）。

* 行審法は、審理員は処分に関与した者以外の者でなければならない旨の明文の規定を置いている（9条2項1号。→240頁）のに対し、行手法は、聴聞主宰者について、これに相当する規定を置いていない。しかし、聴聞制度の趣旨から、聴聞主宰者は当該事件に直接関与した者以外の者でなければならないという見解が有力である（塩野・行政法Ⅰ329頁、金沢地判平成26年9月29日判例自治396号69頁。ただし、第2審名古屋高金沢支判平成27年6月24日判例自治400号104頁は、当該案件に密接に関与した職員が聴聞主宰者になったとしても、行手法には聴聞の手続的公正を担保する制度が整備されているから、法の趣旨を没却しないとした）。

聴聞においては、行政庁の職員と当事者とが、事実をめぐってそれぞれの意見を述べ、証拠を提出し（行手法20条）、主宰者は、それに基づいて**聴聞調書**を作成し、不利益処分の原因となる事実に対する当事者等の主張に理由があるかどうかについての意見を記載した**報告書**を作成する（24条）。行政庁は、不利益処分の決定をするときは、調書の内容および報告書に記載された主宰者の意見を十分参酌しなければならない（26条）。以上のように、聴

聞は、単に行政庁が処分の名宛人から言い分を聞くだけの手続ではないことに注意してほしい（→後掲コラム）。もっとも、聴聞主宰者は行政庁が指名する職員であり、裁判に準じるほどの中立性や手続の厳格さがあるわけではない。

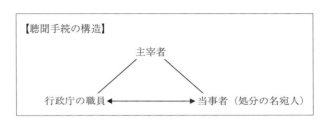

これに対し、**弁明は、行政庁が口頭ですることを認めたときを除き、書面の提出によって行われ**（29条）、文書閲覧権も認められていない等、聴聞に比べて略式の手続である。

本問では、運転免許の取消し・停止について、仮に行手法が適用されるとすると、免許の取消しについては聴聞が、免許の停止については弁明の機会の付与が行われることになる（行手法13条1項1号イ〔免許は許認可等に当たる〕および同項2号）。建築基準法に基づく違法建築物の是正命令については、仮に行手法が適用されるとすると、同法13条1項1号には当たらないので、弁明の機会の付与で足りることになる。

(2) 設問2(2)——個別法の定める手続と行手法との関係

免許の取消し・停止については、道路交通法113条の2で、行手法の不利益処分の規定が適用除外とされている。ただし、「第12条及び第14条を除く」とされていることに注意してほしい。これは、裏返していえば、12条（処分基準の設定・公表）および14条（理由の提示）は適用されるということである。それ以外の手続、すなわち聴聞または弁明手続は適用されないことになるが、それに代わるものとして、「意見の聴取」という道路交通法独自の手続が定められている（104条）。

以上のように、行政手続に関して個別法の仕組みを分析する際には、

① 「**行政処分**（本問では、不利益処分）には、**適用除外規定がない限り、行手法**（本問では、第3章の不利益処分手続）**が適用される**」と考える

② 適用除外規定を探す

③ 行手法の適用が除外された部分について、個別法で独自の手続が定められていないかを確認する

という手順を踏むことが重要である。

道路交通法の「意見の聴取」においては、行手法の聴聞と異なり、文書の閲覧（行手法18条）が認められていない。また、行手法の**聴聞**は、行政庁が公開を相当と認めるときを除き、**非公開**で行うとされている（20条6項）のに対し、「意見の聴取」は公開で行うとされている点（道路交通法104条1項）も異なる。

> ＊　道路交通法で「意見の聴取」という独自の手続が定められているのは、「点数制度に基づく運転免許の取消し等の処分は、大量の交通違反を基礎としてされる大量かつ定型的な処分であり、これらについても聴聞調書等の閲覧を認める行政手続法の聴聞を行うこととすると、都道府県警察の事務の著しい増大をもたらすおそれがあること、点数制度に基づく運転免許の取消し等の処分については、既に確立した意見陳述の手続体系があり、これを変更することは混乱を招きかねないことから、〔行手法制定前からの〕手続規定を維持することとしたものである」（森實悟『警察官のための行政手続法・聴聞規則解説』〔立花書房、1997年〕30頁）とされている。

建築基準法に基づく違法建築物に対する違反是正命令については、行手法13条1項が適用されるとすれば、弁明の機会の付与で足りることになるが、建築基準法9条2項〜6項で、意見聴取手続が定められている。処分による不利益の重大性に鑑み、行手法よりも手厚い手続を保障したものと考えられる。

●コラム●　広義の聴聞と行手法上の聴聞

「聴聞」の語は、行手法制定前から、行政法学上、「告知・聴聞」として、「行政処分をする前に、相手方に処分内容および理由を知らせ、その言い分を聞くこと」という意味で用いられていた。また、個別法にも、聴聞について規定を置く例があった。

これに対し、行手法は、そのような、いわば広義の聴聞のうち、同法15条〜28条の定める手続が適用されるものだけを聴聞と呼んでいる。したがって、同法上の弁明手続は、同法にいう聴聞ではない。また、個別法で、行手法とは異なる意見聴取手続が規定される場合も、行手法上の聴聞と区別するために、「意見の聴取」などの語が用いられている（例えば、本文で述べた道路交通法104条を参照）。

「聴聞」の語を用いる場合には、上記のいずれの意味で用いるのかに注意する必要がある。また、誤解を避けるためには、行手法上の聴聞以外のものについては、別の語を用いるのが無難であろう。

3　処分等の求め（36条の3）——申請権がない場合

> 【設問3】　職権発動を求める申出と救済方法
> 　Xは、隣人Aの家が建築基準法（→19頁）の定める構造耐力の基準（同法20条）に適合しておらず、地震の際に倒壊するおそれが高いとして、行手法36条の3に基づき、建築基準法上の特定行政庁に当たる市長Yに対し、Aに違反是正命令（建築基準法9条1項）を発出することを求める申出をした。これに対し、Yは、「検討の結果、申出に係る処分を行わないこととした」旨をXに通知した。Xは、この通知に不満であり、訴訟で争いたいが、どのような訴訟を提起すべきか。

　行手法36条の3は、「何人も、法令に違反する事実がある場合において、その是正のためにされるべき処分又は行政指導（その根拠となる規定が法律に置かれているものに限る。）がされていないと思料するときは、当該処分をする権限を有する行政庁又は当該行政指導をする権限を有する行政機関に対し、その旨を申し出て、当該処分又は行政指導をすることを求めることができる」（1項）と規定し、申出を受けた行政庁または行政機関は、「必要な調査を行い、その結果に基づき必要があると認めるときは、当該処分又は行政指導をしなければならない」（3項）としている。これは、行訴法3条6項1号に規定する非申請型義務付け訴訟に対応する手続（行政に対し適正な権限行使を促す手続）を、行政手続段階にも導入するものと解される。ただし、行手法36条の3による処分等の求めは、処分等が適正に行われるための端緒と位置づけられており、「法律上の利益を有する者」に限らず「何人も」できることとされている。

　行政機関の対応結果を申出人に通知すべき旨の規定はないが、通知するよう努めることが望ましいと考えられる。ただし、申出は申請とは異なるから、対応結果の通知がされた場合にも、事実上のものであって、処分には当たらないと解される。したがって、本件事例では、Xは、Yの通知の取消訴訟を提起することはできず、Aに対する違反是正命令の発出を求める非申請型義務付け訴訟（行訴法3条6項1号）を提起すべきである。

　個別法に申請の仕組みが定められておらず、**職権による処分を求める申出**にすぎない場合、行手法、行審法および行訴法上の取扱いは、以下のようになる（申請権がある場合の取扱い〔→113頁〕と比較してほしい）。

　①　行政庁に**審査義務および諾否の応答義務は課されない**（国民に**申請権**

が保障されていない)。

② **申出に対する行政庁の応答**がされたとしても、それは**事実上のものにすぎず、処分に当たらない**。なお、行政庁が申出を受け入れて（きっかけとして）職権による処分をした場合は、もちろん、処分がされたことになる。しかし、応答自体は処分ではないから、行政庁が申出を拒否する応答をし、職権による処分をしない場合は、何ら処分が存在しないことになる。

> * 最判平成21年 4 月17日民集63巻 4 号638頁（基判235頁、百選Ⅰ61）は、出生した子につき氏名等を住民票に記載する行為は、（戸籍法上の出生届が受理された場合に行われる）職権による処分であり、これを求める親からの申出は、職権の発動を求める申出であって申請に当たらないから、これに対して市町村長がした当該記載をしない旨の応答は、法令に根拠のない事実上の応答にすぎず、処分に当たらないとした。

③ 申出については、行手法の「申請に対する処分」の手続（審査基準の設定・公表、拒否処分の理由の提示等）は保障されない。

④ 申出を拒否する**応答を審査請求や取消訴訟で争うことはできない**。また、応答が得られなくても、**不作為についての審査請求**（行審法 3 条）や**不作為の違法確認訴訟**（行訴法 3 条 5 項）で争うことはできない。ただし、**職権による処分を求める申出**（行手法36条の 3 ）や**非申請型義務付け訴訟**（行訴法 3 条 6 項 1 号）の提起は可能である。この場合、申請型義務付け訴訟と異なり、当該「処分がされないことにより重大な損害を生ずるおそれ」があることが訴訟要件となる（行訴法37条の 2 ）。

4　届出（37条）

> **【設問 4 】届出に関する救済方法・受理の処分性**
> (1)　（第 1 講【設例A】〔→10頁〕に関して）鉄道会社Xは、鉄道事業法16条 4 項に基づき、地方運輸局長Yに対し、特急料金変更の届出をした。しかし、Yは、Xに対し、届出前にYとの事前協議に応じるよう指導して、届出書を不受理とし、Xに返戻した。Xは、事前協議に応じるつもりはない旨を表明し、その後も繰り返し、届出書を提出しようとしたが、Yは、事前協議を経ていないことを理由に、届出書を受け取ろうとしない。この状況の下で、Xが変更後の特急料金を収受した場合、鉄道事業法違反として処罰の対象になるか。Xが変更後の特急料金を適法に収受するためには、どのような訴訟を提起すべきか（あるいは、訴訟を提起する必要はないか）。
> (2)　鉄道会社Xは、鉄道事業法16条 4 項に基づき、地方運輸局長Yに対し、

> 特急料金変更の届出をしたところ、Yは、これを受理した。これに対し、Xの運行する特急の定期券を購入して通勤に利用しているZが、Yによる受理の取消訴訟を提起した。Yによる受理は、取消訴訟の対象となる処分に当たるか。受理が処分に当たらないとすると、料金変更に不満のあるZが提起しうる行政訴訟として、どのようなものがありうるか（Zの原告適格は認められると仮定する）。

◆**鉄道事業法施行規則**◆
（権限の委任）
第71条　法及びこの省令に規定する国土交通大臣の権限で次に掲げるものは、地方運輸局長に委任する。
　　一～七　略
　　七の二　法第16条第4項の規定による届出の受理
　　八～十六　略
　2　略

　13頁で見たように、行政機関によるチェックには、許可や認可のように、事前にチェックしてお墨付きを与えるという方法だけではなく、届出制によって、まずは行政機関に情報を集めておき、問題があれば事後的に改めさせるという方法もある。規制緩和により、新幹線以外の特急料金の設定・変更については、届出制がとられている。

　申請と届出との違いは、法令上、行政庁が諾否の応答をすべきこととされているか否かである（行手法2条3号と同条7号とを比較してほしい）。
　したがって、個別法で「届出」という文言が用いられていても、当該法的仕組みにおいて、行政庁が届出の内容を審査したうえで諾否の応答をすることが予定されている場合には、行手法上は、届出ではなく申請に当たる。

　　＊　例えば、民法739条の「婚姻の届出」については、同法740条により、「その婚姻が……法令の規定に違反しないこと」について行政庁が審査したうえで「受理」することが予定されているので、行手法上は申請に当たる（したがって、民法740条にいう「受理」は、行手法にいう申請に対する処分に当たる。ただし、戸籍法127条により、行手法の適用除外が定められている）。また、行政庁が諾否の応答をすべきことが、個別法に明示されていなくても、解釈によって導かれることがある（食品衛生法16条〔現27条〕に規定する食品等の輸入届出について、行政庁が応答すべきことを定めていると解釈した最判平成16年4月26日民集58巻4号989頁、基判173頁、CB11-11参照。→282頁以下）。

　しかし、従来、行政実務においては、届出制、すなわち、届出に対する審

査および諾否の応答が法令上予定されていない制度であるにもかかわらず、届出の「不受理・返戻」によって、許可制のように運用することがしばしば行われていた。これに対する批判に応えたのが、形式上の不備のない届出については、提出先の事務所に到達したときに届出義務が履行されたとする行手法37条である。

> ＊　したがって、同条の主眼は、届出の不受理をしてはならない（不受理をしても法的には無意味である）ことを明確にする点にある。しかし、同法7条と同じ理由（→112頁）で、あえて「受理」という文言を用いずに、不受理は法的に無意味であることを示すように工夫されている。
>
> ＊＊　なお、届出自体は私人の行為であり、それに対して行政機関の応答行為が予定されていないので、行政機関が踏むべき手続について定める行手法（→96頁）の中で、37条は異質な規定である。しかし、制度として見た場合、許認可制と届出制とは、私人の行為に対する行政のチェックの仕組みとして、共通性がある。その意味で、申請に対する処分の手続とともに届出に関する規定が行手法に置かれたことは、行政過程の法的コントロールにとって意味があると思われる。

　本問では、鉄道事業法16条4項の届出について、審査および諾否の応答を予定していると解される規定はない（同条5項の料金変更命令は、諾否の応答ではなく、必要な場合に職権で行われる不利益処分である）。

> ＊　もっとも、同法64条に基づく同法施行規則71条1項7号の2は、「法第16条第4項の規定による届出の受理」を地方運輸局長の権限としており、「受理」という応答を予定しているようにも見える。しかし、同号は国土交通大臣の権限の委任（→68頁）に関する組織規範であるから、もともと国土交通大臣に法16条4項の届出に対する審査・応答権限がないと解される以上、同号は届出の提出先を定めただけであって、審査・応答権限を定めた規定ではないと解される（東京地判平成20年1月29日判時2000号27頁参照）。

　したがって、(1)については、Xの届出がYの事務所に到達した時点で、鉄道事業法16条4項の届出義務が履行されたことになり（行手法37条）、Xは、変更後の料金を収受しても、届出義務違反（鉄道事業法70条3号）に問われることはない。ただし、届出に形式上の不備があるか否かについて、XとYとの間で争いが生じ、Xが変更後の料金を収受すると処罰されるおそれがあるなど、不安定な法的地位に置かれることがありうる。

> ＊　届出に形式上の不備がある場合の行政庁のとるべき措置については、行手法37条は規定していないが、申請に対する補正要求の義務付け（行手法7条）とのバランスから、届出人に対する適切な情報提供をすることが望

ましいと考えられる（髙木ほか・条解行政手続法416頁）。それに対して、届出人が納得すれば、届出の補正をすればよいが、届出人が納得せず、届出に形式上の不備がないと考える場合の争い方が問題となる。

そのような場合には、**公法上の当事者訴訟**として、Xが**届出義務を履行したことの確認訴訟**を提起することが考えられる（髙木ほか・条解行政手続法416頁）。なお、本件の受理が処分でない以上、不受理の取消訴訟や受理の義務付け訴訟はできない。

(2)については、本件の受理は処分に当たらないので、取消訴訟の対象とならない。Zとしては、鉄道事業法16条5項の料金変更命令の義務付け訴訟（行訴法3条6項1号の**非申請型義務付け訴訟**）を提起することが考えられる。なお、この場合の原告適格（行訴法37条の2第3項・4項）については、運賃値上げ認可の取消訴訟の原告適格と共通の問題がある（→第20講【設問5】〔344頁〕）。

5　手続の瑕疵が処分の取消事由になるか

> **【設問5】**
> 　第6講【設問4】(2)(3)（→102頁）において、裁判所は本件処分を取り消すべきか。
> 　また、裁判所が手続上の瑕疵を理由として本件処分を取り消し、判決が確定した場合、行政庁Yは、どのような措置をとる義務を負うか。そのような帰結は、Xにとって十分な救済といえるか。

(1)　手続の瑕疵が処分の取消事由になるか

手続の正しさ（行手法等の手続規定を遵守したか）と処分の内容の正しさ（実体法上の根拠規定〔本問では、鉄道事業法16条〕に違反していないか）とは一応別の問題であり（(2)末尾のコラム「『提示された理由（または審査基準）の内容が間違っている』という主張は、行手法違反の問題ではない」も参照）、正しい手続は、それ自体が目的ではなくて、正しい処分がされるための手段であると考えると、裁判所の審理の結果、手続は間違っていたけれども処分の内容は間違っていなかった（いわば結果オーライ）という場合には、処分を取り消すべきではないとも考えられる。

また、手続の瑕疵を理由に処分が取り消された場合、行政庁は判決の趣旨に従って改めて措置をとるべき義務を負う（**取消判決の拘束力**、行訴法33条。→381頁）が、もともとの処分が実体的に正しかったとすれば、行政庁

は手続をやり直したうえで改めて同じ処分をすることになり、結果的に相手方の救済にならないし、これがさらに訴訟で争われることになれば、訴訟経済にも反する（無駄である）とも考えられる。

しかし、以上のような考え方に対しては、処分が公正な手続で行われること自体にも価値があるのではないか、実体さえ誤っていなければ取り消されないとすると、訴訟によって手続規定の遵守を担保することができなくなってしまうのではないか、手続の瑕疵を理由に処分が取り消された場合に、行政庁が当然に同じ処分を繰り返すとは限らず、救済上無意味とはいえないのではないか、等の反論がありうる（以上につき、塩野・行政法Ⅰ319～320頁）。

この問題について、行手法には規定がなく、解釈に委ねられているが、同法制定後の最高裁の判例は、最判平成23年6月7日民集65巻4号2081頁、基判46頁、百選Ⅰ117、CB3-8（→第6講【設問5】〔→108頁〕）以外には、まだない。同法制定前の個別法上の手続に関する判例は、**理由提示の不備については、直ちに処分の取消事由になる**としている。これに対し、**聴聞の瑕疵**（最判昭和46年10月28日民集25巻7号1037頁〔個人タクシー事件、基判54頁、百選Ⅰ114、CB3-1〕。ただし、ここにいう聴聞は、行手法上の聴聞とは異なり、申請処理手続における意見聴取である。→109頁のコラム「個人タクシー事件と行手法」）および**審議会手続の瑕疵**（最判昭和50年5月29日民集29巻5号662頁〔群馬中央バス事件、基判57頁、百選Ⅰ115、CB3-3〕）については、**結果に影響を及ぼす可能性がある場合に、取消事由になる**としている。

　　＊　上掲昭和50年判決によると、一般に、行政処分をするにあたって諮問機関への諮問とその決定の尊重を法が定めているのは、処分の客観的な適正妥当と公正を担保するためであるから、それは極めて重大な意義を有し、処分が諮問を経ないでされた場合はもちろん、これを経た場合でも、**諮問機関の審理の過程に重大な法規違反があること等により、その決定自体に法が諮問機関への諮問を要求した趣旨に反するような瑕疵があるときは、これを経た処分も違法として取消しを免れない**（当該事案では、仮に審議会が申請者に具体的な資料の提出を促しても、申請者が審議会の判断を左右するに足る資料を提出できる可能性はなかったから、審議会の審理手続の不備は法の趣旨に違背する重大な違法とはいえず、それに基づく審議会の決定自体に瑕疵はないとして、処分を取り消さなかった）。

もっとも、以上の判例は、行手法制定前の個別法に関するものであり、行手法上の手続の瑕疵について、当然に妥当するわけではない。理由提示につ

いては、引き続き厳格な立場（直ちに取消事由になる）をとるものとみられる（行手法14条につき、上掲最判平成23年6月7日参照）が、それ以外の手続に関する最高裁の立場は、まだ明らかにされていない。

学説上は、行手法による手続保障の趣旨を重視し、同法で明確に行政庁の行為義務として定められた手続（①告知・聴聞、②理由提示、③文書閲覧、④審査基準の設定・公表）の瑕疵については、処分の取消事由になるという見解が有力である（塩野・行政法Ⅰ348頁）。もっとも、瑕疵が軽微であったり、処分の内容に影響を与える可能性がなかったことが明らかである場合には、取消事由にならないと解する余地もある（小早川・行政法講義下Ⅱ184頁）。

以上を本問について見ると、第6講【設問4】(2)については、審査基準の設定・公表の瑕疵は当然に処分の取消事由になるという立場に立った場合、裁判所は本件処分を取り消すべきである。また、審査基準の設定・公表の瑕疵は結果に影響を及ぼす可能性がある場合に取消事由になるという立場に立った場合にも、本問で審査基準が公表されていれば、Xはそれを考慮した申請を行うことにより申請が認容される可能性があったと解されるから、裁判所は本件処分を取り消すべきである。第6講【設問4】(3)については、理由提示の瑕疵は直ちに処分の取消事由となることが判例上確立しているから、裁判所は本件処分を取り消すべきである。

(2) 手続の瑕疵を理由に処分が取り消された場合に行政庁のとるべき措置

第6講【設問4】(2)の場合は、審査基準を設定・公表したうえで、改めてXの申請を審査し、諾否の応答をする義務を負う（**取消判決の拘束力、行訴法33条**）。なお、取消判決により、法的には、Xの申請があったがYがまだ応答していない状態に戻ることになるので、Xが再び申請する必要はないが、審査基準の公表を受けて、追加書類を提出したり、申請内容を変更したりすることはありうる。Yは、再審査のうえ、再び拒否処分をすることも妨げられない。

第6講【設問4】(3)の場合は、改めてXの申請を審査し、再び拒否処分をする場合には、処分と同時に、具体的な算定根拠を提示しなければならない（申請を認容する場合には、理由は提示しなくてよい。行手法8条1項参照）。

このように、いずれの場合も、Yに手続を遵守させることはできるが、再び拒否処分がされる可能性は十分にある。その点で、手続の瑕疵だけを理由

に処分が取り消されても、原告の救済として（無意味ではないが）限界があることに注意が必要である。Xが取消訴訟を通じて何を目指すかにもよるが、1回の訴訟で認可を得たいのであれば、実体法（鉄道事業法16条2項）違反の主張も行う（さらに、より直截に認可を求めるには、**申請型義務付け訴訟も提起する**）のが適切であろう。

> ●コラム● 「提示された理由（または審査基準）の内容が間違っている」
> という主張は、行手法違反の問題ではない
>
> 「提示された理由の内容が間違っている（または公表された審査基準の内容が、処分の根拠法令の趣旨に反する）から、行手法違反である」とするのは、誤りである。行手法違反の問題と実体法違反の問題とは、区別しなければならない。
> 例えば、最判昭和60年1月22日民集39巻1号1頁（旅券発給拒否事件。基判55頁、百選I 118、CB3-5）の事案で、仮に、「申請者は○○という過激派団体の関係者であり、サウディアラビアへの渡航を認めると、……著しく且つ直接に日本国の利益又は公安を害する行為を行う虞がある」という理由を提示して旅券発給拒否処分がなされ、これに対して、申請者が、「自分は○○という過激派団体の関係者ではないから、その理由は間違っている」と主張する場合には、処分の内容が誤っているという実体の問題であって、理由提示の不備という手続の問題ではない。理由提示としては、行政庁がどのような事実関係に基づいてどのような法規を適用して処分をしたかを、その記載自体から了知しうるものであれば足り、提示された理由が結果的に誤っていたとしても、手続に瑕疵があったことにはならない（ただし、理由提示制度の趣旨との関係で、訴訟段階における理由の差替えの可否が問題になりうる。→382頁）。
> 審査基準の設定・公表についても同様である。「審査基準が公にされていない」というのは行手法違反であるが、「当該審査基準で審査するのは、処分の根拠法令の趣旨に反する」というのは、処分の内容が根拠法令に反するという実体法違反の問題であって、行手法違反の問題ではない。
> このように、行政手続の問題は、決められた手順（「お作法」）どおりに振る舞ったかどうかという、ある意味では形式的なものであって、その内容が正しいかどうかという実体の問題とは区別されるので、注意してほしい。もちろん、形式さえ守れば、いい加減な手続をとってよいというわけではなく、慎重な検討を経て理由提示や審査基準の設定・公表を行うべきであるが、結果的にその内容が誤っていたとしても、それは行手法違反の問題ではない。

> ●コラム● 行手法の二面性──行為規範と裁判規範
>
> 行手法の定めは、第6講および本講1・2で見たように、行政機関（の職員）が案件処理においてどのように行動すべきかという、行政の**行為規範**としての側面を有する。その観点からは、義務とされている手続のみならず、**努力義務**とされている手続についても、行政機関はこれを無視してはならず、文字どおり「努めなければならない」とされている

ことに、大きな意味がある。すなわち、行政機関は国民に対して、努力した（けれどもできなかった）ということを説明する責務（**説明責任**）が生じ、事実上、努力義務規定を遵守させる方向に作用することが期待される。

　他面において、行手法の定めのうち、義務とされているものについては、**裁判規範**としての側面をも有する。すなわち、本講 5 で見たように、行手法違反は、裁判（とりわけ取消訴訟）において処分の違法事由とされうる（→143頁のコラム「『行政法劇場』における『第 1 幕（行為規範）』と『第 2 幕（裁判規範）』」も参照）。その際、取消訴訟の過程では、本案審理における処分の違法事由の 1 つとして位置づけられるが、処分が根拠法令に違反するという実体法上の違法事由とは区別される。

第8講　行政裁量

◆学習のポイント◆
1　法律が処分の要件・効果をどのように定めているかに着目したうえで、処分の性質等も考慮して、要件の認定や効果の選択に行政庁の裁量が認められるか否かを判断する。
2　裁量が認められる場合、裁判所は行政庁の判断要素の選択や判断過程の合理性を審査し、他事考慮、重視すべきでない要素の重視、考慮不尽等がある場合に、裁量権の逸脱・濫用として違法とするのが、判例の基本的傾向である。
3　裁量基準がある場合、裁量基準に従わない処分、裁量基準に従った処分のそれぞれについて、裁量基準の合理性と当てはめの合理性（個別事情の考慮）の2段階で検討する。その前提として、法規命令・解釈基準・裁量基準を見分けられなければならない。
4　行政処分の附款について、意義と種類、処分本体の効果に与える影響、附款を付すことの許容性と限界、違法な附款の争い方等を、具体例に即して理解する。

総説　裁量とは

　憲法・法律・命令は、それぞれ上下関係にあり、規範のピラミッドを構成している（→第2講）。また、これらの法令と個別の行政活動との関係も、後者が前者に従わなければならない（法律による行政の原理）という意味で、上下関係である。このような上下関係において、上のレベルで決められていない事柄については、下のレベルで自由な判断の余地が認められうる。これが**裁量**の問題である。
　このうち、憲法と法律との関係については、立法裁量が問題になるのに対し、法律と行政活動との関係については、**行政裁量**が問題となる。
　そして、行政裁量については、法律と行政活動との関係についての問題で

あるから、**国会と行政機関との関係**が問題となるが、同時に、**行政機関と裁判所との関係**も問題となる。すなわち、行政裁量が実際に問題になるのは、行政活動が違法であるとして、裁判で争われる場合であり（取消訴訟の本案審理における処分の違法事由として、裁量の逸脱・濫用が主張される。→終章末尾の図）、裁判所は法の適用によって紛争を解決する機関であるから、法が自ら決定せず、行政の裁量に委ねている事柄については、裁判所は審査できないのではないかが問題となる。

行政裁量は、法律と行政活動との上下関係において問題になるため、どの行為形式についても問題となりうるが、従来の行政法学は、行政処分を中心としていたため、行政裁量についても、行政処分の裁量を中心に扱ってきた。本講では、主として行政処分の裁量を扱う。

> 【設問１】行政判断のプロセスと裁判所による審査方法
> 　地方公務員Ａは、休日に自動車を運転中、酒気帯び運転の嫌疑で警察に検挙された。
> (1)　Ａの懲戒権者Ｂが地方公務員法に基づいてＡに対する懲戒処分を検討する場合、どのような手順を踏んで結論を出すべきか。
> (2)　(1)の結果、ＢはＡを懲戒免職処分とした。これに対し、Ａが取消訴訟を提起した場合、裁判所はどのような方法で処分の適法性を審査すべきか。
> （→第３講【設問４】〔55頁〕の条文を参照）

１　行政判断のプロセス

一般に、行政処分を行うためには法律の根拠が必要であり、その場合の法律は、「一定の要件が満たされる場合に」「行政庁は、一定の行政処分をする（ことができる）」という形で規定していることが多い（**要件効果規定**→33頁）。例えば、地方公務員法29条１項は、「全体の奉仕者たるにふさわしくない非行のあった場合」に、その職員に対し「懲戒処分として戒告、減給、停職又は免職の処分をすることができる」と定めている。その場合、行政庁の判断は、次のようなプロセスをたどる。

　①**事実の認定**　まず、処分の前提となる事実（Ａが実際に酒気帯び運転をしたのか）を認定する必要がある。本人が飲酒の事実を否定しているような場合、事実認定について行政庁が難しい判断を迫られることもありうる。

　②**要件の認定**　次に、①でＡが休日に飲酒運転をしたことを行政庁が認定したとして、その事実が法律の定める懲戒処分の**要件に当てはまる**かどうか

を判断する必要がある。法律には、「全体の奉仕者たるにふさわしくない非行」とは何を意味するのか、具体的な基準が定められていないので、行政庁が自らその意味を解釈したうえで、休日の飲酒運転がそれに当てはまるかどうかを判断しなければならない。

③**行為の選択** 行政庁が②で要件を満たしていると判断した場合は、法律で、「懲戒処分として、戒告、減給、停職又は免職の処分をすることができる」と定められているので、**処分をするかしないか、また、処分をする場合、どの処分を選択するか**を判断しなければならない。これについても、法律に具体的な基準が定められていないことが問題となる。

④**手続の選択** 行政庁が①～③を判断する際、処分の相手方であるＡの言い分を聴くなど、一定の**手続**をとる必要があるかどうかを判断しなければならない。公務員の懲戒処分には行手法の適用はないが（行手法3条1項9号。→99頁）、懲戒処分は重大な不利益処分なので、憲法上、何らかの事前手続が必要ではないかが問題となる。

⑤**時の選択** 公務員の飲酒運転に対する国民の批判が高まっているので早く処分をすべきではないか等、**いつ処分をするか**というタイミングが問題になる場合がある。

2　裁判所による審査と行政裁量の所在

　上述のようなプロセスで行政庁がした判断（処分）が適法かどうかについて、取消訴訟等により裁判所に審査が求められた場合、裁判所はどのような方法で判断すべきであろうか。大きく分けて、次の2つの方法がある。

(1)　判断代置

　裁判所が行政庁と同一の立場に立って、1で述べた①～⑤を判断し、裁判所の判断が行政庁の判断（処分）と一致しない場合に、処分を違法とする方法である。例えば、【設問1】の例では、仮に裁判所が公務員Ａの懲戒権者であったとしたらどのように判断するかという観点から、裁判所が自ら①～⑤を判断して一定の結論（例：Ａを停職6カ月の懲戒処分にすべきである）を出し、それが実際に行政庁がした処分（例：懲戒免職処分）と一致しない場合に、処分を違法とする判断方法である。「裁判所の判断を行政庁の判断に置き代える」という意味で、**判断代置**とよばれる。法律の文言が一義的でない場合でも、その意味を確定するのは裁判所であって行政庁ではない。この場合には、行政庁には裁量は認められていない、ということになる。

(2) 裁量権の逸脱・濫用の審査

これに対して、1で述べた①～⑤のいずれかについて、裁判所が行政庁と同一の立場に立つのではなく、行政庁の判断を一定の範囲で尊重したうえで、**裁量権の逸脱・濫用**があった場合に、処分を違法とする方法がある。行訴法30条は「行政庁の裁量処分については、裁量権の範囲をこえ又はその濫用があった場合に限り、裁判所は、その処分を取り消すことができる」と定めている。このような場合の司法審査を「裁量権の逸脱・濫用の審査」という。「裁量権の逸脱・濫用の審査」においては、まず、行政処分権限を付与した法律が行政庁に裁量を認めているのか、また、どの程度の裁量を認めているのかが問題となる。先に挙げた例についてみれば、①～⑤のどの部分に裁量を認めるかが問題となる。

①の「事実の認定」については、裁判所の審理・判断の対象であり、原則として行政裁量は認められない。ただし、原子力発電所の安全性のように、将来の予測を含む高度な科学技術的問題については、「要件の認定」と「事実の認定」が分かち難く結びついており、行政裁量が認められることがありうる（高松高判昭和59年12月14日行集35巻12号2078頁参照）。

②の「要件の認定」に関する裁量を、**要件裁量**とよぶ。これに対し、③の「行為の選択」（「処分をするかしないか、するとして、どの処分を選択するか」）に関する裁量を、**効果裁量**とよぶ。この要件裁量および効果裁量が、行政裁量について最も問題になるものであり、それらが認められるかどうかの判断基準について、3で説明する。

④の「手続の選択」について、裁量が認められることがある。例えば、東京地判昭和59年3月29日行集35巻4号476頁は、地方公務員に対する懲戒処分において、告知・聴聞の手続をとるか否かは行政庁の裁量に委ねられているとする。

⑤のいつ処分を行うかという「時の選択」に関して、**時の裁量**が問題となる場合がある（塩野・行政法Ⅰ145頁。判例として、最判昭和57年4月23日民集36巻4号727頁〔中野区特殊車両通行認定事件〕、基判100頁、百選Ⅰ120、CB5-1）。

3 行政裁量の有無の判断基準

(1) 法律の文言

裁判所が上記2の(1)と(2)のいずれの審査方法によるべきかを判断するには、まず、**法律の文言**、すなわち、法律が処分の**要件**および**効果**をどのよう

に定めているかに着目すべきである。法律が処分の要件を全く定めていなかったり（例えば、第2講【設問5】〔→47頁〕の母体保護法14条1項は、人工妊娠中絶を行いうる医師の指定の要件を定めていない）、何がそれに該当するのかが一義的に明らかではない**不確定概念**（【設問1】の例では、「全体の奉仕者たるにふさわしくない非行」）を用いているときは、**要件裁量**が認められる可能性がある。また、法律が処分について**複数の選択肢**（【設問1】の例では、「戒告、減給、停職又は免職」）を挙げている場合には、処分の選択について裁量が認められうるし、処分をすることが「できる」と規定している場合には、処分をするかしないかについて、裁量が認められる可能性がある（**効果裁量**）。

ただし、法律が要件に不確定概念を用いていても、裁判所が自ら法律を解釈して、その意味を一義的に確定すべきであると考えられる（すなわち、要件裁量が否定される）場合もある（例：情報公開法5条の不開示情報該当性の判断。→222頁）。また、処分をすることが「できる」と法律に規定されていても、それは**行政機関に処分の権限を授ける趣旨であって、要件を満たす場合には処分をしなければならないと解釈される**（すなわち、効果裁量が否定される）場合もある（→138頁参照）。したがって、法律の文言だけでは決め手にならず、次に述べる処分の性質をも考慮しなければならない。

なお、法律の文言によって処分の要件・効果が羈束（きそく）されている（縛られている）か否かを考察する際には、単に羈束されているか否かの二分法で考えるのではなく、どの部分がどこまで羈束されているかに注意する必要がある（小早川・行政法講義下Ⅰ19頁以下参照）。

* 例えば、「学校教育上**支障のない限り**、……学校の施設を社会教育その他公共のために、利用させることができる」（学校教育法137条）という文言からは、学校教育上支障のない場合に利用させなければならないか否かは当然には明らかでない（最判平成18年2月7日民集60巻2号401頁〔呉市公立学校施設使用不許可事件〕、基判62頁、百選Ⅰ70、CB4-8は、「支障がないからといって当然に許可しなくてはならないものではなく、行政財産である学校施設の目的及び用途と目的外使用の目的、態様等との関係に配慮した**合理的な裁量判断により使用許可をしないこともできる**」とした）。しかし、学校教育上**支障のある場合に利用させてはならない**ことは明らかである。その限りでは、法律による羈束がされていることになる。したがって、「文末が『できる』となっているから、利用させるか否かについて法に羈束されていない」と漠然と考えると、判断を誤るおそれがある。次の【設問2】も参照。

【設問2】ストロングライフ事件
　Xは、ブロムアセトン稀溶液（催涙性がある）を小型カートリッジに充填した護身用噴霧器（商品名ストロングライフ）を輸入するため、毒物及び劇物取締法（以下「法」という）3条2項および4条1項に従い、甲県知事Yに輸入業の登録申請をした。これに対し、Yは、「ストロングライフは、劇物であるその内容液を人または動物の目に噴射して開眼不能の状態に至らしめるものであり、かつ、それ以外の用途を有しないものである」との理由で、登録拒否処分（本件処分）をした。本件処分は適法か。

◆**毒物及び劇物取締法**◆
（目的）
第1条　この法律は、毒物及び劇物について、保健衛生上の見地から必要な取締を行うことを目的とする。
（禁止規定）
第3条　略
2　毒物又は劇物の輸入業の登録を受けた者でなければ、毒物又は劇物を販売又は授与の目的で輸入してはならない。
3　略
（営業の登録）
第4条　毒物又は劇物の……輸入業……の登録は、……都道府県知事……が行う。
2～3　略
（登録基準）
第5条　都道府県知事は、毒物又は劇物の……輸入業……の登録を受けようとする者の設備が、厚生労働省令で定める基準に適合しないと認めるとき……は、第4条第1項の登録をしてはならない。
（罰則）
第24条　次の各号のいずれかに該当する者は、3年以下の懲役若しくは200万円以下の罰金に処し、又はこれを併科する。
　一　第3条……の規定に違反した者
　二～六　略

◆**毒物及び劇物取締法施行規則**◆
（製造所等の設備）
第4条の4　毒物又は劇物の製造所の設備の基準は、次のとおりとする。
　一　略
　二　毒物又は劇物の貯蔵設備は、次に定めるところに適合するものであること。
　　イ　毒物又は劇物とその他の物とを区分して貯蔵できるものであること。
　　ロ　毒物又は劇物を貯蔵するタンク、ドラムかん、その他の容器は、毒物又は劇物が飛散し、漏れ、又はしみ出るおそれのないものであること。

ハ〜ホ　略
　三　毒物又は劇物を陳列する場所にかぎをかける設備があること。
　四　毒物又は劇物の運搬用具は、毒物又は劇物が飛散し、漏れ、又はしみ出るおそれがないものであること。
２　毒物又は劇物の輸入業の営業所……の設備の基準については、前項第２号から第４号までの規定を準用する。

　本問は、最判昭和56年２月26日民集35巻１号117頁（基判99頁、百選Ⅰ57、CB8-1）をモデルにしている。
　本問では、毒物および劇物の輸入業の登録拒否処分の適法性が問われているので、まず、同処分について、**法律が要件（基準）および効果をどのように定めているか**に着目する必要がある。要件については、法５条および法施行規則４条の４は、専ら貯蔵、運搬等の設備に着目した基準を定めており、本件でＹが登録拒否の理由とした、劇物が製品に使用されることによる人体への危害のおそれについては、基準としていない。効果については、同法５条は、「基準に適合しないと認めるとき……は、登録をしてはならない」としており、基準に適合しないときに登録をすることができないのは明らかであるが、逆に、基準に適合するときに登録をしなければならないかどうかについては、明文では規定していない。そこで、**処分の性質**や法律の目的等を合わせて考慮する必要がある。
　上掲昭和56年判決の第１審東京地判昭和50年６月25日行集26巻６号842頁は、上記の規定の仕方、および、「毒物及び劇物について、保健衛生上の見地から必要な取締を行う」という法の目的（１条）に着目して、法５条および法施行規則４条の４が定める登録拒否事由が存する場合と同程度あるいはそれ以上に保健衛生上の危害発生の危険性が予測されるような場合には、登録拒否ができると解釈し、本件処分を適法とした。
　これに対し、第２審東京高判昭和52年９月22日行集28巻９号1012頁は、法にいう「登録」は講学上の「許可」（→後掲【設問３】）に相当し、一般的禁止を解除して適法に当該行為をなしうる自由を回復するものであるところ、職業選択の自由を保障する憲法の趣旨に照らし、営業の自由の規制は必要最小限度にとどめるべきであり、法５条は、登録の申請を拒否しうる場合を、法施行規則４条の４の基準に適合しないときだけに限定する趣旨と解すべきであるとして、本件処分を違法とした。
　上掲昭和56年判決は、次のような趣旨を述べて、第２審の判断を是認した。すなわち、法は、毒物および劇物の具体的な用途については（特定毒物

の場合を除き）特段の規制をしておらず、他方、人の身体に有害あるいは危険な作用を及ぼす物質が用いられた製品に対する危害防止の見地からの規制については、他の法律（食品衛生法、薬事法等）にその例が見られる。これらの点からすると、法は、毒物および劇物の輸入業等の営業に対する規制は、専ら設備の面から登録を制限することをもって足りるものとし、毒物および劇物がどのような目的でどのような用途の製品に使われるかについては、他の個々の法律がそれぞれの目的に応じて規制するのに委ねる趣旨である。そうすると、本件処分は、法の趣旨に反し、許されない。

(2) 処分の性質

　国民の権利・自由を制限する処分（**侵害処分**。講学上の**警察許可**はこれに当たる）については、裁量が認められない方向に傾くのに対し、国民に利益を与える処分（**授益処分**。講学上の**公企業の特許**はこれに当たる）については、比較的広い裁量が認められうる（→後掲【設問3】）。また、行政機関の**政治的**または**専門技術的な判断**が要求されることを理由に、裁量が認められることがある。

　なお、**課税要件を定める規定**（→49頁）や刑罰の構成要件を定める規定（例：墓地埋葬法13条の「正当の理由」〔最判昭和43年12月24日民集22巻13号3147頁、墓地埋葬通達事件、基判230頁、百選Ⅰ52、CB1-1〕、水道法15条1項の「**正当の理由**」〔→179頁〕）は、**行政庁の裁量を認めない**ものと解される。また、土地収用法による補償金の額については、**完全補償**の観点（455頁）から客観的に認定すべきであり、収用委員会に裁量権は認められない（最判平成9年1月28日民集51巻1号147頁、基判100頁、百選Ⅱ203、CB4-7）。このほか、最判平成25年4月16日民集67巻4号1115頁（基判101頁、百選Ⅰ75）は、水俣病の認定について、客観的事実を確認する行為であり、行政庁に裁量はないとしている。

> **【設問3】警察許可と公企業の特許**
> 　AおよびBは、それぞれ、甲県知事Yに対して一般公衆浴場営業許可（公衆浴場法2条、甲県公衆浴場法施行条例2条）を申請し、両者の申請に係る一般公衆浴場の設置場所は100mの距離にあった。Bの申請は、Aの申請の2日後に行われたものであった。Yは、それぞれの申請を審査したところ、いずれも公衆衛生上の基準（同法2条2項）を満たしているが、Bの申請の方が、設置場所や施設の規模等の点において、Aの申請よりも利用者の便宜に適うものと考えられたため、Aに対する不許可処分およびBに対する許可処分を行った（以下「本件各処分」という）。これに対し、Aは、本件各処分の

取消訴訟を提起した。本件各処分は適法か。

◆公衆浴場法◆
第2条　業として公衆浴場を経営しようとする者は、都道府県知事の許可を受けなければならない。
2　都道府県知事は、公衆浴場の設置の場所若しくはその構造設備が、公衆衛生上不適当であると認めるとき又はその設置の場所が配置の適正を欠くと認めるときは、前項の許可を与えないことができる。但し、この場合においては、都道府県知事は、理由を附した書面をもって、その旨を通知しなければならない。
3　前項の設置の場所の配置の基準については、都道府県（……）が条例で、これを定める。
4　都道府県知事は、第2項の規定の趣旨にかんがみて必要があると認めるときは、第1項の許可に必要な条件を附することができる。
第3条　営業者は、公衆浴場について、換気、採光、照明、保温及び清潔その他入浴者の衛生及び風紀に必要な措置を講じなければならない。
2　前項の措置の基準については、都道府県が条例で、これを定める。
第6条　都道府県知事は、必要があると認めるときは、営業者その他の関係者から必要な報告を求め、又は当該職員に公衆浴場に立ち入り、第2条第4項の規定により付した条件の遵守若しくは第3条第1項の規定による措置の実施の状況を検査させることができる。
2　略
第7条　都道府県知事は、営業者が、第2条第4項の規定により附した条件又は第3条第1項の規定に違反したときは、第2条第1項の許可を取り消し、又は期間を定めて営業の停止を命ずることができる。
2　略
第8条　次の各号の一に該当する者は、これを6月以下の懲役又は1万円以下の罰金に処する。
　一　第2条第1項の規定に違反した者
　二　第7条第1項の規定による命令に違反した者

◆甲県公衆浴場法施行条例◆
（設置場所の配置基準）
第2条　法第2条第3項に規定する公衆浴場の設置の場所の配置の基準は、温湯を使用し、同時に多人数を入浴させる公衆浴場であって、その利用目的及び形態が地域住民の日常生活において保健衛生上必要な施設として利用されるもの（以下「一般公衆浴場」という。）については、既設の一般公衆浴場との直線距離が300メートル以上であることとする。

　本問は、最判昭和47年5月19日民集26巻4号698頁（基判58頁、百選Ⅰ58）

の事案をアレンジしたものである。

ア　警察許可と公企業の特許

処分の適法性を検討するには、まず、当該処分の根拠法令における要件効果規定（本問では公衆浴場法2条2項）に着目しなければならないが、本問では、それに加え、処分の性質として、講学上の**警察許可**および**公企業の特許**の概念が手がかりになる。

警察許可とは、本来私人の自由である行為を安全・衛生等の消極目的（警察目的）のために一般的に禁止しておき、一定の要件を満たす場合に禁止を解除するものである。自動車の運転免許や飲食店の営業許可が典型例である。政策目的ではなく消極目的の規制であり、裁判所が要件該当性を客観的に判断できるから、**要件裁量は狭い**と解される。また、私人の本来の自由を回復するものであるから、要件を満たすにもかかわらず許可しない裁量、すなわち**効果裁量はない**と解される。なお、警察許可は、一般的禁止を解除して、私人の本来の自由を回復するものであるから、**許可を受けた者が当該行為**（自動車の運転、飲食店の営業等）**を行うか否かは自由**であり、当該行為を行う義務を負うことはない。

これに対し、**公企業の特許**とは、**本来私人の自由ではなく、国家が行うべき公共性の高い事業について、特別に私人に行わせるもの**である。伝統的には、電気事業、ガス事業、鉄道事業等の許可が典型例とされた。安全・衛生等の消極目的のみならず、より積極的に、良好なサービスを安定的に供給させる等の観点をも考慮して許否を決すべきであるから、**広範な要件裁量および効果裁量**が認められる。なお、公企業の特許を受けた者は、しばしば、事業の独占権等の**特権**を与えられる反面、事業の開始義務を課されたり、事業全般について行政庁から**様々な監督**を受けたりする（事業の休廃止等も自由に行えない）旨が、個別法に定められている。

上記のような区別は、現在では相対化しており、また、個別法の仕組みを解釈する際は、まず、当該個別法の規定をよく見ることが重要である（個別法の規定から離れて、抽象的な概念だけで結論を導くべきではない）。しかし、各種事業許可に関する法的仕組みの特徴を理解するための理念型としては、なお一定の意味があると考えられる。

イ　本問への当てはめ

公衆浴場法2条2項・3項は、衛生上の基準とともに、条例で定める**適正配置**を許可の基準としているから、AおよびBがともに衛生基準を満たしているとしても、AまたはBの一方のみに許可を与えるべきと考えられる。

なお、同法2条2項の文言上は、衛生基準および適正配置基準を満たさない場合に「許可を与えないことが**できる**」とされているが、同条の趣旨は、許可制度を通じて衛生状態および適正配置を確保するために不許可の権限を知事に与えたものと解されるから、基準を満たさないにもかかわらず許可をする裁量（効果裁量）は、認められないと解される。「できる」という文言が当然に効果裁量を認める趣旨とはいえないことにつき→132頁。

＊ Bに対する許可処分の取消しを求める**原告適格**がAに認められることにつき、最判昭和37年1月19日民集16巻1号57頁（基判284頁、百選Ⅱ164）参照（→327頁、346頁コラム）。

それでは、AまたはBのどちらに許可を与えるべきであろうか。公衆浴場法の適正配置規制の下で、特定の業者に許可を与えると、結果的にその付近での競業者の参入が排除され、許可業者に地域的独占権を認めることになる。このことと、公衆浴場が自家風呂をもたない国民にとって不可欠の福利厚生施設であることを考慮すると、公衆浴場の許可制は**公企業の特許**の性格を有し、衛生面のみならず、より積極的に、良好なサービスの提供という観点をも考慮して、許否を決すべきとも考えられる。この考え方によれば、本件各処分は適法と解されうる。

しかし、公衆浴場法の規定を見ると、許可の基準においてもその後の行政庁の監督においても、専ら施設の衛生面に着目しており、公企業の特許の仕組みに通常見られるような、許可の際の様々な考慮要素や許可業者の事業全般についての監督等の規定は置かれていない。そうすると、公衆浴場の許可制も、飲食店営業等の許可制と同様に、基本的には**警察許可**の性格を有すると考えられ、このことと、各申請を公平に取り扱うべき要請から考えれば、先に申請したAが衛生上の基準を満たす以上、Aに対して許可を与えるべきと解される（**先願主義**）。

＊ その結果、Bに対する許可は拒否すべきことになるが、これは、公衆浴場法が警察許可制度を基本としつつ、それと必ずしも整合的でない適正配置規制を採用していることの帰結である。このような規制の合憲性が問題となりうるが、判例（最判平成元年1月20日刑集43巻1号1頁）に従って適正配置規制の合憲性を前提とする限り、Bの許可が拒否されるのは、やむをえないと考えられる（本問につき、参照、塩野＝原田・演習行政法40頁以下〔原田執筆〕）。

(3) 裁量の有無の判断基準

上記(1)(2)より、裁量の有無については、**法律の文言と処分の性質の両面か**

らアプローチすべきである。すなわち、要件裁量についていうと、単に「法律が抽象的な要件しか定めていないから要件裁量が認められる」とするのではなく、「法律が抽象的な要件しか定めていないのは、（政治的または専門技術的な判断を要する等の）処分の性質に鑑みて、要件の認定につき行政庁の裁量を認める趣旨であると解される」というように論じるべきである。

ア　要件裁量を認めた判例

要件に**不確定概念**が用いられており、その認定に行政機関の**政治的または専門技術的な判断**が要求される場合に、**要件裁量**を認めたと解される判例として、次のものがある。

最大判昭和53年10月4日民集32巻7号1223頁（マクリーン事件、基判95頁、百選Ⅰ73、CB4-4）は、出入国管理令において在留期間の更新事由が「在留期間の更新を適当と認めるに足りる相当の理由があるとき」と**概括的に規定**され、その判断基準が特に定められていないのは、法務大臣が**諸般の事情を斟酌**し、時宜に応じた的確な判断をしなければならないという事柄の性質上、更新事由の有無の判断を法務大臣の**広汎な裁量**に任せる趣旨であるとする。そして、法務大臣の裁量権の性質に鑑み、その判断が**全く事実の基礎を欠きまたは社会通念上著しく妥当性を欠くことが明らかである場合に限**り、裁量権の逸脱・濫用として違法となるとする。

最判平成11年7月19日判時1688号123頁（三菱タクシーグループ運賃値上げ事件、基判76頁、百選Ⅰ71、CB8-4）は、道路運送法9条2項1号（当時）が定める「能率的な経営の下における適正な原価を償い、かつ、適正な利潤を含むもの」という運賃認可基準は**抽象的、概括的**であり、その適合性判断について行政庁の**専門技術的判断**を必要とし、ある程度の裁量的要素があることを否定できないとする。

最判平成4年10月29日民集46巻7号1174頁（伊方原発訴訟、基判96頁、百選Ⅰ74、CB4-5）は、原発の安全性審査について、以下のとおり、「裁量」という語は用いていないが、裁判所が判断代置を行わないという意味では、要件認定について**専門技術的裁量**を認めたものと解される。すなわち、原子炉等規制法が設置許可の基準として、「原子炉施設の位置、構造及び設備が……原子炉による災害の防止上支障がないものであること」と定めている趣旨は、安全性につき**科学的・専門技術的見地**から十分な審査を行わせることにある。内閣総理大臣が設置許可の際にあらかじめ原子力委員会の意見を聴き、これを尊重しなければならないと法が定めているのは、**各専門分野の学識経験者等を擁する原子力委員会の科学的・専門技術的知見に基づく意見を**

尊重して行う内閣総理大臣の合理的判断に委ねる趣旨である。したがって、裁判所の審理は、原子力委員会の専門技術的判断を基にした行政庁の判断に不合理な点があるかという観点から行われるべきであって、**現在の科学技術水準に照らし、**調査審議で用いられた**具体的審査基準に不合理な点があり、**または当該原子炉が**具体的審査基準に適合するとした判断の過程に看過し難い過誤、欠落があり、**行政庁の判断がこれに依拠してされた場合に、設置許可処分は違法となる。

イ　効果裁量を認めた判例

効果裁量についても、法律の文言と処分の性質の両面からアプローチすべきである。公務員の懲戒処分について、最判昭和52年12月20日民集31巻7号1101頁（神戸税関事件、基判97頁、百選Ⅰ77、CB4-2）は、次のように述べて、**効果裁量を認めている**（〔　〕内は筆者注）。「国公法〔国家公務員法〕は、同法所定の**懲戒事由がある場合**に、懲戒権者が、懲戒処分をすべきかどうか、また、懲戒処分をするときにいかなる処分を選択すべきかを決するについては、……**具体的な基準を設けていない**〔＝法律の文言〕。したがって、懲戒権者は、……諸般の事情を考慮して、懲戒処分をすべきかどうか、また、懲戒処分をする場合にいかなる処分を選択すべきか、を決定することができるものと考えられるのであるが、その判断は、右のような**広範な事情を総合的に考慮してされるものである以上、平素から庁内の事情に通暁し、部下職員の指揮監督の衝にあたる者の裁量に任せるのでなければ、とうてい適切な結果を期待することができないものといわなければならない**〔＝**処分の性質**〕」。

4　裁量審査の方法

3で述べた基準により、行政庁に裁量が認められると解される場合であっても、裁量権の逸脱・濫用があれば処分は違法と判断される（行訴法30条）。今日の複雑化した行政においては、行政処分には何らかの裁量が認められることが多い。そこで、問題の重心は、裁量の有無よりも、行政処分には基本的には裁量が認められることを前提としたうえで、どの程度の裁量が認められるか、裏返して言うと、裁判所はどのような方法で、どこまで行政庁の判断に踏み込んで審査できるか、という点に移ってきている。

行政裁量の司法審査の方法に関する判例の立場は、次に述べる(1)の古典的な審査方法から(2)の現代的な審査方法へと発展してきていると見ることができる。

(1) 社会観念審査

行政庁の判断が全く事実の基礎を欠き、または**社会観念**上著しく妥当を欠く場合に限って、処分を違法とする方法である（上掲最判昭和52年12月20日〔神戸税関事件〕、上掲最大判昭和53年10月4日〔マクリーン事件〕等）。古典的な審査方法であり、裁判所が原則的には審査を差し控え、最小限の審査しかしないという意味で、**最小限審査**といわれることもある（小早川・行政法講義下Ⅱ195頁参照）。この場合のコントロール手段としては、**重大な事実誤認、目的・動機違反、信義則違反、平等原則違反、比例原則違反**が挙げられる（塩野・行政法Ⅰ147頁）。

(2) 判断過程審査

行政庁が考慮すべき事項を考慮せず（**考慮不尽**）、または考慮すべきでない事項を考慮した（**他事考慮**）のではないかというように、行政庁の**判断過程**に不合理な点がないかを審査する方法である。東京高判昭和48年7月13日行集24巻6=7号533頁（日光太郎杉事件、基判97頁、CB4-1）が先駆けであるが、最高裁においては、従来、(1)で述べた諸判決に見られるように、必ずしも判断過程審査が裁量審査の主流を成しているわけではなかった。しかし、現在では、最高裁は、「**判断過程が合理性を欠く結果、処分が社会観念上著しく妥当を欠く**」という形で、(1)で述べた社会観念審査と判断過程審査を結合させることにより（その点では、上掲日光太郎杉事件東京高裁判決と異なる）、ある程度踏み込んだ審査をしている（転機となったのが、最判平成8年3月8日民集50巻3号469頁〔「エホバの証人」剣道実技拒否事件、基判97頁、百選Ⅰ78、CB4-6〕であり、その後、上掲最判平成18年2月7日〔呉市公立学校施設使用不許可事件〕等により一般化している）。

判断過程審査は、**考慮すべき事項・考慮すべきでない事項（重みの付け方を含む）**を裁判所がどの程度詳細に判断するかによって、判断代置に近づく場合もあれば、最小限審査に近づく場合もありうる。例えば、上掲日光太郎杉事件東京高裁判決は、土地収用法20条3号所定の「事業計画が土地の適正且つ合理的な利用に寄与するものであること」という事業認定の要件について、土地が事業の用に供されることによって得られるべき公共の利益と失われる利益との比較衡量により判断すべきとしたうえで、建設大臣の判断は、①本件土地付近のもつかけがえのない文化的諸価値ないし環境の保全という本来最も重視すべき事柄を不当、安易に軽視し、その結果②上記保全の要請と道路整備の必要性とを調和させる手段について当然尽くすべき考慮を尽くさず、また、③オリンピックの開催に伴う自動車交通量増加の予想という本

来考慮に入れるべきでない事項を考慮に入れ、かつ、④暴風による倒木（これによる交通障害）の可能性という、本来過大に評価すべきでない事柄を過重に評価した点で、裁量判断の方法ないし過程に過誤があり、これらの過誤がなければ、異なる結論に到達する可能性があったとして、事業認定を取り消した（→下図）。この判決は、比較衡量における諸要素の重みづけを詳細に行っており、実質的には判断代置に近いともいえる。

そして、考慮すべき事項を裁判所自身がどの程度詳細に確定するかについて、最高裁は、処分の性質や対応する相手方の人権を考慮して判断していると考えられる。例えば、上掲最判平成8年3月8日（「エホバの証人」剣道実技拒否事件）において、剣道実技の代替措置について担当教員が何ら検討せずに体育科目を不認定とし、それを受けて校長が不認定の主たる理由および全体成績について勘案することなく退学処分をしたことについて、考慮すべき事項を考慮していないと最高裁が判断したのは、それが信仰の自由という基本的人権に関わることを考慮したためと考えられる。これに対し、最判

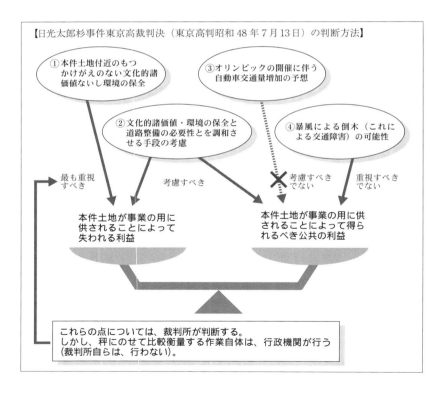

平成18年11月2日民集60巻9号3249頁（小田急訴訟本案判決、基判98頁、百選Ⅰ72、CB4-9）は、判断過程審査の枠組みをとりつつ、政策的・技術的見地からの総合的判断を要するという都市計画決定の性質に着目して、考慮すべき事項やその評価について、広範な裁量を認めたものと解される（→193頁）。

このほか、判断過程審査を行った判例として、最判平成18年9月4日判時1948号26頁（林試の森公園訴訟、基判98頁）、最判平成19年12月7日民集61巻9号3290頁（一般公共海岸区域占用不許可事件、基判98頁）がある。

以上に見てきた、行政裁量の司法審査に関する判例の展開を踏まえると、現時点では、次のように考えるべきと思われる。すなわち、法律が行政庁に裁量を認めているのは、その問題については当該行政庁の判断に委ねるのが最も適切な結果を期待できると考えられたからである。したがって、当該行政庁の行為規範としては、法律によって判断を委ねられた趣旨に従い、自らが最も適切と考える判断をすべき（最善を尽くすべき）であって、決して、いい加減に、手抜きの判断をしてもよいわけではない。他方、問題が裁判所に持ち込まれた場合の裁判規範としては、裁判所は、行政庁の判断の結果が適切か否かを判断するのではなく、行政庁の判断過程に着目し、当該行政庁が法律の趣旨に従って自らが最も適切と考える判断をしたとは認められないような事情（他事考慮、考慮不尽等）がある場合に、当該判断を尊重に値しないものとして取り消す（行政庁の行為規範と裁判規範との関係につき、後掲コラム「『行政法劇場』における『第1幕（行為規範）』と『第2幕（裁判規範）』」参照）。いわば、裁判所は、行政庁の判断の結果が最善か否かを審査するのではなく、行政庁が真摯に最善を尽くしたか否かを審査するのである。

【設問1】(2)については、古典的な社会観念審査においては、免職処分が重きに失し、比例原則違反ではないかが論じられる（→第3講**【設問4】**〔55頁〕）。これに対し、現在の判例の基本的立場である判断過程審査においては、裁量基準がある場合には、当該基準の合理性および当てはめの合理性が論じられる（→145頁）。

●コラム● 「行政法劇場」における「第1幕（行為規範）」と「第2幕（裁判規範）」

行政法が問題となる場面には、劇にたとえると、「第1幕」と「第2幕」とがある。「第1幕」は、行政活動が行われている場面であり、法に照らして行政はどのように行動すべ

きかという、行政の「行為規範」が問題となる。これに対し、「第2幕」は、行政活動の違法性が裁判で争われる場面であり、そこでは、法の「裁判規範」としての側面が問題となる（取消訴訟においては、裁判所が第1幕を振り返り、法に照らして行政がどのように行動すべきであったかを審査する）。本文で述べた「1　行政判断のプロセス」が第1幕であり、「2　裁判所による審査と行政裁量の所在」が第2幕である。第1幕と第2幕との間に、「行政の現場」から「裁判所」への場面転換が行われる。

行政活動に関わる法令は、第1幕では行政の行為規範として、第2幕では裁判規範として登場するが、両者での現れ方には違いがある。例えば、行手法で行政の努力義務とされている手続は、行政の行為規範としては重要であるが、裁判規範としては、「努力していないから違法」と認定するのは困難であり、あまり大きな役割を果たさない（→126頁）。また、個別法が行政裁量を認めている場合、行政の行為規範としては、個別法が当該行政庁の裁量に任せた趣旨に適うように、諸般の事情を考慮して適切な判断をすべきであると考えられるが、裁判規範としては、裁量権の逸脱・濫用があった場合に限り、裁判所は処分を違法と判断すべきことになる。さらに、第2幕（裁判規範）に特有の問題として、訴訟類型の選択と訴訟要件の検討がある。

弁護士・裁判官などの法律家が登場するのは、主に第2幕である。しかし、第1幕においても、弁護士が行政機関や国民から助言を求められることがある。今日では、行政訴訟は稀ではなくなってきており、行政機関が行政活動を行う場面（第1幕）においても、訴訟に持ち込まれた場合（第2幕）を想定し、堂々と適法性を主張しうるような行政活動を心がける必要がある。

なお、第1幕の前に、行政に関する法律や条例が（多くの場合、行政機関によって）立案され、（議会の議決によって）制定されるという段階があり、これは、いわば「序幕」に当たる。この段階については、従来、立法の内容は、憲法に違反しない限り、政策の問題であるとされ、行政法ではあまり扱われなかった。しかし、現在では、政策法学や政策法務などの考え方により、行政法において扱われている。この段階で法律家が関与することもある。

「序幕」を含めると、行政過程は次の3幕から成る。それぞれの違いと関連に注意する必要がある。

「序幕」（舞台は行政機関および議会）：行政に関する法律や条例を立案・制定する。

「第1幕」（舞台は行政機関）：行政機関が法に基づいて行政活動を行う（行政の行為規範）。

「第2幕」（舞台は裁判所）：裁判所が法に照らして、行政機関がどのように行動すべき（であった）かを審査する（裁判規範）。

5　裁量基準と裁量審査

行政機関が、裁量権を適切に行使するために、行政内部で裁量権行使の基準（**裁量基準**）を設定することがある。行手法は、一定の場合に、**審査基準・処分基準・行政指導指針**（2条8号ロ・ハ・ニ）を定めるべきとしている（5条1項・12条1項・36条）。

裁量基準は、法律の委任に基づかない、行政内部での基準であるから、法規としての性格をもたない。したがって、**裁量基準に従わない処分が当然に**

違法になるわけではない（最大判昭和53年10月4日民集32巻7号1223頁、マクリーン事件、基判95頁、百選Ⅰ73、CB4-4）。しかし、**合理的な理由なく裁量基準から外れた処分をすることは**、以下のとおり、**平等原則や信頼保護の観点から、違法となりうる**。

> **【設問4】裁量基準と裁量審査の関係──懲戒処分を例に**
>
> 甲県職員Aは、休日に自動車を運転中、酒気帯び運転の嫌疑で警察に検挙された。Aの懲戒権者Bは、地方公務員法29条1項（→第3講【設問4】〔55頁〕参照）に基づき、Aを懲戒免職処分とした（以下「本件処分」という）。本件処分に関して、次の(1)または(2)の事情があった場合、本件処分の適法性は、それぞれ、どのように評価されるか。なお、地方公務員法には、懲戒処分の基準について、命令の規定に委任する旨の定めはないが、甲県は、「懲戒処分の指針」を作成し、公表している。
>
> (1) 甲県は、「懲戒処分の指針」において、「酒気帯び運転をした職員は、停職又は減給とする」と規定していた。しかし、他県の職員が飲酒運転により重大な死亡事故を起こしたことが大きく報道されて社会問題となり、公務員の飲酒運転に対する社会的な批判が急速に高まったため、Bは、飲酒運転に対する厳しい姿勢を職員一般および社会に示す必要性を考慮して、本件処分（免職）をした。
>
> (2) 甲県は、公務員の飲酒運転に対する社会的な批判の高まりを考慮して、「懲戒処分の指針」において、「酒気帯び運転をした職員は、原則として、免職とする」と規定していた。Aは、急病の家族を病院に運ぶため、やむをえず運転したこと、深く反省していること、酒酔い運転に至らない酒気帯び運転で、かつ、人身事故や物損事故を起こしていないこと、勤務成績がよく、職場関係者を中心に処分軽減を求める100名以上の嘆願書が提出されたこと等を主張したが、Bは、これらの事情を一切考慮することなく、「懲戒処分の指針」に従って、本件処分（免職）をした。

まず確認すべきは、甲県の「懲戒処分の指針」の法的性格である。これは、地方公務員法の委任を受けた法規命令ではなく、裁量権行使の基準を行政機関が内部的に定めた**裁量基準**であって、**行政規則**に当たる。したがって、これを法規命令と同様に扱うのは誤りである。すなわち、(1)において、**指針に反する処分が当然に違法となるわけではない**。また、(2)において、「本件指針が法律の委任の範囲を超えていないか」という捉え方は誤りである。本件指針が**裁量基準として合理的**かどうかを問うべきである。

(1) 設問4(1)──裁量基準違反と処分の違法性

以上を前提として、小問(1)については、懲戒処分に係る判断過程の公正と

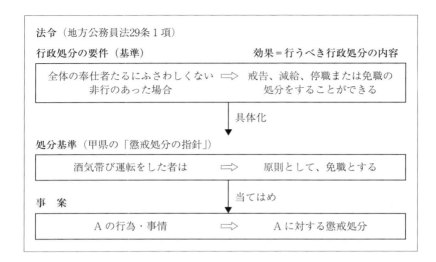

透明性を確保し、その相手方の権利利益の保護に資するために「懲戒処分の指針」（以下「本件指針」という）が裁量基準として定められ公にされていると解されるから、裁量権行使における**公正かつ平等な取扱いの要請や基準内容に係る相手方の信頼保護**等の観点から、裁量権行使は、合理的な裁量基準に覊束され、本件指針の定めと異なる取扱いをすることを相当と認めるべき特段の事情がない限り、そのような取扱いは裁量権の逸脱または濫用に当たると解される。

* 処分における裁量権の行使が裁量基準に覊束されるかという問題につき、最判平成27年3月3日民集69巻2号143頁（基判308頁、百選Ⅱ167、CB13-9。第21講【設問6】〔→362頁〕）。この判決は、直接には取消訴訟の訴えの利益に関するものであり、また、行手法上の処分基準に関するものであるため、行手法の適用除外とされている公務員の懲戒処分の違法性判断にも妥当するかは議論の余地があるが、本文の記述は、この判決の考え方を参考にした。

そこで、公務員の飲酒運転に対する社会的な批判の急速な高まりが、本件指針の定めと異なる取扱いをすることを相当と認めるべき特段の事情に当たるかが問題となる。本件指針の内容が社会情勢に合わなくなっているのであれば、本来、本件指針を改正すべきであると考えられるが、情勢の変化が急速で指針の改正が間に合わなかったのであれば、応急的に指針の定めと異なる取扱いをすることには、相当と認めるべき特段の事情があると解される。

ただし、(2)で述べるように、処分が厳しすぎて比例原則に反するのではないかという問題は残る。

* 最判昭和52年12月20日民集31巻7号1101頁（神戸税関事件、基判97頁、百選Ⅰ77、CE4-2）によると、公務員の懲戒処分における考慮要素として「選択する処分が他の公務員及び社会に与える影響」も挙げられているから、公務員の飲酒運転に対する社会的な批判の高まりを受け、飲酒運転に対する厳しい姿勢を職員一般および社会に示す必要性を考慮することは、他事考慮に当たらないと解される。

(2) 設問4(2)——裁量基準の合理性と個別事情考慮義務

小問(2)については、酒酔い運転に至らない酒気帯び運転で、かつ、人身事故や物損事故を起こしていないものについて、原則として免職とする指針は、重きに失し、**比例原則に反する**ものであって、裁量基準として不合理ではないかが問題となる（→第3講【設問4】）。

また、仮に指針自体は合理的であるとしても、これはあくまでも原則であって、個別の事情を考慮したうえで処分を決すべきである（そのような性格の基準として理解するのでなければ、指針自体が不合理である）と考えられる（「**個別事情考慮義務**」という。小早川・行政法講義下Ⅰ25頁参照）。そのような考え方からは、BがAに関する個別事情（酒気帯び運転の原因、動機、態様、Aの摘発後の反省の程度、等々——上掲最判昭和52年12月20日〔神戸税関事件〕が挙げる「諸般の事情」を参照）を考慮することなく、指針に従って機械的に免職処分をしたのであれば、違法とされる可能がある。

* 最判平成24年1月16日判時2147号127頁（基判84頁、CB4-10）は、第24講【設問1】（→401頁）の基準に基づき減給1カ月の懲戒処分がされた事案において、減給処分の選択が許されるのは、過去の処分歴等に鑑み、学校の規律保持等の必要性と処分による不利益との権衡の観点から、当該処分選択の**相当性を基礎づける具体的な事情**が認められる場合であることを要するとして、過去1回の卒業式等における不起立行為等による懲戒処分のみを理由とした減給処分は重きに失し、裁量権の範囲を超えて違法であるとした。また、同日の最判平成24年1月16日判時2147号139頁（基判92頁）は、過去3回不起立行為による懲戒処分を受けていたが、積極的に式典の進行を妨害する行為を含んでおらず、特に処分の加重を根拠づけるべき事情もうかがわれない教員について、不起立行為を理由とする停職1カ月の処分は重きに失するとして、違法とした。他方、同判決は、過去に積極的に式典や研修の進行を妨害する等の非違行為による3回の懲戒処分および不起立行為による2回の懲戒処分を受ける等していた教員について、不起立行為を理由とする停職3カ月の処分は、重きに失するとはいえず、

違法でないとした（基判91〜92頁も参照）。

＊＊　上掲最判平成11年 7 月19日（三菱タクシーグループ運賃値上げ事件）は、道路運送法 9 条 2 項 1 号（当時）が定める「能率的な経営の下における適正な原価を償い、かつ、適正な利潤を含むもの」という運賃認可基準の適合性判断について、行政庁の**専門技術的裁量**を認めたうえで、同号の下で「同一地域同一運賃原則」をとっていた運輸省の通達とその運用について、次のように判断した。すなわち、タクシー事業の原価は人件費が相当部分を占めており、また、同一地域では賃金水準等の経済情勢はほぼ同じであるから、平均原価方式により算定された額を当該同一地域内の運賃認可の基準とし、上記の額による認可申請について、特段の事情のない限り法 9 条 2 項 1 号に適合していると判断することは、**合理的な判断基準**に基づく裁量権行使として是認しうる。もっとも、事業者が上記方式による額と異なる運賃額を認可申請し、その算出基礎を記載した書類を提出した場合には、行政庁は、法 9 条 2 項 1 号に適合しているか否かを当該書類に基づいて**個別に審査判断すべき**である（基判82〜83頁も参照）。

このように、裁量基準には二面性があることに注意してほしい。すなわち、一方で、基準を定めた以上、基本的には基準に従った判断をすることが要請されるが、他方で、基準を定めたからといって、事案ごとに個別の事情を考慮して適切な判断をすべき要請がなくなるわけではなく、場合によっては、基準の機械的な適用は違法とされうる。

●コラム●　解釈基準・裁量基準と処分の適法性審査方法

　行政機関が定めた何らかの基準に従って処分が行われた場合、当該処分の適法性審査においては、まず、当該基準の法的性質を検討する必要がある。その際、法規命令については、政令、省令等の法形式および「〇〇法施行令」、「〇〇法施行規則」等の名称により、比較的容易に判別できるのに対し、行政規則（解釈基準・裁量基準）については、法形式や名称が定まっているわけではない（通達、通知、回答、要綱、要領、指針、基準、等々の様々な形式や名称がありうる）ので、法的性質を実質的に判断する必要がある（法規命令と行政規則の定義については、→第 9 講 1 〔153頁〕）。

　その際、解釈基準と裁量基準とは、以下により区別される。すなわち、処分の根拠法令に照らして、当該処分につき**行政裁量が認められない**場合に、**行政庁が根拠法令の解釈を示したものが解釈基準**であり、**行政裁量が認められる**場合に、**行政庁が裁量権行使の基準を示したものが裁量基準**である。したがって、前提として、当該処分につき行政裁量が認められるか否かを論ずる必要がある。このように、解釈基準と裁量基準の区別は、法的性質によるものであって法形式によるものではないことに注意してほしい。解釈基準の例として通達が挙げられるが、通達が常に解釈基準の性質を有するとは限らず、裁量基準の性質を有することもありうる。また、処分についての裁量基準は、行手法上の審査基準または処分基準に当たる場合が多いが、一般処分のように、行手法上の「申請に対する処分」にも「不利益処分」にも当たらないもの（→103頁＊）についての裁量基準は、審査基準

にも処分基準にも当たらない。
　そのうえで、解釈基準については、そこに示された解釈が正しいか否かが問題であり、誤っていると裁判所が判断する場合には、裁判所が正しいと考える解釈に基づいて事案への当てはめを行う（裁判所が行政機関の定めた解釈基準に拘束されないことにつき、上掲最判昭和43年12月24日、墓地埋葬通達事件）。これに対し、裁量基準については、本文で述べたとおり、裁量基準の合理性と当てはめの合理性の2段階で判断すべきである。その際、第1段階と第2段階が連動する場合があるので注意が必要である。すなわち、第1段階の裁量基準の合理性について、「画一的・硬直的な基準であるとすれば不合理だが、個別事情を考慮して柔軟に例外を認める基準と解することができるので（その限りで）合理的である」と判断した場合には、第2段階において、個別事情考慮義務が果たされていなければ、裁量基準の当てはめが不合理と評価される（具体例につき、基判82〜83頁および91〜92頁を参照。曽和ほか編著・事例研究行政法36〜37頁のコラム〔長谷川佳彦〕も参照）。

6　行政処分の附款

> **【設問5】条件と負担の区別、附款の争い方**
> 　Aは、甲県知事Yに対して一般公衆浴場営業許可を申請したところ、Yはこれを許可する処分をしたが、その際、公衆浴場法2条4項に基づき、「許可後6カ月以内に営業を開始すること」という条件を付した（以下「本件条件」という）。本件条件は、許可により地域的独占権を得た業者が営業を行わないことにより、当該地域で誰も公衆浴場を開設できないという事態が生じるのを防ぐことを目的とするものである。次の(1)または(2)の場合を想定し、各問いに答えなさい（【設問3】〔→136頁〕の参照条文）。
> (1)　Aは本件条件に不満であり、訴訟で争いたいが、どのような訴訟を提起すべきか。また、本件条件の違法事由としてどのような主張をすべきか。
> (2)　Aは、開業準備に時間がかかり、許可後6カ月が経過しても営業を開始できなかった。その後、Bは、Aが許可を得た場所から100mの距離にある場所での一般公衆浴場営業許可を申請したところ、Yは、適正配置基準違反を理由に、これを拒否する処分をした。Bはこの拒否処分の取消訴訟を提起し、「Aの得た営業許可は本件条件が成就しなかったことにより失効したため、Bの申請は適正配置基準に違反しない」と主張した。Bの主張は認められるか。Bの主張が認められない場合、Bはどのような訴訟を提起すべきか。

(1)　附款の意義と種類

　行政処分の効果を制限し、あるいは特別な義務を課すため、処分本体に付加される従たる定めを行政処分の**附款**という。附款には、次の種類がある。

① 条　件

処分の効果の発生・消滅を**発生不確実な事実**にかからしめる附款をいう。条件成就により効果が発生する**停止条件**、効果が消滅する**解除条件**に区分される。

② 期　限

処分の効果の発生・消滅を**発生確実な事実**にかからしめる附款をいう。事実の発生により効果が生じるものが始期、効果が消滅するものが終期である。

③ 負　担

処分を行うに際して、法令により課される義務とは別に、作為または不作為の義務を課す附款をいう。負担は条件とは異なり、本体たる処分の効果の発生・消滅に直接関わるものではなく、**負担に違反しても処分の効果が当然に失われるわけではない**。

法令上は、負担についても「条件」という文言が用いられるため、条件と負担の区別が明確でない場合が少なくない（後掲(3)）。そこで、両者の違いを理解しておくことが重要である。

④ 撤回権の留保

処分を行うに際して、将来撤回することがあることをあらかじめ宣言しておく附款をいう。もっとも、処分を撤回しうるか否かは、法令の解釈によって定まるのであり（→49頁）、「撤回権の留保」の附款があるからといって、常に撤回ができるわけではない。したがって、撤回権の留保は、確認的な意味しかもたないと解される。

(2)　附款の許容性と限界

法律に附款を許容する明文の規定がなくても、法律が当該処分につき裁量を認めている場合には、その範囲内で、附款を付することが許される。他方、法律に附款を許容する明文の規定がある場合であっても、自由に附款を付することができるわけではなく、やはり法律が当該処分につき認めた**裁量の範囲内**であることを要するので、この点の解釈がポイントとなる。

(3)　本問への当てはめ

本件条件については、公衆浴場法2条4項に根拠があり、法律上は「条件」という文言が用いられているが、これが講学上の条件（本問では解除条件）に当たるのか、それとも負担に当たるのかが問題となる。解除条件であるとすれば、6カ月以内の開業という条件の不成就によりAの営業許可は失効することになるが、負担であるとすれば、当然には失効しない。

この点につき、公衆浴場法7条1項が、同法2条4項の条件違反を許可の取消し（講学上の撤回）・停止事由として規定しているのは、条件違反によって直ちには許可が失効しないことを前提として、行政庁が事案の個別事情をも考慮して取消し・停止の判断をすべきとする趣旨と解される。したがって、本件条件は、講学上の**条件**ではなく**負担**に当たると解される（札幌高判平成23年5月19日判タ1374号144頁参照）。

　そうすると、小問(2)については、Bの主張は認められない。Bは、公衆浴場法7条1項に基づくAの営業許可の取消し（講学上の撤回）を求める**非申請型義務付け訴訟**（行訴法3条6項1号）を提起すべきである。

　小問(1)については、まず、本件条件（負担）の取消訴訟を提起できるかどうかが問題となる。この点については、**当該附款がなければ当該行政処分自体がなされなかったであろうことが客観的にいえるような場合には、当該処分全体が瑕疵を帯びているものとして当該処分の取消訴訟を提起すべきで**あり、附款だけの取消訴訟は提起できないと解される（塩野・行政法Ⅰ204頁）。これを本件について見ると、公衆浴場営業許可において、衛生基準および適正配置基準を満たす場合には許可を与えなければならないと解される（→【設問3】）から、本件条件がなければ許可がされなかったであろうとはいえないこと、また、本件条件は講学上の負担であって、本体たる許可処分の効果を直接制限するものではないことからすると、許可処分から切り離して**本件条件の取消訴訟を提起することが可能**と考えられる。

　次に、本件条件の違法事由としては、公衆浴場法2条4項が「第2項の規定の趣旨にかんがみて必要があると認めるとき」に「必要な条件」を付することを認めているところ、警察許可の性格を有する公衆浴場営業許可において開業を義務付けることは法の趣旨に反する、との主張が考えられる。しかし、これに対しては、適正配置規制により地域的独占権が与えられる以上、公衆浴場の利用者保護のために、一定期間内の開業を義務付ける附款を付し、それが履行されない場合には許可を撤回しても、必ずしも法の趣旨に反しないという反論が考えられる。この反論が成り立つとすれば、Aとしては、許可後6カ月以内という期間が短すぎ、裁量を逸脱している等の主張をすることが考えられる。

第9講　行政立法

```
◆学習のポイント◆
1　法規命令については、委任命令の規定を違法・無効とした最高裁
　判例の着眼点に注意する。
2　行政規則については、違法な通達に対する救済方法に注意する
　（裁量基準は第8講で扱う）。
3　意見公募手続の適用対象（行政規則も含まれる）と概要を理解す
　る。
```

総説　行政過程における行政立法の位置づけ

　法律による行政の原理（→第2講）の下でも、法律で細部まで規定することが困難であったり、行政の柔軟性を確保するために望ましくなかったりする場合には、法律は大枠のみを定め、それを受けて、行政機関がより詳細な定めをすることがある。このように行政機関によって定立される規範を**行政立法**という。国民の権利・義務に直接関わるかどうかによって、**法規命令**と**行政規則**とに区別される。

　法規命令は、法律と一体となって**法令**を構成し、個々の行政活動を規律する。他方、行政立法は、行政の行為形式の1つであり、それ自体について、事前手続（**意見公募手続**）および事後手続（確認訴訟等）が問題となる。

　また、行政規則である裁量基準（審査基準・処分基準・行政指導指針）は、行政処分手続および行政指導手続の一環を成し、行政裁量の統制においても重要な意味を有する。

　本講では、このように行政過程において重要な位置を占める行政立法について学ぶ。

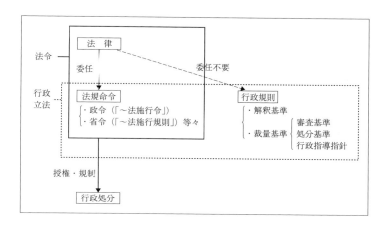

1 行政立法の種類と許容性

(1) 法規命令

　法規（国民の権利義務に関する一般的・抽象的な定め）の定立は、法律によってのみ行うことができる（法律の法規創造力の原理。→37頁）が、法律の委任があれば、行政機関が命令によって国民の権利義務の内容を定めることができると解される（**委任命令**。憲法73条6号ただし書は、法律の委任があれば政令に罰則を設けることを認めていることから、憲法は委任命令を許容していると解される）。また、権利義務の内容自体ではなく、その実現のための手続については、法律の個別的な委任がなくても、行政機関が命令によって定めることができると考えられている（**執行命令**。憲法73条6号本文は、内閣が「法律の規定を実施するために、政令を制定すること」を認めている。また、国家行政組織法12条1項は、「各省大臣は、主任の行政事務について、法律若しくは政令を施行するため、……それぞれその機関の命令として省令を発することができる」としている）。

　　＊　例えば、第1講【設例A】（→10頁）で、上限の認可が必要な旅客の料金について、鉄道事業法16条1項が「国土交通省令で定める旅客の料金」と規定し、これを受けて同法施行規則32条1項が「特別急行料金……であって、新幹線鉄道に係るもの」と規定しているのが、委任命令の例である。これに対し、同規則32条2項・3項が申請書の記載事項および添付書類を規定しているのが、執行命令の例である。なお、鉄道事業法66条は、同法の実施のため必要な手続等について、国土交通省令に包括的に委任してい

る。このような規定がなくても執行命令を定めることは可能と解されるが、個別法にこのような包括的委任規定が置かれている例も多い。

以上の委任命令および執行命令は、法規を命令によって定めるものであり、**法規命令**と呼ばれる。

(2) 行政規則

行政機関が定立する規範の中には、国民の権利義務に直接関わらない、行政の内部基準があり、これを**行政規則**という。行政組織の内部で法の解釈を統一するために、上級行政機関が下級行政機関に対して発する**通達**（国家行政組織法14条2項参照）や、行政内部で裁量の基準を設定する**審査基準・処分基準・行政指導指針**（行手法2条8号ロ・ハ・ニ）がそれに当たる。

行政規則は、国民の権利義務に直接関わらないため、**法律の委任がなくても、行政機関が自由に定めることができる**（むしろ、一定の場合には、定めるべきとされている。行手法5条1項・12条1項・36条）。

●コラム● 「行政立法」「行政規則」という用語

伝統的に行政立法とされてきたもののうち、行政規則は、憲法41条にいう「立法」には当たらない。そこで、行政規則を含めて「行政立法」と呼ぶのは不適切であるとして、これに替えて、「行政基準」「行政準則」「行政規範」などの語が提案されている。しかし、新たな用語はまだ確立していないため、本書では、上記のような問題点を意識しつつも、伝統的な用語である「行政立法」を用いることとする。なお、行手法は、このような問題をはらむ「行政立法」の使用を避け、「命令等」の語を用いている（2条8号。→162頁）。

「行政規則」も、法的性質（国民の権利・義務に直接関わるかどうか）に着目した学問上の用語であり、実定法上の用語ではない。「○○法施行規則」や地方公共団体の長の規則は、行政規則ではなく法規命令に当たる。「行政規則」に替えて、「行政内部規定」「行政内部規範」などの語も提案されているが、新たな用語はまだ確立していないため、本書では、伝統的な用語法に従う。

---

2 法規命令

(1) 委任する法律の側の問題──白紙委任の禁止

法規命令の法的問題を考えるにあたっては、「委任する法律の側の問題」と「委任を受けた命令の側の問題」とを分けて考える必要がある。

まず、委任する法律の側の問題として、委任は対象事項を個別的・具体的に特定して行わなければならず、白紙委任は、国会を唯一の立法機関とする憲法41条に反し、許されない。一般職の国家公務員がしてはならない政治的行為の定めを人事院規則に委ねる国家公務員法102条1項の合憲性について、最判平成24年12月7日刑集66巻12号1722頁（基判139頁）は、同項が「人事院

規則に委任しているのは、公務員の職務の遂行の政治的中立性を損なうおそれが実質的に認められる政治的行為の行為類型を規制の対象として具体的に定めることであるから、同項が懲戒処分の対象と刑罰の対象とで殊更に区別することなく規制の対象となる政治的行為の定めを人事院規則に委任しているからといって、憲法上禁止される白紙委任に当たらないことは明らかである」としている。

(2) 委任を受けた命令の側の問題
—— 法の委任の趣旨を逸脱していないか

次に、委任を受けた命令の側の問題として、命令は委任をした法律の趣旨に適合するものでなければならず（行手法38条1項参照）、法の委任の趣旨を逸脱した命令の規定は、違法・無効となる。委任命令の規定を違法・無効とした判例として、次の**ア〜オ**があり、委任命令の規定が法の委任の趣旨に反しないとした判例として、後掲**カ**がある。

ア 旧監獄法施行規則

旧**監獄法**50条は、被勾留者の接見に関する制限を法務省令に委任しており、これを受けて同法**施行規則**120条は、14歳未満の幼年者には被勾留者との接見を許さないと規定していたが、最判平成3年7月9日民集45巻6号1049頁（基判140頁、百選Ⅰ45、CB1-4）は、この規定は**被勾留者の接見の自由を著しく制限する**ものであって、同法50条の委任の範囲を超えた無効のものであるとした。判決のポイントは、次のとおりである。

① 監獄法は、被勾留者には一般市民としての自由が保障されるので、接見は原則としてこれを許すものとしている。

② 監獄法50条は、法務省令によって、面会の立会い、場所、時間、回数等、面会の態様についてのみ必要な制限をすることができる旨を定めている。

③ 被勾留者と幼年者との接見を原則として許さないとする規則120条は、委任の範囲を超えている。

イ 児童扶養手当法施行令

婚姻外懐胎児童のうち父から認知された児童を児童扶養手当の支給対象から除外していた**児童扶養手当法施行令1条の2第3号かっこ書の規定**について、最判平成14年1月31日民集56巻1号246頁（基判140頁、CB1-6）は、児童扶養手当法の趣旨・目的に照らし、**支給対象児童とされた者との間の均衡を欠き**、同法の委任の趣旨に反して違法・無効であるとした。この判決には反対意見が付されており、多数意見・反対意見それぞれのポイントは、次のとおりである。

a　多数意見

① 児童扶養手当法は、父による現実の扶養を期待できない児童を支給対象としている。

② 父から認知されたからといって、現実の扶養を期待できるわけではない。

③ したがって、認知された婚姻外懐胎児童を支給対象外とすることは、委任の趣旨に反する。

　b　反対意見

① 児童扶養手当法は、死別母子世帯と同視できる状態にある児童を支給対象としている。

② どのような状態にある児童を①の状態にあるとして政令に定めるかは、内閣の裁量に委ねられている。

③ 父から認知されたものは父に対し扶養請求権をもつから、認知されて

【児童扶養手当法および同法施行令による線引き】

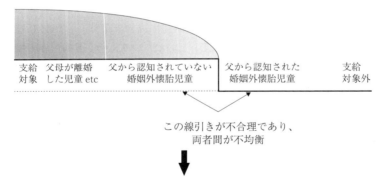

【本判決の施行令一部無効判断による新たな線引き】

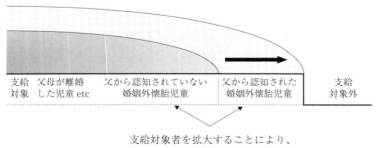

いないものと別異に扱うことに合理的理由があり、委任の趣旨に反しない。

c 考 察

多数意見は、「支給対象児童とされた者との均衡」を考慮したことが結論に影響を与えたと考えられる。一般に、社会福祉制度を具体的にどのように構築するかは、第一義的には（法律およびその委任を受けた行政立法の）立法者の判断に委ねられ（反対意見は、このことを重視している）、立法者が何も制度を設けていない場合には、裁判所が具体的な給付等を行政機関に命ずることは、憲法から具体的な給付請求権を導けない限り、困難である。しかし、本件のように、一定範囲の者に給付を行う制度が立法者によって構築されている場合には、給付を受けられる者と受けられない者との間の線引きが合理的か否かについて、裁判所が判断することが可能であり、当該制度の趣旨目的に照らして、両者間の線引きが不合理であって均衡を欠いていると判断される場合には、支給対象者を拡大する方向で、両者間の均衡が図られることになる（→基本憲法Ⅰ283頁以下）。

ウ 地方自治法施行令

地方議会議員の解職請求代表者の資格を公務員に否定する地方自治法施行令の規定について、最大判平成21年11月18日民集63巻9号2033頁（基判141頁）は、地方自治法85条1項に基づく政令の定めとして許される範囲を超えており、その資格制限が請求手続（地方自治法80条1項）にまで及ぼされる限りで無効であるとした（最判昭和29年5月28日民集8巻5号1014頁を変更したものである。3名の裁判官の反対意見がある）。この判決（多数意見）は、委任規定である地方自治法85条1項およびそこに引用されている同法80条の**文理と法構造を重視**した判断であり、その反面において、解職制度における公正確保の観点から、（どの範囲の）公務員に解職請求代表者の資格を否定するのが合理的かという実質論については、判断を示しておらず、立法者にボールを投げ返している。

* この判決を受けて、2011年に地方自治法が改正され、直接請求代表者資格を認められない公務員は、選挙管理委員会の委員または職員に限定されるとともに、地位を利用して署名運動をした公務員に対する罰則が新たに設けられた。

エ 薬事法施行規則

最判平成25年1月11日民集67巻1号1頁（基判104頁、百選Ⅰ46、CB1-8）は、第1類・第2類医薬品につき**郵便等販売を禁ずる薬事法施行規則**を、薬事法（現：医薬品、医療機器等の品質、有効性及び安全性の確保等に関する

法律）の委任の範囲を逸脱し違法・無効であるとした。

 a 判決のポイント

 ① 旧薬事法の下で違法でなかった郵便等販売を規制することは、それを主とする事業者の職業活動の自由（憲法22条1項）を相当制約するから、それが新薬事法の委任の範囲を逸脱していないというためには、立法過程における議論をも斟酌したうえで、新薬事法の諸規定を見て、郵便等販売を規制する内容の省令の制定を委任する**授権の趣旨**が、上記**規制の範囲や程度等に応じて明確**に読み取れることを要する。

 ② 新薬事法の授権の趣旨が、第1類・第2類医薬品の郵便等販売を一律に禁止する省令制定を委任するものとして、上記規制の範囲や程度等に応じて明確であると解するのは困難である。

 ③ 第1類・第2類医薬品の郵便等販売を一律に禁止する薬事法施行規則の規定は、薬事法の委任の範囲を逸脱している。

 b 考 察

 この判決は、銃刀法14条1項に関する後掲**カ**aの多数意見の考え方と対照的であり、規制される権利の性質（上記①を参照）の違いが反映されているものと思われる。

オ ふるさと納税指定基準を定める総務省告示

 最判令和2年6月30日民集74巻4号800頁（泉佐野市ふるさと納税不指定事件、基判141頁、百選Ⅰ48、CB1-9）は、改正地方税法（以下「改正法」という）により導入された「ふるさと納税指定制度」において、改正法施行前の寄附金募集実績を理由として不指定とする旨の総務省告示につき、改正法の委任の範囲を逸脱し違法・無効であるとした。

 a 判決のポイント

 ① 上記告示は、実質的には総務大臣による技術的助言への不服従を理由とする不利益取扱いを定める側面がある（改正法施行前には、ふるさと納税の返礼品について、総務大臣による技術的助言としての通知があったのみで、法令上の規制は存在しなかった）ことから、地方自治法247条3項の趣旨も考慮すると、上記告示が改正法の委任の範囲を逸脱していないというためには、改正法施行前の寄附金募集実績自体を理由に不指定とする旨の基準策定を委任する授権の趣旨が、同法の規定等から明確に読み取れることを要する。

 ② 改正法の関係規定の文理、総務大臣に対する委任の趣旨および立法過程における議論を斟酌しても、上記の授権の趣旨が明確に読み取れるとはい

えない。

③　よって、上記告示の規定は、改正法の委任の範囲を逸脱し違法・無効である。

　ｂ　考察

　この事案は、私人に対する規制ではなく、地方公共団体に対する国の関与が問題となっているものであるが、**関与の法定主義**（地方自治法245条の2。→78頁）に鑑みて、その一環である「国の助言等への不服従を理由とする不利益取扱いの禁止」（同法247条3項）の趣旨から、上掲エの最判平成25年1月11日と類似の判断枠組みによったものとして、注目される。

カ　銃砲刀剣類登録規則

　最判平成2年2月1日民集44巻2号369頁（サーベル登録拒否事件、基判141頁、CB1-3）は、銃砲刀剣類所持等取締法（以下「銃刀法」という）により所持が許される「美術品として価値のある刀剣類」（同法14条1項）の鑑定基準として、美術品として文化財的価値を有する日本刀に限る旨を定める銃砲刀剣類登録規則（文部省令）の規定について、銃刀法の委任の趣旨を逸脱しないとした。この判決には反対意見が付されており、多数意見・反対意見それぞれのポイントは、次のとおりである。

　ａ　多数意見

　①　銃刀法14条1項は、**美術品として文化財的価値**を有する刀剣類を登録の対象としている。

　②　美術品として文化財的価値を有する刀剣類とは何かについての基準の設定には、専門技術的な観点からの一定の**裁量権**が認められている（すなわち、法律の段階では、対象が日本刀に限定されるかどうかは決まっておらず、その点も含めて、規則に委任されている）。

　③　登録制度の沿革や、日本刀が古くからわが国において美術品としての鑑賞の対象とされてきたことに照らすと、文化財的価値を有する刀剣類の鑑定基準として、対象を日本刀に限定したことは、銃刀法の委任の趣旨を逸脱していない。

　ｂ　反対意見

　①　銃刀法14条1項は、外国刀剣にも美術品として価値のあるものがあることを認めている。

　②　鑑定の基準を定めることと登録対象を定めることは別の概念であり、後者は規則に委任されていない。

　③　したがって、規則が登録対象を日本刀に限定しているのは、銃刀法の

委任の限度を超えている。

　c　(参考) 第 1 審・第 2 審の判断

① 銃刀法14条 1 項の「美術品として価値のある刀剣類」とは、文化財として保護すべき日本刀を意味する。

② 登録対象を日本刀に限定する規則は、銃刀法の趣旨に合致する。

　d　考　　察

多数意見の判断の背景として、美術品としての価値を有する刀剣類の所持を私人に認めることは、私人が本来有する自由の回復ではなく、特権の賦与であるという理解を前提としていると考えることも可能である(塩野・行政法Ⅰ108頁参照)。

3　行政規則

(1)　解釈基準

　行政組織の内部で法の解釈を統一するために、上級行政機関が下級行政機関に対して発する**通達**(国家行政組織法14条 2 項参照)は、**下級行政機関を拘束するが、行政組織の外部にいる国民や裁判所を拘束するものではない**。したがって、通達自体は直接国民の権利義務を形成するものではないため、取消訴訟の対象とならない(最判昭和43年12月24日民集22巻13号3147頁〔墓地埋葬通達事件、基判230頁、百選Ⅰ52、CB1-1〕)。通達に不服のある国民としては、通達に従った行政処分を受けた場合に、その取消訴訟を提起して処分の違法性を主張したり、通達に示された解釈を前提として刑事訴追された場合に、その解釈の誤りを指摘して無罪を主張したりすることが考えられる。その際、裁判所は通達に拘束されずに、独自の解釈によって処分の違法性や有罪・無罪を判断することができる。

　しかし、通達が出されると行政機関はこれを前提として行動するため、関係する私人にも実際上大きな影響を与えることは否定できない。そこで、国民の実効的な権利救済の観点からは、行政処分や刑事訴追を待たないと争えないというのでは不十分であり、通達自体を行政訴訟の対象とすべき場合があるのではないかが問題となる。具体的には、通達の処分性を認めて取消訴訟の対象にするという考え方(東京地判昭和46年11月 8 日行集22巻11＝12号1758頁〔函数尺通達事件〕。【設問 1 】)や、2004年の行訴法改正で活用の方向が示された**公法上の当事者訴訟**としての**確認訴訟**(行訴法 4 条)の対象にするという考え方がある。

> **【設問1】通達の争い方——函数尺通達事件**
> Xは、センチメートルの目盛と寸およびインチの目盛とが併記されている函数尺（以下「本件函数尺」という）を製造していたところ、通商産業省重工業局長（当時）は、各都道府県知事宛に、「Xの製造する函数尺には非法定計量単位による目盛が併記されているので、これを販売し、または販売のため所持することは、計量法10条〔現9条〕に違反する」旨の通達（以下「本件通達」という）を発した。これを受けて、各関係機関において販売業者らに対し本件函数尺の販売中止勧告がなされ、Xは販売業者らから本件函数尺の買入れを解約された。
> Xは、本件函数尺は換算に使用するためのものであって、計量に使用するための器具ではないから、計量法に違反しないと考えている。しかし、本件通達の発出によって、本件函数尺を販売業者らに取り扱ってもらうことができなくなったため、Xは、本件通達の解釈が誤りであることを行政訴訟によって明らかにすることにより、従前どおり本件函数尺を販売業者らに取り扱ってもらえるようにしたいと考えている。Xはどのような訴訟を提起すべきか。

本件では、本件通達に基づいてXに対する何らかの不利益処分や処罰が予定されているわけではなく、本件通達を前提として販売業者らが本件函数尺を取り扱わないことがXにとっての不利益なのであるから、Xの救済のためには、通達そのものを争わせる必要がある（宇賀・概説Ⅱ165頁）。そこで、上述のように、通達の処分性を認めて取消訴訟の対象にするか（上掲東京地判昭和46年11月8日）、公法上の当事者訴訟として、通達の違法確認訴訟を認めること（塩野・行政法Ⅱ279頁）が考えられる。

　　＊　国の各省大臣（ただし、本件では局長に権限が委任されている）から地方公共団体の長への通達については、→77頁。

(2)　**裁量基準**

裁量基準については、行政裁量の司法審査との関係で、第8講（→144頁）で説明した。

4　意見公募手続

2005年の行手法改正で、行政立法の事前手続として、**意見公募手続**（いわゆる**パブリック・コメント**手続）が定められた（38条以下）。これは、行政立法を定めようとする場合に、その案および関連資料をインターネット等で公示し、広く一般の意見を求めるものである。

この手続の対象は「命令等」とされているが、これには、命令（政令・省

令等)のみならず、**審査基準・処分基準・行政指導指針も含まれること**(2条8号)が注目される。

すなわち、この制度は、講学上の法規命令と行政規則の双方に手続規制を及ぼすものであり、法規命令と行政規則との相対化(行政規則の外部化現象)を手続面において示す例といえる。

> ＊ ここにいう「命令」は、行政機関が行う立法の形式を指すものであり、特定の誰かに対して何かを命ずるという意味の「命令」(例えば、違法建築物に対する違反是正命令〔→22頁〕。これは、行手法上は「不利益処分」に当たり、「命令」には当たらない)とは異なる。
>
> ＊＊ 「命令等」という語が用いられているのは、「行政立法」という用語について学説上争いがあるので(→154頁のコラム)、これを避けるためと考えられる。上述の「命令」の意味のほか、「等」の中に、法規命令の対立概念である講学上の行政規則が含まれることに注意が必要である(→後掲コラム)。

意見提出をすることができる者は、利害関係者に限られず、**広く一般(外国人や法人等も含む)**に開かれている(39条1項)。行政機関は、提出された意見を十分に考慮しなければならず(42条)、提出意見やこれを考慮した結果(意見公募手続を実施した命令等の案と定めた命令等との差異を含む)を公示しなければならない(43条1項)とされているが、多数決の手続ではないから、反対意見が多数を占めたからといって、行政機関は当初の案を変更する義務を負うわけではない。

なお、地方公共団体の機関が命令等を定める行為については、行手法第6章の意見公募手続は適用されない(3条3項)が、行政手続条例に同様の規定があれば、それが適用される。

●コラム● 「等」に注意

法律を解釈する際、「等」は注意を要する語の1つである。「など」という意味だから同種のものが含まれるのだろうと漠然と考えるのでは、正確な解釈はできない。まして、念のために入れられた語であって大した意味はないなどと考えてしまうと、重大な誤りを犯しかねない。

本文で述べたように、行手法にいう「命令等」の「等」には、法規命令の対立概念である講学上の行政規則に当たるもの(審査基準、処分基準および行政指導指針)が含まれる。これは、「等」を「同種のもの」と考えただけでは導き出すのが困難な解釈であり、「命令以外のもの」が含まれると考えたうえで、行手法の定義規定(2条8号)を見て、初めて理解されることである。

このように、法律に「等」が登場したときは、「それ以外のもの」が含まれると考え、

何が含まれるのかを、定義規定等によって確認する必要がある。
　それでは、「無効等確認の訴え」（行訴法3条4項）の「等」には、何が含まれるであろうか？（→389頁）

第10講　行政指導

◆学習のポイント◆
1　行政指導の定義（行手法2条6号）を理解する。行政指導は個別法に根拠がなくても行えるが、個別法に規定されている行政指導もあることに注意する。
2　行政指導の不服従に対する不利益取扱いの禁止（行手法32条2項）を理解する。
3　紛争調整の行政指導を理由とする許認可等の留保の適法性について、判例を理解する。
4　許認可等の権限行使に関連する行政指導について、限界（行手法34条）と手続的規律（同法35条）に注意する。
5　行政指導の中止等の求め（行手法36条の2）について、具体例により理解する。

1　行政指導とは

　行政指導とは、「行政機関がその任務又は所掌事務の範囲内において一定の行政目的を実現するため特定の者に一定の作為又は不作為を求める指導、勧告、助言その他の行為であって処分に該当しないもの」である（行手法2条6号）。相手方に法的義務を課すのではなく、任意の協力を求めて働きかけるという点で、行政処分と区別される。
　　＊　行手法にいう行政指導は、「特定の者に一定の作為又は不作為を求める」ものであるので、例えば政府広報による節水や節電の呼びかけ等、相手方が特定されていないものは、これに当たらない。また、単なるサービスとしての情報提供も、「一定の作為又は不作為を求める」ものではないので、これに当たらない。ただし、サービスとしての情報提供の形式で行われるものであっても、実のところ「一定の作為又は不作為を求める」ものであると解される場合は、これに当たりうる（当該行為の解釈による）。
　法律の留保について、立法・行政実務がとる侵害留保説（→38頁）を前提

とした場合、行政指導は、法律の根拠がなくても行うことができる。もっとも、**個別法で行政指導に関する規定を置くことは可能である**（→後掲【設問1】）。

また、相手方を説得し、納得したうえで協力してもらうという形をとるので、あとから不服申立てや訴訟で争われる心配もしなくてよいのが普通である。そこで、行政実務上、多用されている。

しかし、このように柔軟な手段であることの反面として、不公正・不透明に行われるおそれがある。そこで、行手法は、行政指導について、行われること自体を否定するわけではないが、公正・透明性を確保するために、様々な枠をはめている。

なお、**地方公共団体の機関がする行政指導には、（根拠が法令に置かれているか否かを問わず）行手法は適用されない**が（→100頁）、**行政手続条例**の行政指導に関する規定が適用される。

また、冒頭に述べた行手法上の行政指導の定義で、「処分に該当しないもの」とされていることに注意してほしい。勧告のように本来行政指導の性質をもつものであっても、処分に当たると解釈される場合（参照、最判平成17年7月15日民集59巻6号1661頁〔病院開設中止勧告事件、基判164頁、百選Ⅱ154、CB11-13〕。→288頁）には、行手法上の行政指導の定義からは除外される。適用手続の明確化のため、このような整理がされているものと考えられる。

2　行政指導の一般原則——不利益取扱いの禁止

行政指導に携わる者は、①当該行政機関の任務または**所掌事務**の範囲を逸脱してはならないこと、および②行政指導の内容が相手方の**任意の協力**によってのみ実現されるものであることに留意しなければならない（行手法32条1項）。

上記①は、**組織規範**（→40頁）を逸脱してはならないという、すべての行政作用に共通する当然の事柄であるが、従来、ともすれば行政機関の任務または所掌事務の範囲を超えて行政指導が濫用されがちだったので、そのようなことがないよう、ここで確認された。

また、上記②に関連して、「行政指導に携わる者は、その相手方が行政指導に従わなかったことを理由として、**不利益な取扱いをしてはならない**」とされている（行手法32条2項）。例えば、地方公共団体が行政指導に従わない者に対して給水契約の締結を拒否することは、許されない。最判平成5年

2月18日民集47巻2号574頁（武蔵野市宅地開発指導要綱事件、基判125頁、百選Ⅰ95、CB5-5）は、「行政指導として教育施設の充実に充てるために〔マンション建築〕事業主に対して寄付金の納付を求めること自体は、強制にわたるなど事業主の任意性を損うことがない限り、違法ということはできない」としつつ、地方公共団体が「事業主に対し、法が認めておらずしかもそれが実施された場合にはマンション建築の目的の達成が事実上不可能となる水道の給水契約の締結の拒否等の制裁措置を背景として、指導要綱を遵守させようとしていた」行為は、「本来任意に寄付金の納付を求めるべき行政指導の限度を超えるものであり、違法な公権力の行使である」としている（179頁も参照）。

【設問1】法律に基づく行政指導

個人情報保護委員会Yは、個人情報取扱事業者であるXがオンラインゲームを通じて児童から不正に個人情報を取得しているとして、Xに対し、当該行為の中止を求める行政指導を行った（以下「本件指導」という）。しかし、Xが本件指導に従わなかったため、YはXに対し、個人情報の保護に関する法律（以下「法」という）148条1項に基づき、法20条1項に違反する行為を中止することを求める勧告（以下「本件勧告」という）をした。さらに、Xは本件勧告にも従わなかったため、Yは法148条2項に基づき、本件勧告に係る措置をとることを命じた（以下「本件命令」という）。

(1) 本件勧告の法的性質は何か。本件指導と本件勧告とで、法的性質に違いはあるか。

(2) 本件勧告に従わなかったXに対してYが本件命令をしたことは、行手法32条2項に反しないか。

◆個人情報の保護に関する法律◆
（適正な取得）
第20条　個人情報取扱事業者は、偽りその他不正の手段により個人情報を取得してはならない。
　2　略
（勧告及び命令）
第148条　委員会〔注：個人情報保護委員会〕は、個人情報取扱事業者が第18条から第20条まで……の規定に違反した場合……において個人の権利利益を保護するため必要があると認めるときは、当該個人情報取扱事業者等に対し、当該違反行為の中止その他違反を是正するために必要な措置をとるべき旨を勧告することができる。
　2　委員会は、前項の規定による勧告を受けた個人情報取扱事業者等が正当な理由がなくてその勧告に係る措置をとらなかった場合において個人の重大な権利利益の侵害が切迫していると認めるときは、当該個人情報取扱事業者等に対し、その勧告に

係る措置をとるべきことを命ずることができる。
　３・４　略
第178条　第148条第２項……の規定による命令に違反した場合には、当該違反行為をした者は、１年以下の懲役又は100万円以下の罰金に処する。

　法148条１項の勧告は、「勧告」という文言、および違反に対する制裁の定めがないことから、相手方に法的義務を課すものではなく、行政指導に当たると解される。したがって、本件指導も本件勧告も、行手法上の行政指導に当たるという意味では、法的性質は同じである。しかし、前者は法律に基づかない、いわば非公式な行政指導であるのに対し、後者は法律に基づく、いわば公式な行政指導であり、後者の方が、相手方にとっても社会一般にとっても、重く受け止められる可能性がある。また、本件勧告に違反すると、同条２項に基づく命令を受ける可能性があるので、その意味でも、本件指導よりも重みがあるといえる。このように、**行政指導には、法律に基づかずに事実上行われるものと、法律に基づき、法律の仕組みの一環として行われるものとがあることに注意してほしい**。一般に、日本の行政実務では、行政機関にとっても相手方にとっても、いきなり法律に基づく公式な措置をとるよりも、本件指導のように、まずは非公式な措置をとることが好まれる傾向にある。

　なお、**行政指導違反に対して、法令上、何らかの不利益な措置が予定されている場合には、行手法32条２項違反の問題は生じない**と解される（法令に基づく不利益措置は、同条項にいう「不利益な取扱い」に当たらないとの説明、または、「不利益な取扱い」には当たるが、特別法により適法化されている〔特別法は一般法を破る〕との説明が考えられる）。したがって、本件勧告に違反したＸに対して本件命令がされたことについては、法令上予定された措置なので、行手法違反の問題は生じない。

　　＊　勧告違反に対する制裁としての公表が法定されている場合、当該勧告が処分に当たると解すると、当該勧告は行手法上の行政指導に当たらない（→165頁）から、行手法32条違反の問題は生じない。これに対し、当該勧告が処分でないと解すると（→218頁）、当該勧告は、公表という不利益措置が法令上予定された行政指導と解され、本文で述べた理由により、行手法32条違反の問題は生じない。

3 申請に関連する行政指導
――行政指導を理由とする処分の留保の許否

> **【設問2】紛争調整の行政指導を理由とする建築確認留保**
> Xは、2022年10月28日、Y県建築主事にマンション建築のための建築確認を申請し、同日受理された。これに対し、本件マンションによる日照阻害、風害等を恐れる付近住民から建設絶対反対の陳情を受けたY県の紛争調整担当職員は、Xに対し付近住民との話合いによる円満解決を指導した。Xは、この指導に積極的に協力し、付近住民との間に十数回の話合いをもったが、解決には至らなかった。Y県建築主事は、同年12月26日には、本件申請が建築基準関係規定に適合しているとの審査を終了したが、上記指導が継続されていることを理由に建築確認を留保した。2023年2月15日、Y県は、同年4月19日実施予定の新高度地区案（都市計画法8条1項3号に基づく高度地区指定により地域ごとに建物の高さを制限するもの）を発表し、既に確認申請をしている建築主にもこの案に沿うよう設計の変更を求めるとともに、建築主と付近住民との紛争が解決しなければ確認処分は行わないこととした。Xは、このまま住民との話合いを進めても新高度地区の実施前に円満解決に至ることは難しく、新高度地区制により設計変更を余儀なくされて多大の損害を被るおそれがあると判断し、同年3月1日、Y県建築審査会に「本件確認申請に対して速やかに何らかの作為をせよ」との趣旨の審査請求を申し立てた。しかし、建築審査会の裁決を待っていたのでは新高度地区案による高度制限を受けるおそれがあるため、同年3月30日、Xは金銭補償によって住民との間の紛争を解決し、同年4月2日、Y県建築主事は本件申請についての建築確認処分をした。Xは、確認処分の遅滞による請負代金増加等の損害について、Y県に賠償請求することができるか。また、その際、どの時点以降の確認留保が違法と評価されるか（第1講【設例C】の条文〔→19頁〕を参照）。

　本問は、最判昭和60年7月16日民集39巻5号989頁（品川マンション事件、基判115頁、百選Ⅰ121、CB5-3）をモデルとしている。

　Yは、Xと付近住民との紛争が解決しなければ建築確認処分を行わないこととしているが、このような措置は適法であろうか。建築基準法6条4項および7項によれば、建築主事は、建築確認の申請書を受理した日から35日以内に、申請に係る建築物の計画が建築基準関係規定に適合するかどうかを審査し、適合すると認めたときは確認済証の交付を、適合しないと認めたときはその旨の通知を当該申請者に対して行わなければならないものと定められている（なお、上記期限は、上掲昭和60年判決の事案当時は21日以内とされ

ていたが、2006年の法改正で確認審査が厳格化されたことに伴い、35日以内とされた)。この規定に従うと、本件では受理の日から35日を経過した2022年12月3日になっても、確認済証の交付も不適合通知もされていないから、同日以降の確認留保は違法になるとも考えられる。しかし、同項は標準的な期間を定めたものであってその徒過が直ちに違法になるわけではないと解されるから、建築確認処分の法的性格に遡って、さらに検討する必要がある。

　建築確認制度は、危険な建築物の出現を予防して国民の生命、健康および財産を保護するために建築の自由を制限するもの（警察規制）であり、かつ、その基準が建築基準関係規定により一義的に定められていることから、建築確認処分は基本的に**裁量の余地のない確認的行為**の性格を有すると解される（上掲昭和60年判決参照）。そうすると、審査の結果、適合の確認が得られた場合には、建築主事は速やかに確認処分を行う義務があり、本件では、少なくともY県建築主事が審査を終了した2022年12月26日以降の確認留保は、違法となりそうである。

　しかし、上掲昭和60年判決は、上記の建築主事の義務に対し、次のとおり、例外の余地を認める。すなわち、地方公共団体の責務および建築基準法の目的規定（1条）に照らして、地方公共団体が地域の生活環境の維持・向上のために、建築主に一定の譲歩・協力を求める行政指導を行い、建築主が任意にこれに応じている場合は、社会通念上合理的と認められる期間確認処分を留保しても、直ちに違法とはいえない。建築確認留保が違法になるのは、①協議の進行状況および四囲の客観的状況により、建築主が建築確認を留保されたままでの行政指導にはもはや協力できないとの**意思**を**真摯**かつ**明確**に表明していると認められる場合で、かつ、②建築主が受ける不利益と行政指導の目的とする公益上の必要性とを比較衡量して、建築主が行政指導に協力しないことが社会通念上**正義の観念**に反するといえるような**特段の事情**がない場合である。

　これを本件に当てはめると、2023年3月1日のXによる審査請求の申立ては、上記①にいう**明確**な**意思表明**と認められ、かつ、新高度地区の実施日が1カ月余に迫っていた等の当時の状況から、上記申立ては、一時の感情に出たものとか住民との交渉上の駆引きとしたとかいうようなものではなく、**真摯**に確認申請に対する応答を求めたものと認められる。

　　＊　「真摯に」とは、「まじめに」とか「ひたむきに」という意味であるが、ここでは、行為者の単なる内心ではなく、上記のとおり、客観的な状況によって判断されることに注意してほしい。

また、XはそれまでY県による行政指導に積極的に協力しており、紛争解決に至らないのはXのみの責任ではないにもかかわらず、確認申請から3カ月以上も後に発表された新高度地区案に沿うよう設計変更を求められるに至った等の事情から、上記②にいう**特段の事情**はないと認められる。したがって、3月1日以降の確認留保は違法となり、Xはそれにより生じた損害の賠償をYに請求することができると解される。
　なお、上掲昭和60年判決を基礎にして行手法33条が制定されており、本件には同条（正確には、地方公共団体の機関がする行政指導には行手法は適用されない〔行手法3条3項〕ため、同条に相当するY県行政手続条例の規定）が適用される。その際、同条が「真摯」および「特段の事情」という要件を明示していないことから、上記判決の射程が及ぶかどうかが問題となるが、同条は上記判決の趣旨を立法化したものであって、同条制定後の事案についても、上記判決のいう①②の基準が妥当すると解される。

> ＊　申請に対する審査・応答義務（行手法7条。→113頁）との関係では、本件では審査自体は終了しているので、審査義務違反は問題とならないが、審査終了後、速やかに確認処分をしていないので、応答義務違反は問題となりうる。しかし、上掲昭和60年判決の趣旨は行手法7条にも及び、同判決の要件を満たす限り、応答義務違反として違法となることはないと解される。

4　許認可等の権限に関連する行政指導

【設問3】
　Xは、甲県知事Yから公衆浴場法（→135頁）に基づく許可を得て公衆浴場を経営していたが、ろ過設備の老朽化により、同法3条2項の委任を受けた甲県公衆浴場法施行条例に規定する、入浴者の衛生に必要な措置の基準を満たさなくなった。そこで、甲県の担当者は、Xに対し、上記基準を満たすろ過設備を設置するよう指導する（本件指導）とともに、本件指導に従わない場合は、営業停止を命じることもありうる旨を伝えた。なお、甲県行政手続条例（行手条例）は、行手法と同じ内容であるとする。
(1) 本件指導は、行手条例34条に反するか。
(2) 甲県の担当者は、本件指導をする際、Xに対し、営業停止命令の根拠となる法令の条項、そこに規定された要件、およびXに対する営業停止命令が上記要件に適合する理由を示す必要があるか。
(3) 本件指導が口頭でされた場合、Xは甲県の担当者に対し、上記(2)の事項を記載した書面の交付を求めることができるか。
(4) Xが本件指導に従わず、YがXに営業停止を命じた場合、行手条例32条

2項に反するか。

　行政機関が許認可権限を不当にちらつかせて行政指導に従うように強制することは、許されない。すなわち、「許認可等をする権限又は許認可等に基づく処分をする権限を有する行政機関が、当該権限を行使することができない場合又は行使する意思がない場合においてする行政指導にあっては、行政指導に携わる者は、当該権限を行使し得る旨を殊更に示すことにより相手方に当該行政指導に従うことを余儀なくさせるようなことをしてはならない」（行手法34条）とされている。

　　＊　この規定に抵触しうる実例として、1994年に、当時の運輸大臣が、航空各社の計画していたいわゆる契約制客室乗務員の導入について再検討を求め、採用を強行する会社があれば増便の認可などで差がつけられても仕方がないなどと述べた（後に撤回）、というものがある（小早川編・行政手続法逐条研究265頁、275頁参照）。

　この規定は、「当該権限を行使することができない場合又は行使する意思がない場合」という点がポイントであり、例えば、法令違反行為を行っている事業者に対する許認可等の取消し等の権限を行政機関が行使しうる場合に、当該事業者に対し、違反が是正されなければ許認可等の取消し等の権限を行使しうる旨を示して、違反是正の行政指導を行うことは、この規定に抵触しない。

　ただし、この場合には、①当該権限を行使しうる**根拠となる法令の条項**、②上記条項に規定する**要件**、③当該権限の行使が上記要件に**適合する理由を示さなければならない**（行手法35条2項）。行政指導の相手方からすれば、行政機関が法律上権限を行使できないのに権限行使をちらつかせているのか、それとも法律上権限を行使できるのか、容易に判別できないからである。また、行政機関が、その点をあえて不明確にすることにより、行政指導に従うことを余儀なくさせるおそれもあるからである。

　なお、この場合の許認可等の取消し等は、法令違反を理由とするものであって、「行政指導に従わなかったことを理由と」するものではないので、行手法32条2項にも違反しない。

　本問では、Xは公衆浴場法3条1項に違反しているから、Yは、同法7条1項に基づき、許可を取り消し、または営業停止を命ずることができる。したがって、小問(1)で、本件指導は、行手条例34条に反しない。小問(2)で、甲県の担当者は、本件指導をする際、Xに対し、営業停止命令の根拠となる法

令の条項（公衆浴場法7条1項）、そこに規定された要件（同法3条1項違反、すなわち同法3条2項の委任を受けた甲県公衆浴場法施行条例の規定違反）、およびXに対する営業停止命令が上記要件に適合する理由（Xの設備が上記規定の基準を満たしていないこと）を示さなければならない（行手条例35条2項）。小問(3)で、本件指導が口頭でされた場合、Xは甲県の担当者に対し、上記(2)の事項を記載した書面の交付を求めることができる（行手条例35条3項。→後掲5）。小問(4)で、Xが本件指導に従わず、YがXに営業停止を命じた場合、行手条例32条2項に反しない。

* 小問(1)および(4)は、初学者が誤解しがちであることから確認のために出題したものであり、実務上は、当然のことであるので、あえて論じる必要はない。

5　行政指導の方式――明確原則

　行政指導に携わる者は、その相手方に対して、当該行政指導の趣旨および内容ならびに責任者を明確に示さなければならない（行手法35条1項）。また、行政指導に携わる者は、当該行政指導をする際に、行政機関が許認可等をする権限または許認可等に基づく処分をする権限を行使しうる旨を示すときは、その相手方に対して、当該権限を行使しうる根拠となる法令の条項等を示さなければならない（同条2項。→上掲【設問3】(2)）。行政指導が口頭でされた場合において、その相手方から上記1項・2項に規定する事項を記載した**書面の交付**を求められたときは、当該行政指導に携わる者は、行政上特別の支障がない限り、これを交付しなければならない（同条3項）。

　これらは、行政指導の不透明さ・曖昧さや、それによる行政の責任逃れを防ぐための規定である。ただし、行政指導の書面化（同条3項）は、相手方が求めた場合に初めて、行政側の義務になる。行政指導を受ける側が、後の紛争に備えて書面化を要求しようという意識で臨まなければ、この規定は活きてこないのである。

6　複数の者を対象とする行政指導――行政指導指針

　行手法36条は、「同一の行政目的を実現するため一定の条件に該当する複数の者に対し行政指導をしようとするときは、行政機関は、あらかじめ、事案に応じ、**行政指導指針**を定め、かつ、行政上特別の支障がない限り、これを公表しなければならない」と規定している（行政指導指針の定義については、行手法2条8号ニ参照）。これによって、どのような場合にどのような

内容の行政指導を受けることになるのか予測でき、また、不公平な行政指導を防ぐことができる。

行政指導指針の法的性格は、行政規則としての裁量基準である（→144頁）。

7　行政指導の中止等の求め

> 【設問4】
> 【設問1】（→166頁）の「本件勧告」を受けたXは、年齢を確認したうえで利用目的を明示して個人情報を取得しているから、法20条1項に違反しないと考えており、本件勧告の中止を求めたいと考えている。
> (1)　XはYに対し、本件勧告の中止を求めることができるか。
> (2)　Xから本件勧告の中止の求めを受けたYは、Xの行為は法20条1項に違反しているとして、本件勧告を中止しない旨の回答をした。Xはこの回答に不満であり、訴訟で争いたいが、どのような訴訟を提起すべきか。

法令に違反する行為の是正を求める行政指導（法律に根拠規定があるものに限る）の相手方は、当該行政指導が当該法律に規定する要件に適合しないと思料するときは、当該行政指導をした行政機関に対し、その旨を申し出て、当該行政指導の中止その他必要な措置をとることを求めることができる。ただし、意見陳述手続を経てされた行政指導は対象外である（行手法36条の2第1項）。

　　＊　上記のとおり対象となる行政指導が限定されていることに注意が必要である。例えば、【設問3】（→170頁）の公衆浴場法違反の是正を求める行政指導は、法律に根拠規定がないので、この制度の対象外である。

申出を受けた行政機関は必要な調査を行い、当該行政指導が当該法律に規定する要件に適合しないと認めるときは、当該行政指導の中止その他必要な措置をとらなければならない（同条3項）。行政機関の対応結果を申出人に通知すべき旨の規定はないが、通知するよう努めることが望ましいと考えられる。ただし、申出は申請とは異なるから、対応結果の通知がされた場合にも、事実上のものであって、処分には当たらないと解される（申出と申請の違いにつき、→119頁）。

　　＊　行政指導の事後手続である「行政指導の中止等の求め」が、行審法ではなく行手法に規定されていることについては、→233頁＊。

本件勧告は、法20条1項に違反する行為の是正を求めるものであり、かつ、法148条1項に根拠があるので、(1)行手法36条の2に基づき、XはYに

対し、本件勧告の中止を求めることができる。(2)これに対するYの回答は、処分に当たらないので、Xは上記回答の取消訴訟を提起することはできず、**公法上の当事者訴訟としての確認訴訟**（行訴法4条）により、Xによる個人情報の取得が法20条1項に違反しないことの確認、または本件勧告の違法確認を求めることが考えられる。

第11講　行政契約

◆学習のポイント◆
1　準備行政における契約については、経済性・公正性・透明性を確保するため、入札による等の規制がされている。
2　給付行政における契約については、給水契約の締結を拒める「正当の理由」（水道法15条1項）の解釈が重要である。また、給付行政における決定に処分性が認められる場合があること（→313頁以下）に注意する。
3　規制行政における契約については、公害防止協定に法的拘束力が認められうるとした判例の理解が重要である。

　行政契約とは、行政主体が行政目的で締結する契約をいう。なお、行手法には行政契約に関する規定はなく、他にも行政契約一般について規律している法律はないので、行政契約についての実定法上の定義はない。以下では、行政主体が契約という手法を用いる場面とその法的問題点について、3つの行政分野に分けて検討する。

1　準備行政における契約

　行政活動に必要な庁舎等の建築、物品等の購入は、民法上の契約によって行われる。ただし、私人間の契約とは異なり、公金の支出を伴うことから、**経済性**（価格の有利性）、**公正性**（機会均等）、**透明性**を確保するため、原則として**一般競争入札**によるなどの規制がされている（会計法29条の3、地方自治法234条等）。

【設問1】指名競争入札における村外業者の指名回避
　Y村では、公共工事の指名競争入札につき、村内業者（村内に主たる営業所を有する業者）では対応できない工事についてのみ村外業者を指名し、それ以外は村内業者のみを指名するという運用をしていた。Xは、登記簿上の本店をY村に置いており、長年にわたって村内業者として指名および受注の

実績があった。ところが、2022年までに、Xが近隣のA町に新たに営業所を設け、本店所在地の営業所には従業員等が不在で機能していないとして、2023年の公共工事では、Y村はXの指名を回避し、Xは入札に参加できなかった。Xは、これに不満であり、訴訟を提起することにより、当該工事および今後のY村の公共工事において、入札に参加できるようにしたいと考えている。どのような訴訟を提起することが考えられるか。また、本案において、Xはどのような主張をなしうるか。

◆地方自治法◆
(契約の締結)
第234条　売買、貸借、請負その他の契約は、一般競争入札、指名競争入札、随意契約又はせり売りの方法により締結するものとする。
2　前項の指名競争入札、随意契約又はせり売りは、政令で定める場合に該当するときに限り、これによることができる。
3～6　略

◆地方自治法施行令◆
(指名競争入札)
第167条　地方自治法第234条第2項の規定により指名競争入札によることができる場合は、次の各号に掲げる場合とする。
一　工事又は製造の請負、物件の売買その他の契約でその性質又は目的が一般競争入札に適しないものをするとき。
二　その性質又は目的により競争に加わるべき者の数が一般競争入札に付する必要がないと認められる程度に少数である契約をするとき。
三　一般競争入札に付することが不利と認められるとき。

　本問は、最判平成18年10月26日判時1953号122頁（基判99頁、百選Ⅰ91）の事案をアレンジしたものである。

(1)　訴訟類型

　工事契約は民法上の契約であり、指名はその準備行為にすぎないことから、指名や指名回避は処分に当たらず、取消訴訟の対象にはならないと解される（東京地判平成12年3月22日判例自治214号25頁参照）。
　　＊　これに対し、処分性を認める余地があるとする見解として、碓井光明『公共契約法精義』（信山社出版、2005年）474頁。なお、随意契約の相手方として契約を締結しない旨の通知につき、処分性を否定した判例として、最判平成23年6月14日裁時1533号24頁がある。
　そこで、**公法上の当事者訴訟としての確認訴訟**（行訴法4条）を用いるこ

とが考えられる（中川丈久「行政訴訟としての『確認訴訟』の可能性」民商法雑誌130巻 6 号〔2004年〕986頁）。すなわち、私人間の契約とは異なり、地方公共団体の契約については、地方自治法による規制があり（→後述(2)）、何人も、公共契約の相手方として公正な取扱いを行政主体から受ける地位が、法的利益として認められているとすれば、Ｘとしては、自らが工事契約の相手として競争に参加する地位を有することの確認を求める訴えを提起することが考えられる。

> ＊　なお、この訴訟で争っている間に、当該工事契約について特定の業者が落札した場合、訴えの利益が消滅しないかが問題となる。これについては、**取消判決の拘束力**に関する規定（行訴法33条 1 項）が**当事者訴訟に準用**されている（同法41条 1 項）ので、Ｘが勝訴した場合、Ｙ村は本件工事契約に関する入札をやり直す義務を負うと解釈することが可能であり、そうだとすると、確認の利益は失われないと解される。
>
> また、Ｘの営業所の状況およびＹ村の見解が変わらない限り、Ｙ村は今後もＸの指名を回避することが予想されるので、これを予防する意味でも、確認の利益は失われないと解される。

(2)　本　案

地方自治法234条および同法施行令167条の規定は、「普通地方公共団体の締結する契約については、その経費が住民の税金で賄われること等にかんがみ、機会均等の理念に最も適合して公正であり、かつ、価格の有利性を確保し得るという観点から、一般競争入札の方法によるべきことを原則とし、それ以外の方法を例外的なものとして位置付けている」（上掲平成18年判決）。

そこで、Ｘとしては、まず、公共工事契約は地方自治法施行令167条 1 号にいう「その性質又は目的が一般競争入札に適しないもの」に該当せず、また、同条 2 号および 3 号にも該当しないとして、指名競争入札ではなく一般競争入札によるべきであると主張することが考えられる。しかし、これに対しては、「①工事現場等への距離が近く現場に関する知識等を有していることから契約の確実な履行が期待できることや、②地元の経済の活性化にも寄与することなどを考慮し、**地元企業を優先する指名を行うことについては、その合理性を肯定**することができる」（上掲平成18年判決）との反論が考えられる。また、Ｘの戦略としても、従来、村内業者として指名および受注の実績があり、現在も登記簿上の本店をＹ村に置くとともに、新設された営業所も近隣の町にあるのであるから、業者の所在地を全く問わずに一般競争入札によるべきことを主張するのは、得策ではないと思われる。

そこで、上記①および②の観点から、指名競争入札によること、および、村内業者か否かを指名の際に考慮することは是認したうえで、「①又は②の観点からは村内業者と同様の条件を満たす村外業者もあり得るのであり、価格の有利性確保（競争性の低下防止）の観点を考慮すれば、**考慮すべき他の諸事情にかかわらず、およそ村内業者では対応できない工事以外の工事は村内業者のみを指名する**という運用について、**常に合理性があり裁量権の範囲内であるということはできない**」（上掲平成18年判決）と主張することが考えられる。具体的には、まず、①については、Xは長年にわたり村内業者として指名および受注の実績があり、依然として登記簿上の本店をY村に置くとともに、新設営業所も近隣にあることから、村内業者と同様の条件を満たすことが可能であり、②については、村内業者であることのみを考慮要素とすると、不当に高い価格で落札されて税が無駄に支出され、かえって村の経済にマイナスとなりうることから、競争性の確保を考慮しないことは、裁量判断の過程に瑕疵があると主張することが考えられる。

このように、行政裁量の司法審査における**判断過程審査**の方法（→141頁）は、行政契約にも用いられうることに注意が必要である（塩野・行政法Ⅰ210頁、山本・探究282参照）。

2　給付行政における契約

給付行政については、規制行政と異なり、契約方式になじみやすく、例えば、水道の供給は、水道事業者（原則として地方公共団体）と給水を受ける者との給水契約による。ただし、公益性が高いことから、私人間における**契約自由の原則が修正され、正当な理由**がない限り事業者は給水申込みを拒否できない（水道法15条1項。いわゆる**締約強制**）等の規制がされている。

　　＊　なお、給付行政であっても、法律の規定により、契約ではなく行政処分による権利変動が予定されていると解される場合がある（→313頁以下）。

【設問2】給水契約の締結拒否と「正当の理由」
　水道事業者である地方公共団体が、次の(1)～(3)の措置をとった場合、それぞれ、適法または違法のいずれと評価されるか。
(1)　宅地開発指導要綱に従わない建設業者に対して、同要綱の制裁条項に基づき、給水契約の締結を拒否した。
(2)　重大な建築基準法違反のある建築物の建築主に対して、違法建築を是正させるために、給水契約の締結を拒否した。
(3)　住宅供給業者が住宅供給目的で行った、需要量の特に大きい新規の給水

申込みに対して、急激な水道水の需要の増加を抑制するために、給水契約の締結を拒否した。

◆水道法◆
（給水義務）
第15条　水道事業者は、事業計画に定める給水区域内の需要者から給水契約の申込みを受けたときは、正当の理由がなければ、これを拒んではならない。
2・3　略
第53条　次の各号のいずれかに該当する者は、1年以下の懲役又は100万円以下の罰金に処する。
　一・二　略
　三　第15条第1項の規定に違反した者
　四～十一　略

　まず、前提として、水道法15条1項の「正当の理由」は、同法53条3号により、刑罰の構成要件となっているから、裁判所自らが解釈によってその意味を確定すべきであり、同要件の認定につき行政庁の裁量は認められない。したがって、本問を裁量審査の枠組みで考えるのは誤りである。

(1)　設問2(1)――指導要綱違反

　違法であると解される。宅地開発指導要綱に従わないマンション建設業者Aに対して給水契約の締結を拒否した武蔵野市長Xが水道法違反の罪に問われた刑事事件で、最決平成元年11月8日判時1328号16頁（基判144頁、百選I89、CB5-4）は、「Xは、右の**指導要綱を順守させるための圧力手段**として、水道事業者が有している給水の権限を用い、指導要綱に従わないAらとの給水契約の締結を拒んだものであり、その給水契約を締結して給水することが公序良俗違反を助長することとなるような事情もなかったというのである。そうすると、……このような場合には、水道事業者としては、たとえ指導要綱に従わない事業主らからの給水契約の申込であっても、その締結を拒むことは許されないというべきであるから、Xには本件給水契約の締結を拒む**正当の理由がなかった**」としている。最判平成5年2月18日民集47巻2号574頁（基判125頁、百選I95、CB5-5）も参照（→165頁）。

(2)　設問2(2)――重大な違法

　適法とされる余地がある。給水拒否を違法とした上掲最決平成元年11月8日は、「その給水契約を締結して給水することが**公序良俗違反を助長する**こととなるような事情もなかった」としており、給水が公序良俗違反を助長す

ることとなる場合には、給水拒否が適法となりうることを示唆している。また、大阪地決平成2年8月29日判時1371号122頁は、違法建築物の建築主が給水を求める仮処分を申請した事案で、「申請人による建築基準法違反行為の態様、程度はまことに著しいといわなければならず、かかる行為を放置することは公共の利益に重大な悪影響を及ぼすというべきところ、申請人に対し上水を供給することは、かかる違反行為を直接に助長、援助することとなって公序良俗に違反するというべきであり、法秩序全体の精神からしても到底許容されないというべきである。したがって、本件においては、被申請人において給水契約の締結を拒みうる**正当な理由がある**」と判示している。

(3) 設問2(3)――**深刻な水不足を避けるためにやむをえない場合**

適法とされる余地がある。最判平成11年1月21日民集53巻1号13頁（基判144頁、CB7-3）は、「近い将来において需要量が給水量を上回り水不足が生ずることが確実に予見されるという地域にあっては、水道事業者である市町村としては、そのような事態を招かないよう適正かつ合理的な施策を講じなければならず、その方策としては、困難な自然的条件を克服して給水量をできる限り増やすことが第1に執られるべきであるが、それによってもなお深刻な水不足が避けられない場合には、専ら水の需給の均衡を保つという観点から水道水の需要の著しい増加を抑制するための施策を執ることも、やむを得ない措置として許されるものというべきである。そうすると、右のような状況の下における需要の抑制施策の1つとして、新たな給水申込みのうち、需要量が特に大きく、現に居住している住民の生活用水を得るためではなく**住宅を供給する事業を営む者が住宅分譲目的でしたものについて、給水契約の締結を拒むことにより、急激な需要の増加を抑制すること**には、法15条1項にいう『正当の理由』があるということができる」としている。

3 規制行政における契約――協定

規制行政においては、給付行政の場合とは逆に、行政処分の方式がなじむ。しかし、規制行政においても、例えば、地方公共団体と事業者との**公害防止協定**によって、事業者の義務が定められる場合がある。

【設問3】公害防止協定の法的拘束力
　Yは、2012年に、X町に産業廃棄物の最終処分場を設置することを計画し、廃棄物処理法15条1項に基づき、A県知事に設置許可を申請しようとしたところ、X町の住民による反対運動が起きた。そこで、A県知事は、「A県産業

廃棄物処理施設の設置に係る紛争の予防及び調整に関する条例」（以下「本件条例」という）15条に基づき、Ｙに対し、Ｘ町と公害防止協定を締結するように指導した。Ｙは、処分場を円滑に設置するには、地元の理解を得るために協定を締結することもやむをえないと考え、Ｘ町と協定を締結したうえで、Ａ県知事から処分場設置の許可を得た。当該協定には、本件処分場の使用期限を2022年12月31日までとする規定があった。しかし、期限を過ぎてもＹが処分場の使用を続けたため、Ｘ町は、訴訟を提起することにより、Ｙに処分場の使用をやめさせたいと考えている。Ｘ町は、どのような訴訟を提起し、どのような主張をすることが考えられるか。

◆廃棄物の処理及び清掃に関する法律（廃棄物処理法）◆

（目的）
第１条　この法律は、廃棄物の排出を抑制し、及び廃棄物の適正な分別、保管、収集、運搬、再生、処分等の処理をし、並びに生活環境を清潔にすることにより、生活環境の保全及び公衆衛生の向上を図ることを目的とする。

（産業廃棄物処理施設）
第15条　産業廃棄物処理施設……を設置しようとする者は、当該産業廃棄物処理施設を設置しようとする地を管轄する都道府県知事の許可を受けなければならない。

２〜６　略

（許可の基準等）
第15条の２　都道府県知事は、前条第１項の許可の申請が次の各号のいずれにも適合していると認めるときでなければ、同項の許可をしてはならない。
　一　その産業廃棄物処理施設の設置に関する計画が環境省令で定める技術上の基準に適合していること。
　二　その産業廃棄物処理施設の設置に関する計画及び維持管理に関する計画が当該産業廃棄物処理施設に係る周辺地域の生活環境の保全……について適正な配慮がなされたものであること。
　三　申請者の能力がその産業廃棄物処理施設の設置に関する計画及び維持管理に関する計画に従って当該産業廃棄物処理施設の設置及び維持管理を的確に、かつ、継続して行うに足りるものとして環境省令で定める基準に適合するものであること。
　四　略
２〜５　略

◆Ａ県産業廃棄物処理施設の設置に係る紛争の予防及び調整に関する条例◆
15条　知事は、関係住民又は関係市町村の長が事業計画の実施に関し、設置者との間において、生活環境の保全のために必要な事項を内容とする協定を締結しようとするときは、その内容について必要な助言を行うものとする。

本問は、最判平成21年7月10日判時2058号53頁（基判132頁、百選Ⅰ90、CB9-8）をモデルとしている。

(1) 公害防止協定の法的拘束力

公害防止協定について、かつては、協定締結が行政上の権限の濫用に基づく圧力によって強制され、「規制行政の契約への逃避」によって法律による行政の原理が崩壊するとして、その法的拘束力を否定し、**紳士協定**にとどまるとする説が有力であった。しかし、現在の多数説は、**事業者が自己の計算に基づいて、経済的自由が制限される**ことに任意に合意したのであれば、行政主体と事業者とが対等の立場に立って締結した**契約として、法的拘束力が認められる**とする。

ただし、協定によって**義務の内容が具体的に特定**されていること、**任意の合意によるものであること**（意思表示が詐欺または強迫によってなされた場合はもちろん、行手法34条違反の行政指導によってなされたような場合にも、任意性が否定される可能性がある）、当該義務について定める**法令の趣旨および比例原則・平等原則等の一般原則に反しないことが必要**である。これらの点は、民法との関係でいうと、公序良俗違反（90条）または強行法規違反（91条）による契約の無効、詐欺または強迫による意思表示の取消し（96条）等を通じて判断される。

事業者が協定上の義務に従わない場合の履行強制手段としては、**民事訴訟**により差止めを求めることが考えられる。

(2) 法律上の争訟に当たるか

最判平成14年7月9日民集56巻6号1134頁（宝塚市パチンコ店建築中止命令事件、基判155頁、百選Ⅰ106、CB7-4。→211頁）は、「国又は地方公共団体が専ら行政権の主体として国民に対して行政上の義務の履行を求める訴訟は、法規の適用の適正ないし一般公益の保護を目的とするものであって、自己の権利利益の保護救済を目的とするものということはできないから、法律上の争訟として当然に裁判所の審判の対象となるものではな」いとするが、公害防止協定の履行を求める訴訟は、地方公共団体が、事業者との間で対等な立場に立って締結した契約上の義務（地方公共団体自身が有する契約上の請求権）の履行を求めるものなので、平成14年最判の射程は及ばないと解される。

(3) 本問への当てはめ

以上を本問についてみると、X町は、Yを被告として、本件処分場の使用を差し止める民事訴訟を提起することが考えられる。協定の法的拘束力につ

いては、まず、本件協定は、Yが2022年12月31日までに本件処分場の使用をやめなければならないことを定めており、**義務の内容が具体的に特定**されている。**合意の任意性**については、A県知事が処分場設置の許可権限を背景に行政指導をし、協定を締結することを余儀なくさせた可能性があるので、その点を審理する必要がある。

さらに、当該義務について定める法令として、廃棄物処理法および本件条例との関係が問題となる。この点につき、上掲平成21年判決の原審判決は、使用期限を定めることは知事の処分場設置許可の本質的な部分に関わり、協定によってそれを変容させることは、本件条例15条が予定する協定の基本的性格・目的から逸脱するとして、協定の法的拘束力を否定した。しかし、産業廃棄物処分場の設置許可は、本来自由であるはずの財産権の行使を、衛生や生活環境保全上の見地から制限する**警察許可**（→137頁）の性質を有すると解される。そうすると、許可を受けた事業者は、事業を行う自由を認められるのであって、**事業を行う義務を課されるわけではないから、自らの判断で事業を行わない自由も認められる**（これに対し、公企業の特許〔公益事業許可〕に当たる事業については、特許〔許可〕を受けた事業者に事業の開始義務が課される場合がある。電気事業法7条等）。

そこで、上掲平成21年判決は、「処分業者が、公害防止協定において、協定の相手方に対し、その事業や処理施設を**将来廃止する旨を約束することは、処分業者自身の自由な判断で行える**ことであり、その結果、許可が効力を有する期間内に事業や処理施設が廃止されることがあったとしても、〔廃棄物処理〕法に何ら抵触するものではない。……そして、……本件条例15条が予定する協定の基本的な性格及び目的から逸脱するものでもない」として、原審の判示する理由によって本件協定の法的拘束力が否定されることはないとした。

第12講　行政計画

> ◆学習のポイント◆
> 1　行政計画は、行政処分、行政指導等の行為形式を目標達成のための手段として体系的に位置づけるものである（目標プログラム）。
> 2　行政処分を行政計画の中に位置づけたり、行政計画を前提として行政処分を行うべきことが法定されている場合、行政処分の取消訴訟において行政計画の適法性が審査される。ただし、一般に行政計画には広範な裁量が認められる。
> 3　行政計画（の決定）自体に処分性が認められる場合がある（第19講で扱う）。

1　行政計画の法的位置づけ・特徴——目標プログラム

　行政計画とは、一定の行政上の目標を設定し、その目標を達成するための手段を総合的・体系的に提示するものである（これは学問上の定義である。行政計画一般に対する行手法等による規律はされていないため、実定法上の定義はない）。

　行政処分等の行為形式と比較した場合、行政計画には、次頁の図のような法的特徴がある。この図の説明からもわかるように、行政計画は、行政処分、行政指導等と並立する行為形式ではなく、行政処分、行政指導等を計画実現の手段として体系的に位置づけるものである。その際、法律をも計画実現の手段として位置づける場合があり、その意味で、規範のピラミッド（→31頁）における行政計画の位置づけは、一定ではない（行政立法や行政処分のように、常に法律の下位に置かれるわけではない）。このように、行政計画は、古典的な3段階構造モデル（→89頁）にうまく位置づけられない、現代的な行為形式である。

　また、一口に行政計画と言っても、その法的効果の有無や内容は様々であり、必ずしも法的に均質な内容をもった行為形式ではない（小早川・行政法

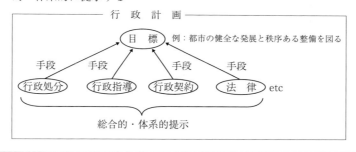

上53頁)。

　しかし、行政計画は、行政過程において重要な役割を果たしており、また、他の行為形式にみられない法的特徴を有することから、行政法において独自に取り扱う必要がある。

2　行政計画と裁量

(1)　一般廃棄物処理計画と一般廃棄物処理業許可

【設問1】
　甲市においては、20年前から、一般廃棄物の収集および運搬については、甲市自らが行うほか、一般廃棄物収集運搬業の許可を受けた唯一の業者であるAがこれを行っている。廃棄物処理法6条に基づく甲市の一般廃棄物処理

計画は、甲市ではAにより一般廃棄物の収集および運搬が円滑に遂行されてきていることを踏まえて作成されており、同計画にはAの名が記載されている。廃棄物処理業者であるBは、甲市長に対し、廃棄物処理法7条1項に基づき、甲市内で一般廃棄物の収集および運搬を業として行うことについて許可を申請した（以下「本件申請」という）。これに対し、甲市長が次の(1)または(2)の措置をとった場合を想定し、各問いに答えなさい。

(1) 甲市長は、本件申請に対し、「当市において、既存の許可業者で一般廃棄物の収集、運搬業務が円滑に遂行されており、新規の許可申請は廃棄物処理法7条5項2号に適合しない」との理由で、不許可処分をした。本件不許可処分は適法か。

(2) 甲市長は、本件申請を認容し、Bに対し許可処分（本件許可処分）をした。これに対し、Aは、本件許可処分の取消訴訟を提起した。Aに原告適格は認められるか。

◆廃棄物の処理及び清掃に関する法律（廃棄物処理法）◆
（定義）
第2条　この法律において「廃棄物」とは、ごみ、粗大ごみ、燃え殻、汚泥、ふん尿、廃油、廃酸、廃アルカリ、動物の死体その他の汚物又は不要物であって、固形状又は液状のもの（……）をいう。
2　この法律において「一般廃棄物」とは、産業廃棄物以外の廃棄物をいう。
3　略
4　この法律において「産業廃棄物」とは、次に掲げる廃棄物をいう。
　一　事業活動に伴って生じた廃棄物のうち、燃え殻、汚泥、廃油、廃酸、廃アルカリ、廃プラスチック類その他政令で定める廃棄物
　二　略
5・6　略
（一般廃棄物処理計画）
第6条　市町村は、当該市町村の区域内の一般廃棄物の処理に関する計画（以下「一般廃棄物処理計画」という。）を定めなければならない。
2　一般廃棄物処理計画には、環境省令で定めるところにより、当該市町村の区域内の一般廃棄物の処理に関し、次に掲げる事項を定めるものとする。
　一　一般廃棄物の発生量及び処理量の見込み
　二・三　略
　四　一般廃棄物の適正な処理及びこれを実施する者に関する基本的事項
　五　略
3・4　略
（市町村の処理等）
第6条の2　市町村は、一般廃棄物処理計画に従って、その区域内における一般廃棄物を生活環境の保全上支障が生じないうちに収集し、これを運搬し、及び処分

（……）しなければならない。
2～7　略
（一般廃棄物処理業）
第7条　一般廃棄物の収集又は運搬を業として行おうとする者は、当該業を行おうとする区域（……）を管轄する市町村長の許可を受けなければならない。（ただし書略）
2～4　略
5　市町村長は、第1項の許可の申請が次の各号に適合していると認めるときでなければ、同項の許可をしてはならない。
　一　当該市町村による一般廃棄物の収集又は運搬が困難であること。
　二　その申請の内容が一般廃棄物処理計画に適合するものであること。
　三　その事業の用に供する施設及び申請者の能力がその事業を的確に、かつ、継続して行うに足りるものとして環境省令で定める基準に適合するものであること。
　四　略
6～16　略

ア　設問1(1)——新規申請業者に対する不許可処分

本問は、最判平成16年1月15日判時1849号30頁（松任市廃棄物処理業不許可事件、基判100頁、百選Ⅰ59、CB8-3）の事案をアレンジしたものである。

廃棄物処理法は、一般廃棄物（産業廃棄物以外の廃棄物をいう。2条2項）の収集・運搬・処分を市町村の義務としており（6条の2第1項）、その適正な実施のために、市町村が一般廃棄物処理計画（6条）を定めることとしている。そして、一般廃棄物処理業の許可（7条）は、市町村による一般廃棄物の収集・運搬が困難であるときに（同条5項1号）、一般廃棄物処理計画の目標を達成するための手段として（同項2号）位置づけられるものと解される。

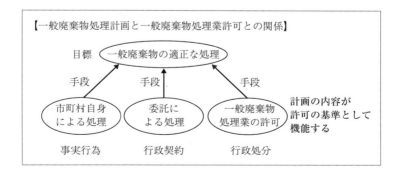

このように、行政処分が行政計画達成のための手段として位置づけられる場合、計画の内容が処分の基準として機能する。そして、一般に、行政計画の策定は、目標達成に向けた創造的な作用であり、計画策定権者に**広範な裁量**が認められる。本件でも、一般廃棄物処理計画の策定には市町村の広範な裁量が認められると解され、当該計画が一般廃棄物処理業の許可の基準として機能することにより、処分の適法性を基礎づける根拠として作用する（その反面として、計画が裁量の逸脱・濫用により違法とされる場合は、その計画を前提とする処分も違法とされうる）。

　すなわち、上掲平成16年判決は、「既存の許可業者等によって一般廃棄物の適正な収集及び運搬が行われてきており、これを踏まえて一般廃棄物処理計画が作成されているような場合には、市町村長は、これとは別にされた一般廃棄物収集運搬業の許可申請について審査するに当たり、一般廃棄物の適正な収集及び運搬を継続的かつ安定的に実施させるためには、既存の許可業者等のみに引き続きこれを行わせることが相当であるとして、当該申請の内容は一般廃棄物処理計画に適合するものであるとは認められないという判断をすることもできる」として、新規申請業者に対する不許可処分を適法とした。

　ただし、上記判決は、廃棄物処理法上、一般廃棄物の処理は本来市町村が実施すべきものとされており、一般廃棄物の収集運搬業の許可は、市町村が実施できない場合にそれを代行させる「**公企業の特許**」的な性質のものであるという理解を前提としていると解される（警察許可と公企業の特許につき、→第8講【設問3】〔135頁〕）。その点で、産業廃棄物の処理業や処分場の許可の場合（警察許可であると解される。→183頁）とは前提が異なるので、注意が必要である。

イ　設問1⑵——既存許可業者（競業者）の原告適格

　本問は、最判平成26年1月28日民集68巻1号49頁（基判265頁、百選Ⅱ165、CB12-11）をモデルとしている。同判決は、上掲最判平成16年1月15日の判断を前提として、「一般廃棄物処理計画との適合性等に係る許可要件に関する市町村長の判断に当たっては、その申請に係る区域における一般廃棄物処理業の適正な運営が継続的かつ安定的に確保されるように、当該区域における**需給の均衡**及びその変動による既存の許可業者の事業への影響を適切に考慮することが求められる」。「〔廃棄物処理〕法は、他の者からの一般廃棄物処理業の許可又はその更新の申請に対して市町村長が上記のように既存の許可業者の事業への影響を考慮してその許否を判断することを通じて、

当該区域の衛生や環境を保持する上でその基礎となるものとして、その事業に係る営業上の利益を個々の既存の許可業者の個別的利益としても保護すべきものとする趣旨を含む」として、既存の許可業者に原告適格を認めた。

(2) 都市計画と都市計画事業認可——小田急訴訟

【設問2】

　A県は、都市計画法21条2項・18条1項に基づき、A県都市計画の変更を行い、そのなかで、B鉄道線のC駅付近からD駅付近まで（以下「本件区間」という）を高架式とし、同鉄道線と交差する複数の道路とを連続的に立体交差化することを決定した（以下「本件決定」という）。本件決定に先立ってA県が行った調査で、本件区間を高架式とする案が、地下式とする案に比べて、工期・工費の点で優れており、環境面では劣るものの、既存の側道の有効活用などにより影響を最小限にできるので、適切とされた（以下「本件調査」という）。A県知事は、本件調査の結果を踏まえ、高架式と地下式について、計画的条件（踏切の除却の可否等）、地形的条件（自然の地形等と鉄道の線形との関係）および事業的条件（事業費の額）を比較検討した。その結果、地下式を採用した場合、当時の都市計画で地表式とされていたE駅付近に近接する本件区間の一部で踏切を解消できなくなるほか、河川の下部を通るため深度が大きくなる等の問題があり、また、高架式の事業費が1,900億円であるのに対し、地下式の事業費は3,000億円と算定されたことから、上記3条件のすべてにおいて高架式が地下式より優れていると評価した。そのうえで、本件調査およびその後実施されたA県環境影響評価条例に基づく環境影響評価を踏まえ、環境への影響の点でも特段問題がないと判断して、高架式を採用することとした。

　国土交通大臣は、本件決定により変更されたA県都市計画を基礎として、都市計画法61条に基づき、A県に対し、本件区間の連続立体交差化を内容とする都市計画事業（以下「本件事業」という）の認可をした（以下「本件認可」という）。これに対し、本件区間の周辺に居住するXらは、本件認可の取消訴訟を提起し、騒音等の環境への影響の点で、地下式は高架式よりも明らかに優れているにもかかわらず、A県知事が高架式と地下式を比較検討した際、計画的、地形的および事業的条件を考慮要素とし、環境への影響を比較しないまま、高架式が地下式より優れていると評価したことは、著しく不合理であり、本件決定は違法であると主張した。裁判所はどのように判断すべきか（Xらの原告適格につき、→第20講【設問2】〔333頁〕）。

◆都市計画法◆
第1章　総則
（目的）

第12講　行政計画

第1条　この法律は、都市計画の内容及びその決定手続、都市計画制限、都市計画事業その他都市計画に関し必要な事項を定めることにより、都市の健全な発展と秩序ある整備を図り、もって国土の均衡ある発展と公共の福祉の増進に寄与することを目的とする。

（都市計画の基本理念）

第2条　都市計画は、農林漁業との健全な調和を図りつつ、健康で文化的な都市生活及び機能的な都市活動を確保すべきこと並びにこのためには適正な制限のもとに土地の合理的な利用が図られるべきことを基本理念として定めるものとする。

（定義）

第4条　この法律において「都市計画」とは、都市の健全な発展と秩序ある整備を図るための土地利用、都市施設の整備及び市街地開発事業に関する計画で、次章の規定に従い定められたものをいう。

2　この法律において「都市計画区域」とは次条の規定により指定された区域を……いう。

3　この法律において「地域地区」とは、第8条第1項各号に掲げる地域、地区又は街区をいう。

4　略

5　この法律において「都市施設」とは、都市計画において定められるべき第11条第1項各号に掲げる施設をいう。

6　この法律において「都市計画施設」とは、都市計画において定められた第11条第1項各号に掲げる施設をいう。

7～14　略

15　この法律において「都市計画事業」とは、この法律で定めるところにより第59条の規定による認可……を受けて行なわれる都市計画施設の整備に関する事業……をいう。

16　略

（都市計画区域）

第5条　都道府県は、市又は人口、就業者数その他の事項が政令で定める要件に該当する町村の中心の市街地を含み、かつ、自然的及び社会的条件並びに人口、土地利用、交通量その他国土交通省令で定める事項に関する現況及び推移を勘案して、一体の都市として総合的に整備し、開発し、及び保全する必要がある区域を都市計画区域として指定するものとする。（以下略）

2～6　略

第2章　都市計画
第1節　都市計画の内容

（都市施設）

第11条　都市計画区域については、都市計画に、次に掲げる施設を定めることができる。この場合において、特に必要があるときは、当該都市計画区域外においても、これらの施設を定めることができる。

一　道路、都市高速鉄道、駐車場、自動車ターミナルその他の交通施設

二～十五　略
2　都市施設については、都市計画に、都市施設の種類、名称、位置及び区域を定めるものとするとともに、面積その他の政令で定める事項を定めるよう努めるものとする。
3～7　略
（都市計画基準）
第13条　都市計画区域について定められる都市計画（……）は、国土形成計画……その他の国土計画又は地方計画に関する法律に基づく計画（当該都市について公害防止計画が定められているときは、当該公害防止計画を含む。……）……に適合するとともに、当該都市の特質を考慮して、次に掲げるところに従って、土地利用、都市施設の整備及び市街地開発事業に関する事項で当該都市の健全な発展と秩序ある整備を図るため必要なものを、一体的かつ総合的に定めなければならない。（以下略）
　一～十　略
　十一　都市施設は、土地利用、交通等の現状及び将来の見通しを勘案して、適切な規模で必要な位置に配置することにより、円滑な都市活動を確保し、良好な都市環境を保持するように定めること。（以下略）
　十二～二十　略
2～6　略

第2節　都市計画の決定及び変更
（都道府県の都市計画の決定）
第18条　都道府県は、関係市町村の意見を聴き、かつ、都道府県都市計画審議会の議を経て、都市計画を決定するものとする。
2～4　略
（都市計画の告示等）
第20条　都道府県又は市町村は、都市計画を決定したときは、その旨を告示し……なければならない。
2　略
3　都市計画は、第1項の規定による告示があった日から、その効力を生ずる。
（都市計画の変更）
第21条　都道府県又は市町村は、……都市計画を変更する必要が生じたときは、遅滞なく、当該都市計画を変更しなければならない。
2　第17条から第13条まで……の規定は、都市計画の変更（……）について準用する。（以下略）

第4章　都市計画事業
第1節　都市計画事業の認可等
（施行者）
第59条　都市計画事業は、市町村が、都道府県知事（……）の認可を受けて施行する。
2　都道府県は、市町村が施行することが困難又は不適当な場合その他特別な事情がある場合においては、国土交通大臣の認可を受けて、都市計画事業を施行すること

ができる。
  3〜7　略
（認可等の基準）
第61条　国土交通大臣又は都道府県知事は、申請手続が法令に違反せず、かつ、申請に係る事業が次の各号に該当するときは、第59条の認可……をすることができる。
  一　事業の内容が都市計画に適合し、かつ、事業施行期間が適切であること。
  二　略
（都市計画事業の認可等の告示）
第62条　国土交通大臣又は都道府県知事は、第59条の認可……をしたときは、遅滞なく、国土交通省令で定めるところにより、施行者の名称、都市計画事業の種類、事業施行期間及び事業地を告示し……なければならない。
  2　略
第70条　都市計画事業については、土地収用法第20条（……）の規定による事業の認定は行なわず、第59条の規定による認可……をもってこれに代えるものとし、第62条第1項の規定による告示をもって同法第26条第1項（……）の規定による事業の認定の告示とみなす。
  2　略

　本問は、最判平成18年11月2日民集60巻9号3249頁（小田急訴訟本案判決、基判98頁、百選Ⅰ72、CB4-9）の事案を簡略化したものである。
　ア　処分の前提となる行政計画の司法審査
　都市計画事業認可の告示（都市計画法62条1項）は、土地収用法に基づく**事業認定**の告示とみなされる（都市計画法70条1項）から、これにより、施行者は、**事業地内の土地を収用しうる地位**を与えられる。したがって、都市計画事業認可は処分に当たる。これに対し、都市計画事業認可の前提となっている都市計画決定自体は、直接国民の具体的な権利義務を形成するものではないので、取消訴訟の対象となる処分に当たらないと解される。

> ＊　最大判平成20年9月10日民集62巻8号2029頁（基判196頁、百選Ⅱ147、CB11-14、第19講【設問4】〔→307頁〕）は、土地区画整理事業計画決定の処分性を認めたが、土地区画整理事業計画決定は都市計画事業認可と同様の法的性質を有するものである（上掲平成20年判決の泉裁判官の補足意見を参照）から、上掲平成20年判決の趣旨に照らしても、都市計画事業認可の前提となっている都市計画決定に処分性が認められることにはならないと解される（基判205〜210頁参照）。

　しかし、都市計画事業認可の取消訴訟において、その前提となっている都市計画の違法性を争うことは可能である（その限りで、行政計画の適法性が司法審査の対象となり、行政計画に関する裁量審査のあり方が問題となる）。

上掲平成18年判決は、都市計画事業認可の違法性の有無を論じるにあたり、その冒頭で、「都市計画法（……）は、都市計画事業認可の基準の1つとして、事業の内容が都市計画に適合することを掲げているから（61条）、都市計画事業認可が適法であるためには、その前提となる都市計画が適法であることが必要である」としたうえで、専ら都市計画決定の違法性の有無について論じている。

イ　都市計画決定に対する裁量審査の枠組み

そこで、都市計画における鉄道の配置について、都市計画法の規定を見ると、都市高速鉄道は「都市施設」に当たり（11条1項1号）、「都市施設は、土地利用、交通等の現状及び将来の見通しを勘案して、適切な規模で必要な位置に配置すること」とされている（13条1項11号）。このような抽象的な基準しか定められていない（不適切な規模、不必要な位置であってはならないことは当然であり、問題は、何をもって適切な規模、必要な位置と判断するかであるが、法律は具体的な基準を示していない）のは、「当該都市施設に関する**諸般の事情を総合的に考慮した上で、政策的、技術的な見地から判断することが不可欠である**」（上掲平成18年判決）という判断の性質に基づくものと解される。このことから、上掲平成18年判決は、次のような司法審査の枠組みを示している。すなわち、「このような判断は、これを決定する**行政庁の広範な裁量にゆだねられている**というべきであって、裁判所が都市施設に関する都市計画の決定又は変更の内容の適否を審査するに当たっては、当該決定又は変更が裁量権の行使としてされたことを前提として、その基礎とされた重要な事実に誤認があること等により重要な事実の基礎を欠くこととなる場合、又は、事実に対する評価が明らかに合理性を欠くこと、判断の過程において考慮すべき事情を考慮しないこと等によりその内容が社会通念に照らし著しく妥当性を欠くものと認められる場合に限り、裁量権の範囲を逸脱し又はこれを濫用したものとして違法となる」。これは、**判断過程審査**の枠組みをとりつつ、政策的・技術的見地からの総合的判断を要するという都市計画決定の性質に着目して、考慮すべき事項やその評価について広

範な裁量を認めたものと解される（→141頁）。

ウ　代替案の比較過程における環境利益の考慮

　高架式と地下式との比較において、環境利益をどのように考慮すべきかについては、上記判決は、次のように述べている。「平成5年決定〔設例では本件決定〕は、本件区間の連続立体交差化事業に伴う騒音等によって事業地の周辺地域に居住する住民に健康又は生活環境に係る**著しい被害が発生することの防止を図る**という観点から、本件〔環境影響〕評価書の内容にも十分配慮し、環境の保全について適切な配慮をしたものであり、公害防止計画にも適合するものであって、都市計画法等の要請に反するものではなく、鉄道騒音に対して十分な考慮を欠くものであったということもできない。したがって、この点について、平成5年決定が考慮すべき事情を考慮せずにされたものということはできず、また、その判断内容に明らかに合理性を欠く点があるということもできない。……被上告参加人〔設例ではA県知事〕は、平成5年決定に至る検討の段階で、本件区間の構造について3つの方式〔設例では高架式と地下式〕の比較検討をした際、計画的条件、地形的条件及び事業的条件の3条件を考慮要素としており、**環境への影響を比較しないまま**、本件高架式が優れていると評価している。しかしながら、この検討は、工期・工費、環境面等の総合的考慮の上に立って高架式を適切とした本件調査の結果を踏まえて行われたものである……から、平成5年決定が、その判断の過程において考慮すべき事情を考慮しなかったものということはできない」。

　この考え方によると、行政庁には、騒音によって周辺住民の健康または生活環境に「著しい被害」を生じさせるような裁量は認められないが、騒音被害がそのような程度に至らない場合には、高架式が地下式より騒音防止や環境保護の点で明らかに劣っていても、他の条件において優位であれば、高架式を採用する裁量が認められることになると考えられる（山本・探究261頁）。いわば、環境利益は、「著しい被害」という最低限のレベルで考慮されるにとどまる。これは、都市計画決定の判断過程における考慮要素について広範な裁量を認めた結果であると解されるが、代替案の比較のあり方として合理的かどうか、問題が残る。

3　行政計画と救済方法

　→第19講【設問3】（301頁）・【設問4】（307頁）。

第13講　行政調査

◆学習のポイント◆
1　任意調査・間接強制調査・強制調査の区別について、税法上の質問検査および犯則調査を例に理解する。
2　行政調査と令状主義および供述拒否権との関係について、判例を理解する。
3　行政調査の要件および手続について、判例および現行法の立場を理解する。
4　行政調査で得られた資料を刑事事件の証拠として用いうるかについて、判例を理解する。
5　瑕疵ある行政調査に基づく行政処分は違法となるかについて、基本的な考え方を理解する。

【設問1】
(1) Xは、その経営する工場の入口で所轄税務署の職員AからXの令和4年分所得税確定申告（確定申告については→59頁）に関する調査のために質問されるとともに、帳簿書類の提示を求められたが、Aの質問に答弁せず、かつ、検査を拒んだため、国税通則法128条2号の罪に問われた。これに対し、Xが次のア〜カを理由として無罪を主張した場合、それぞれの主張は認められるか。
ア　国税通則法74条の2第1項・128条2号は、犯罪構成要件として不明確であり、憲法31条に反する。
イ　国税通則法74条の2第1項の質問検査は、これに応ずるか否かを相手方の自由に委ねる任意調査であるにもかかわらず、その拒否を処罰することとしている（同法128条2号）のは不合理であり、憲法31条に反する。
ウ　質問検査がイで述べたような任意調査ではなく、強制調査であるとすると、裁判所の令状なくして強制調査を認めているのは、憲法35条1項に反する。
エ　質問検査の結果、脱税（所得税法238条1項）の事実が明らかになれば、税務職員はその事実を告発できるから、質問検査は、刑事訴追を受けるお

それのある事項につき供述を強要するものであり、憲法38条１項に反する。
　オ　Aは、事前にXに通知することなく調査に訪れており、また、調査の具体的な理由を開示していないから、本件質問検査は違法である。
　カ　Aは、Xが求めたにもかかわらず、身分証明書を提示しなかったから、本件質問検査は違法である。
(2)　(1)の事案で、Xは、国税通則法128条２号の罪に問われることを恐れて質問検査に応じた。調査の結果、多額の脱税の疑いがあることが判明したため、Aは、所轄の国税局調査査察部に対し、その事実を伝えるとともに、質問検査によって得られた資料を提供した。同調査査察部は、Aから提供を受けた資料に、自ら内偵調査によって取得した資料を加えて、裁判所に臨検捜索差押許可状を請求し、その発付を得てXを臨検捜索し、有罪認定に必要な証拠資料を押収した。検察官は、この犯則調査によって得られた証拠資料に依拠して、Xを脱税（所得税法238条１項）の罪で起訴した。Xは、この訴訟において、有罪認定のために供された証拠は、税務調査のための質問検査権を犯則調査のための手段として行使して違法に収集されたものであるから、証拠能力を欠くと主張した。この主張は認められるか。

◆国税通則法◆
（当該職員の所得税等に関する調査に係る質問検査権）
第74条の２　国税庁、国税局若しくは税務署（以下「国税庁等」という。）……の当該職員（……）は、所得税、法人税、地方法人税又は消費税に関する調査について必要があるときは、次の各号に掲げる調査の区分に応じ、当該各号に定める者に質問し、その者の事業に関する帳簿書類その他の物件（……）を検査し、又は当該物件（……）の提示若しくは提出を求めることができる。
　一　所得税に関する調査　次に掲げる者
　　イ　所得税法の規定による所得税の納税義務がある者若しくは納税義務があると認められる者……
　　ロ・ハ　略
　二～四　略
２～５　略
（権限の解釈）
第74条の８　第74条の２……の規定による当該職員……の権限は、犯罪捜査のために認められたものと解してはならない。
（納税義務者に対する調査の事前通知等）
第74条の９　税務署長等（……）は、国税庁等……の当該職員（……）に納税義務者に対し実地の調査（……）において第74条の２……の規定による質問、検査又は提示若しくは提出の要求（以下「質問検査等」という。）を行わせる場合には、あらかじめ、当該納税義務者（……）に対し、その旨及び次に掲げる事項を通知するものとする。

一　質問検査等を行う実地の調査（以下この条において単に「調査」という。）を開始する日時
　二　調査を行う場所
　三　調査の目的
　四　調査の対象となる税目
　五　調査の対象となる期間
　六　調査の対象となる帳簿書類その他の物件
　七　その他調査の適正かつ円滑な実施に必要なものとして政令で定める事項
２　税務署長等は、前項の規定による通知を受けた納税義務者から合理的な理由を付して同項第１号又は第２号に掲げる事項について変更するよう求めがあった場合には、当該事項について協議するよう努めるものとする。
３〜６　略
（事前通知を要しない場合）
第74条の10　前条第１項の規定にかかわらず、税務署長等が調査の相手方である……納税義務者の申告若しくは過去の調査結果の内容又はその営む事業内容に関する情報その他国税庁等……が保有する情報に鑑み、違法又は不当な行為を容易にし、正確な課税標準等又は税額等の把握を困難にするおそれその他国税に関する調査の適正な遂行に支障を及ぼすおそれがあると認める場合には、同条第１項の規定による通知を要しない。
（身分証明書の携帯等）
第74条の13　国税庁等……の当該職員は、第74条の２……の規定による質問、検査、提示若しくは提出の要求、閲覧の要求、採取、移動の禁止若しくは封かんの実施をする場合又は前条の職務を執行する場合には、その身分を示す証明書を携帯し、関係人の請求があったときは、これを提示しなければならない。
第128条　次の各号のいずれかに該当する者は、１年以下の懲役又は50万円以下の罰金に処する。
　一　略
　二　第74条の２……の規定による当該職員の質問に対して答弁せず、若しくは偽りの答弁をし、又はこれらの規定による検査、採取、移動の禁止若しくは封かんの実施を拒み、妨げ、若しくは忌避した者
　三　略
（臨検、捜索又は差押え等）
第132条　当該職員は、犯則事件を調査するため必要があるときは、その所属官署の所在地を管轄する地方裁判所又は簡易裁判所の裁判官があらかじめ発する許可状により、臨検、犯則嫌疑者等の身体、物件若しくは住居その他の場所の捜索、証拠物若しくは没収すべき物件と思料するものの差押え又は記録命令付差押え（……）をすることができる。（ただし書略）
２・３　略
４　当該職員は、第１項……の許可状（……）を請求する場合においては、犯則事件が存在すると認められる資料を提供しなければならない。

5 前項の規定による請求があった場合においては、地方裁判所又は簡易裁判所の裁判官は、犯則嫌疑者の氏名（……）、罪名並びに臨検すべき物件若しくは場所、捜索すべき身体、物件若しくは場所、差し押さえるべき物件……を記載……した許可状を当該職員に交付しなければならない。
6・7 略

1 任意調査・間接強制調査（準強制調査）・強制調査

　本問では、まず、(1)の質問検査と(2)の犯則調査の法的性格の違いに注意する必要がある。
　一般に、行政調査（行政機関が行政目的で行う調査）には、認められる強制の程度に応じて、次の3つの類型がある。
　①**任意調査**　相手が調査に応じない場合の措置について、法律が何も定めていない場合には、調査に応じるように説得することはできるが、相手の抵抗を実力で排除して家屋に立ち入ったり、調査に応じない相手を処罰したりすることはできない。このような行政調査を**任意調査**という。
　②**間接強制調査（準強制調査）**　【設問1】(1)の質問検査は、相手の抵抗を実力で排除して調査をする権限が認められていない点では、上記の任意調査と同様である（被調査者の意思に反する立入りは違法であり、国賠責任が生じる。最判昭和63年12月20日訟月35巻6号979頁）が、調査に応じない者に対する罰則が規定されている点で、純然たる任意調査とは異なる。【設問1】(1)イの問題につき、最決昭和48年7月10日刑集27巻7号1205頁（荒川民商事件、基判153頁、百選Ⅰ101、CB6-2）は、「質問検査に対しては相手方はこれを受忍すべき義務を一般的に負い、その履行を間接的心理的に強制されているものであって、ただ、相手方においてあえて質問検査を受忍しない場合にはそれ以上直接的物理的に右義務の履行を強制しえないという関係を称して一般に『任意調査』と表現されているだけのことであり、この間なんら実質上の不合理性は存しない」としている。このような行政調査を、純然たる任意調査と区別する意味で、**間接強制調査**または**準強制調査**という。
　③**強制調査**　単に税金の申告が間違っていたというだけではなく、税金を免れる目的で、所得を少なく見せかける偽装工作を行っていたような場合は、脱税という犯罪行為に当たる（所得税法238条1項）。そうすると、これに関する調査は犯罪捜査であって、警察官や検察官が行うべきとも考えられる。しかし、脱税については、調査に専門知識が必要なことと、発生件数が

多いことから、収税官吏（直接国税の場合、国税局査察部の査察官）が調査を行うこととされている。これが【設問1】(2)の**犯則調査**である。犯則調査においては、収税官吏は、**裁判官の許可**を得たうえで、臨検（一定の場所に立ち入ること）、捜索（犯則嫌疑者の身体や所持品を調べ、住居その他の場所に立ち入って探索すること）または差押えをすることができる（国税通則法132条。2017年の同法改正前は、国税犯則取締法の定めによっていたが、同年の改正で国税犯則取締法は廃止され、国税通則法に編入された）。いずれの場合にも相手の抵抗を実力で排除することが認められており、その意味で**強制調査**である（即時強制〔→219頁〕の一種である）。犯則調査は、他にも独占禁止法等で認められているが、刑事手続に準じる行政調査であり、行政調査の中では例外的なものである。

上述②③のとおり、租税の公平な賦課徴収を目的とする質問検査と、脱税の捜査を目的とする犯則調査とは、目的も手続も異なる別個の仕組みである。しかし、両者の目的のために必要な資料は、かなりの程度、共通しているので、質問検査が脱税捜査の目的で行われることにより、犯則調査の手続規制（令状主義・供述拒否権保障）が潜脱されるおそれがある。そこで、国税通則法74条の8に、質問検査の権限は「犯罪捜査のために認められたものと解してはならない」と規定している（この規定の解釈につき、→202頁）。

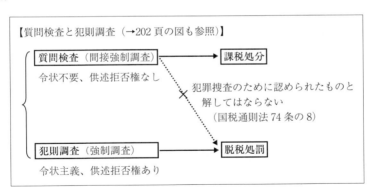

2 行政調査と令状主義・供述拒否権

刑事手続における捜索や差押えには、裁判官の発する令状が必要である（**令状主義**。憲法35条）。行政調査についても、【設問1】(2)の犯則調査は、実質的には租税犯の捜査としての機能を営むから、裁判官の許可状が法律上要求されている（国税通則法132条）。しかし、【設問1】(1)の質問検査のよ

うな間接強制調査については、一般に、法律は令状発付を要件としていない。これが憲法35条に反しないかが問題となる（【設問１】(1)ウ）。

　最大判昭和47年11月22日刑集26巻９号554頁（川崎民商事件、基判153頁、百選Ⅰ100、CB6-1）は、「当該手続が刑事責任追及を目的とするものでないとの理由のみで、その手続における一切の強制が当然に右規定〔憲法35条１項〕による保障の枠外にあると判断することは相当ではない」としている。しかし、所得税法上の質問検査は、①税を公平確実に賦課徴収するために必要な資料を収集することを目的とする手続であって、その性質上、**刑事責任の追及を目的とする手続ではない**こと、②**検査の範囲**が租税の賦課徴収に必要な事項に限られており、刑事責任の嫌疑を基準としていないから、実質上、刑事責任追及に直接結びつく作用を一般的に有するとは認められないこと、③**強制の態様・度合い**が、罰則による間接的心理的なものであり、実質上、直接的物理的な強制と同視すべき程度にまで達しているとは認められないこと、の３点を理由として、令状発付を要件としなくても憲法35条の法意に反しないとしている。

　また、上記判決は、憲法38条による**供述拒否権**の保障についても、「純然たる刑事手続においてばかりではなく、それ以外の手続においても、実質上、刑事責任追及のための資料の取得収集に直接結びつく作用を一般的に有する手続には、ひとしく及ぶ」としつつ、所得税法上の質問検査については、その性質が上述のようなものである以上、「自己に不利益な供述」を強要するものとはいえないとしている（→【設問１】(1)エ）。

　　＊　なお、国税犯則取締法上の犯則調査手続（現・国税通則法131条以下）については、憲法38条１項の規定による保障が及ぶ（最判昭和59年３月27日刑集38巻５号2037頁→基本憲法251頁）。ただし、供述拒否権の告知を要するものとすべきかどうかは、立法政策の問題であって、国税犯則取締法に供述拒否権告知の規定を欠き、収税官吏が質問に際し告知をしなかったとしても、その質問手続は憲法38条１項違反にはならないとしている。

３　行政調査の要件・手続

　質問検査の要件について、国税通則法74条の２は、「調査について必要があるとき」と規定するのみであるが、手続については、同法74条の９および74条の10が調査の事前通知等を定めている。したがって、【設問１】(1)オについては、同法74条の10に定める場合に当たらない限り、事前通知を欠いた調査は同法74条の９に反し、違法である。ただし、同条は、調査の具体的理

由の開示までは求めていない。

　なお、2011年の法改正により上記の手続が整備されるまでは、質問検査の手続に関する規定は置かれていなかった。また、**行手法は、行政調査を直接の目的とする処分および行政指導には適用されない**（行手法3条1項14号）。立入検査のような事実上の行為も、行手法の不利益処分の定義から除外されている（行手法2条4号イ）。

　この点について、上掲最決昭和48年7月10日（荒川民商事件）は、「調査権限を有する職員において、当該調査の目的、調査すべき事項、申請、申告の体裁内容、帳簿等の記入保存状況、相手方の事業の形態等諸般の具体的事情にかんがみ、客観的な必要性があると判断される場合に」質問検査が認められ、「この場合の質問検査の範囲、程度、時期、場所等実定法上特段の定めのない実施の細目については、右にいう質問検査の必要があり、かつ、これと相手方の私的利益との衡量において社会通念上相当な限度にとどまるかぎり、権限ある税務職員の合理的な選択に委ねられているものと解すべく、また、暦年終了前または確定申告期間経過前といえども質問検査が法律上許されないものではなく、実施の日時場所の事前通知、調査の理由および必要性の個別的、具体的な告知のごときも、質問検査を行なううえの法律上一律の要件とされているものではない」としていた。なお、この判決は、所得税法234条1項・242条8号（現：国税通則法74条の2第1項・128条2号）の文言の意義は上記のとおりであって、犯罪構成要件として「なんら明確を欠くものとはいえない」としている（**【設問1】**(1)ア）。

　この判決は、①税務調査の要件について、「諸般の具体的事情にかんがみ、**客観的な必要性がある**」ことを要求していること、②実施の細目については、税務職員の**合理的な裁量**に委ねられるが、**比例原則**による制約が及ぶとしていること、③事前通知や調査理由の開示について、「法律上一律の要件とされているものではない」としているが、要件とされる場合がありうることは否定していないと解されること、が注目される。もっとも、いずれも抽象的な要件にとどまっていたため、上記2011年法改正により③に関して事前通知等の手続が整備されたことは、判例上残されていた課題の一部を立法により解決したものとして重要である。

　【設問1】(1)カの**身分証明書の携帯・提示**については、国税通則法74条の13に規定されており、これは単なる訓示規定ではなく強行規定であると解されるから、これに違反する質問検査は違法であり、それに対しては応答義務ないし受忍義務は生じないと解される（金子・租税法1000頁）。

4 行政調査で得られた資料を刑事責任追及のために用いることができるか

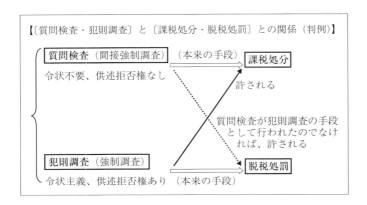

【設問1】(2)については、質問検査の権限は「犯罪捜査のために認められたものと解してはならない」と規定する国税通則法74条の8（→199頁）との関係が問題となる。

この点につき、最決平成16年1月20日刑集58巻1号26頁（基判154頁、百選Ⅰ102、CB6-5）は、「質問又は検査の権限は、犯罪の証拠資料を取得収集し、保全するためなど、犯則事件の調査あるいは捜査のための手段として行使することは許されないと解するのが相当である。しかしながら、上記質問又は検査の権限の行使に当たって、取得収集される証拠資料が後に犯則事件の証拠として利用されることが想定できたとしても、そのことによって直ちに、上記質問又は検査の権限が犯則事件の調査あるいは捜査のための手段として行使されたことにはならない」とした。この判例に従うと、本問でAがはじめから脱税捜査の目的で、そのための手段として質問検査を行ったのであれば、違法であるが、質問検査の際に、そこで得られた資料が後に犯則事件の証拠として利用されることが想定できたというだけでは、質問検査が犯罪捜査の手段として行われたとはいえず、そこで得られた資料を犯則事件の証拠として用いることは否定されない（学説については、増井良啓・百選Ⅰ102事件解説を参照）。

なお、本問とは逆に、犯則調査によって得られた資料を課税処分のために利用することは許されるとする判例がある（最判昭和63年3月31日判時1276号39頁、基判154頁、CB6-4）。

5 行政調査の瑕疵が処分の取消事由になるか

【設問2】
【設問1】(1)(→195頁)の事案で、Aは、身分証明書を携帯しておらず、Xが要求したにもかかわらず、これを提示しないまま、質問検査を行い、それによって収集した資料に基づいて、税務署長がXに対する租税更正処分(本件処分)を行った。これに対し、Xは、本件処分の取消訴訟を提起し、本件処分は重大な違法性のある質問検査に基づいてなされたものであるから違法として取り消されるべきであると主張した。Xの主張は認められるか。

瑕疵ある行政調査を基礎としてなされた行政処分が違法として取り消されるべきかについて、法律に規定はなく、また、最高裁判所の判例は、まだない。

この問題は、瑕疵ある行政手続を経てなされた行政処分が取り消されるべきかという問題(→123頁)と通じるところがある。すなわち、本問のような課税処分については、客観的な課税要件の存否によってその適否が決まるとすると、調査の違法は当然には課税処分の取消事由にならないと考えられる。しかし、**適正手続の観点から調査に重大な違法性があるときは、当該調査を経てなされた処分も違法として取り消されるべきである**と解される(塩野・行政法Ⅰ290頁)。

これを本問に当てはめると、身分証明書の不携帯・不提示が上記の重大な違法性に当たるか否かが問題となる。東京地判昭和48年8月8日行集24巻8=9号763頁は、身分証明書の携帯・提示義務を定めていた法人税法旧157条について、「もともと質問検査にあたる税務署職員等の身分を明らかにさせて税務調査の円滑に資することを目的としているもの」であるから、同条違反があっても、更正処分の取消事由になる程度の違法性はないとした。この考え方に従えば、本問のXの主張は認められないと解される。

6 任意調査の限界

198頁で述べた3つの類型のうち、任意調査については、相手の承諾を得て行うのが原則である。しかし、断られて「はいそうですか」と引き下がったのでは、調査の目的が達せられない場合もありうる。警察官の職務質問に伴う**所持品検査**について、判例(最判昭和53年6月20日刑集32巻4号670頁、基判154頁、百選Ⅰ103)は、任意手段として許容されるものであるから、所

持人の承諾を得てその限度でこれを行うのが原則であるが、捜索に至らない程度の行為は、強制にわたらない限り、所持人の承諾がなくても、所持品検査の必要性、緊急性、これによって侵害される個人の法益と保護されるべき公共の利益との権衡などを考慮し、具体的状況の下で相当と認められる限度において許容されるとしている。これは、任意調査としての建前を維持しつつ、所持品検査の現実の必要性にも配慮しようとした基準と思われる（問題点につき、宇賀・概説Ⅰ176〜177頁）。

第14講　行政上の義務履行確保の手法

◆学習のポイント◆
1　行政上の強制執行に関する法体系の現状を理解する。一般法としては行政代執行法があるのみであり、行政上の直接強制や間接強制（執行罰）は、個別法がない限り、できない。また、条例で行政上の強制執行手段を創設することもできない。
2　代執行は、法律または法律に基づく命令により課された代替的作為義務についてしか行えない。法律には条例も含まれる。
3　行政主体が国民に対して行政上の義務の履行を求める訴訟は、法律に特別の規定がない限り許されないとするのが判例の立場である。
4　行政刑罰の機能不全、および、その解決策となりうる反則金、過料、加算税、課徴金等の制度について理解する。
5　制裁的公表について、法律（条例を含む）の根拠が必要なこと、および救済方法を理解する。
6　即時強制（即時執行）について、その概念（義務を前提としないこと）、条例でも定められること等を理解する。

総説　行政上の義務履行確保手段の種類と位置づけ

　行政作用法における3段階構造モデル(→89頁)の最終段階である「行政強制」については、今日では、より広く、行政上の義務履行確保の目的ないし機能を有する制度・手法を考察するという方法がとられている。それらは、①義務が履行された状態を強制的に作り出す方法（→本講1）と、②義務違反に対する制裁として何らかの不利益を課す方法（→本講2）とに大別される。

① 義務履行強制——行政上の強制執行（代執行、強制徴収など）、民事手続による強制
② 義務違反に対する制裁——刑罰、過料、課徴金、制裁的公表など

行政処分によって私人に義務を課しても、それが履行されなければ、行政目的を達することはできない。その意味で、行政上の義務履行確保の仕組みは、行政過程を完結させる重要な役割を有する。また、ある行政活動が行政処分に当たるか否かを判断する際、不服従に対する履行確保手段の有無が重要な考慮要素となる。本講では、このように行政過程において重要な意味を有する行政上の義務履行確保手段について理解する。

　なお、義務を課さずに行政機関が実力行使を行う即時強制についても、行政上の強制執行と機能的な共通性があることから、本講で扱う（→本講3）。

1　義務履行強制

　義務者が行政上の義務を履行しないときに、行政主体が自らの手で義務履行の実現を図る制度を**行政上の強制執行**という。これは、私人間における**自力救済禁止の原則の例外**を成すものであり、人権保障の徹底という見地から、あらゆる行政処分の執行について当然に認められるわけではなく、**行政上の強制執行を認める法律の根拠がある場合に限って、認められる**。このことは、理論上の要請であるとともに、行政代執行法1条（「行政上の義務の履行確保に関しては、別に法律で定めるものを除いては、この法律の定めるところによる」）によって、現行法上とられている立場でもある。

　戦前は、行政上の強制執行（および即時強制。→219頁）に関する一般法として、行政執行法があった。しかし、現在は、一般法としては、代執行に関する**行政代執行法**（→後述(1)）があるのみで、それ以外の行政上の強制執行手段（直接強制および執行罰）については、個別法にわずかな例しかない（国税等の強制徴収については、**国税徴収法**がある。→後述(2)）。したがって、それらの法律が規定する場合以外は、行政上の強制執行はできない。

　なお、行政代執行法は、2条以下で代執行について規定するとともに、上述のとおり、1条で行政上の義務の履行確保に関しては「法律で定める」としている。そして、同法1条にいう「**法律**」には、同法2条で「法律（法律の委任に基く……条例を含む。以下同じ。）」とされていること（→208頁）との対比から、反対解釈により、**条例は含まない**と解される。したがって、**条例で行政上の強制執行手段を創設することはできない**（ただし、制裁的公表につき→【設問4】〔217頁〕）。

　また、法律上は行政上の強制執行ができるとされている場合であっても、実際にはうまく機能していないという問題がある（→後述(3)）。

　行政上の義務の履行確保のために、行政上の強制執行手段を用いることが

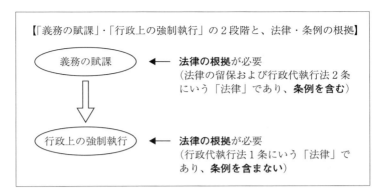

できない場合、私人間の原則に戻って、**民事手続**による**強制**を行うことが考えられるが、判例はこれを否定している（→後述(4)）。

このように、行政上の義務の履行強制手段には、現行法上、様々な制約が課されていることに注意する必要がある。

(1) 行政代執行

代執行は、他人が代わって行うことのできる作為義務（**代替的作為義務**）を義務者が履行しない場合に、行政庁が自ら義務者のなすべき行為をなし、または第三者をしてこれをなさしめ、その費用を義務者から徴収することである（行政代執行法2条）。

【設問1】代替的作為義務、条例上の義務と代執行、戒告の処分性

(1) 甲市長Yは、同市職員組合Xに市庁舎の一部を組合事務所として使用することを許可していたが、これを取り消す旨の処分（講学上の撤回。→第2講【設問5】〔47頁〕）をした。しかし、Xが退去しなかったため、Yは、組合事務所内の存置物件を搬出するよう、行政代執行法3条に基づく戒告をした。Xが指定の期限までに当該物件を搬出しない場合、Yは代執行によって当該物件を搬出することができるか。なお、庁舎存置物件の撤去義務や撤去命令について定めた法令の規定はない。

(2) (1)の事例で、甲市庁舎管理条例で庁舎存置物件の撤去命令について定めており、Yがこれに基づいて組合事務所内の存置物件を搬出するようXに命令した場合、Yは代執行によって当該物件を搬出することができるか。

(3) (1)の事例で、Xが代執行の違法性を主張してこれを阻止したい場合、Xはどのような訴訟の提起および仮の救済の申立てをすべきか。

ア 設問1(1)――「法律に基き行政庁により命ぜられた行為」

行政代執行法2条は、代執行の対象となる行為について、「法律（……）

により直接に命ぜられ、又は**法律に基き行政庁により命ぜられた行為**」としている。ところが、【設問1】(1)の事案では、庁舎存置物件の撤去義務を定めた法令はなく、撤去命令の根拠となる法令もないので、代執行はできない。たしかに、Xは庁舎の使用権を失っており、庁舎管理者であるYはXに対して庁舎の明渡しを求めることができるが、その履行強制については、甲市を原告とする民事訴訟（または公法上の当事者訴訟）によるべきである（参照、大阪高決昭和40年10月5日行集16巻10号1756頁、基判146頁、CB7-1）。

* 最判平成3年3月8日民集45巻3号164頁（基判157頁、百選Ⅰ98、CB9-5）は、漁港に無許可で設置されたヨット係留用の鉄杭を、町長が船舶航行の安全および住民の危難防止のために強行的に撤去し、そのために公金を支出した事案で、町の漁港管理規程が未制定であったため、漁港法および行政代執行法上は適法と認められないとした。しかし、緊急の事態に対処するためにとられたやむをえない措置であり、民法720条の法意に照らしても、町長は町に対し損害賠償責任を負わないとした。

イ 設問1(2)——「法律の委任に基く……条例」

行政代執行法2条にいう「法律」にはかっこ書が付されており、「法律の委任に基く命令、規則及び条例を含む」とされている。この文言からは、「法律の委任に基く」という限定が「命令、規則及び条例」に係ることになる。

しかし、ここにいう「法律の委任に基く……条例」が、法律の個別具体的な委任に基づく条例（委任条例。→36頁）に限定されるとすると、条例上の義務について代執行できる場合がかなり限定されてしまい（しかも、行政代執行法1条により、条例で独自に行政上の強制執行手段を創設することも制限されている。→206頁）、地方公共団体における義務履行確保に支障をきたし、地方自治の理念にそぐわないという問題がある。そこで、「**法律の委任に基く……条例**」には、**地方自治法14条1項に基づく条例、すなわち、すべての条例が含まれる**という見解が有力である（塩野・行政法Ⅰ254頁参照）。

これを【設問1】(2)について見ると、行政代執行法2条にいう条例にはすべての条例が含まれるという説に立てば、甲市庁舎管理条例もこれに含まれる（ただし、本問は架空の設例であり、通常は、庁舎管理については規則で定められる）。

ウ 設問1(2)——**代替的作為義務**

代執行の対象は、**代替的作為義務**に限られる（行政代執行法2条）。した

がって、不作為義務（例：営業停止処分に従う義務）は代執行の対象とならないし、作為義務であっても、非代替的なものは、代執行の対象とならない。

これを本問について見ると、組合事務所内の存置物件の搬出自体は、他人が代わってなすことができるから、代執行が可能なようにみえる。しかし、存置物件の搬出命令の本来の目的は、Xに対して組合事務所の明渡し（これは非代替的作為義務である）を求めることであって、存置物件の搬出は明渡しに伴う付随的な行為であるとすると、存置物件の搬出のみを取り上げて代執行の対象とすることはできないとも考えられる（上掲大阪高決昭和40年10月5日）。この考え方によると、結局、【設問１】(2)においても代執行はできず、甲市を原告とする民事訴訟（または公法上の当事者訴訟）によるべきことになる。

なお、以上の要件に加えて、「他の手段によってその履行を確保することが困難であり、且つその不履行を放置することが著しく公益に反すると認められるとき」（行政代執行法２条）であることが要件とされている。これは、比例原則を確認する趣旨にすぎないとも考えられるが、実際上、代執行の機能不全（→後掲(3)）の要因になっているとの見方もある。

エ　設問1(3)——代執行の戒告とその処分性

代執行を行うには、相当の履行期限を定め、その期限までに履行がされないときは、代執行をなすべき旨を、あらかじめ文書で戒告しなければならない（行政代執行法３条１項）。

> ＊　このような手続が必要であることから、例えば放置自転車のように、容易に移動されてしまうものの撤去の手段としては、代執行は不向きである。最決平成14年９月30日刑集56巻７号395頁（基判158頁、百選Ⅰ99）は、東京都による段ボール小屋の撤去に抵抗した路上生活者らが威力業務妨害罪に問われた事案で、道路法に基づく除却命令および行政代執行の手続をとることは、相手方や目的物の特定等の点で困難であったこと等からすると、それらの手続によらずに環境整備工事として段ボール小屋を撤去したことは、やむをえない事情に基づくものであって、業務妨害罪としての要保護性を失わせるような法的瑕疵はないとした。

戒告は、相手方の既に発生している履行義務に新たな義務を付加するものではないが、「代執行の前提要件として行政代執行手続の一環をなすとともに、代執行の行われることをほぼ確実に示す表示でもある。そして代執行の段階に入れば多くの場合直ちに執行は終了し、救済の実を挙げえない点より

すれば、戒告は後に続く代執行と一体的な行為であり、公権力の行使にあたるものとして、これに対する抗告訴訟を許すべきである」（上掲大阪高決昭和40年10月5日）とする裁判例がある（ただし、最高裁の判決はまだない）。この考え方によると、【設問1】(3)で、Xは、代執行の戒告の取消訴訟を提起するとともに、戒告の執行停止（本件の場合、手続の続行の停止。行訴法25条2項）を申し立てるべきである。

(2) その他の行政上の強制執行手段

ア 行政上の直接強制

義務者の身体または財産に直接力を行使して、義務の履行があった状態を実現するものであるが、現行法上、直接強制の方法を規定している法律は、ほとんどない。したがって、例えば、営業停止命令の違反に対して、違反者の身体を拘束したり、戸口を閉鎖したりすることはできない（営業を停止する義務は不作為義務なので、代執行もできない）。この場合には、2（→213頁以下）で述べるように、刑事罰によって対応する。

イ 執行罰──行政上の間接強制

義務の不履行に対して、一定額の過料を課すことによって間接的に義務の履行を促す（義務が履行されるまで、繰り返し過料を課す）ものであるが、現行法上、執行罰を規定している法律は、砂防法のみである。なお、ここにいう過料は、将来に向かって義務履行を促すために繰り返し課されうるものであって、過去の違反行為に対する制裁として（1つの違反行為に対して1回のみ）科される行政上の秩序罰としての過料（→215頁）とは異なるので、注意してほしい。

ウ 行政上の強制徴収

国税の徴収については、**国税徴収法が行政上の強制徴収**（滞納処分）を定めており、国税以外の様々な金銭納付義務（地方税、国民年金の保険料、代執行に要した費用等）についても、国税徴収法に規定する滞納処分の例によることが定められている（例えば、代執行の費用につき行政代執行法6条）。

(3) 行政上の強制執行の機能不全

以上で見たように、行政上の強制執行については、法律上そもそも発動できない場合があり、この場合には、別の方法を考える必要がある。しかし、法律上は行政上の強制執行ができるとされている、代替的作為義務や金銭支払義務の違反の場合にも、実際には、代執行や行政上の強制徴収はあまり行われていない。行政上の強制執行には法律上厳格な手続が要求されていて入念な準備が必要なため、簡易迅速に行えないことがその理由の1つである。

もちろん、これは、行政権の実力行使に対して法律で厳格な枠をはめることにより国民の人権侵害を防ごうとするものであり、二面関係を念頭に置く古典的な法治主義の観点からは望ましいものである。しかし、行政上の義務履行確保の手段として、このように大きなコストのかかる選択肢しかないとすると、結果的に、多くの違反が放置されることになりかねない（「**行政上の強制執行の機能不全**」といわれる）。違法建築によって被害を受けている周辺住民のように、義務違反者と利害が対立する人々の存在（三面関係）も視野に入れると、義務違反の程度に応じて柔軟に対応できる履行確保の仕組みが必要ではないだろうか。今後の重要な課題である（2014年に「空家等対策の推進に関する特別措置法」が制定されて以降、特定空家等の除却命令にかかる代執行は増加している）。

(4) 民事手続による強制

上述のように、現行法上、行政上の義務について、行政上の強制執行ができない場合があるが、このような場合、**民事手続による強制**は可能であろうか。

> **【設問2】宝塚市パチンコ店建築中止命令事件**
> 甲市は、「パチンコ店等、ゲームセンター及びラブホテルの建築等の規制に関する条例」（以下「本件条例」という）により、パチンコ店等の建築等をしようとする者は市長の同意を得なければならないこと（3条）、市長は、商業地域以外の用途地域（→303頁）や市街化調整区域においては、3条の同意をしないものとすること（4条）、市長は、3条の同意を得ないで建築等をしようとする者には、建築の中止、原状回復等の措置を命ずることができること（8条）等を定めていた（ただし、8条の命令違反に対する罰則は、規定されていなかった）。Xは、パチンコ店を建築しようとして、本件条例3条による建築の同意を申請したが、甲市長Aは、建築予定地が準工業地域に属することから、本件条例4条に基づき、不同意とした。しかし、Xが建築工事に着手したため、Aは、本件条例8条に基づき、建築工事中止命令を発したが、Xは工事を続行した。甲市は、Xを相手取って、工事の続行禁止を求める民事訴訟を提起した。この訴えは適法か。

本問は、最判平成14年7月9日民集56巻6号1134頁（基判155頁、百選Ⅰ106、CB7-4）をモデルとしたものである。

まず、前提として、**行政上の強制執行制度が利用可能である場合には**、それによるべきであって、**民事手続は利用できないと解される**（いわゆるバイパス理論。金銭支払義務に関する事案であるが、最大判昭和41年2月23日民

集20巻2号320頁、基判155頁、百選Ⅰ105参照）。しかし、本件では、建築工事中止命令は**不作為義務**を課すものなので、代執行はできない。また、その他の行政上の強制執行もできない。

さらに、中止命令違反に対する罰則規定がないので、罰則により間接的に履行を促すこともできない。

* なお、この点に関連して、罰則規定がないことから、そもそも本件条例8条の中止命令は法的義務を課すものとはいえず、行政指導にすぎないのではないかが問題となりうる。たしかに、違反に対する罰則が規定されていれば、義務と認められやすいが、逆に、罰則がないからといって当然に**義務でないとはいえず**、条文の文言や法の仕組み等から総合的に判断すべきである。本問の事案では、本件条例8条が「命じる」という文言を用いていることから、義務を課すものと解したうえで、履行確保手段について検討すべきと思われる（上掲平成14年判決も、「本件条例8条に基づく行政上の義務」の存在自体は否定していない。塩野・行政法Ⅰ247頁参照）。

そこで、民事手続による履行強制が考えられる。しかし、上掲平成14年判決は、国または地方公共団体が**財産権の主体**として、自己の財産上の権利利益の保護救済を求める場合には、法律上の争訟に当たる（民事手続を利用できる）が、**国または地方公共団体が専ら行政権の主体として国民に対して行政上の義務の履行を求める訴訟**は、法規の適用の適正ないし一般公益の保護を目的とするものであって、自己の権利利益の保護救済を目的とするものではないから、**法律上の争訟に当たらず**、法律に特別の規定がない限り、許されないとしている。

この判決に対しては、本件でXの側から甲市を被告として工事中止命令の取消訴訟を提起することは（上述＊のとおり中止命令が処分に当たる限り）可能なはずであり、それは法律上の争訟に当たると解されるのに、なぜ地方公共団体の側から工事中止命令の履行を求める場合には法律上の争訟でなくなるのか、等の疑問が提起されている（塩野・行政法Ⅱ298頁）。また、実務上は、この判決（単なる事例判断にとどまらない一般論を示した点でも影響が大きい）によって、行政上の義務の履行強制については、法律に特別の規定を設けない限り、行政上の強制執行も民事手続による強制もできない、大きな「すきま」が空いてしまうという問題がある。

* ただし、行政上の契約（協定）に基づいて私人に課された義務については、この判決の射程は及ばないと解される（→182頁）。

2　義務違反に対する制裁

(1)　刑罰と反則金

　行政上の義務違反に対しては、しばしば、刑罰が規定されている（**行政刑罰**）。法律や条例に刑罰規定を置くときは、**罪刑法定主義**に反しないよう、どのような義務違反行為がどのような刑を受けるのかを明確に規定しなければならない。なお、条例に刑罰規定を置くには、地方自治法14条3項により、「2年以下の懲役若しくは禁錮、100万円以下の罰金、拘留、科料若しくは没収の刑」という制限がある。行政刑罰の手続については、原則として、**刑事訴訟法**が適用される。

　行政刑罰は厳格な制裁手段であるが、行政組織限りで科すことができず、警察・検察の手を借りなければならないこと、刑事手続に膨大な時間と労力を要すること、重大な刑法犯の処理が優先され、行政刑罰の処理は好まれないこと等から、十分に機能していない（**行政刑罰の機能不全**）。

　また、交通違反のように、あらゆる違反者を犯罪者として扱うことが刑事政策的にみて好ましくない行政分野もある。そこで、道路交通法は、比較的軽微な交通違反について、**反則金**を納付すれば刑罰を科さないこととして、刑事司法の負担過重と「一億総前科」状態を避けるとともに、反則金という経済的苦痛を与えることによって制裁機能を発揮させている。

> **【設問3】交通反則金納付通告の処分性**
> 　Xは、自動車を運転中、20kmの速度超過をしたとして、警察官から反則金15,000円の告知を受け、その後、警察本部長から同内容の通告を受けた（以下「本件通告」という）。これに対し、Xは、刑事裁判にかけられるのを恐れて、しぶしぶ反則金を納付したが、本件通告の対象となった速度超過はしていないとして、本件通告の取消訴訟を提起した。本件通告は取消訴訟の対象となる処分に当たるか。

◆道路交通法◆
※反則金の仮納付に関する規定は省略した。
第9章　反則行為に関する処理手続の特例
（通則）
第125条　この章において「反則行為」とは、前章の罪に当たる行為〔注：速度超過については、118条1項1号により、6月以下の懲役又は10万円以下の罰金に処するとされている〕のうち別表第2の上欄に掲げるものであって、車両等（……）の運転者がしたものをいい、その種別は、政令で定める。

2　この章において「反則者」とは、反則行為をした者であって、次の各号のいずれかに該当する者以外のものをいう。
　一　……運転の免許を受けていない者（……）（以下略）
　二　……酒に酔った状態……で車両等を運転していた者
　三　当該反則行為をし、よって交通事故を起こした者
3　この章において「反則金」とは、反則者がこの章の規定の適用を受けようとする場合に国に納付すべき金銭をいい、その額は、別表第2に定める金額の範囲内において、反則行為の種別に応じ政令で定める。
（告知）
第126条　警察官は、反則者があると認めるときは、……その者に対し、速やかに、反則行為となるべき事実の要旨及び当該反則行為が属する反則行為の種別……を書面で告知するものとする。（ただし書略）
　一・二　略
2　略
3　警察官は、第1項の規定による告知をしたときは、……警察本部長に速やかにその旨を報告しなければならない。（ただし書略）
4　略
（通告）
第127条　警察本部長は、前条第3項……の報告を受けた場合において、当該報告に係る告知を受けた者が当該告知に係る種別に属する反則行為をした反則者であると認めるときは、その者に対し、理由を明示して当該反則行為が属する種別に係る反則金の納付を書面で通告するものとする。（以下略）
2・3　略
（反則金の納付）
第128条　前条第1項……の規定による通告に係る反則金（……）の納付は、当該通告を受けた日の翌日から起算して10日以内（……）に、……国に対してしなければならない。
2　前項の規定により反則金を納付した者は、当該通告の理由となった行為に係る事件について、公訴を提起され……ない。
（反則者に係る刑事事件）
第130条　反則者は、当該反則行為についてその者が第127条第1項……の規定により当該反則行為が属する種別に係る反則金の納付の通告を受け、かつ、第128条第1項に規定する期間が経過した後でなければ、当該反則行為に係る事件について、公訴を提起され……ない。（ただし書略）
　一・二　（略）

　まず、前提として、反則金制度は、比較的軽微な交通違反について、反則金を納付すれば刑罰を科さないこととするものであるが、**反則行為は本来犯罪を構成する行為**とされていることに注意が必要である。そのうえで、最判

昭和57年7月15日民集36巻6号1169頁（基判231頁、百選Ⅱ146、CB7-2）は、次の2点を理由として、反則金納付通告の処分性を否定した。

第1に、通告があっても、**反則金を納付すべき法律上の義務が生ずるわけではなく**、通告を受けた者が任意に反則金を納付したときは公訴が提起されないにとどまることである。

第2に、道路交通法は、反則行為の不成立を主張しようとする者については、**反則金を納付せずに専ら刑事手続の中で争うことを予定しており**、「もしそうでなく、……抗告訴訟が許されるものとすると、本来刑事手続における審判対象として予定されている事項を行政訴訟手続で審判することとなり、また、刑事手続と行政訴訟手続との関係について複雑困難な問題を生ずるのであって、同法がこのような結果を予想し、これを容認しているものとは到底考えられない」ことである。

> ＊ 上記第1点については、通告を受けた者は刑事訴追を免れるために事実上反則金の納付を強制されているのではないかという問題があるが、判決の主眼は、むしろ上記第2点にあると考えられる。これについては、本問のように反則金を納付している場合には刑事訴訟は提起されないから、「刑事手続と行政訴訟手続との関係について複雑困難な問題を生ずる」ことはない（そこで、任意に反則金を納付した場合にのみ通告の取消訴訟を認める学説がある）が、「本来刑事手続における審判対象として予定されている事項を行政訴訟手続で審判することとな」るという問題は残る。結局、現行制度の建前を前提とする限りは、通告の処分性が否定されるのはやむをえないとも考えられるが、立法論としては、反則行為を非犯罪化し、反則金を純粋な行政制裁金とすることを検討すべきと思われる（以上につき、中原茂樹「交通反則金制度」ジュリスト1330号〔2007年〕10頁以下参照）。

（2） 過料──行政上の秩序罰

過料（行政上の秩序罰）は、行政上の秩序の維持のために違反者に制裁として金銭的負担を課すものである。刑罰ではないので、刑法総則や刑事訴訟法の適用はなく、**法律違反については、非訟事件手続法**（119条以下）**に基づき裁判所によって科され、地方公共団体の条例・規則違反については、長の行政処分によって科される**（地方自治法14条3項・255条の3）。

行政上の秩序罰の典型例は、届出義務違反等の単純な義務違反に対して科されるものであるが、現在では、それにとどまらず、「行政刑罰の機能不全」（→213頁）を克服する有効な義務履行確保手法として、積極的に活用されている。いわゆる「路上喫煙禁止条例」がその例である。地方公共団体が科す過料は、警察・検察・裁判所の力を借りることなく、行政処分として地方公

共団体の長が独自に科すことができるので、地方公共団体がやる気になれば、かなりの程度、執行することができる。

2004年の道路交通法改正で導入された**放置違反金**も、行政上の秩序罰の一種である（ただし、裁判所によってではなく、公安委員会による行政処分として科される。不服のある者は、取消訴訟によって争える）。これは、例えば自分の車で駐車違反をして取り締まりを受けた者が、放置したのは自分ではないと主張して反則金を免れようとしても、車の使用者（運行管理者）の責任として、反則金と同額の放置違反金を取られるというものである。

(3) 加算税

納税義務者が申告、納付等の法律上の義務を果たさない場合、本来納めるべき税額に一定割合を乗じた額が加算される。これを**加算税**という。特に、隠ぺいや仮装という不正手段を用いた場合には、重加算税と呼ばれる特別に重い負担が課される。もっとも、偽りその他不正の行為によって税を免れる行為は、刑罰の対象にもなっているので、そのような行為に加算税を課すのは、憲法39条の定める**二重処罰の禁止**（→基本憲法Ⅰ255頁）に反するのではないかが問題となる。しかし、加算税は納税義務の履行を確保するための行政上の措置であって、犯罪に対する刑罰ではないから、刑罰と併科しても憲法違反の問題は生じないというのが判例の立場である（加算税の前身である追徴税につき、最大判昭和33年4月30日民集12巻6号938頁、基判156頁、百選Ⅰ108。重加算税につき、最判昭和45年9月11日刑集24巻10号1333頁、基判156頁）。

(4) 課徴金

独占禁止法には、カルテル禁止等の違反に対して、刑事罰とは別に、**課徴金**が規定されている。刑事罰を科すだけでは、カルテルによって儲けた利益が違反者の手元に残ってしまい、違反行為の抑止として不十分なので、儲けすぎた分を国がはく奪するというのが、この制度のもともとの趣旨である。現在では、課徴金は「儲けすぎ」を超える額に引き上げられ、カルテル禁止規定の実効性を確保するための行政上の制裁としての性格を強めている。最判平成10年10月13日判時1662号83頁（基判156頁、百選Ⅰ109）は、独禁法上の課徴金と罰金との併科が憲法に違反しないことは上掲最大判昭和33年4月30日の趣旨に徴して明らかであるとする。

このほか、**金融商品取引法**に、インサイダー取引などに対する課徴金が規定されており、**景品表示法**にも、2014年の改正で、不当表示に対する課徴金が導入された。景品表示法の課徴金は、違反者が被害者に対して返金措置を

実施した場合に課徴金が減免されるという仕組みにより、違反行為の抑止のみならず被害者救済の促進が図られている点に特徴がある（曽和ほか編著・事例研究行政法338頁以下〔中原茂樹〕）。

(5) 制裁的公表

> 【設問 4】
> 　Xは、Y県において、扇風機を製造・販売していたが、Xの製造した扇風機から出火した例が報告されたことから、Y県知事Aは、この扇風機の製造・販売はY県消費生活条例（以下「本件条例」という）10条に違反すると判断し、本件条例25条1項に基づき、Xに対して、同型の扇風機（以下「本件扇風機」という）の製造・販売を中止するように勧告した。これに対し、Xは、報告された事故は消費者が誤った使い方をしたために起きたものであって、本件扇風機の製造・販売は本件条例10条に違反しないと考えており、勧告に従うつもりはない。
> (1)　Y県知事が、本件条例26条に基づく意見陳述の手続をとったうえで、本件条例25条2項に基づき事業者名等を公表することは、行政代執行法1条に反しないか。
> (2)　Xは、Y県において本件扇風機の製造・販売を継続し、かつ、本件条例25条2項による事業者名等の公表を避けるためには、どのような訴訟を提起すべきか。

◆Y県消費生活条例◆
（危害商品等の提供の禁止等）
第10条　事業者は、その欠陥により、消費者の生命、身体又は財産に危害又は損害を及ぼし、又は及ぼすおそれのある商品又はサービスを製造し、販売し、又は提供してはならない。
（勧告及び公表）
第25条　知事は、第10条……の規定に違反した事業者に対し、当該違反事項を是正するよう勧告することができる。
2　知事は、事業者が前項の規定による勧告に応じないときは、その旨を公表することができる。
（意見陳述の機会の付与）
第26条　知事は、前条第2項の規定により、事業者の氏名等を公表しようとするときは、あらかじめ当該事業者にその旨を通知し、意見を述べる機会を与えるものとする。

ア　設問4(1)——制裁的公表と条例

公表については、①情報提供による国民の保護を主目的とするものと、②

行政上の義務違反（または行政指導への不服従）に対する**制裁**を主目的とするものを区別する必要がある。**侵害留保説**からは、①情報提供目的の公表には**法律の根拠は不要**であるが、②制裁目的の公表には**法律（条例を含む）の根拠が必要**と考えられる（→38頁）。

これを本問について見ると、公表によって、対象とされた業者の社会的評価が低下し、売上げの減少等の重大な損害を被るおそれがある。しかも、行政側は、そのような重大な損害を当該業者に与え、勧告不服従に対する制裁機能を発揮させることを意図して、公表措置を規定しているものと考えられる。そうすると、本問の公表は、単なる情報提供を目的とするものではなく、行政指導の不服従に対する制裁を目的とするものと解すべきである。したがって、法律（条例を含む）の根拠が必要であるが、本問の公表は条例に根拠があるので、法律の留保との関係では問題がない。

次に、制裁目的の公表が行政代執行法1条にいう「行政上の義務の履行確保」の手段に含まれるかが問題となる（含まれるとすれば、条例で定めることはできないことになる。→206頁）が、同条は公表のような新たな手法を想定していないと考えられ、また、地方公共団体による義務履行確保手法の創設を完全に否定することは、憲法による地方自治保障の理念に反すると考えられるので、**公表は行政代執行法1条にいう「行政上の義務の履行確保」の手段に含まれない**と解される（塩野・行政法Ⅰ253頁、267頁）。したがって、本件条例25条2項に基づき事業者名等を公表することは、行政代執行法1条に反しない。

　イ　設問4(2)——制裁的公表の争い方

公表に先行する勧告について、違反に対して公表という制裁が課されることに着目して、処分と解すると、**勧告の取消訴訟**が考えられる。これに対し、公表は世論に訴えることによって勧告に従うことを説得するものであり、勧告への服従を強制するとまではいえないと考えると、勧告は処分ではないと解され、**当事者訴訟としての勧告の違法確認訴訟**（または、Xが本件扇風機の製造・販売を適法に継続できる地位にあることの確認訴訟）が考えられる（以上につき、基判171頁参照）。

公表については、それ自体は公衆に情報を伝えるという事実行為であり、処分に当たらないとすると、民事訴訟または当事者訴訟により、公表の事前差止めを求めることが考えられる。

3　即時強制

　1および2で見たのは、法律や行政処分によって私人に義務を課したうえで、私人がその義務を自発的に履行しない場合に、行政主体が自ら義務の履行を実現したり、義務違反者に制裁を与えたりするものである。義務を課さずに行政がいきなり実力行使するのではなく、私人に義務履行の機会を与えることで、私人の自発的な意思を尊重することができるし、行政主体にとっても、自らコストをかけて実力行使するまでもなく私人が自発的に義務を守ってくれれば、それに越したことはない。

　しかし、消火活動の必要から建物を破壊する「破壊消防」のように、義務を命ずる暇のない緊急事態や、泥酔者の保護のように、義務を命ずることによっては目的を達成し難い場合もある。このような場合に、相手方の義務の存在を前提とせずに、行政機関が直接に身体または財産に実力を行使して行政上望ましい状態を実現することを**即時強制**という（**即時執行**ということもある）。行政上の強制執行の一種である直接強制とは、「義務の賦課」というプロセスの有無によって区別される。

　即時強制には、法律による行政の原理から、法律（条例を含む）の根拠が必要である。なお、**義務履行確保手段ではないので、行政代執行法1条の適用はなく、条例によって即時強制を定めることも可能**である。

　事前手続の保障については、緊急性のある場合があることを考えると、一律に要求することはできない。しかし、即時強制のなかには、事前手続を全くとれないほど緊急性があるとはいえない場合もあり、そのような場合には、事前手続の保障を検討すべきである。なお、「事実上の行為」は行手法上の不利益処分に当たらない（2条4号イ）ため、即時強制には行手法は適用されない。

　　＊　「感染症の予防及び感染症の患者に対する医療に関する法律」は、感染症患者の健康診断や入院について、事前の勧告、理由提示、第三者機関の意見聴取等を規定している。

第15講　情報公開・個人情報保護

◆学習のポイント◆
1 行政機関情報公開法（および情報公開条例）の目的（説明責任）、対象（行政文書）および何人にも開示請求権が認められることを理解する。
2 不開示情報として、①個人情報、②法人情報、③国の安全等に関する情報、④公共の安全等に関する情報、⑤審議・検討・協議に関する情報、⑥事務・事業に関する情報がある。
3 不開示決定の理由提示、部分開示、裁量的開示、存否応答拒否について理解する。
4 開示決定に対する第三者の手続保障と救済方法を理解する。
5 開示・不開示の決定に対する審査請求（情報公開・個人情報保護審査会への諮問）および訴訟について、インカメラ審理の可否等を理解する。
6 行政機関等（地方公共団体を含む）の個人情報保護について、民間部門とともに個人情報保護法に定められたこと、およびその概要（自己情報の開示・訂正・利用停止請求の仕組み等）を理解する。

1　情報公開

(1)　政府の説明責任・国民の知る権利

　行政機関がもっている情報は、私人がもっている情報とは違って、公の利益に関わる事柄を決めたり実行したりするために、税金を使って集められたものである。政府の活動は主権者である国民から託されたものであるという**国民主権**の理念からは、政府は国民に対して、自らの諸活動を説明する責務（**説明責任**）を負い、国民には行政機関がもっている情報を**知る権利**（→基本憲法Ⅰ151頁）があると考えられる。つまり、行政の情報は行政機関だけが独占すべきものではなく、国民みんなが共有すべきものなのである。

(2) 情報公開条例と情報公開法

このような考え方に基づいて、1980年代から、まず、先進的な地方公共団体で、**情報公開条例**が制定され始め、現在では、全国のほぼすべての都道府県・市区町村で、情報公開条例が制定されている。国については、1999年に、**行政機関の保有する情報の公開に関する法律**（以下「情報公開法」という）が成立し、2001年から施行された。また、2001年には、**独立行政法人等の保有する情報の公開に関する法律**（独立行政法人等情報公開法）も制定されている（→81頁）。

以下では、情報公開制度のモデルとして、情報公開法の規定内容を中心に見ていく。

> ＊　国の情報公開法と各地方公共団体の情報公開条例の内容は、今日ではかなりの程度共通しているが、主な相違点として、①情報公開法では目的規定（1条）に「知る権利」が明記されていないのに対し、情報公開条例では前文または目的規定に「知る権利」が明記されている例が多いこと、②情報公開法では開示請求手数料が課される（16条）のに対し、情報公開条例では開示請求手数料が無料とされている例が多いこと、等が挙げられる。

(3) 情報公開法の対象

情報公開法の対象となる行政機関は、国の行政機関と会計検査院である（2条1項）。

情報公開法に基づく開示請求の対象は、行政文書、すなわち、行政機関の職員が職務上作成しまたは取得した文書・図画・電磁的記録で、組織的に用いるものとして当該行政機関が保有しているものである（2条2項）。①**電磁的記録が含まれること**、②**組織的共用文書であればよく、決裁・供覧等を経ている必要はないこと**（職員のメモであっても、組織的に共用されていれば対象になる）、③行政機関が**保有している文書が対象**であって、文書に記録されていない情報そのものが対象になるわけではなく、保有していない文書を請求に応じて作成する義務はないこと（請求対象の文書を行政機関が保有していない場合には、文書不存在による不開示決定をすべきである。9条2項）、等に注意が必要である。ただし、③に関して、情報公開制度を実効的なものにするには、前提として、適切な文書管理が不可欠であり（情報公開を逃れる目的で行政文書を廃棄するようなことが許されないのは言うまでもない）、2009年に**公文書等の管理に関する法律**（公文書管理法）が制定されている。

> ＊　不特定多数者への販売目的で発行されるもの、公文書管理法の定める特

定歴史公文書等、政令で定める施設で歴史的・文化的資料等として特別の管理がされているものは、情報公開法にいう行政文書から除かれる（2条2項ただし書）。

(4) **開示請求権**

情報公開法3条は、「何人（なんぴと）も、この法律の定めるところにより、行政機関の長（……）に対し、当該行政機関の保有する行政文書の開示を請求することができる」と規定している。情報公開制度は、行政による単なる情報提供制度ではなく、**誰でも**（個人・法人や、**日本国民・外国人**を問わない）、**権利として行政文書の開示を請求**できるとされていることが重要である。これにより、開示を拒否された人は、裁判で争うことができる。開示請求者がどのような理由でその情報を必要としているかは問われない。行政機関の側からいうと、請求理由によって開示を拒否することは許されない。

* 開示請求者は、通常、何らかの知りたい情報があって開示請求をしていると考えられるが、知りたい情報が記載されている文書としてどのようなものがあるかがわからないと、漠然とした請求となり、結果的に大量請求につながったり、請求者が求めていたのとは異なる文書が開示されたりするおそれがある。したがって、行政機関が開示請求者に対し適切な情報提供と意思確認を行い、請求対象文書の特定を進めることが重要である。しかし、特に理由や目的のない大量請求であっても、本文で述べた情報公開制度の建前から、拒否することは原則として許されず、行政機関が対応に苦慮する場合がある。開示請求者が開示に関する権利を正当に行使すべき旨を規定する情報公開条例の下で、実施機関の業務に著しい支障を生じさせることを目的とした大量請求について、権利の濫用に当たり許されないとした裁判例がある（横浜地判平成22年10月6日判例自治345号25頁、CB10-6）。

開示請求および開示の実施には、政令で定める額の手数料が課される（16条）。

(5) **不開示情報**

情報公開法5条は、行政文書の開示義務を原則としつつ、例外的に開示すべきでない情報（**不開示情報**）について定めている。すなわち、①**個人情報**（1号・1号の2）、②**法人等**の正当な利益を害するおそれのある情報（2号）、③**国の安全等**に関する情報（3号）、④**公共の安全等**に関する情報（4号）、⑤**審議・検討・協議**に関する情報（5号）、⑥**事務・事業**に関する情報（6号）である。

このうち、1号は、プライバシーに該当する情報を不開示とする「プライ

バシー情報型」ではなく、**個人が識別される情報を原則として不開示とする「個人識別型」**をとっている。個人識別性については、他の情報と照合することにより特定の個人が識別される場合も認められる（いわゆるモザイク・アプローチ）。ただし、個人識別情報であっても、(イ)**法令の規定によりまたは慣行として公にされ、または公にすることが予定されている情報**、(ロ)**人の生命等を保護**するために公にすることが必要であると認められる情報、(ハ)**公務員等の職および職務遂行の内容に関する情報**については、開示しなければならない。なお、公務員等の氏名については、(ハ)の開示対象とはされていないが、(イ)に該当する場合には、開示しなければならない。

2号は、法人情報のうち、公にすることにより**法人の正当な利益を害するおそれのあるもの**（同号イ）、および、いわゆる**任意提供情報で公にしないという条件が合理的**であるもの（同号ロ）について、不開示情報としている。ただし、人の生命等を保護するための例外条項がある（同号ただし書）。なお、事業を営む個人の当該事業に関する情報は、2号に含まれ、1号からは除外されている。

不開示情報については、仮に開示した場合に生じうる支障等を予測する必要があるため、「……おそれがあるもの」等の形で規定されているものが多い。このように抽象的な文言が用いられているが、不開示情報の該当性が裁判で争われた場合には、裁判所が自ら解釈によってその意味を確定すべきであり、**不開示情報該当性の判断につき行政庁の裁量（要件裁量）は認められない**と解される（最判平成23年10月14日判時2159号53頁②、基判158頁、百選Ⅰ32は、「情報公開法5条2号イ所定の不開示情報に当たるか否かは同号イの定める要件に該当する事情の有無によって客観的に判断されるべきものであって、処分行政庁の裁量判断に委ねられるべきものではない」とする）。情報公開法は行政文書の開示を原則としており、不開示とされるのは例外であること、また、不開示情報該当性の判断は、必ずしも専門技術性を要するものではなく、裁判所が判断可能であること等がその理由であると思われる。ただし、情報公開法5条3号および4号は、「……おそれがあると**行政機関の長が認めることにつき相当の理由がある情報**」と規定しており、これは、「おそれ」の有無の判断につき行政機関の長に**裁量**を認める趣旨である（裁判所の審査は、「相当の理由」の有無に限られる）。

(6) 開示請求に対する措置

行政機関の長は、開示請求に対して、開示または不開示（文書不存在の場合を含む）の決定をし、開示請求者に書面により通知しなければならない

（情報公開法9条）。この決定は行手法にいう「申請に対する処分」に該当し、不開示決定には**理由提示**（行手法8条）をしなければならない。

開示・不開示の決定は、適法な開示請求がなされてから30日以内にしなければならない（情報公開法10条1項）。ただし、事務処理上の困難その他正当な理由があるときは、30日以内に限り延長することができる（同条2項）。また、開示請求にかかる行政文書が著しく大量である場合につき、上記期限の特例が定められている（情報公開法11条）。

(7) 部分開示・裁量的開示・存否応答拒否

文書の一部に不開示情報が記録されていて、その部分を分けて除外することが容易にできるときは、それ以外の部分を開示しなければならない（**部分開示**。情報公開法6条）。これは、不開示の範囲が不当に広がらないようにするための工夫である。部分開示は、文書の一部を不開示とすることを意味するから、不開示決定の部分につき、行手法8条に基づき**理由提示**の義務が生ずる。

> ＊　なお、情報公開法6条2項の趣旨は、例えば、「甲野太郎が料亭で接待を受けた」という情報は、ひとまとまりで意味を有する個人情報であり、「甲野太郎」の部分を除外しても個人情報でなくなるわけではないが、この部分を除外することにより、公にしても個人の権利利益が害されるおそれがないと認められるときは、情報公開法5条1号にいう個人情報に含まれないとみなして、部分開示を行わせるものである。個人情報以外の情報については、情報公開法6条2項のような規定が置かれていないため、部分開示の範囲をめぐって争いがある（最判平成19年4月17日判時1971号109頁、基判159頁、百選Ⅰ34参照）。

また、不開示情報であっても、公益上特に必要があるときは、開示することができる（**裁量的開示**。情報公開法7条）。

情報公開法8条は、**存否応答拒否**について定めている。これは、例えば、「甲野太郎の前科記録」の開示請求がされた場合、「個人情報に該当するから不開示にする」と回答すると、甲野太郎の前科記録が存在することが請求者に知られてしまうので、このような場合には、文書の存否を明らかにしないで開示請求を拒否できるとするものである。

> ＊　この例で、前科記録が存在する場合にのみ存否応答拒否をし、存在しない場合には文書不存在により不開示とする運用をすると、存否応答拒否によって文書の存在が推知されてしまうので、前科記録が存在しない場合にも存否応答拒否をする必要がある。

(8) 第三者に対する手続保障

> **【設問１】**
> Xの経営するホテルに感染症患者が宿泊した旨が記載された文書について、Aから情報公開法に基づく開示請求を受けた厚生労働大臣Yは、当該文書に記録された情報は同法５条２号ただし書に該当すると判断し、開示決定をすることを検討している。これに対し、Xは、既に施設の消毒等の措置を済ませており、宿泊者への感染のおそれはないから、当該文書を公開する必要はないと考えている。Xは、当該文書の開示を阻止するため、どのような法的手段をとることができるか。

行政文書の中に、国等および開示請求者以外の者（第三者）に関する情報が記録されている場合には、行政機関の長は、開示決定をしようとする際に、当該第三者に対して意見書を提出する機会を与えることができる（**任意的意見聴取**。13条１項）。

また、①個人情報・法人情報として原則不開示であるが、例外的に公益上の義務的開示（５条１号ロ・同条２号ただし書）を行う場合、②不開示情報が記録された文書について公益上の理由により裁量的開示（７条）をする場合には、当該第三者に対して意見書を提出する機会を与えなければならない（**義務的意見聴取**。13条２項）。

上記の手続により第三者が反対意見を提出した場合であっても、行政機関の長は開示決定をすることができるが、当該第三者に対して争訟の機会を保障するため、開示決定から開示の実施までに、少なくとも２週間を置かなければならない。この場合、行政機関の長は、開示決定後直ちに、反対意見を提出した第三者に対して、開示決定をした旨・その理由・開示実施日を書面により通知しなければならない（13条３項）。

本問の文書の開示については、義務的意見聴取が適用される（13条２項１号）から、Yは、Xに対して意見書を提出する機会を与えなければならない。これに対して、Xが開示に反対する意見書を提出したにもかかわらず、Yが開示決定を行った場合には、開示の実施までに少なくとも２週間が置かれるので、その間に、Xは、開示決定の**取消訴訟**を提起するとともに、開示決定の**執行停止**の申立て（行訴法25条）をすることができる。なお、開示決定がされる前に**差止訴訟**（行訴法３条７項）を提起しうるかについては、開示決定後に取消訴訟および執行停止により救済が可能であるとすれば、「重大な損害を生ずるおそれ」（行訴法37条の４第１項。→404頁）の要件を満た

第15講 情報公開・個人情報保護

さないと解される。このほか、Yに対して行審法に基づく審査請求（→後掲(9)）や執行停止の申立て（行審法25条）をすることもできる。

＊　当該訴訟または不服申立てにおいて、Xは、当該文書が開示されると宿泊客がXのホテルを敬遠し、Xの競争上の地位を害するおそれがあるから、情報公開法5条2号イに該当すること、および、既に施設の消毒等の措置を済ませており、宿泊者への感染のおそれはないから、同号ただし書に該当しないことを主張することが考えられる。

(9)　救済制度

開示請求に対する決定に対して、請求者や第三者が不服である場合、行審法に基づく**審査請求**（→第16講）をすることができる。ただし、審理員による審理手続は、適用されない（情報公開法18条）。当該審査請求に対する裁決をすべき行政機関の長は、（一定の例外的な場合を除き）総務省に置かれる**情報公開・個人情報保護審査会**（以下「審査会」という）に諮問しなければならない（情報公開法19条）。なお、情報公開条例に基づく開示決定等についても、多くの地方公共団体で、同様の審査会が置かれている。

審査会には、**インカメラ審理**の権限が与えられている（情報公開・個人情報保護審査会設置法9条1項・2項）。これは、審査会が諮問庁に対して、開示請求等の対象とされている文書を提示させて、実物を直接見たうえで審議する手続である。その際、当該文書を開示請求者にも見せてしまうと、開示したのと同じことになってしまうので、開示請求者には見せずに審議する。

審査会は諮問機関であり、答申に法的拘束力はないが、答申の内容は公表されるから、特段の合理的理由がない限り、答申と異なる裁決をすることは困難であろう（なお、行審法50条1項4号参照。→244頁）。

また、不開示決定に不服のある者は、不開示決定の**取消訴訟**を提起することができ（不服申立前置の規定は置かれていないので、行訴法8条1項により、不服申立てを経ずに直ちに取消訴訟を提起できる）、あわせて、当該文書を開示せよという**申請型義務付け訴訟**（行訴法3条6項2号）も提起できる（両者の関係につき、→384頁）。ただし、審査会での審査とは異なり、当該文書そのものを裁判官だけが見て判断すること（**インカメラ審理**）は、訴訟で用いられる証拠は当事者の吟味・弾劾の機会を経たものに限られるという民事訴訟の基本原則に反するから、明文の規定がない限り許されないとされている（最決平成21年1月15日民集63巻1号46頁、基判160頁、百選Ⅰ35）。そこで、行政機関としては、文書自体を裁判官に見せずに、その文書

を公開するとどのような支障があるのかを裁判官に説明し、納得してもらう工夫が必要になる（不開示情報に該当することの主張・立証責任は、行政機関側が負う。→378頁）。

2　個人情報保護

(1)　自己情報コントロール権

憲法13条を根拠とする**プライバシー権**は、現代の情報化社会においては、「ひとりで放っておかれる権利」という消極的なものではなく、「**自己情報コントロール権**」という積極的な権利と考えられている（→基本憲法Ⅰ63頁以下）。今日では、個人情報を行政機関や民間事業者等に一切知らせないことは不可能であり、むしろ、個人情報を的確に伝える必要がある場合が少なくない。その際には、行政機関や民間事業者等が保有している自分の個人情報が正確なものか、提供した個人情報が外部に漏れたり本来の目的以外に使われたりすることがないか等をチェックできることが重要である。

(2)　公的部門と民間部門を包括する個人情報保護法

このような考え方に基づいて、2003年に、**個人情報の保護に関する法律**（個人情報保護法）が制定された。この法律は、公的部門および民間部門を通じた個人情報保護の基本法制を定める（第1章～第3章）とともに、制定当初は、専ら民間部門の個人情報保護について、事業者の具体的義務を定めていた（第4章）。これに対し、行政機関および独立行政法人等の具体的義務については、当初は同法ではなく、行政機関個人情報保護法および独立行政法人等個人情報保護法で定められ、地方公共団体については、各団体の個人情報保護条例で定められていた。しかし、情報通信技術の急速な進展やビッグデータ社会の到来により、個人情報の有用性が拡大し、官民データの活用・連携や、国際的な規律（EU一般データ保護規則）への対応の必要性が高まったため、2021年に個人情報保護法に統合された（第5章。次項で概要を述べる）。

個人情報の適正な取扱いを確保するための監督・監視機関として、職権行使の独立性を認められた**個人情報保護委員会**が置かれている（第6章）。同委員会は、民間事業者に対する監督権限（→第10講【設問1】〔166頁〕）のみならず、上記2021年改正により、行政機関等に対する監視権限をも有する。

　　＊　個人情報保護法にいう個人情報は、生存する個人に関する情報とされており（2条1項）、死者の情報を含まないが、死者の情報が同時に開示請求

者自身の個人情報でもあると解される場合（例えば、未成年者である子どもの死亡に関して作成された報告書の開示を親が請求する場合）には、開示請求が可能である。

(3) **行政機関等における個人情報等の取扱い**

個人情報保護法は、行政機関等（地方公共団体の機関および独立行政法人等を含む。2条11項）における個人情報等の取扱いについて、利用目的の特定とその範囲内での保有（61条）、本人から取得する際の利用目的の明示（62条）、不適正な利用の禁止（63条）、不正の手段による取得の禁止（64条）、正確性の確保（65条）、安全管理措置（66条）、従業者による漏えいや不当目的利用の禁止（67条）、漏えい等の際の個人情報保護委員会への報告（68条）、目的外利用・提供の禁止（69条）、保有個人情報の提供を受ける者に対する措置要求（70条）、等を規定している。

また、個人情報ファイルについては、特定個人を容易に検索できるため、適切に管理されるように、保有しようとするときの個人情報保護委員会への事前通知（74条）、個人情報ファイル簿の作成・公表（75条）、不正提供に対する罰則（176条）を規定している。

本人が自己の保有個人情報に関与する権利として、**開示請求権**（76〜89条）・**訂正請求権**（90〜97条。【設問2】）・**利用停止請求権**（98〜103条）が認められている。それらに関する決定に不服のある者は、審査請求をすることができ、その場合には、**情報公開・個人情報保護審査会**（→226頁）に諮問される（104〜107条）。

地方公共団体の機関についても、上記のとおり個人情報保護法の規律に統一されたが、地域特性に応じた「条例要配慮個人情報」（60条5項）に関する規定や、開示手続等に関する独自規定（情報公開条例との整合性確保等）を条例に設けることはできる（108条）。

なお、行政機関等匿名加工情報（特定の個人を識別できないように個人情報を加工し、当該個人情報を復元できないようにしたもの。60条3項）の提供等についても規定が置かれている（109〜123条）。2015年の個人情報保護法改正により、一定の条件下で「匿名加工情報」の自由な利活用を認めることにより、ビッグデータ・ビジネスの創出等を可能とする環境整備が図られたことから、公的部門についてもこれに対応する趣旨である。

【設問2】保有個人情報の訂正請求
Xは、国立A大学付属病院で受けた診療にかかる診療報酬明細書の写しに

> ついて、個人情報保護法に基づき、同病院を経営する国立大学法人Yに対して、開示請求をし、開示を受けた。Xは、その内容を確認したところ、実際に自分が受けた診療行為と異なるとして、同法に基づき、Yに訂正を請求した。Yは、同法に基づく訂正義務を負うか。なお、Yが診療報酬明細書の写しを保管しているのは、自ら行った療養の給付に関する費用を保険者に請求し、その診療報酬の支払いを受けたことの証拠書類とするためである。

保有個人情報の訂正請求（個人情報保護法90条）は、開示決定に基づき開示を受けた保有個人情報（**開示決定前置主義**がとられている）の内容が事実でないと思料されるときに、本人が訂正を請求しうるものである。訂正請求の対象は「事実」であって、評価・判断には及ばない。また、訂正請求は、「当該訂正請求に係る保有個人情報の**利用目的の達成に必要な範囲内で**」（同法92条）認められる。したがって、例えば、過去の事実を記録することが利用目的であるものについて、現在の事実に基づいて訂正を請求することはできない。

本問で、診療報酬明細書の写しの保険医療機関における利用目的は、自ら行った療養の給付に関する費用を保険者に請求し、その診療報酬の支払いを受けた際の証拠書類として保管しておくことである。そして、そこに記載された内容により診療報酬の請求がされたという事実に誤りはない。したがって、仮に、その請求された内容が実際にされた診療行為と異なると考えられるものであったとしても、個人情報保護法に基づく訂正義務はないと解される（参照、最判平成18年3月10日判時1932号71頁、基判160頁、百選Ⅰ37、CB10-5）。

(4) **マイナンバー法**

2013年に、「行政手続における特定の個人を識別するための番号の利用等に関する法律」（**マイナンバー法、番号法**）が制定された。この法律は、行政手続において個人番号（マイナンバー）・法人番号の有する識別機能を活用することにより、行政運営の効率化と国民の利便性の向上を図るとともに、個人番号の取扱いが安全かつ適正に行われるよう、個人情報保護法の特例を定めるものである。

III 行政救済論

第16講　行政上の不服申立て

> ◆学習のポイント◆
> 1　行政上の不服申立ての長所（簡易迅速性）および短所（中立性・手続の厳格さに劣る）について理解する。
> 2　不服申立ての種類（審査請求・再調査の請求・再審査請求）および要件、行審法の適用除外について理解する。
> 3　不服申立ての審理手続（特に審理員および行政不服審査会等）、裁決、執行停止および教示について理解する。
> 4　不服申立てを経ないと取消訴訟を提起できないかについて、原則（自由選択主義）と例外（不服申立前置）を理解する。
> 5　原処分と不服申立棄却裁決のいずれの取消訴訟を提起すべきかについて、原則（原処分主義）と例外（裁決主義）を理解する。

総説　行手法・行審法・行訴法の相互関係

行訴法は、違法な行政活動に対して、国民を**裁判**によって**救済**する手続を定める法律である。同じく行政活動に対する国民の救済手続を定める法律として、**行審法**があるが、これは裁判手続ではなく**行政過程**における**救済**手続である。また、行審法および行訴法は、主として、違法・不当な行政活動がなされた後で、それに対して国民を救済する手続（**事後手続**）を定めるのに対し、**行手法**は、違法・不当な行政活動がなされるのを未然に防ぐために、行政活動を行うに際して必要とされる手続（**事前手続**）を定めるものである。

このように、行政活動と国民との関係を手続面で規律するこれら３つの法律は、その対象が行政手続か裁判手続か、事前手続か事後手続かという点で異なる（→次頁図）。

しかし、これらの手続はいずれも、行政活動に対する国民の権利保護（お

行政手続	事前手続	行政手続法
	事後手続 （行政救済手続）	行政不服審査法
裁判手続		行政事件訴訟法

よび、それを通じた、行政活動の適正化）を目的とする点で共通し、また、行政過程において相互に関連している。したがって、これらの手続を総合的に考察するという視点も重要である。

　　＊　ただし、行手法・行審法・行訴法と事前手続・事後手続との対応関係については、上記の原則と一致しない場合がある。例えば、**行政指導の中止等の求め**（行手法36条の２。→173頁）は、行政指導の事後手続であるが、現行法上、行審法の対象は処分に限られ、行政指導は対象とされていない（したがって、行政指導の中止等の求めについては、審理員による審理手続等は保障されない）。他方、行訴法の規定する訴訟の中には、義務付け訴訟・差止訴訟（行訴法３条６項・７項。→268頁、271頁）のように、事後手続とはいえないものもある。

　　　なお、されるべき処分がされない場合の行政過程における救済については、申請に対して処分がされない場合であれば、**不作為についての審査請求**（行審法３条。→236頁）が可能であるが、申請の仕組みがない場合には、行審法の対象外であり、**処分等の求め**（行手法36条の３）の対象となる（→第７講【設問３】〔119頁〕。この場合、審理員による審理手続等は保障されない）。

1　行政上の不服申立ての長所・短所

【設問１】
　行政上の不服申立制度は、行政訴訟制度と比べて、どのような長所および短所を有するか、説明せよ。

(1)　行政上の不服申立ての制度的長所は、以下のとおりである。
①　裁判に比べて、簡易迅速な救済制度として手続を構成することができる。
②　裁判と異なり、処分の適法・違法のみならず、処分の当・不当（これは裁量処分について問題となる）についても審査できる。
③　行政側にとっては、行政上の不服申立てを受けて、簡易迅速に行政の改善と統一性の確保を図る機会を与えられるというメリットがある。
④　裁判所にとっては、行政上の不服申立段階で紛争が解決されることに

より、負担が軽減される。また、専門的な問題について、不服申立段階で争点が明確になり、裁判所の審理がしやすくなる。

(2) 行政上の不服申立ての制度的短所は、以下のとおりである。

① 中立性において裁判所よりも劣る。

② 裁判所におけるほど厳格な事実認定がなされない。

(3) 以上のことから、行政上の不服申立ての制度設計や運用においては、簡易迅速性を損なわないようにしつつ、審理の客観性・公正性を確保することが課題となる。行審法の目的規定（1条1項）に「簡易迅速かつ公正な手続」が掲げられているのも、そのような趣旨であると解される。また、行政上の不服申立ての長所のうち③④は、国家機関にとってのメリットであり、これを重視して不服申立前置を義務付けることは、国民の迅速な権利救済の要請に反するおそれがあるので、両者のバランスを検討する必要がある（→246頁）。

2　不服申立ての種類・要件

【設問2】
　Xは、甲県乙市の福祉事務所長Yに対し、生活保護法に基づく保護の申請をしたが、Yは、Xは稼働能力を有するのにそれを活用していないとして、保護をしない旨の決定（本件決定）をした。Xは、本件決定に不満であり、行審法に基づく不服申立てをしたいと考えている。Xは、本件決定につき、どの行政庁に対して、いつまでに、どのような行政上の不服申立てをすることができるか。なお、乙市福祉事務所長委任規則は、生活保護法の保護に関する事務について、乙市長の権限に属するものを乙市福祉事務所長に委任すると定めている。

◆生活保護法◆（第1講【設例D】の参照条文〔→23頁〕も参照）
（審査庁）
第64条　第19条第4項の規定により市町村長が保護の決定及び実施に関する事務の全部又は一部をその管理に属する行政庁に委任した場合における当該事務に関する処分……についての審査請求は、都道府県知事に対してするものとする。
（裁決をすべき期間）
第65条　厚生労働大臣又は都道府県知事は、保護の決定及び実施に関する処分……についての審査請求がされたときは、当該審査請求がされた日（行政不服審査法（……）……第23条の規定により不備を補正すべきことを命じた場合にあっては、当該不備が補正された日）から次の各号に掲げる場合の区分に応じそれぞれ当該各号に定める期間内に、当該審査請求に対する裁決をしなければならない。

一　行政不服審査法第43条第1項の規定による諮問をする場合　70日
　二　前号に掲げる場合以外の場合　50日
2　審査請求人は、審査請求をした日（行政不服審査法第23条の規定により不備を補正すべきことを命じられた場合にあっては、当該不備を補正した日。第1号において同じ。）から次の各号に掲げる場合の区分に応じそれぞれ当該各号に定める期間内に裁決がないときは、厚生労働大臣又は都道府県知事が当該審査請求を棄却したものとみなすことができる。
　一　当該審査請求をした日から50日以内に行政不服審査法第43条第3項の規定により通知を受けた場合　70日
　二　前号に掲げる場合以外の場合　50日
（再審査請求）
第66条　市町村長がした保護の決定及び実施に関する処分若しくは第19条第4項の規定による委任に基づいて行政庁がした処分に係る審査請求についての都道府県知事の裁決……に不服がある者は、厚生労働大臣に対して再審査請求をすることができる。
2　略
（審査請求と訴訟との関係）
第69条　この法律の規定に基づき保護の実施機関……がした処分の取消しの訴えは、当該処分についての審査請求に対する裁決を経た後でなければ、提起することができない。

(1) 不服申立ての種類と相互関係

　行審法は、①**審査請求**（2条～4条・第2章）・②**再調査の請求**（5条・第3章）・③**再審査請求**（6条・第4章）の3種類の不服申立手続を定める。このうち、①審査請求が原則的な手段であり、②再調査の請求および③再審査請求は、個別法に定めがあるときに限り認められるオプションである。

ア　審査請求

　行政庁の処分または不作為（→後掲(2)ア）に不服がある者は、審査請求をすることができる（行審法2条・3条）。審査請求をすべき行政庁は、原則として、処分庁等（処分庁または不作為庁）の**最上級行政庁**であるが（行審法4条4号）、処分庁等に上級行政庁がない場合または処分庁等が主任の大臣である場合等は、**当該処分庁等**である（行審法4条1号）など、一定の例外がある。

　2014年改正前の旧行審法は、処分庁・不作為庁に対する不服申立てを異議申立てとし、処分庁・不作為庁以外の行政庁に対する不服申立てを審査請求として、両者で異なる手続を規定していたが、新法は、**異議申立てを廃止**し、**審査請求に一元化**した。したがって、旧法と新法とで、審査請求の定義

が異なり、新法では、処分庁・不作為庁が審査請求の審査庁となる場合があることに注意が必要である。

イ 再調査の請求

再調査の請求は、**処分庁自身**に対して、審査請求よりも簡易な手続で処分の見直しを求める手続である。処分庁以外の行政庁に対して審査請求ができる場合において、**個別法に定めがあるとき**(国税通則法に基づく課税処分等。→247頁)に、することができる(行審法5条1項本文)。再調査の請求ができる場合に、再調査の請求をせずに審査請求をすることは可能である(**自由選択**。同項ただし書参照)が、再調査の請求をしたときは、原則として、再調査の請求についての決定を経た後でなければ、審査請求をすることができない(同条2項)。なお、不作為については、再調査の請求は規定されていない。

ウ 再審査請求

再審査請求は、審査請求の裁決に不服のある者が、さらに不服を申し立てる手続である。**個別法に定めがあるときに**、することができる。

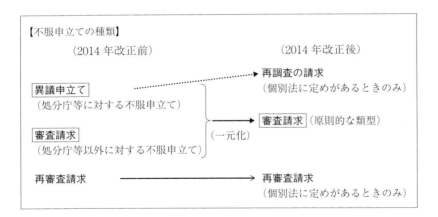

(2) 不服申立ての要件

ア 不服申立ての対象

審査請求の対象は、行政庁の**処分**または**不作為**であり(行審法2条・3条)、再調査の請求および再審査請求の対象は、行政庁の処分である(行審法5条1項・6条1項)。

処分(行審法1条2項)については、行訴法における処分性概念(→第5講1〔84頁〕、第18講、第19講)と同様に解される。

不作為とは、行政庁が**法令に基づく申請**に対して何らの処分をもしないことをいう（行審法3条）。不作為の違法確認訴訟（行訴法3条5項。→267頁）の場合と同様に、「法令に基づく申請」が要件とされていることに注意が必要である。

イ　不服申立適格

処分に関する不服申立適格について、行審法は行訴法9条に相当するような規定を置いておらず、処分に「不服がある者」と規定するのみである（行審法2条・5条1項・6条1項）が、判例は、取消訴訟の原告適格と同様に、**法律上の利益**がある者と解したうえで、**法律上保護された利益説**に立っている（最判昭和53年3月14日民集32巻2号211頁、主婦連ジュース訴訟、基判280頁、百選Ⅱ128、CB12-1。→328頁）。

ウ　不服申立期間

処分についての審査請求および再調査の請求は、**処分があったことを知った日の翌日から起算して3カ月を経過したときは、することができない**（**主観的不服申立期間**。行審法18条1項・54条1項）。また、処分があった日の翌日から起算して1年を経過したときは、することができない（**客観的不服申立期間**。行審法18条2項・54条2項）。ただし、いずれの場合も、**正当な理由**があれば例外が認められる（同条1項ただし書・2項ただし書）。なお、処分について再調査の請求をしたときは、審査請求は、当該再調査の請求についての決定があったことを知った日の翌日から起算して1カ月を経過したときは、することができない（行審法18条1項）。主観的不服申立期間と客観的不服申立期間との関係や、「知った日」および「正当な理由」の解釈については、取消訴訟の出訴期間と基本的に同様の考え方が当てはまるので、261頁のコラムを参照。

再審査請求は、原裁決（審査請求についての裁決）があったことを知った日の翌日から起算して1カ月を経過したときは、することができず（行審法62条1項）、また、原裁決があった日の翌日から起算して1年を経過したときは、することができない（同条2項）。ただし、いずれの場合も、正当な理由があれば例外が認められる（同条1項ただし書・2項ただし書）。

エ　審査請求書の提出

審査請求は、他の法律（条例に基づく処分については、条例）に口頭ですることができる旨の定めがある場合を除き、審査請求書を提出してしなければならない（行審法19条1項）。

なお、審査請求人は、裁決があるまでは、いつでも審査請求を取り下げる

ことができる。審査請求の取下げは、書面でしなければならない（行審法27条）。

(3) 適用除外

処分または不作為であっても、行審法の適用除外とされているものがある（行審法7条1項）。その趣旨によって分類すると、①特別な機関により特別な手続で行われる処分（国会や裁判所によってされる処分等。同項1号〜4号）、②行審法が定める審査請求よりも慎重な手続で行われる処分（犯則調査において行われる処分等。同項5号〜7号）、③処分の性質に照らして、行審法を適用することが適当でないとされたもの（学校、刑務所等における処分、外国人の出入国に関する処分等。同項8号〜11号）、④既に審査庁の判断が示されており、再度審査庁の判断を求めさせる意義に乏しいもの（行審法に基づく処分。同項12号）である（宇賀・新行審法解説44頁以下）。

また、国の機関または地方公共団体等に対する処分で、これらの機関等がその**固有の資格**において当該処分の相手方となるものおよびその不作為についても、適用除外とされている（行審法7条2項。行手法にも同様の適用除外規定がある。→101頁）。「固有の資格」とは、**一般私人が立ちえないような立場**をいう。最判令和2年3月26日民集74巻3号471頁（辺野古関与取消訴訟、基判382頁、百選Ⅱ130）は、「固有の資格」の有無は、処分に係る事務・事業の実施主体が国の機関等に限られているか否か、また、限られていない場合であっても、当該事務・事業を実施しうる地位の取得について、国の機関等が一般私人に優先するなど特別に取り扱われているか否か等を考慮して判断すべきであるとした。そして、公有水面埋立法に基づく知事の埋立承認について、国の機関が「固有の資格」において相手方となるものとはいえず、行審法が適用されるとした。

適用除外とされている場合であっても、別に法令で特別の不服申立制度を設けることは妨げられない（行審法8条）。

なお、行審法は、行手法（3条3項参照）と異なり、**条例に基づく処分にも直接適用される**。ただし、条例に基づく処分について、条例で審理員による**審理手続に関する特別の定めをすることは可能**である（行審法9条1項ただし書）。

(4) 本問への当てはめ

以上を本問について見ると、まず、生活保護の決定（生活保護法24条3項）は処分に当たる（→86頁）。また、Xは本件決定の名宛人であるため、不服申立適格は当然に認められる。そこで、Xは、本件処分があったことを

知った日の翌日から起算して3カ月以内に（行審法18条1項）、審査請求ができる。審査請求をすべき行政庁は、生活保護法19条4項・乙市福祉事務所長委任規則により、乙市長が生活保護法の保護に関する事務を乙市福祉事務所長に委任している（権限の委任については→68頁）ため、生活保護法64条により、甲県知事となる（行審法4条柱書にいう「法律（……）に特別の定めがある場合」に当たる）。

Xが甲県知事の裁決に不服がある場合は、生活保護法66条1項により、裁決があったことを知った日の翌日から起算して1カ月以内に（行審法62条1項）、厚生労働大臣に対して再審査請求をすることができる（行審法6条1項にいう「法律に再審査請求をすることができる旨の定めがある場合」に当たる）。なお、この例のように、行政上の不服申立てに対する裁定を通じて国が地方公共団体の判断に関与することを**裁定的関与**といい、地方分権改革の観点から見直しが議論されている（裁定的関与において処分庁の所属する地方公共団体は裁決の取消訴訟を提起する適格を有しないとした判例として、最判令和4年12月8日民集76巻7号1519頁）。

再調査の請求については、これをすることができる旨の定めが生活保護法にないため、することができない（行審法5条1項本文）。

3　審査請求の審理手続

【設問3】
【設問2】（→234頁）の事案で、審査請求がされた行政庁（審査庁）は、いつまでにどのような手続をとらなければならないか。

(1)　標準審理期間

審査庁となるべき行政庁は、審査請求がその事務所に到達してから当該審査請求に対する裁決をするまでに通常要すべき標準的な期間を定めるよう努めるとともに、これを定めたときは、審査庁および関係行政庁の事務所における備付けその他の適当な方法により公にしておかなければならない（行審法16条）。これは、申請に対する処分についての標準処理期間（行手法6条。→111頁）と類似の規定であり、審査請求の審理の遅延を防ぐことを目的としている。

(2) 審理員による審理手続

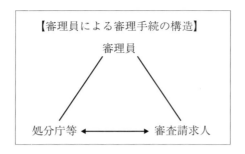

　2014年改正前の旧行審法は、審査請求の審理を行う者について規定していなかったが、現行法は、手続の公正性を確保するため、**審理員**に審理手続を主宰させ、処分庁等と審査請求人との**対審**構造の下で審理を行うこととした。もっとも、審理員は、審査庁に所属する職員（非常勤も可）であり、裁判に準じるほどの中立性や職権行使の独立性があるわけではない。

　審査庁は、**処分**・当該処分に係る再調査の請求についての決定・不作為に**関与していない職員**の中から審理員を指名する（行審法9条1項本文・2項）。審査庁となるべき行政庁は、審理員となるべき者の名簿を作成するよう努めるとともに、これを作成したときは、適当な方法により公にしておかなければならない（行審法17条）。

　審理関係人（審査請求人・参加人・処分庁等〔処分庁または不作為庁〕）および審理員は、簡易迅速かつ公正な審理の実現のため、相互に協力するとともに、**審理手続の計画的な進行**を図らなければならない（行審法28条）。審理員は、事件が複雑であることその他の事情により、迅速かつ公正な審理を行うため、審理手続を計画的に遂行する必要があると認める場合には、期日および場所を指定して、審理関係人を招集し、あらかじめ審理手続の申立てに関する意見の聴取を行うことができる（行審法37条1項。**争点・証拠の事前整理手続**）。

　審理員は、相当の期間を定めて、処分庁等に対し、**弁明書**の提出を求める（行審法29条2項）。審査請求人は、**反論書**を提出することができる（行審法30条1項）。また、参加人は、**意見書**を提出することができる（同条2項）。審査請求人または参加人の申立てがあった場合、審理員は、その申立人に**口頭で意見を述べる機会**を与えなければならない（行審法31条1項）。口頭意見陳述は、すべての審理関係人を招集して行われる（同条2項）。口頭意見

陳述に際し、申立人は、審理員の許可を得て、処分庁等に対して**質問を発する**ことができる（同条5項）。

審査請求人または参加人は、審理手続が終結するまでの間、審理員に対し、審理関係人から提出された**書類その他の物件**（審理員が職権で提出させたものを含む）の**閲覧または写し等の交付**を求めることができる。この場合、審理員は、第三者の利益を害するおそれがあると認めるとき、その他正当な理由があるときでなければ、その閲覧または交付を拒むことができない（行審法38条1項）。

審理関係人が主張していない事実を審理員（後述(3)の行政不服審査会等も同様）が職権で取り上げてその存否を調べること、すなわち**職権探知**は、行審法に明文では規定されていないが、認められると解される（旧訴願法下の判例として、最判昭和29年10月14日民集8巻10号1858頁〔基判383頁、百選Ⅱ132〕、固定資産評価審査委員会による審査について、最判令和元年7月16日民集73巻3号211頁〔基判340頁〕参照）。理由として、①訴訟と異なり行政過程における争訟であり、行政救済のみならず行政の適正な運営をも目的とすること、②簡易迅速かつ公正な救済のため、審査請求人の専門知識の不足を職権探知により補う必要があることが挙げられる（宇賀・概説Ⅱ62頁）。ただし、職権探知の義務まではない。

審理員は、審理手続を終結したときは、審査庁がすべき裁決に関する意見書（**審理員意見書**）を作成し、審査庁に提出しなければならない（行審法42条）。

再調査の請求は、審査請求よりも簡易な手続であり、審理員による審理はなされない（行審法61条は、同法9条1項を準用していない）。再審査請求においては、審理員による審理を行わなければならない（行審法66条1項による同法第2章の準用）。

(3) 行政不服審査会等への諮問

上記のとおり、審理員による審理手続の導入により審理の公正性が図られているが、審理員は審査庁に所属する職員であることから、審理の中立性を確保して公正性を高めるため、第三者機関への諮問手続が導入された。ただし、行政上の不服申立てのメリットである簡易迅速性（行審法1条1項参照）を損なわないように、一定の例外が定められている。

すなわち、審査庁は、審理員意見書の提出を受けたときは、次の①〜⑥の場合を除き、審査庁が国の行政機関である場合は**行政不服審査会**に、審査庁が地方公共団体の長である場合は地方の機関に、諮問しなければならない。

例外として諮問を要しないのは、①**審議会等の議を経て処分がされた場合**、②審議会等の議を経て裁決をする場合、③**審査請求人が諮問を希望しない旨の申出をした場合**（参加人が諮問しないことに反対する旨の申出をした場合を除く）、④**行政不服審査会等が当該事件の性質を勘案して諮問を要しないと認めた場合**、⑤審査請求が不適法であり**却下**する場合、⑥全部取消し・全部の撤廃・申請に係る**全部認容**をする場合（反対の意見書が提出されている場合等を除く）である（行審法43条1項）。

行政不服審査会は、総務省に設置され（行審法67条1項）、9人の委員で構成される（行審法68条1項）。地方公共団体には、執行機関の附属機関として、国レベルでの行政不服審査会に対応する事項を処理するための機関が置かれる（行審法81条1項）。ただし、地方公共団体は、不服申立ての状況等に鑑み、常設の審査会を置くことが不適当または困難であるときは、条例で定めるところにより、事件ごとに審査会を置くこともできる（行審法81条2項）。

再調査の請求は、審査請求よりも簡易な手続であり、行政不服審査会等への諮問は行われない（行審法61条）。再審査請求においても、行政不服審査会等への諮問は行われない（行審法66条1項は、同法43条を準用していない）。

(4) 本問への当てはめ

本問では、裁決をすべき期間が生活保護法65条に定められているため、審査庁となるべき行政庁は、標準審理期間を定める必要はないと解される。審査庁である甲県知事は、（審理員名簿を作成している場合は当該名簿に記載されている者から）審理員を指名し、その旨をXおよびYに通知しなければならない（行審法9条1項）。審理員は、行審法28条以下の手続に従って審理を行い、審理員意見書を甲県知事に提出する。甲県知事は、Xが諮問を希望しない場合等、行審法43条1項各号に該当する場合を除き、行審法81条1項または2項の機関（甲県行政不服審査会等）に諮問し、答申を受けて、審査請求の日から70日以内（生活保護法65条1項1号。甲県行政不服審査会等への諮問をしなかった場合は、50日以内。同項2号）に、裁決（行審法44条以下）をしなければならない。Xが厚生労働大臣に再審査請求をしたときは、審理員による審理が行われる（行審法66条1項による同法第2章の準用）が、行政不服審査会等への諮問は行われない（行審法66条1項は、同法43条を準用から除外している）。

4 裁　決

　裁決には、取消訴訟の判決の場合（→379頁）と同様に、**却下**（申立てが不適法な場合。行審法45条1項）・**棄却**（請求に理由がない場合。行審法45条2項）・**認容**（請求に理由がある場合。行審法46条・47条）という3種類がある。以下、認容裁決について説明する。

　処分（事実上の行為を除く）が違法または不当である場合には、**取消裁決**（処分の全部・一部の取消し）または**変更裁決**がされる（行審法46条1項）。ただし、審査庁が処分庁の上級行政庁または処分庁のいずれでもない場合には、処分庁に対する一般的な指揮監督権を有するわけではないので、個別法に別段の定めがない限り、変更裁決はできない（同項ただし書）。申請拒否処分の全部または一部を取り消す場合において、当該申請に対して一定の処分をすべきものと認めるとき、処分庁の上級行政庁である審査庁は、当該処分庁に対して当該処分をすべき旨を命じ（**義務付け裁決**）、処分庁である審査庁は、当該処分をする（行審法46条2項）。

　審査請求に係る**事実上の行為**が違法または不当である場合、審査庁は、裁決で、その旨を宣言したうえで、処分庁以外の審査庁は、処分庁に対し、当該行為の全部・一部の**撤廃**または変更を命じ、処分庁である審査庁は、当該行為の全部・一部の撤廃または変更をする（行審法47条）。ただし、審査庁が処分庁の上級行政庁以外の審査庁である場合には、変更命令はできない（同条ただし書）。撤廃の具体例としては、収容している者を放免したり、領置している物を返還したりすることが挙げられる。

　　＊　2014年改正前の旧行審法2条1項は、「公権力の行使に当たる事実上の行為で、人の収容、物の留置その他その内容が継続的性質を有するもの」が処分に含まれることを明文で規定していたが、これは確認的な規定と解され、明文規定がない現行行審法においても、同様に解される。行訴法においても、明文規定はないが、公権力の行使に当たる事実上の行為も処分に含まれると解される（なお、2004年改正行訴法で差止訴訟が認められたことから、継続的性質を有しない事実上の行為も処分として抗告訴訟の対象とされる余地がある）。

　　＊＊　行訴法は、事実上の行為についても区別せずに、処分の「取消し」の語を用いているが（3条2項）、行審法は、明確化を図るため、事実上の行為については「撤廃」の語を用いているものと考えられる。

　なお、取消訴訟における事情判決（行訴法31条。→360頁）と同様の制度として、**事情裁決**がある（行審法45条3項）。

また、審査庁は、審査請求人の不利益に処分の変更等をすることはできない（**不利益変更の禁止**。行審法48条）。

　不作為についての審査請求の認容裁決としては、**義務付け裁決**（行審法49条3項）がある。すなわち、審査請求に係る不作為が違法または不当である場合、審査庁は、裁決で、その旨を宣言したうえで、当該申請に対して一定の処分をすべきものと認めるときは、不作為庁の上級行政庁である審査庁は、不作為庁に対して当該処分をすべき旨を命じ、不作為庁である審査庁は、当該処分をする。

　審査庁は、裁決の際、審理員意見書および行政不服審査会等の答申に法的に拘束されるわけではないが、審理員および審査会の制度趣旨に鑑みると、審理員意見書および審査会答申を十分に考慮して裁決をすべきであると解される。裁決の主文が審理員意見書または審査会答申と異なる内容である場合には、異なることとなった理由を裁決書に記載しなければならない（行審法50条1項4号）。

　裁決は行政処分の一種であるが、通常の行政処分と異なり、争訟の裁断行為であることから、審査庁は、一旦下した裁決を自ら変更できないという**不可変更力**が認められる。また、認容裁決には、取消判決と同様に（→381頁）、**拘束力**が認められる（行審法52条）。

　　＊　行審法52条1項は、文言上、裁決一般が拘束力を有するとしているが、拘束力を有するのは認容裁決に限られると解されている。

5　執行停止

　取消訴訟が提起されても処分の効力等に影響がない（行訴法25条1項）のと同様に、審査請求も、処分の効力、処分の執行または手続の続行を妨げない（**執行不停止原則**。行審法25条1項）。

　そして、仮の救済として執行停止制度があるが、以下の点で、行訴法の定める執行停止（行訴法25条。→365頁以下）と異なる。

　①　審査庁が上級行政庁または処分庁である場合、**職権**による**執行停止**ができること（行審法25条2項）。

　②　審査庁が上級行政庁または処分庁である場合、処分の効力、処分の執行および手続の続行の停止に加えて、「**その他の措置**」が認められていること（行審法25条2項）。「その他の措置」とは、例えば、免職処分を暫定的に停職処分に変更すること等である。

　③　執行停止が可能な場合（**裁量的執行停止**）の要件につき、審査庁が

「**必要があると認める場合**」（行審法25条2項・3項）とされており、行訴法上の執行停止の要件（行訴法25条2項本文）よりも緩和されていること。

④ 一定の要件を満たす場合には執行停止をしなければならないとする**義務的執行停止**（行審法25条4項・5項）があること。

⑤ 内閣総理大臣の異議の制度（行訴法27条）がないこと。

6 教 示

> 【設問4】
> 【設問2】（→234頁）の事案で、次の各場合に、Xのした不服申立ては適法なものと扱われるか。
> (1) Yが本件決定につき不服申立てをすべき行政庁を教示しなかったため、XはYに不服申立書を提出した。
> (2) Yが本件決定につき乙市長に審査請求ができる旨を教示したため、Xは乙市長に審査請求をした。
> (3) Yが本件決定につきYに再調査の請求ができる旨を教示したため、XはYに再調査の請求をした。

(1) 教示制度

行政庁は、行政上の不服申立てをすることができる処分をする場合には、処分の相手方に対し、①不服申立てをすることができる旨、②不服申立てをすべき行政庁、③不服申立てをすることができる期間を、**書面で教示しなければならない**（**職権による教示**。行審法82条1項。ただし、処分を口頭で行う場合は、教示義務はない）。なお、特定の名宛人がいない処分については、同項による教示義務はない（最判昭和61年6月19日判時1206号21頁、基判383頁、百選Ⅱ136）。

また、行政庁は、**利害関係人**から上記①〜③につき教示を求められたときは、当該事項を教示しなければならない（**請求による教示**。同条2項）。ここにいう利害関係人には、少なくとも当該処分について不服申立適格を有する者は含まれると解される。

(2) 教示の不作為および誤った教示に対する救済

行政庁が教示義務を怠った場合、当該処分に不服のある者は、**処分庁に不服申立書を提出することができる**（行審法83条1項）。これにより不服申立書の提出があった場合、処分庁以外の行政庁に審査請求をすることができる処分であれば、処分庁は速やかに当該不服申立書を審査庁に送付する義務を

負い、送付がなされれば、はじめから審査庁に審査請求がされたものとみなされる（同条3・4項）。したがって、【設問4】(1)では、Xは甲県知事に対し適法に審査請求をしたものとみなされる。

審査庁でない行政庁への審査請求を教示された場合、教示された行政庁に審査請求書を提出すれば、当該行政庁は速やかに正しい審査庁へ審査請求書を送付し、その旨を審査請求人に通知する義務を負う（行審法22条1項）。また、再調査の請求ができない処分について、処分庁が誤って再調査の請求ができる旨を教示した場合に、当該処分庁に再調査の請求がされたときは、処分庁は速やかに審査庁へ再調査請求書を送付し、その旨を審査請求人に通知する義務を負う（同条3項）。これらの規定により送付がなされれば、はじめから審査庁に審査請求がなされたものとみなされる（同条5項）。したがって、【設問4】(2)(3)では、いずれの場合も、Xは甲県知事に対し適法に審査請求をしたものとみなされる。

法定期間よりも長い申立期間を教示した場合には、行審法18条1項ただし書の「正当な理由」の判断において考慮されるものと解される。

不服申立てできない処分につきできると教示した場合、不服申立てをしている間に取消訴訟の出訴期間が過ぎてしまうおそれがあるため、裁決があったことを知った日から出訴期間を起算することとして、救済が図られている（行訴法14条3項）。

7　不服申立てと取消訴訟との関係（自由選択主義と不服申立前置）

【設問5】
【設問2】（→234頁）の事案で、Xは、本件決定につき、行政上の不服申立てをせずに、直ちに取消訴訟を提起することができるか。

行政処分に対して行政上の不服申立てができる場合であっても、これを行わずに直ちに取消訴訟を提起できるのが原則である（**自由選択主義**。行訴法8条1項本文）。ただし、法律に不服申立てに対する裁決を経た後でなければ取消訴訟を提起できない旨の規定がある場合には、例外的に、**不服申立前置**が義務付けられる（行訴法8条1項ただし書）。

行訴法が自由選択主義を原則としたのは、戦前の行政裁判法および戦後の行政事件訴訟特例法のとっていた訴願前置主義（→253頁）が、国民の権利保護を阻む結果を招いたことへの反省に基づくものである。それにもかかわ

らず、多くの個別法で不服申立前置が義務付けられていたため、実効的な権利救済の観点から批判があった。

　2014年の行審法の全部改正に合わせて、不服申立前置を規定した個別法の一括改正により、前置の廃止・縮小が行われた。その際、不服申立前置を存置する基準として、以下の3点が考慮された。

　①　不服申立ての手続に**一審代替性**があり（審級省略により高等裁判所に提訴となる）、国民の手続的負担の軽減が図られている場合（電波法、特許法、弁護士法〔これらは、いずれも裁決主義とされている。→248頁〕等）

　②　**大量の不服申立て**があり、直ちに出訴されると裁判所の負担が大きくなると考えられる場合（国税通則法、地方税法、国民年金法、労働者災害補償保険法〔→317頁〕、生活保護法等）

　③　**第三者的機関**が高度に専門技術的な判断を行うこと等により、裁判所の負担が軽減されると考えられる場合（公害健康被害の補償等に関する法律、国家公務員法〔→250頁〕、地方公務員法等）

　また、異議申立てと審査請求の二重前置が定められていた個別法（例えば、国税の賦課処分については、国税通則法により、税務署長に対する異議申立てと国税不服審判所長に対する審査請求の二重前置が定められていた）については、**二重前置はすべて解消**され、前置は全廃または一重化された（税務署長に対する異議申立ては、再調査の請求に改められて自由選択とされ、国税不服審判所長に対する審査請求の前置のみが存置された）。

　不服申立前置が義務付けられている場合、処分の**不服申立期間**（行審法18条→237頁）内に不服申立てをしないと、当該処分の取消訴訟の提起もできなくなることに注意が必要である。

　本問では、生活保護法69条により審査請求の前置が義務付けられているので、Xは本件決定につき甲県知事に対する審査請求をして裁決（生活保護法65条2項により棄却とみなされる場合を含む）を経た後でなければ、原則として取消訴訟の提起はできない（例外については、→260頁参照）。なお、厚生労働大臣に対する再審査請求は、前置しなくても取消訴訟の提起ができる。

●コラム●　「不服申立前置」と「審査請求前置」

　2014年改正前の旧行審法の下では、前置が義務付けられる不服申立てには、異議申立て、審査請求および再審査請求があったが、改正行審法の下では、異議申立てと審査請求が審査請求に一元化されるとともに、再審査請求前置は廃止されたため、行審法上の不服

> 申立てに関する限り、「不服申立前置」イコール「審査請求前置」である。しかし、個別法には、審査請求以外の不服申立ての前置が義務付けられている例がある（例えば、特許法178条6項は審判の前置〔および裁決主義。→8〕を定める）ため、それらも含める趣旨で、本書では「不服申立前置」としている。
> なお、行訴法は、「審査請求その他の不服申立て」を単に「審査請求」と称している（3条3項）ため、行訴法の用語では、不服申立前置は「審査請求前置」となる（行訴法8条参照）。

8　原処分主義と裁決主義

(1)　原処分主義（原則）と裁決主義（例外）

> 【設問6】
> 【設問2】（→234頁）の事案で、Xが本件決定につき甲県知事に審査請求したところ、これを棄却する旨の裁決がされた（以下「本件裁決」という）。Xがこれを不服として取消訴訟を提起する場合、Yがした本件決定の取消訴訟を提起すべきか、それとも、本件裁決の取消訴訟を提起すべきか。次の各場合を分けて答えよ。
> (1)「Xの申請は生活保護法の定める要件を満たしているから、本件決定は違法である」と主張したい場合
> (2)「本件裁決には理由が付記されておらず、裁決手続に瑕疵がある」と主張したい場合

　取消訴訟には、「処分の取消しの訴え」と「裁決の取消しの訴え」とがある（行訴法3条2項・3項・9条）。前者は原処分（もともとの処分）の取消しを求めるものであり、後者は原処分についての行政上の不服申立てに対する裁決・決定の取消しを求めるものである。

　原処分についての審査請求を棄却する（すなわち原処分を維持する）裁決がされた場合、原処分について不服がある者は、裁決についても不服があることになるが、原処分の取消訴訟と裁決の取消訴訟のいずれを提起すべきであろうか。この点につき、行訴法は、原告は原処分の取消訴訟、裁決の取消訴訟のいずれも提起できるが、裁決の取消訴訟では、原処分の違法を理由として取消しを求めることができない（すなわち、裁決固有の瑕疵のみを主張できる）としている（行訴法10条2項）。したがって、原処分の違法を主張したい場合は、原処分の取消訴訟を提起しなければならない（**原処分主義**）。

　ただし、例外的に、個別法で、裁決の取消訴訟のみを認める**裁決主義**がとられている場合（電波法96条の2〔→360頁〕、特許法178条6項、弁護士法

61条2項〔→367頁〕等）は、原処分の違法についても裁決の取消訴訟の中で主張することになる。裁決主義の定めがある場合には、処分の際に行政庁が**教示**しなければならない（行訴法46条2項）。

　以上を本問について見ると、(1)については、原処分の違法の主張であり、生活保護法には裁決主義の規定はないから、原則どおり原処分主義が妥当する（生活保護法69条は、不服申立前置の規定であって、裁決主義の規定ではないので、注意してほしい）。したがって、本件処分の取消訴訟を提起すべきである。これに対し、(2)については、裁決の理由付記（行審法50条1項4号）の不備は、裁決固有の瑕疵であるので、本件裁決の取消訴訟を提起すべきである。

　　＊　裁決の理由付記の瑕疵が裁決の取消事由になることについては、行手法上の理由提示の瑕疵の場合（→124頁）と同様に解される。ただし、最判昭和37年12月26日民集16巻12号2557頁（基判56頁、百選Ⅱ135）は、理由にならないような理由を付記するにとどまる審査決定は判決による取消しを免れないとしつつ、当該事案においては、原処分が違法でないことが判決で確定しているため、理由付記不備を理由に審査決定を取り消しても意味がないとして、審査決定を取り消さなかった。これに対しては、判決で審査決定が取り消され、審査庁が改めて審査決定をする際に原処分を不当または違法として取り消す可能性は皆無ではないから、審査決定を取り消す意味が全くないとはいえないとする少数意見が付されている。

　なお、(1)(2)両方の主張をしたい場合は、原処分の取消訴訟と裁決の取消訴訟の両方を提起すればよい。両者は**関連請求**として扱われ、訴えの併合や、原告による追加的併合提起が認められている（行訴法13条3号・4号・16条・19条・20条）。

(2) 修正裁決の場合

【設問7】
　郵政事務官であったXは、職場闘争に関わって傷害事件を起こしたという理由で、中国郵政局長から停職6カ月の懲戒処分（以下「本件処分」という）を受けた。これに対し、Xが国家公務員法90条1項に基づき人事院に審査請求したところ、人事院は、**本件懲戒処分を6カ月間俸給月額10分の1の減給処分に修正する**旨の判定（以下「本件裁決」という）をした。しかし、Xは、本件処分の理由とされた行為をしていないと主張しており、本件裁決にもなお不満であるため、取消訴訟で争いたいと考えている。Xは、本件処分の取消訴訟を提起すべきか、それとも、本件裁決の取消訴訟を提起すべきか。

◆国家公務員法◆
（職員の意に反する降給等の処分に関する説明書の交付）
第89条　職員に対し、その意に反して、降給（……）、降任（……）、休職若しくは免職をし、その他職員に対し著しく不利益な処分を行い、又は懲戒処分を行おうとするときは、当該処分を行う者は、当該職員に対し、当該処分の際、当該処分の事由を記載した説明書を交付しなければならない。
2・3　略
（審査請求）
第90条　前条第1項に規定する処分を受けた職員は、人事院に対してのみ審査請求をすることができる。
2　略
3　第1項に規定する審査請求については、行政不服審査法第2章の規定を適用しない。
（審査請求期間）
第90条の2　前条第1項に規定する審査請求は、処分説明書を受領した日の翌日から起算して3月以内にしなければならず、処分があった日の翌日から起算して1年を経過したときは、することができない。
（調査）
第91条　第90条第1項に規定する審査請求を受理したときは、人事院又はその定める機関は、直ちにその事案を調査しなければならない。
2～4　略
（調査の結果採るべき措置）
第92条　前条に規定する調査の結果、処分を行うべき事由のあることが判明したときは、人事院は、その処分を承認し、又はその裁量により修正しなければならない。
2　前条に規定する調査の結果、その職員に処分を受けるべき事由のないことが判明したときは、人事院は、その処分を取り消し、職員としての権利を回復するために必要で、且つ、適切な処置をなし、及びその職員がその処分によって受けた不当な処置を是正しなければならない。人事院は、職員がその処分によって失った俸給の弁済を受けるように指示しなければならない。
3　略
（審査請求と訴訟との関係）
第92条の2　第89条第1項に規定する処分であって人事院に対して審査請求をすることができるものの取消しの訴えは、審査請求に対する人事院の裁決を経た後でなければ、提起することができない。

　本問は、最判昭和62年4月21日民集41巻3号309頁（基判315頁、百選Ⅱ134、CB13-5）をモデルとしている。
　国家公務員法には、本件処分について、裁決主義を定める規定はない（国家公務員法92条の2は、不服申立前置を定める規定であって、裁決主義を定

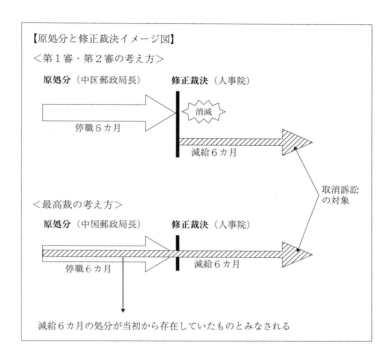

める規定ではない）から、仮に本件裁決が棄却裁決であるとすると、行訴法10条2項により、本件処分の取消訴訟を提起すべきことになる。しかし、本件裁決は修正裁決であるため、修正裁決によって本件処分（停職6カ月）は消滅し、新たな処分（減給6カ月）がされたと考えると、本件処分の取消訴訟はできず、本件裁決の取消訴訟を提起すべきではないかが問題となる。

この点につき、上掲昭和62年判決の第1審・第2審は、修正裁決によって原処分は消滅し、新たな処分がされたと解して、既に消滅した原処分の取消しを求めることはできないとした。これに対し、最高裁は、懲戒処分には①処分権限発動の意思決定と②処分の種類および量定の選択・決定という2段階があり、人事院の修正裁決は①を承認したうえで②に変更を加えるにすぎず、これにより、原処分は、**当初から修正裁決による修正どおりの法律効果を伴う懲戒処分として存在していたものとみなされる**とした。すなわち、原処分が修正裁決後も（形を変えて）存続していると解して、行訴法10条2項を適用し、原処分の取消しを求めるべきであるとした（→上図参照）。

第17講　行政訴訟の類型および相互関係

◆学習のポイント◆
1　本講では、行訴法が規定する訴訟類型の「顔見世」を行う。まず、全体像（→255頁の図）を把握する。
2　取消訴訟により、紛争原因である行政処分を直接攻撃できる反面、取消訴訟の排他的管轄および出訴期間制度により、救済が制約されることに注意する。取消訴訟の訴訟要件の概要を把握する。
3　取消訴訟の排他的管轄に抵触しない場合として、行政処分に関する国賠訴訟および刑事訴訟につき、判例を理解する。
4　取消訴訟の排他的管轄の例外として、無効の行政処分とその救済方法につき、判例を理解する。
5　取消訴訟以外の行政訴訟につき、訴訟要件の概要を把握する。

1　行政訴訟制度の沿革と概観

(1)　明治憲法下の行政裁判制度

1889年に制定された明治憲法（大日本帝国憲法）は、「行政官庁ノ違法処分ニ由リ権利ヲ傷害セラレタリトスルノ訴訟」であって、別に法律で定める行政裁判所の裁判に属すべきものは、司法裁判所において受理しないと定めていた（61条）。これを承けて、1890年に、行政裁判法（法律48号）および「行政庁ノ違法処分ニ関スル行政裁判ノ件」（法律106号）が制定された。この制度は当時のドイツから学んだもので、①**行政事件と民事事件を区別した**うえで、②**行政事件については司法裁判権を排除**し、③行政事件を裁判する**行政裁判所を設置する**、という3点を特徴とする**ヨーロッパ大陸型**モデルに属するものであった。具体的な特徴は、

①　1審にして最終審としての行政裁判所が東京に1つだけ設置された。
②　行政庁のあらゆる違法処分について行政裁判所に出訴できるわけではなく、法律・勅令に列挙された事項についてのみ出訴できるとされていた

（これを**列記主義**という）。「行政庁ノ違法処分ニ関スル行政裁判ノ件」によると、行政裁判所への出訴事項は、租税・手数料の賦課に関する事件、租税滞納処分に関する事件、営業免許の拒否または取消しに関する事件、水利・土木に関する事件、土地の官民有の区分の査定に関する事件とされていた。

③　原則として、訴願（行政上の不服申立て）を経た後でなければ、行政訴訟を提起できないとされていた（これを**訴願前置主義**という）。

これらの点で、明治憲法時代の行政裁判制度は、国民の権利救済制度としては、不十分なものであった。

(2)　日本国憲法下における行政訴訟制度

第2次大戦まで約60年間にわたって存続した上述の行政裁判制度は、新憲法の制定によって大きく変化する。すなわち、日本国憲法76条1項は、「すべて司法権は、最高裁判所及び法律の定めるところにより設置する下級裁判所に属する」と規定しているが、ここにいう司法権とは、「一切の**法律上の争訟を裁判**」（裁判所法3条1項）することを指し、行政に関する裁判もこれに含まれると解するのが通説である。さらに、憲法76条2項は、「特別裁判所は、これを設置することができない。行政機関は、終審として裁判を行ふことができない」と規定し、これにより、（終審として裁判を行う）行政裁判所の存在は否定されるに至った。

こうして、日本国憲法の下では、行政事件についても行政裁判所ではなく司法裁判所が裁判することとなり、戦前のヨーロッパ大陸型モデルは、存立基盤を失うかに見えた。しかし、その後、行政事件の特殊性に応じた特有の訴訟制度の必要性が認識されるようになり、1948年の行政事件訴訟特例法の制定を経て、1962年に行政事件訴訟法（行訴法）が制定された。その結果、裁判管轄の点では、行政事件に特有の裁判所を設置する大陸型モデルは否定されたが、訴訟手続の点では、**行政事件に特有の手続を設ける**大陸型モデルが維持されることとなった。

もっとも、行政事件に特有の手続が設けられたといっても、戦前の手続と同じであるわけではなく、とりわけ、以下の点が異なる。

①　行政事件についても司法裁判所が裁判権をもつようになったことに対応して、行政事件についても、原則として、3審制がとられるようになった。

②　行政訴訟の類型が多様化され、取消訴訟は行政訴訟のうちの1つになった（戦前の行政訴訟は、専ら、今でいう取消訴訟であった）。

③　列記主義はとられず、広く行政処分がその対象として認められた（こ

れを**概括主義**という)。仮に、行政事件については民事訴訟で争えないという前提に立ったうえで、戦前のように列記主義をとるとすると、「法律上の争訟」に当たるにもかかわらず裁判で争えない場合が生じ、前述の憲法76条1項および「裁判を受ける権利」を保障する憲法32条に反することになる。

④　訴願前置主義はとられず、行政上の不服申立てにつき**自由選択主義**(不服申立てを経なくても直ちに行政訴訟を提起できる)が採用された。ただし、これは原則であって、個別法で多くの例外が定められている(→246頁)。

なお、このように、行政裁判所が廃止されたとはいえ、行政事件に特有の訴訟制度が設けられたことに対しては、国民の権利救済よりも行政の円滑な執行への配慮が優先されたとの批判がありえよう。たしかに、行訴法には、そのような面もあるのではないかと考えられ(取消訴訟に関する短期の出訴期間、仮処分の排除、執行不停止の原則と厳格な執行停止の要件、内閣総理大臣の異議など)、その改革が議論されて、一部は2004年の改正で実現した。ただ、行政事件に特有の訴訟手続が一切必要ないかというと、後述するように、行政をめぐる法関係については、必ずしも個々人の権利に分解しきれない場合があり、行政に関する紛争についてすべて民事訴訟によって解決を図ることが、実効的な権利救済や行政の法的コントロールの観点から望ましいかどうかは、なお検討を要する問題である。

(3)　司法制度改革の一環としての行政訴訟改革——2004年改正

行訴法は、制定以来40年以上、2004年の改正まで1度も実質的な改正を受けなかった。しかし、その間の社会経済情勢の変化により、行政に求められる役割や行政活動のあり方も多様化し、行政処分の取消し(取消訴訟)を中心とする制定時の行訴法によっては、十分に対応できないようなタイプの紛争が生じてきた。そこで、学界等において長らく行政訴訟改革の必要性が指摘されてきたが、ようやく、司法制度改革の一環として、行政訴訟改革の機運が高まった。すなわち、内閣に設置された司法制度改革審議会は、2001年6月に意見書を提出したが、その中で、「司法の行政に対するチェック機能の強化」が取り上げられ、行政訴訟制度の見直しの必要性が指摘された。これを受けて、内閣に設置された司法制度改革推進本部において行政訴訟検討会が開催され、同検討会は、2004年1月、「行政訴訟制度の見直しのための考え方」という文書を公表した(ジュリスト1263号〔2004年〕83頁以下)。これを受けて法案が作成され、同年6月に改正法が成立した。

(4) 行政訴訟の概観

```
主観訴訟：国民の権利・利益の保護を目的とする訴訟（＝本来的な司法権）
├─抗告訴訟（3条）：公権力の行使（≒処分）に関する不服の訴訟
│  ├─取消訴訟（2項・3項）：処分の取消しを求める。処分に対する原則的な
│  │                        争い方
│  ├─無効等確認訴訟（4項）：重大・明白な瑕疵がある処分の無効確認
│  ├─不作為の違法確認訴訟（5項）：申請に対して何らかの処分がされないことの
│  │                                違法確認
│  ├─義務付け訴訟（6項）：まだ行われていない一定の処分の義務付け
│  │  ├─非申請型（1号・37条の2）：主に三面関係（稀に二面関係）
│  │  └─申請型（2号・37条の3）：主に二面関係（稀に三面関係）
│  │      ├─不作為型（37条の3第1項1号）：不作為の違法確認訴訟を併合提起
│  │      └─拒否処分型（37条の3第1項2号）：取消訴訟または無効等確認訴訟
│  │                                        を併合提起
│  ├─差止訴訟（7項）：まだ行われていない一定の処分の差止め
│  └─法定外抗告訴訟（無名抗告訴訟）（1項から解釈上導かれる）
└─公法上の当事者訴訟（4条）：処分以外の公法上の法律関係を争う
   ├─形式的当事者訴訟（前段）：法令に定めがある場合のみ。実質は抗告訴訟
   └─実質的当事者訴訟（後段）：確認訴訟活用論
客観訴訟：客観的な法秩序維持のための訴訟（≠本来的な司法権）
                    ⇒法令に定めがある場合のみ
├─民衆訴訟（5条）：住民訴訟など
└─機関訴訟（6条）：国の関与に関する地方公共団体の訴えなど
```

　行訴法は、行政事件訴訟に関する一般法である（1条）。もっとも、訴訟一般に通ずる多くの点、例えば、口頭弁論、証拠などについての規定はなく、これらについては、行政事件訴訟の特殊性を考慮しつつ、民事訴訟の例によることとなる（7条）。

　行政訴訟には、抗告訴訟、当事者訴訟、民衆訴訟および機関訴訟がある（2条）。抗告訴訟および当事者訴訟は、国民の権利・利益の保護を目的とする訴訟（**主観訴訟**）であるのに対し、民衆訴訟および機関訴訟は、客観的な法秩序維持のための訴訟（**客観訴訟**）である。抗告訴訟および当事者訴訟には、さらに下位の類型があり、これを図示すると上のとおりである（かっこ内は行訴法の条文を示す）。これらの法的特徴や相互関係をよく理解し、紛争の状況に応じて使いこなせるようになることが、行政救済法学習の最大の目標である。これらは、いわば行政救済の「道具箱」であり、以下にそれぞれの「取扱説明書」を掲げるので、条文とあわせてよく読み、理解してほし

い。

2　取消訴訟（3条2項・3項）

(1)　行政訴訟の中心

　取消訴訟は、行政処分の取消しを求める訴訟である（3条2項・3項）。なお、行訴法は、「処分の取消しの訴え」と「裁決の取消しの訴え」とを区別しているが、両者は、248頁以下で述べた点を除いては、取消訴訟として共通の性格を有する。

　行政処分は、講学上の「行政行為」にほぼ対応するものであるが（→93頁コラム）、詳細は後に検討する（第18講、第19講）。

　取消訴訟は、伝統的に、行政訴訟の中心的な形態とされてきた（上掲1）。これは、理論的には、行政処分（行政行為）が行政法学の中心に置かれてきたこと、および、まず行政機関が法令に基づいて行政処分を行った後で、裁判所がその適法性を審査するのが行政訴訟の原則的なあり方と考えられたこと（**行政庁の第一次的判断権**）の反映である。

　そして、この構造は、行訴法に多様な訴訟類型が規定されたことにより、緩和されてきているものの、基本的にはなお維持されている。すなわち、行訴法は、総則（1条から7条まで）の後、各訴訟類型についての規定（8条から46条まで）を置いているが、その大半（8条から35条まで）は取消訴訟についての規定であり、それ以外の訴訟類型については、取消訴訟に関する規定を準用している。また、「行政処分については取消訴訟でしか争えない」という原則（取消訴訟の排他的管轄）も、維持されている。したがって、行政訴訟制度を理解するには、まず、取消訴訟について理解することが重要である。

(2)　取消訴訟の排他的管轄

　行政処分の法効果を否定するには、原則として、取消訴訟によらなければならず（これを**取消訴訟の排他的管轄**という）、取消訴訟以外では、裁判所といえども行政処分の法効果を否定できない（これを**行政処分の公定力**という）。このことは、行訴法その他の法令において明示されているわけではない。しかし、出訴期間の制限（行訴法14条）を伴う取消訴訟制度が設けられていることの合理的解釈として、「処分については取消訴訟で争える」だけではなく、「**処分については取消訴訟でしか争えない**」と一般に解されている。

　これは、行政訴訟の類型相互の関係を考えるうえで、出発点となる最も重

要な原則であり、行政救済法の問題を考える際には、常にこの原則に留意しなければならない（この原則が具体的に問題になる場面として【設問1】〜【設問3】〔→262〜265頁〕）。行政処分は、実体法上、行政法学の中心に置かれてきただけでなく、訴訟との関係でも、特別扱いを要求する行為形式なのである。もっとも、この原則を厳格に適用することが、実効的な権利救済の妨げにならないように配慮する必要があり、2004年の行訴法改正においても、そのことが意識されている。しかし、この原則自体は、なお維持されている（そして、そのことは、次に述べるように、行政紛争の解決方法として合理的な面がある）ので、十分な注意が必要である。

(3) 特徴——行為訴訟

　取消訴訟は、民事訴訟の原則から見ると、特殊な訴訟である。すなわち、民事訴訟においては、当事者間の現在の法律関係を争うのが原則であり、紛争の原因をなしている過去の行為を訴訟の直接の対象とすることは、原則としてはない（新堂・新民事訴訟法274頁）。例えば、過去に締結された売買契約が無効かどうかについて争いがある場合には、売買契約の無効確認訴訟によるのではなく、売買契約が無効であることを前提とする現在の法律関係に関する訴訟（引き渡した物の返還請求訴訟など）によるのが原則である。これに対し、取消訴訟は、行政処分という、紛争の原因をなしている過去の行為を直接の対象として（これを**ダイレクトアタック**ということがある）、その取消しを求めるものである（**行為訴訟**と特徴づけることもできる。原田・要論364頁。なお、これとの対比で、一般の民事訴訟や公法上の当事者訴訟は、法律関係に関する訴訟ということができる。→408頁）。そして、処分についての争いは、取消訴訟によることが原則とされ、処分が違法無効であることを前提とする現在の法律関係に関する訴訟（例えば、土地収用裁決が無効であることを前提とする、土地所有権確認訴訟）は、例外的なものと位置づけられる（【設問3】〔→264頁〕）。このことは、行政処分をめぐる紛争の解決方法として合理的な面があり、原告にメリットをもたらしうる反面、取消訴訟には**出訴期間**の制限（行訴法14条）があること等から、原告にとってはデメリットともなりうる。

ア　取消訴訟の（原告にとっての）メリット

　①　紛争の原因となっている**行政処分**を**直接攻撃**（ダイレクトアタック）でき、行政処分をめぐる紛争（しばしば多数の利害関係者がいる）を、抜本的かつ一挙に解決できる（元から絶つ！）。

　②　本案審理では、処分が法令に適合しない（＝違法である）ことさえ認

められれば、原告は勝訴できる（**「法律による行政の原理」**を実現するのに適している）。

　イ　取消訴訟の（原告にとっての）デメリット
　①　出訴期間（行訴法14条）を過ぎると、出訴できなくなる（行政処分の**不可争力**という）。行政法関係の早期安定を狙った制度だが、行政処分に認められた大きな特権であり、国民の権利救済にとっては大きな制約である。
　②　取消訴訟が主観訴訟であることに由来する訴訟要件、すなわち**処分性・原告適格・狭義の訴えの利益**（→第18～21講）が厳格に要求され、これらが原告にとって高いハードルになることが多い。もっとも、公法上の当事者訴訟や民事訴訟も主観訴訟であって、訴えの利益が必要であることに変わりはないから、この点に関して、取消訴訟の方が原告にとって当然に不利であるとはいえない。ただ、従来、取消訴訟の訴訟要件が厳格に解釈され、原告の実効的な救済の妨げになるという問題があった。

(4)　**訴訟要件**

　訴えの中には、憲法および法律上裁判所に与えられた権限・役割に照らして、その請求内容を裁判所が審理・判断すべきでないものがある。そこで、裁判所は、本案（請求の内容をなす権利主張の当否）の審理をする前に、まず、その訴えについて本案の審理をすべきかどうかを判断する。この判断の基準が訴訟要件である。いわば、裁判所の審理には、入口でのチェック（訴訟要件の審理）と中身の判断（本案の審理）の2段階があることになる。訴訟要件が欠けていると、訴えは不適法なものとして**却下**される（いわゆる「門前払い」）。これに対して、訴訟要件は満たしているが、本案の審理で請求に理由がないと判断された場合は、請求は**棄却**される（取消訴訟のプロセスにつき、終章末尾の図を参照）。

　取消訴訟の訴訟要件として、次のものがある。

　ア　**処分性（行訴法3条2項）**
　取消訴訟の対象は、「行政庁の処分その他公権力の行使に当たる行為」（行訴法3条2項）に限られ、これに該当することを「処分性がある」という。これをめぐっては多くの判例があり、行政救済法の中心課題の1つである（→第5講、第18講、第19講）。

　イ　**原告適格（行訴法9条1項・2項）**
　取消訴訟は、当該処分の取消しを求めるにつき「法律上の利益を有する者」に限り、提起することができる（行訴法9条1項）。特に処分の名宛人以外の第三者について、これに該当するかどうかがしばしば問題となり（同

条2項)、多くの判例がある(→第20講)。

ウ　狭義の訴えの利益（行訴法9条1項）

行訴法9条1項の「法律上の利益」の有無について、期間の経過その他の理由により処分の効果がなくなった場合など、原告適格以外の点が問題になる場合がある。この問題について、広義の訴えの利益から処分性および原告適格を除いたものという意味で、「狭義の訴えの利益」と呼んでいる（→第21講）。

エ　被告適格（行訴法11条）

2004年改正前の行訴法では、行政処分の取消訴訟の被告は、当該処分をした行政庁とされていた。これは、法律関係ではなく行政の行為の適否を争うという取消訴訟の特殊性（→上掲(3)）を反映して、当該行為につき権限を有する行政庁が被告とされたものと考えられる。

しかし、これは、権利義務の主体を当事者とする民事訴訟の原則からは、特殊な取扱いであり（行政庁には法人格はなく、権利義務の主体となりえない）、また、権限の委任が行われることも多いことから、被告とすべき行政庁が国民にとってわかりにくいという問題があった。

そこで、2004年の行訴法改正で、取消訴訟の被告は、原則として、「**当該処分をした行政庁の所属する国又は公共団体**」に改められた（行訴法11条1項1号）。これによって、被告の面における取消訴訟の特殊性が緩和され、他の訴訟類型（当事者訴訟や民事訴訟）との間の垣根が低くなって訴えの変更等も行いやすくなり、実効的な権利救済に資することが期待される（同条2項以下につき、→69頁）。

なお、原告が故意または重過失によらないで**被告とすべき者を誤ったとき**は、裁判所は、原告の申立てにより、決定をもって被告の変更を許すことができる（行訴法15条1項）。この決定があったときは、出訴期間の遵守については、新たな被告に対する訴えは、最初に訴えを提起した時に提起されたものとみなされる（同条3項）。この決定に対しては、不服を申し立てることができない（同条5項）。

また、被告の**教示**の規定が置かれている（行訴法46条1項1号）。教示の誤りや懈怠があった結果、原告が被告を誤った場合、原則として、行訴法15条1項にいう重過失がないものとして、被告の変更を認めるべきと解される（福岡高決平成17年5月27日判タ1223号155頁参照）。

オ　出訴期間（行訴法14条）

取消訴訟は、処分があったことを**知った日から6ヵ月**を経過したときは、

提起することができず（**主観的出訴期間**、行訴法14条１項）、また、**処分の日から１年を経過したときは、提起することができない**（**客観的出訴期間**、同条２項）。ただし、それぞれにつき、**正当な理由**があるときは、この限りでない（同条１項ただし書・２項ただし書）。**行政処分をめぐる法律関係を早期に安定させるための制度である**。取消訴訟の排他的管轄（→256頁）の下で、出訴期間の制度が存在することにより、出訴期間が経過すると、もはや当該行政処分について訴訟で争うことはできなくなる（これを行政処分の効力として見た場合に、行政処分の**不可争力**と呼ぶ）。

　なお、出訴期間の**教示**の規定が置かれている（行訴法46条１項２号）。教示の誤りや懈怠があった結果、出訴期間を徒過した場合、例外的に徒過が許される「正当な理由」（行訴法14条１項〜３項）の考慮要素となる。

カ　不服申立前置（行訴法８条１項ただし書）

　不服申立てに対する裁決を経た後でなければ取消訴訟を提起できない旨を法律が定めている場合には、不服申立ての前置が義務付けられる（行訴法８条１項ただし書。→246頁）。この場合、**処分の不服申立期間**（行審法18条）**内に不服申立てをしないと、当該処分の取消訴訟の提起もできなくなる**ことに注意が必要である。

　ただし、不服申立前置が義務付けられている場合であっても、不服申立てがあった日から３ヵ月を経過しても裁決がないとき（行訴法８条２項１号）、処分、処分の執行または手続の続行により生ずる著しい損害を避けるため緊急の必要があるとき（同項２号）、および、その他裁決を経ないことにつき正当な理由があるとき（同項３号）には、例外的に、裁決を経ないで取消訴訟の提起が認められる。

　なお、不服申立前置の**教示**の規定が置かれている（行訴法46条１項３号）。教示がされなかったため不服申立てを経ずに取消訴訟を提起してしまった場合、「その他裁決を経ないことにつき正当な理由があるとき」（行訴法８条２項３号）の考慮要素となる。

キ　管轄（行訴法12条）

　取消訴訟は、被告（国・公共団体）の普通裁判籍の所在地を管轄する裁判所（被告が国の場合は東京地裁）、または処分をした行政庁の所在地を管轄する裁判所の管轄に属する（行訴法12条１項。なお、土地関連処分および事案の処理にあたった下級行政機関に関する例外規定がある。同条２項・３項）。また、2004年の法改正により、原告の便宜を考慮して、国等を被告とする取消訴訟については、原告の普通裁判籍の所在地を管轄する高等裁判所

の所在地を管轄する地方裁判所（特定管轄裁判所。例えば、奈良県に居住する原告であれば大阪地裁、青森県に居住する原告であれば仙台地裁）にも提起できることとされた（同条4項）。

●コラム● 出訴期間に関する注意点

　取消訴訟の出訴期間（行訴法14条）を経過したか否かは、訴訟選択を検討する際の重要な分岐点であり（→【設問3】）、着目すべきポイントである。その際の注意点を以下に述べる。

　① 行訴法14条1項の主観的出訴期間（処分があったことを知った日から6ヵ月）と同条2項の客観的出訴期間（処分の日から1年）は、両方とも遵守しなければならない。そして、通常の処分の場合、処分があったことは名宛人に通知される（通知されなければ処分の効果は生じない）から、処分の名宛人が取消訴訟を提起する場合、主観的出訴期間の方が客観的出訴期間よりも先に経過するのが普通である。したがって、「6ヵ月」の経過の有無が焦点になる。ただし、次に述べるように、主観的出訴期間における「知った日」の解釈によっては、客観的出訴期間の方が先に経過することもありうる。

　② 名宛人に処分が通知されても、何らかの事情により、名宛人が処分があったことを知らなかったということもありうる。また、特定の名宛人のいない一般処分（例えば、土地区画整理事業計画決定〔→307頁〕、二項道路の一括指定〔→294頁〕）の利害関係者や、処分の名宛人以外の利害関係者に対しては、処分があったことについて個別の通知はされない（一般処分の場合、告示等による）のが普通である。そこで、これらの者については、行訴法14条1項にいう「処分……があったことを知った日」の解釈が問題となる。判例によれば、同条項にいう「知った日」とは、当事者が書類の交付、口頭の告知その他の方法により処分の存在を現実に知った日をいい、抽象的な知りうべかりし日を意味するのではないが、処分を記載した書面が当事者の住所に送達される等、社会通念上処分のあったことを当事者が知りうべき状態に置かれたときは、反証のない限り知ったものと推定される（最判昭和27年11月20日民集6巻10号1038頁、基判336頁）。また、行審法の不服申立期間に関する判例であるが、都市計画事業認可のように、処分が個別の通知ではなく告示をもって多数の関係権利者等に画一的に告知される場合には、そのような告知方法がとられている趣旨に鑑みて、「処分があったことを知った日」とは、告示があった日をいうとされている（最判平成14年10月24日民集56巻8号1903頁、基判336頁、百選Ⅱ127）。その他、出訴期間に関する判例として、基判336～338頁参照。

　③ 主観的出訴期間、客観的出訴期間のそれぞれについて、「正当な理由」があるときは徒過が許されることにも注意が必要である。「正当な理由」が認められる具体例について、まだ判例はないが、災害、病気、怪我、海外出張等の事情や行政庁の教示（行訴法46条1項2号）の懈怠等の事情を挙げる学説がある（宇賀・概説Ⅱ149頁）。

　④ 行政上の不服申立てをした場合には、取消訴訟の出訴期間は、当該不服申立てに対する裁決があったことを知った日から6ヵ月（かつ、裁決の日から1年）となる（行訴法14条3項）。これは、不服申立前置が義務付けられている場合（行訴法8条1項ただし書）か否かにかかわらない。そこで、取消訴訟を提起するかどうかをゆっくり検討したい場合の実務上のテクニックとして、不服申立期間（行審法18条）内に、とりあえず、簡易に申し立てられる行政上の不服申立てをしておくという方法がある。

(5) 原告本案勝訴要件

　取消訴訟の本案審理において、処分が違法であることが認められれば、原則として、原告勝訴（請求認容）となり、処分が取り消される。ただし、自己の法律上の利益に関係のない違法事由の主張制限（行訴法10条1項）がある（→371頁）。また、処分が違法であっても、これを取り消すことにより公の利益に著しい障害を生ずる場合には、判決主文で処分が違法であることを宣言したうえで請求を棄却する**事情判決**が、一定の要件の下で認められている（行訴法31条。→360頁）。

3　取消訴訟の排他的管轄と国家賠償訴訟・刑事訴訟

(1)　国家賠償訴訟

> 【設問1】
> 　行政処分を受けた者が、当該処分の取消訴訟を提起することなく、当該処分の違法を理由とする国賠訴訟を提起し、その訴訟において裁判所が当該処分の違法性を審査して請求認容の判決を下すことは、取消訴訟の排他的管轄に反しないか。
> 　当該処分が課税処分や金銭の給付を拒否する処分（生活保護の拒否決定等）である場合は、どうか。

ア　一般の行政処分の場合

　①　行政処分の違法を理由とする国家賠償請求訴訟（国賠訴訟）においては、原因行為たる**処分の違法性は判断される**が、**処分の効力の有無が判断されるわけではない**。すなわち、国賠訴訟で原告が勝訴しても、処分の効力が否定されるわけではない（例えば、**【設問3】**〔→264頁〕の土地収用裁決の事例で、Aが収用裁決の違法を理由とする国賠訴訟を提起し、勝訴したとしても、賠償金を得られるだけで、収用裁決の効力が否定されるわけではないから、土地を取り戻すことはできない）。したがって、処分の取消訴訟を提起することなく、当該処分の違法を理由とする国賠訴訟を提起し、その訴訟において裁判所が当該処分の違法性を審査し請求認容の判決を下すことを認めても、取消訴訟の排他的管轄（→256頁）に反しない。これは、通説・判例（最判昭和36年4月21日民集15巻4号850頁）の立場であり、ほぼ争いのないところである。

　②　ただし、取消訴訟において違法とされるべき処分を公務員がしたことが、国賠訴訟において当然に違法とされるわけではないというのが判例の基

本的な立場であり（いわゆる職務行為基準説。→426頁）、また、国賠訴訟には過失等の特有の要件があるので、取消訴訟であれば違法として取り消されるべき処分であっても、当該処分の違法を理由とする国賠訴訟で原告が当然に勝訴できるわけではない。

イ　課税処分や金銭の給付を拒否する処分の場合

　一般の行政処分については上記のようにいえるとしても、課税処分や金銭の給付を拒否する処分については、取消訴訟も国賠訴訟も、実質的には、処分の違法を理由として金銭の給付を求める点で共通するので、国賠訴訟を無制限に認めることは、取消訴訟の排他的管轄および出訴期間制度の潜脱になるのではないかが問題となる。

　しかし、判例（最判平成22年6月3日民集64巻4号1010頁、基判227頁、百選Ⅱ227、CB2-9）は、一般の行政処分に関する上掲ア①の原則は、「当該行政処分が金銭を納付させることを直接の目的としており、その違法を理由とする国家賠償請求を認容したとすれば、結果的に当該行政処分を取消した場合と同様の経済的効果が得られるという場合であっても異ならない」としている。この判決は、その理由を明言しておらず、**国賠訴訟を否定する根拠となる規定がないこと**を指摘するにとどまるが、補足意見は、**取消訴訟と国賠訴訟とは、目的・要件・効果を異にしていること**（上掲ア②の点のほか、立証責任の違いが指摘されている）等を理由として挙げている（課税処分の違法を理由とする国賠訴訟につき、第25講【設問5】〔→425頁〕も参照）。なお、この判決の射程は、金銭の給付を目的とする処分にも及ぶと解される（山本・探究173頁）。

(2)　刑事訴訟

【設問2】余目町個室付浴場事件（→第3講【設問7】〔61頁〕）
　Xは、Y県A町に個室付浴場を開業しようとしたが、A町およびY県は、これを阻止する方法を検討した結果、児童福祉法上の児童福祉施設から200m以内の区域で個室付浴場を営むことが風俗営業等取締法（当時）により禁止されている（違反に対しては罰則がある）点に着目した。A町は、Xの開業予定地から135m離れた場所にある町有地を児童遊園として急遽認可申請し、Y県知事は異例の早さでこの申請を認可した（以下「本件認可処分」という）。Xは、本件認可処分の取消訴訟を提起することなく、個室付浴場を開業したところ、上記の風俗営業等取締法違反の罪で起訴された。Xは、本件認可処分には行政権の濫用に相当する違法性があり、Xの個室付浴場営業を規制しうる効力を有しないとして、無罪を主張した。裁判所がXを無罪とすることは、取消訴訟の排他的管轄に反しないか。

行政処分に違反（または抵触）する行為を行った罪で起訴された者につき、裁判所が当該処分の違法性を理由に無罪とすることは、取消訴訟によらずに刑事訴訟で当該処分の効力を否定することになり、取消訴訟の排他的管轄に反するように見える。しかし、この問題は、行政処分に違反する行為を処罰することとしている規定が、違法でも有効な処分に違反する行為であれば処罰する趣旨なのか、それとも、違法な処分に違反する行為は処罰しない趣旨なのかという、**犯罪構成要件の解釈の問題**であり、刑事訴訟において裁判所が独自に判断できると考えられる。

　そのような観点からは、本件では、Ｘが本件認可処分の取消しを求める原告適格を有するか否かが明確でなく、Ｘが取消訴訟を提起しない限り無罪を主張できないとするのは酷である※。したがって、**行政権の濫用**に相当する違法性がある本件認可処分（→61頁）は、**Ｘの個室付浴場営業を規制しうる効力を有しない**と考えられ、本件認可処分が取消訴訟によって取り消されていなくても、裁判所はＸを無罪としうると解される（最判昭和53年6月16日刑集32巻4号605頁、基判26頁、百選Ⅰ66、CB4-3）。

>　※　一般的には、児童福祉法が個室付浴場を開設しようとする者に対して、周辺に児童遊園を設置されない利益を保護しているとは解し難く、業者には原告適格がないと考えられるが、本件のような特殊事情がある場合には、原告適格を認めるべきとも考えられる。しかし、その点が不明確なこともあり、業者が取消訴訟を提起して勝訴しない限り無罪を主張できないというのは酷であると思われる。

　なお、上記判決は、Ｘを被告人とする刑事訴訟において、本件認可処分はＸの個室付浴場営業を規制しうる効力を有しないとしたにとどまり、本件認可処分を取り消したわけではないから、認可処分自体は依然として有効なものとして存在しており、その後に個室付浴場を設置しようとする者に対しては、規制根拠となると解する余地がある。

4　無効の処分と救済方法（3条4項等）

> **【設問3】土地収用裁決の無効と救済方法**
> 　Ｙ県収用委員会は、土地収用法に基づき、Ａの所有する土地（以下「本件土地」という）の所有権をＢに取得させる収用裁決（権利取得裁決）を行った（以下「本件処分」という）。Ａが本件処分は違法であると考え、自己が本件土地の所有者であることを主張したい場合、誰に対してどのような訴訟を提起すべきか。(1)本件処分の取消訴訟の出訴期間（行訴法14条）をまだ過ぎていない場合と、(2)出訴期間を既に過ぎている場合とに分けて考えよ。

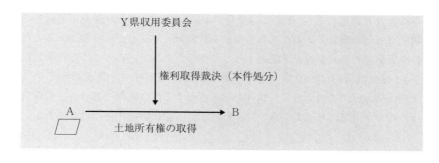

　本問の事案で、AがBに対して民事訴訟を提起して自己が所有者であることの確認等を求めても、裁判所は、原則として（本件処分に重大かつ明白な瑕疵があって無効である場合を除いて）、本件処分の効力を否定してAを所有者と認めることができない（取消訴訟の排他的管轄）。そこで、AはY県を被告として、本件処分の取消訴訟を提起する必要がある。もっとも、Aとしては、本件処分に重大かつ明白な瑕疵がある（したがって、Bを被告とする民事訴訟で争える）と考える場合もあろうが、この点は最終的には裁判所が判断することであり、Aの主張が認められるとは限らないので、(1)のように出訴期間内であれば、取消訴訟を提起すべきである。取消訴訟であれば、本案審理で、瑕疵が重大かつ明白であることまでは要求されず、瑕疵があることが認められれば足りるからである。なお、この取消訴訟でAが勝訴して本件処分が取り消されると、判決の効力はBにも及ぶとされており（取消判決の第三者効。行訴法32条。→380頁）、これによってAの救済が図られる。その反面として、Bはこの取消訴訟に参加できる（第三者の訴訟参加。行訴法22条。→380頁）。

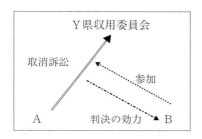

　これに対し、出訴期間を徒過している(2)の場合は、原則として取消訴訟は提起できない（この現象を行政処分の効力として見た場合に、**不可争力**という。ただし、行訴法14条1項ただし書の「正当な理由」があることを主張す

ることは考えられる)。そこで、最後の手段として、処分の瑕疵が**重大かつ明白**であって**無効**であることを前提に、Bに対して自己が所有者であることの確認を求める民事訴訟を提起することが考えられる。このような民事訴訟を、「行政処分の効力を争点とする訴訟」という意味で、**争点訴訟**という(行訴法45条)。この訴訟は、私人を当事者とする民事訴訟であるが、行政処分の効力が争点になっているので、行政庁が訴訟に参加することができる。

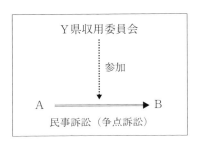

なお、(2)の場合に、Bを被告とする民事訴訟ではなく、Y県を被告とする無効確認訴訟を提起できるかという問題があるが、Bを被告とする民事訴訟の方がより直截的な争い方であり、それによって目的を達することができるので、無効確認訴訟は提起できないのではないかが問題となる(行訴法36条。→388頁)。

このように、出訴期間内であれば、取消訴訟を提起するのが原則である。行政処分の瑕疵が重大かつ明白であるのは例外的な場合なので、認められる可能性が低いからである。無効確認訴訟は、実際には、「**時機に後れた取消訴訟**」(塩野・行政法Ⅰ180頁の表現では、定期のバスに乗り遅れた者についての特別の救済)として用いられることが多い。その意味で、取り消しうべき行政処分と無効の行政処分の区別については、概念的に異質なものと考えるのではなく、出訴期間を経過してもなお原告を救済すべき事情がある場合に無効の行政処分となると考えるべきである。

判例は、無効の行政処分の判断基準につき、基本的には重大明白説に立ち、「瑕疵が明白であるというのは、処分成立の当初から、誤認であることが外形上客観的に明白である場合を指す」としている(最判昭和36年3月7日民集15巻3号381頁、基判227頁、CB2-1)。しかし、最判昭和48年4月26日民集27巻3号629頁(基判227頁、百選Ⅰ80、CB2-2)は、Aが自己所有の土地建物につき、Xに無断でXへの所有権移転登記を行ったうえで、X名義の売買契約書等を偽造してBに売却したところ、課税庁がXに対し、譲渡所

得があるとして課税処分をした事案で、明白性の要件に特に触れることなく、「当該処分における内容上の過誤が課税要件の根幹についてのそれであって、徴税行政の安定とその円滑な運営の要請を斟酌してもなお、不服申立期間の徒過による不可争的効果の発生を理由として被課税者に右処分による不利益を甘受させることが、著しく不当と認められるような例外的な事情」がある場合には、処分は無効となるとした（当該事案では、XがAによる名義冒用を容認していた等の特段の事情がない限り、上記「例外的な事情」がある場合に当たるとした）。もっとも、その後に出された最判平成16年7月13日判時1874号58頁（CB2-7）を見ると、判例は、明白性の要件を一般的に不要としているわけではなく、原則としては明白性を要求しつつ、上掲昭和48年判決が言うような「例外的な事情」がある場合には、明白性がなくても無効と認めるものと考えられる。

5　不作為の違法確認訴訟（3条5項）

　私人が法令に基づく申請をしたにもかかわらず、行政庁が応答せずに放置すること（いわゆる申請の「握りつぶし」）は、行手法7条等に反する違法な措置である。しかし、この場合、何らの行政処分も行われていないので、取消訴訟の仕組みを使うことができない。そこで、このような場合の救済手段として用意されているのが、不作為の違法確認訴訟、すなわち、「行政庁が法令に基づく申請に対し、相当の期間内に何らかの処分又は裁決をすべきであるにかかわらず、これをしないことについての違法の確認を求める訴訟」である（行訴法3条5項）。

(1)　訴訟要件

　この訴訟は、処分または裁決についての**法令に基づく申請**をした者に限り、提起することができる（**原告適格**。行訴法37条）。したがって、原告に**申請権**（→113頁）が認められていることが前提になる。

　この訴訟は、行政庁に何らかの応答をさせるための制度であるから、判決時（口頭弁論終結時）までに行政庁が申請に対する何らかの処分をした場合は、訴えの利益がなくなり却下される。

　なお、この訴訟は、申請に対して「何らかの処分」がされないことの違法確認を求めるものであり、申請者が求める処分（許認可等）がされないことの違法確認を求めるものではない。したがって、申請に対して拒否処分がされた場合には、この訴訟はできない。この場合には、申請拒否処分の取消訴訟を提起すべきである。

(2) 原告本案勝訴要件

この訴訟で原告が勝訴するためには、申請をしてから「**相当の期間**」を経過していることが必要である。相当期間経過の有無は、**行手法上の標準処理期間**（行手法6条。→111頁）を重要な考慮要素として判断される。

この訴訟は、行政庁に何らかの応答をさせるための制度であるから、不作為の違法性は**判決時を基準**として判断される。すなわち、訴訟提起の時点で相当期間が経過していなくても、判決時（口頭弁論終結時）までに相当期間が経過すれば、不作為は違法と判断される。

(3) 限界・義務付け訴訟との関係

この訴訟の限界として、迂遠な救済方法であるという点が挙げられる。なぜなら、この訴訟の勝訴判決には**取消判決の拘束力**の規定が準用されているが（行訴法38条・33条）、それによって行政庁は申請に対する何らかの処分をする義務を負うだけであって、申請を認容する義務を負うわけではないからである。そこで、この訴訟で原告が勝訴しても、行政庁が申請拒否処分をすれば、今度はこの拒否処分の取消訴訟を提起する必要がある。この取消訴訟で原告が勝訴し、取消判決の拘束力に従って行政庁が申請を認容して初めて、原告が救済されることになる。

より直截的な救済方法としては、申請の認容を義務付ける訴訟（**義務付け訴訟**）が考えられる。しかし、1962年の行訴法の立法時には、行政庁が処分をしていない段階で裁判所が行政庁に特定の処分を義務付けるのは、**行政庁の第一次的判断権**を侵害することになるとして、義務付け訴訟の法定には至らなかった。その後、2004年行訴法改正で、義務付け訴訟が法定された（次項で述べる）。

6　義務付け訴訟（3条6項）

義務付け訴訟は、行政庁が一定の処分をすべき旨を命ずることを求める訴訟であり（行訴法3条6項）、**法令に基づく申請**がされた場合か否か（申請権の有無）によって、2つの類型に区分される（なお、→後掲コラム）。

(1) 非申請型義務付け訴訟（3条6項1号）

法令に基づく申請がされていない場合に、一定の処分の義務付けを求めるものであり、申請制度を介さずに直接に義務付けを求めるものなので、非申請型または直接型といわれる（詳細は、→391頁以下）。公害発生源の工場に対する操業停止命令を付近住民が求める場合のように、**三面関係において規制の発動を求める場合が典型例**である。ただし、三面関係であっても、規制

の発動を求める申請の仕組みがある場合（例えば、保安林の指定に「直接の利害関係を有する者」は、森林を保安林に指定すべき旨を農林水産大臣に申請できる〔森林法27条〕。最判昭和57年9月9日民集36巻9号1679頁〔長沼訴訟、基判280頁、百選Ⅱ171、CB13-3。→360頁〕参照）には、申請型となる。逆に、二面関係であっても、申請の仕組みがない場合（出生した子につき住民票の記載を求める親からの申出につき、最判平成21年4月17日民集63巻4号638頁、基判235頁、百選Ⅰ61参照）には、非申請型となる（以上につき、→113頁、120頁）。

ア　訴訟要件

非申請型義務付け訴訟は、一定の処分がされないことにより**重大な損害を生ずるおそれ**があり、かつ、その損害を避けるため**他に適当な方法がない**ときに限り、提起することができる（行訴法37条の2第1項。なお、「重大な損害」の有無を判断する際の考慮要素が、同条2項に定められている）。この「重大な損害」の要件は、申請型義務付け訴訟には定められていない、非申請型に特有の要件なので、注意が必要である。

また、取消訴訟と同様に、**原告適格**が定められている（同条3項・4項）。

なお、「**一定の処分**」とされているのは、義務付けるべき処分について具体的に特定できない場合でも、ある程度幅をもった一定の処分を非申請型義務付け訴訟で求めることを可能とする趣旨である。

イ　原告本案勝訴要件

当該非申請型義務付け訴訟に係る処分につき、行政庁がその**処分をすべきである**ことが処分の根拠規定から明らかであると認められるとき、または行政庁がその**処分をしない**ことが**裁量権の逸脱・濫用**となると認められるときは、裁判所は義務付け判決をする（同条5項）。

●コラム●　非申請型義務付け訴訟と申請型義務付け訴訟の区別

本文で述べたように、両者の区別は、基本的には、申請の仕組み（申請権）の有無による。もっとも、厳密には、行訴法3条6項2号は「申請……がされた場合」としており、同項1号は「次号に掲げる場合を除く」としているから、申請の仕組みがあっても、申請がされていない場合には、非申請型義務付け訴訟に該当しうることになる。しかし、そもそも申請の仕組みは、公益に関わる国民の権利義務について、裁判所にいきなり判断させるのではなく、第一次的には行政機関に判断・決定させる仕組みであると考えられるから（→26頁）、申請の仕組みがあるにもかかわらず申請をせずに非申請型義務付け訴訟を提起することは、通常の場合、行訴法37条の2第1項にいう「その損害を避けるため他に適当な方法がないとき」に該当せず、不適法であると解される。

(2) 申請型義務付け訴訟（3条6項2号）

　行政庁に対し一定の処分を求める旨の**法令に基づく申請**がされた場合において、当該行政庁がその処分をすべきであるにかかわらずこれがされないときに、その処分の義務付けを求めるものである（詳細は、→395頁以下）。ここにいう「その処分」とは、申請者が求めた処分（申請を認容する処分）であるから、「その処分……がされないとき」には、申請に対して何らかの処分がされない場合（**不作為型**）だけではなく、申請を拒否する処分がされた場合（**拒否処分型**）も含まれる（この点で、不作為の違法確認訴訟に関する行訴法3条5項が「何らかの処分……をしない」と規定しているのと異なる。→267頁）。

　これを受けて、行訴法37条の3第1項1号が不作為型、同項2号が拒否処分型について規定している。

ア　訴訟要件

　申請型義務付け訴訟のうち、不作為型については、**不作為の違法確認訴訟を併合して提起しなければならず**（行訴37条の3第3項1号）、相当の期間内に何らの処分または裁決がされないことが訴訟要件とされている（同条1項1号）。また、拒否処分型については、拒否処分の**取消訴訟または無効等確認訴訟を併合して提起しなければならず**（同条3項2号）、拒否処分等が取り消されるべきものであり、または無効等であることが訴訟要件とされている（同条1項2号）。

イ　原告本案勝訴要件

　申請型義務付け訴訟に係る処分につき、行政庁がその**処分をすべきである**ことが処分の根拠規定から明らかであると認められる場合、または行政庁がその**処分をしないことが裁量権の逸脱・濫用**となると認められる場合に、裁判所は義務付け判決をする（行訴法37条の3第5項）。

　なお、併合提起された不作為の違法確認訴訟、取消訴訟または無効等確認訴訟についてのみ終局判決をすることがより迅速な争訟の解決に資すると裁判所が認めるときは、これらについてのみ終局判決をし、**申請型義務付け訴訟については終局判決をしないことができる**（同条6項）。例えば、裁量の認められる行政処分について、裁判所が審理した結果、何らかの処分をしない（あるいは拒否処分をする）ことは違法であるとの判断に達したが、どのような処分をすべきかについては、処分の専門技術性などの理由により、裁判所が判断するよりも、事案を行政過程に戻して行政庁に判断させた方が、より迅速な紛争解決に資するという場合もありうる。このような場合には、

裁判所は、不作為の違法確認判決（または拒否処分の取消判決）をし、申請型義務付け訴訟については判決をしないことができる（裁判例として、タクシー運賃変更認可に関する大阪地判平成19年3月14日判タ1252号189頁）。

7　差止訴訟（3条7項）

　差止訴訟とは、行政庁が一定の処分をすべきでないにかかわらずこれがされようとしている場合において、行政庁がその処分をしてはならない旨を命ずることを裁判所に求める訴訟である（3条7項。詳細は、→403頁以下）。このように、差止訴訟は、まだ行われていない一定の処分を差し止めるものであり、既に処分が行われてしまった場合には、不適法となる。この場合には、取消訴訟を提起すべきである。

(1)　訴訟要件

　差止訴訟は、一定の処分または裁決がされることにより**重大な損害を生ずるおそれがある**場合に限り、提起することができる。ただし、その損害を避けるため**他に適当な方法があるとき**は、この限りでない（行訴法37条の4第1項。なお、「重大な損害」の有無を判断する際の考慮要素が、同条2項に定められている）。

　また、取消訴訟と同様に、**原告適格**が定められている（同条3項・4項）。

　なお、「**一定の処分**」とされているのは、義務付け訴訟の場合（→269頁）と同様に、ある程度幅をもった一定の処分の差止めを可能とする趣旨である。

(2)　原告本案勝訴要件

　差止訴訟に係る処分につき、行政庁がその処分をすべきでないことが処分の根拠規定から明らかであると認められる場合、または行政庁がその処分をすることが裁量権の逸脱・濫用となると認められる場合は、裁判所は、行政庁がその処分をしてはならない旨を命ずる判決をする（37条の4第5項）。

●コラム●　無効確認訴訟、差止訴訟等の対象に注意

　行訴法3条2項～7項に規定された訴訟類型については、いずれもその対象は処分（または裁決。以下同じ）に限られる。処分以外の行政活動（行政立法、行政計画、行政指導など）についても、無効確認、違法確認、義務付け、差止め等の訴訟を考えることは可能であるが、それらは（法定）抗告訴訟ではない（当事者訴訟または民事訴訟と考えられる。ただし、処分以外にも「公権力の行使」がありうるとすれば、次項8の法定外抗告訴訟として認められるという考え方はありうる。しかし、少なくとも法定の抗告訴訟の対象は、処分に限られる）。抗告訴訟かそれ以外の訴訟かによって、行訴法上の扱いが全く異

> なってくるので、以上の区別には十分注意してほしい（抗告訴訟としての無効確認訴訟を提起するためには、前提として、対象が処分でなければならないから、その点を検討する必要がある。義務付け訴訟や差止訴訟についても同様である）。

8　法定外抗告訴訟（無名抗告訴訟）（3条1項）

　行訴法が、抗告訴訟の各類型に関する規定（3条2項〜7項）のほかに、抗告訴訟についての包括的な規定（3条1項）を置いているのは、法定の抗告訴訟のほかに、解釈上、**法定外抗告訴訟（無名抗告訴訟）**が認められる余地があることを示すものと考えられている。ただし、従来、法定外抗告訴訟が議論されていたのは、主として、行訴法改正前に法定されていなかった義務付け訴訟および差止訴訟を、解釈によって導き出すためであった。したがって、これらの訴訟類型が法定された現時点においては、法定外抗告訴訟の議論は主要な役割を終えたことになるが、理論的には、義務付け訴訟および差止訴訟以外にも、さらに、法定外抗告訴訟として認められるものがありうる（→407頁）。

9　形式的当事者訴訟（4条前段）

　行訴法4条前段の「当事者間の法律関係を確認し又は形成する処分又は裁決に関する訴訟で法令の規定によりその法律関係の当事者の一方を被告とするもの」を**形式的当事者訴訟**という。これは、土地収用法に定める損失補償額に関する訴え（同法133条2項・3項）のように、行政処分の効力を争うものであって、実質的には抗告訴訟であるが、法令の規定により、処分により形成される法律関係の当事者間での訴訟の形態をとることとされているものである。

　損失補償額に関する訴えは、収用裁決という行政処分によって決められた補償額を争うものなので、実質は抗告訴訟である。しかし、争点がお金の問題だけなので（補償金を支払うのは起業者である）、個別法（土地収用法）によって特別に、土地所有者と起業者という当事者間で争うこととされている（これに対して、土地の収用自体に不服がある場合は、原則どおり、収用裁決の取消訴訟で争うべきことになる）。このように、形式的当事者訴訟は、個別法で認められている場合に限って提起できるものであり、私人間の訴訟であるにもかかわらず行政事件訴訟の一種とされている特殊な例である。この場合、行政庁の行った処分の内容が争われているため、形式的当事者訴訟

が提起されたときに、裁判所は、当該処分をした行政庁にその旨を通知するものとされている（行訴法39条）。

なお、形式的当事者訴訟の被告および出訴期間に関する**教示**の規定が置かれている（行訴法45条3項）。

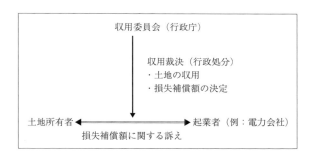

10　実質的当事者訴訟（4条後段）

行訴法4条後段の「公法上の法律関係に関する確認の訴えその他の公法上の法律関係に関する訴訟」を**実質的当事者訴訟**という。そもそも訴訟とは当事者間の法律関係を争うものなので、「当事者訴訟」というネーミングは奇異に感じられるかもしれないが、これには2つの意味がある。

第1に、抗告訴訟（特に取消訴訟）は、行政処分という（過去に行われた）行為を訴訟の直接の対象とする「行為訴訟」である（→257頁）のに対し、当事者訴訟は、民事訴訟と同様に、**当事者間の法律関係**を訴訟の直接の対象とする点に特徴がある。もっとも、処分によって形成された法律関係については、取消訴訟の排他的管轄により、原則として取消訴訟でしか争えないので、当事者訴訟とされるのは、それ以外の公法上の法律関係に関する訴訟である。すなわち、当事者訴訟は、**行政主体と私人とがいわば対等な立場で法律関係を争う訴訟であり、その意味では民事訴訟に近い性質**のものである。

第2に、そうであれば、民事訴訟で争えばよいとも考えられるが、行訴法の立法者は、**公法私法二元論**（→28頁）を前提として、公法関係については行政訴訟、私法関係については民事訴訟で争うべきと考えていた。そこで、処分に関わらない法律関係であっても、それが公法関係に当たる場合には、民事訴訟（＝私法上の当事者訴訟）ではなく行政訴訟で争うべきと考えられ、そのための受け皿として、公法上の当事者訴訟が用意されたのである。

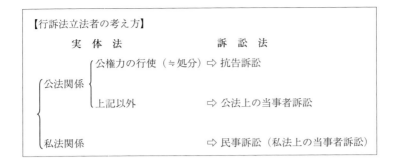

しかし、その後、行訴法が前提とする公法私法二元論自体に疑問が呈されるようになり、また、実際上、当事者訴訟と民事訴訟の手続上の違いは少ない（ただし、当事者訴訟には**取消判決の拘束力**の規定〔行訴法33条1項〕が準用されている〔行訴法41条1項〕等の違いはある）ため、民事訴訟とは別に公法上の当事者訴訟という類型が設けられていることについては、理論上も実際上もあまり意味がないとの批判がされるようになった。他方で、当事者訴訟を積極的に活用しようとする見解も唱えられてきた。

2004年改正行訴法では、「**公法上の法律関係に関する確認の訴えその他の**」という文言が挿入され、抗告訴訟の対象とならない行政活動について、公法上の当事者訴訟としての**確認訴訟を活用**する方向性が示された。これは、行政行為以外の行為形式（行政立法・行政計画・行政指導等）について、無理に処分性を拡大して取消訴訟の対象とするのではなく、確認訴訟の活用によって救済を図ろうとするものである（→92頁）。

このような確認訴訟は、以前から理論的には可能であったはずであるが、注目されていなかった。2004年改正行訴法で、これが当事者訴訟の一類型として明示され、活用の方向性が示されたことに対しては、取消訴訟の限界を補い、国民の権利利益の実効的救済を確保するためのツールとして、大きな期待が寄せられている。ただし、この確認訴訟はあくまでも主観訴訟の一種であるから、自己の権利利益と無関係に行政計画や行政立法の違法・無効確認等を求めることはできず、その点が確認の利益の有無という形で審査されることになる（→407頁以下）。

なお、行訴法4条後段で確認訴訟が挙げられているのは、あくまでも例示であって、民事訴訟と同様に、確認訴訟以外の訴訟類型、とりわけ**給付訴訟**もありうることに注意が必要である。

11　民衆訴訟（5条）・機関訴訟（6条）

　以上は主観訴訟であり、「法律上の争訟」に当たるから、これについて裁判（行政訴訟または民事訴訟）で争えることは憲法上の要請である（憲法32条・76条1項、裁判所法3条1項）。これに対し、国民が自己の法律上の利益と無関係に行政機関の違法行為の是正を求める場合や、行政機関相互の権限争いについては、国民の権利・利益に直接関わらないから、**法律上の争訟**に当たらず、憲法上、当然に裁判所の権限に属するものではない。しかし、そのような場合であっても、裁判による解決が立法政策的に見て望ましいと考えられる場合もあり、法律によって特別に出訴を認めることは、憲法上禁止されていないと考えられる（ただし、限界がないかどうかは、問題となりうる）。そこで、行訴法は、民衆訴訟（5条）および機関訴訟（6条）という類型を掲げ、これについては、「**法律に定める場合において、法律に定める者に限り、提起することができる**」（42条）とした。

　民衆訴訟の代表例として、地方自治法242条の2に定められた住民訴訟（→411頁以下）がある。これは、地方公共団体の住民が、自分の属する地方公共団体の財務会計上の行為を適正に保つための訴訟である。また、**機関訴訟**の例として、地方公共団体に対する国の関与に関する訴え（地方自治法251条の5。→79頁）がある。

第18講　取消訴訟の対象(1)

◆学習のポイント◆
1 まず、判例による処分性の定式および処分性認定の分析的手法について理解する。
2 行政組織内部での行政機関相互の行為は、直接国民の権利義務を形成するものではないから、処分に当たらない。行政機関相互の行為の違法性については、それを経て直接国民に対して行われた処分の取消訴訟において、処分の違法性を基礎づける前提問題として争うことができる。
3 それ自体法的効果を有するかどうか微妙な、行政機関による通知や勧告等の行為について、法的仕組みおよび実効的権利救済の観点から、処分性が認められることがある。判例の着眼点に注意する。

1　基本的定式

【設問1】東京都ごみ焼却場設置事件
　東京都（Y）は、議会の議決を経て、ごみ焼却場設置計画を決定し、設置のための土地を購入して、建設会社と建築請負契約を締結し、建築工事に着手した。これに対し、近隣住民Xは、本件ごみ焼却場設置行為の取消訴訟を提起した。この取消訴訟は適法か。不適法であるとすると、Xはどのような訴訟を提起すべきか。

(1)　処分性の定式

　本問は、処分性に関するリーディングケースである最判昭和39年10月29日民集18巻8号1809頁（基判229頁、百選Ⅱ143、CB11-2）をモデルとしている。同判決は、「行政庁の処分とは、……公権力の主体たる国または公共団体が行う行為のうち、その行為によって、**直接国民の権利義務を形成しまたはその範囲を確定することが法律上認められているものをいう**」とする。これは行政事件訴訟特例法時代の判決であるが、行訴法上の処分にも妥当する

と解されており、処分性の基本的定式とされている。

> * もっとも、処分性に関する最高裁判例は、この定式を示して当てはめるスタイルをとっていないものが多い。しかし、新たな定式が確立されているわけでもなく、事例問題の解答としては、この定式を示して当てはめるスタイルをとる必要がある。

(2) 公共施設の設置・供用行為の処分性と民事差止訴訟
ア 一般論

【設問１】の事案について、上掲昭和39年判決は、「本件ごみ焼却場は、Yがさきに私人から買収したY所有の土地の上に、私人との間に対等の立場に立って締結した私法上の契約により設置されたもの」であり、また、「Yにおいて本件ごみ焼却場の設置を計画し、その計画案を都議会に提出した行為はY自身の内部的手続行為に止まる」として、ごみ焼却場設置行為の処分性を否定した。

このように、判例は、行政の一連の行為（本件では、ごみ焼却場設置行為）を一体的に把握して処分性を論じるのではなく、**個々の法的行為に分解して分析する**方法をとっている。その結果、本件のような公共施設の設置や供用については、処分性が否定され、これに対する抗告訴訟は認められないが、**民事差止訴訟**が可能であると解されるから、救済に欠けるところはない。

イ 国営空港の供用および航空基地の供用の場合

ただし、国営空港の供用および航空基地の供用に対しては、以下のとおり、民事差止訴訟を不適法とするのが判例の立場である。

最大判昭和56年12月16日民集35巻10号1369頁（大阪空港訴訟、基判229頁、百選Ⅱ144、CB16-1）は、国営空港の離着陸のためにする供用は、運輸大臣の有する空港管理権と**航空行政権**という２種の権限の不可分一体的な行使の結果であるから、空港管理権の行使に対する民事差止訴訟は、不可避的に航空行政権の行使に対する取消変更請求を含むことになり、不適法であるとした。

自衛隊機の運航差止めについて、最判平成５年２月25日民集47巻２号643頁（基判229頁、CB16-4）は、自衛隊機の運航に関する防衛庁長官（現：防衛大臣）の権限行使は、その運航に必然的に伴う騒音等について周辺住民の受忍を義務付ける**公権力**の行使に当たるから、民事訴訟としては不適法であるとし、最判平成28年12月８日民集70巻８号1833頁（基判377頁、百選Ⅱ145、CB15-7）は、行訴法３条７項・37条の４に基づく**差止訴訟**として、訴えの適法性を認めた（→403～406頁参照）。

上記のような判例の考え方の妥当性については、学説上議論があるが、判例の考え方を前提とするとしても、その射程は、国営空港の供用および航空基地の供用に限られると解すべきであり、それ以外の施設の設置や供用については、アで述べたとおり、民事差止訴訟が可能であると解される（道路の供用差止めにつき、最判平成7年7月7日民集49巻7号2599頁は、民事差止訴訟が適法であることを前提として、本案の判断をしている）。

(3) 処分の公定力

上掲昭和39年判決は、処分の定式に続けて、次のように述べる。「かかる行政庁の行為は、公共の福祉の維持、増進のために、法の内容を実現することを目的とし、正当の権限ある行政庁により、法に準拠してなされるもので、社会公共の福祉に極めて関係の深い事柄であるから、法律は、……行政庁の右のような行為は**仮りに違法なものであっても、それが正当な権限を有する機関により取り消されるまでは、一応適法性の推定を受け有効として取り扱われる**ものであることを認め、これによって権利、利益を侵害された者の救済については、通常の民事訴訟の方法によることなく、特別の規定によるべきこととしたのである」。これは、行政処分の**公定力**に関する判示である。ただし、「適法性の推定を受け」という部分は、公定力の根拠を**取消訴訟の排他的管轄**に求める現在の一般的な理解（→256頁）と整合しない。すなわち、現在の一般的な理解では、行政処分について、内容的に正しいと推定されるのではなく、内容的に正しいか否かについて争いがある場合に、その争い方が取消訴訟に限定されているため、取消訴訟（または職権取消し）によって取り消されない限りは、有効として取り扱われることになる。しかし、それ以外の部分については、現在でも公定力に関する説明として妥当すると考えられる。

2　行政機関相互の行為——直接性（外部性）

> 【設問2】消防長の同意
> Xは、建築主事Aに対して、火薬工場の建築確認を申請したところ、消防長Bは、同建築物には防火に関する法令違反があるとして、消防法7条に基づく同意をすることができない旨をAに通知した。Xはこれに不満であり、訴訟で争いたいが、どのような訴訟を提起すべきか。

◆消防法◆
第7条　建築物の新築、増築、改築……について許可、認可若しくは確認をする権限

を有する行政庁……は、当該許可、認可若しくは確認……に係る建築物の……所在地を管轄する消防長……の同意を得なければ、当該許可、認可若しくは確認……をすることができない。（ただし書略）
2 消防長……は、前項の規定によって同意を求められた場合において、当該建築物の計画が法律又はこれに基づく命令若しくは条例の規定（……）で建築物の防火に関するものに違反しないものであるときは、……同意を求められた日から7日以内に同意を与えて、その旨を当該行政庁……に通知しなければならない。この場合において、消防長……は、同意することができない事由があると認めるときは、これらの期限内に、その事由を当該行政庁……に通知しなければならない。
3 略

　本問は、最判昭和34年1月29日民集13巻1号32頁（基判229頁、百選Ⅰ16、CB11-1）をモデルとしている。
　本問ではまず、建築主事Aと消防長Bという2つの行政機関が登場することに注意が必要である。そして、消防長Bの同意が得られなければ、建築主事AはXに対する建築確認をすることができない（消防法7条1項）から、消防長Bの同意拒否は、間接的に国民の権利義務を形成するものといえる。しかし、消防長Bの同意拒否は、建築主事Aに対して行われるものであって、直接Xに対して行われるものではないので、「直接」国民の権利義務を形成するという要件を満たさず、処分性が認められない。
　それでは、Xはどのような訴えを提起すべきか。消防長Bの同意が得られなければ、建築主事AはXに対して建築確認を拒否することになる。そして、建築確認が得られなければ、Xは建築をすることができない（建築基準法6条）から、建築確認拒否は処分に当たる。したがって、Xは建築主事Aによる建築確認拒否処分の取消訴訟を提起し、当該処分の違法事由として、前提とされた消防長Bの同意拒否の違法性を主張すればよいと考えられる。

　　　＊　取消訴訟の審理対象は、処分の客観的な違法性（公権力発動要件の欠如）であって、公務員の職務上の義務違反ではないから、本件でBの同意が得られないためにAが消防法に従って建築確認を拒否したとしても、その前提とされているBの同意拒否が違法であれば、Aによる建築確認拒否も違法となると解される。

　このように、行政組織内部で行政機関相互の行為が行われ、それを前提として、私人に対して権利義務を形成する行為が行われる場合、行政機関相互の行為は処分に当たらず、行政組織の側から見ると最終的な「出口」（行政組織と私人との接点）に当たる、直接私人の権利義務を形成する行為が処分に当たる。したがって、私人が**行政機関相互の行為を争いたい場合**、最終的

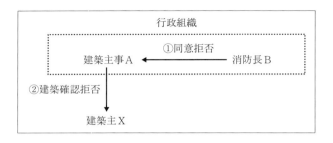

に直接自らに対して行われた処分の**取消訴訟を突破口**とし、**当該処分の違法事由として、前提とされた行政機関相互の行為の違法性を主張**するという戦略をとることになる。

なお、本件のほかに、行政機関相互の行為であることを理由に処分性を否定した判例として、最判昭和43年12月24日民集22巻13号3147頁（墓地埋葬通達事件、基判230頁、百選Ⅰ52、CB1-1。→160頁）、最判昭和53年12月8日民集32巻9号1617頁（成田新幹線事件、基判230頁、百選Ⅰ2、CB11-4。→79頁）がある。

3　通知・勧告等——法的効果

(1) 輸入禁制品該当の通知

最判昭和54年12月25日民集33巻7号753頁（基判230頁、CB11-5）は、関税定率法21条3項（当時。現在の関税法69条の11第3項に相当）に基づき税関長が行う、輸入禁制品に該当する旨の通知について、処分性を認めた。この通知は、法律に明文の根拠があるという点では、後掲(4)の「食品衛生法違反通知」と異なるが、通知によって当該貨物を輸入できなくなることが通知の**法的効果**といえるかが問題となった。

すなわち、風俗を害すべき書籍等については、輸入申告（関税法67条）に対して、税関長が不許可処分をするのではなく、輸入禁制品に当たるという判断結果を申告者に知らせて（観念の通知）、自主的な善処を期待するという制度および運用になっているため、輸入禁制品を輸入してはならないことは法律によって決まっており、税関長の通知によって輸入禁止の効果が生じるわけではないと考えると、通知の処分性は否定されることになる。しかし、税関長の通知があると、申告者は当該貨物を適法に輸入する道を閉ざされるので、権利救済の観点からは、通知を訴訟で争わせる必要がある（後掲

最大判昭和59年12月12日は、税関検査が憲法21条2項にいう検閲に当たらないと解する理由の1つとして、税関長の通知に対する司法審査の機会が与えられていることを挙げている）。上掲昭和54年判決は、そのような考慮を実質的な背景とするものと考えられ、理論構成としては、「許可なしに貨物を輸入することができないという一般的・抽象的な制約が、通知によって、輸入申告者に対する特定的・具体的な制約に転化変質した」と説明することによって、これを通知の**法律上の効果**であるとし、通知の処分性を認めた。その後、外国郵便物の税関検査に関する最大判昭和59年12月12日民集38巻12号1308頁（百選Ⅱ153）は、「**通知は、実質的な拒否処分（不許可処分）として機能している**」という、ややニュアンスの異なる理由づけで処分性を肯定している。

＊　なお、現在は、関税法の改正で税関長の通知が審査請求の対象とされ（関税法91条2号・93条）、立法上明確に通知の処分性が認められている。

(2) 公務員の採用内定通知

最判昭和57年5月27日民集36巻5号777頁（基判231頁）は、地方公務員の採用内定通知（およびその取消し）について、単に採用発令の手続を支障なく行うための準備手続としてされる**事実上の行為**にすぎないとして、処分性を否定した。

なお、公務員の採用行為については、公務員関係の消滅（免職）が法律上処分と構成されている（不服申立前置が定められている。→246頁）ことから、公務員関係の成立行為である採用も処分であると解される（塩野・行政法Ⅲ313～314頁）。

(3) 開発許可申請に対する公共施設管理者の同意

最判平成7年3月23日民集49巻3号1006頁（百選Ⅱ151、CB11-8）は、開発行為（主として建築物の建築の用に供する目的で行う土地の区画形質の変更）の許可申請に対する公共施設管理者の同意（都市計画法32条）の拒否について、都市計画法は、開発行為による影響を受ける公共施設（道路、下水道等）の管理者の同意を得た場合に限って開発行為を行うことを認めているのであって、**同意を拒否する行為それ自体は、開発行為を禁止または制限する効果をもつものとはいえない**として、処分性を否定した。この理由づけはわかりにくいが、開発行為と公共施設の適切な管理との調整をどのように図るかは立法政策に委ねられているところ、都市計画法は、公共施設に影響を与える開発行為については、公共施設管理者の同意を得た場合に限り開発許可の申請権を付与する立法政策を採用しており、同意以前に開発行為の権利

があるわけではないという趣旨と解される（綿引万里子・最判解民事篇平成7年(上)393頁参照）。また、**同意に関する手続、基準・要件等が法定されて**いないことも、処分性を否定する理由として挙げられている。

* この仕組みは、開発許可の要件として開発許可権者が公共施設管理者の同意を得なければならない（その種の仕組みの例として、上掲【設問2】の消防長の同意）というのではなく、開発許可を申請するための要件として、申請しようとする私人が公共施設管理者の同意を得なければならないとされているところに特殊性がある（次の図を【設問2】の図と比較せよ）。

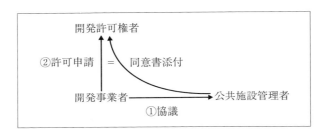

すなわち、同意が得られないと開発許可の申請自体ができないので、消防長の同意の場合のように、申請をしたうえで、開発不許可処分の取消訴訟の中で公共施設管理者の不同意の違法性を争うという方法をとることが困難である。この点につき、上掲平成7年判決は、公共施設に影響を与える開発行為を行う本来的な権利はないから訴訟で争わせる必要はないと割り切ったものと解されるが、一定の要件の下で開発行為を許可する制度がある以上、これに関する訴訟を認めるべきであるとも考えられ、そのためには、解釈上の工夫が必要となる（ここでは、問題の指摘にとどめる）。

(4) 食品衛生法違反通知

【設問3】
　Xは、冷凍スモークマグロ切り身100kg（以下「本件食品」という）を販売用に輸入するため、検疫所長Aに対し、食品衛生法27条に基づく輸入届出書を提出した。Aは、Xに対し、本件食品は食品衛生法10条に違反するから積戻しまたは廃棄されたいとの記載のある「食品衛生法違反通知書」を交付した（以下「本件通知」という）。
　輸入食品等監視指導業務基準（厚生労働省生活衛生局長通知）によると、検疫所長は、食品等を輸入しようとする者に対し、当該食品等が、法の規定に適合すると判断したときは「食品等輸入届出済証」を交付し、これに違反すると判断したときは「食品衛生法違反通知書」を交付することとされている。また、関税法基本通達は、関税法70条2項に規定する「検査の完了又は

条件の具備」について、上記の「食品等輸入届出済証」によって証明させるとし、輸入申告書に「食品等輸入届出済証」の添付がないときは、輸入申告書を受理しない旨を規定している。

　Xは、本件通知に不満であり、本件食品を輸入したいと考えているが、どのような法的手段（行訴法に規定されているものに限る）をとるべきか。

◆食品衛生法◆

第10条　人の健康を損なうおそれのない場合として厚生労働大臣が薬事・食品衛生審議会の意見を聴いて定める場合を除いては、添加物（天然香料及び一般に食品として飲食に供されている物であって添加物として使用されるものを除く。）並びにこれを含む製剤及び食品は、これを販売し、又は販売の用に供するために、製造し、輸入し、加工し、使用し、貯蔵し、若しくは陳列してはならない。

第27条　販売の用に供し、又は営業上使用する食品、添加物、器具又は容器包装を輸入しようとする者は、厚生労働省令で定めるところにより、その都度厚生労働大臣に届け出なければならない。

第75条　次の各号のいずれかに該当する者は、これを50万円以下の罰金に処する。
　　一・二　略
　　三　第27条……の規定による届出をせず、又は虚偽の届出をした者
　　四　略

◆関税法◆

（輸出又は輸入の許可）

第67条　貨物を輸出し、又は輸入しようとする者は、政令で定めるところにより、当該貨物の品名並びに数量及び価格（……）その他必要な事項を税関長に申告し、貨物につき必要な検査を経て、その許可を受けなければならない。

（証明又は確認）

第70条　他の法令の規定により輸出又は輸入に関して許可、承認その他の行政機関の処分又はこれに準ずるもの（以下この項において「許可、承認等」という。）を必要とする貨物については、輸出申告又は輸入申告の際、当該許可、承認等を受けている旨を税関に証明しなければならない。

２　他の法令の規定により輸出又は輸入に関して検査又は条件の具備を必要とする貨物については、第67条（輸出又は輸入の許可）の検査その他輸出申告又は輸入申告に係る税関の審査の際、当該法令の規定による検査の完了又は条件の具備を税関に証明し、その確認を受けなければならない。

３　第１項の証明がされず、又は前項の確認を受けられない貨物については、輸出又は輸入を許可しない。

第111条　次の各号のいずれかに該当する者は、５年以下の懲役若しくは1,000万円以下の罰金に処し、又はこれを併科する。（ただし書略）
　　一　第67条（輸出又は輸入の許可）（……）の許可を受けるべき貨物について当該許可を受けないで当該貨物を輸出（……）し、又は輸入した者

二　第67条の申告又は検査に際し、偽った申告若しくは証明をし、又は偽った書類を提出して貨物を輸出し、又は輸入した者
2〜4　略

　本問は、最判平成16年4月26日民集58巻4号989頁（基判173頁、CB11-11）をモデルとしている。
ア　食品輸入の仕組みと問題の所在
　まず、問題文から食品輸入に関する仕組みを理解する必要がある。下の図のように、検疫所長と税関長という2つの行政機関が登場する。最終的な輸入許可の権限は税関長にあるが、食品衛生法違反の有無は検疫所長が判断し、検疫所長が法に適すると認めて「食品等輸入届出済証」を交付しなければ、税関長はその食品に関する輸入申告書を受理しないという、両者の「連係プレー」の仕組みになっている。

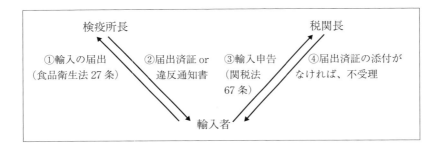

　この仕組みのうち、①検疫所長への輸入届出および③税関長への輸入申告（それに対する許可・不許可）については、法律（食品衛生法および関税法）に基づくことが明らかであるが、②検疫所長による届出済証または違反通知書の交付および④届出済証の添付がない場合の税関長による輸入申告の不受理については、いずれも**直接には通達に基づくものであり、法律が予定したものといえるかどうかが問題となる**。このように、法律が予定した仕組みと行政実務が運用している仕組みとの間にズレがあるのではないかというのが本件の問題であり、この点につき、上掲平成16年判決の多数意見と反対意見とが対立している。
　以上の点に注意して、以下、本件通知の処分性を検討する。
イ　本件通知の法的根拠
　処分は、「直接国民の権利義務を形成……することが**法律上認められてい**

るもの」であるから、ある行政の行為に処分性が認められるには、前提として、当該行為について法律で規定されていることが必要である。これを本件について見ると、本件通知（図の②）は、食品衛生法27条に明示されておらず、直接には厚生労働省の通達である「輸入食品等監視指導業務基準」に基づくものである。そして、食品衛生法27条にいう届出が行手法上の届出（→120頁）を意味するとすると、これに対する行政庁の応答は法律上予定されておらず、本件通知は法律に基づかない行政指導であって、処分ではないと解される。

これに対し、食品衛生法27条にいう届出は、行手法上の届出とは異なり、行政庁による**諾否の応答**を予定した仕組みであると解釈し、「輸入食品等監視指導業務基準」がその手続を具体化したものであると解すると、本件通知に処分性を認める余地がある。上掲平成16年判決の多数意見は、食品衛生法が「厚生労働大臣に対して食品等の安全を確保する責任と権限を付与している」ことを根拠に、この立場をとる。

このように、処分性を検討する際には、問題となっている行政の行為が法律のレベルで規定されている（と解しうる）のか、それとも通達等のレベルで規定されているにすぎないのかに着目する必要がある。本件は、法律の文言からは後者であるように見えるが、上掲平成16年判決の多数意見は、前者であると解釈したのである。

ウ　本件通知の法的効果

次に、検疫所長から本件通知がされ、「食品等輸入届出済証」が交付されないと、輸入申告が受理されず輸入ができないこと（図の④）が、本件通知の法的効果といえるかが問題となる。ここでも、これを法的効果というためには、この仕組みは行政機関が通達により勝手に作ったものではなく、もともと法律が予定したものであると説明する必要がある。上掲平成16年判決の多数意見はこの立場をとり、関税法70条2項にいう「『当該法令の規定による検査の完了又は条件の具備』は、食品等の輸入に関していえば、〔食品衛生〕法16条〔現27条〕の規定による輸入届出を行い、法の規定に違反しないとの厚生労働大臣の認定判断を受けて、輸入届出の手続を完了したことを指す」とし、関税法基本通達は「上記解釈と同じ趣旨を明らかにしたものである」としている。

以上により、「本件通知は、上記のような**法的効力**を有するものであって、取消訴訟の対象となる」というのが上掲平成16年判決の多数意見の判断である。

エ　他の救済方法との関係

以上のような解釈をとる場合、食品衛生法27条の届出は、「食品等輸入届出済証」の交付を求める申請に当たり、本件通知（「食品衛生法違反通知書」の交付）は、この申請を拒否する処分に当たると解される（法律の文言は「届出」とされているにもかかわらず、解釈によって申請の仕組みが認められた例である。→121頁）。したがって、2004年改正行訴法の下では、Xは、「食品等輸入届出済証」の交付を求める**申請型義務付け訴訟**（行訴法3条6項2号・37条の3）を提起することも可能である。さらに、食品の輸入が問題となっており、早期の紛争解決が望まれるので、「食品等輸入届出済証」の交付を求める**仮の義務付け**（行訴法37条の5第1項）の申立てもしておくべきであろう。

他方、本件通知を受けたXが「食品等輸入届出済証」を添付しないまま税関長に輸入申告をし、税関長がこれを不受理とした場合、不作為の違法確認訴訟および輸入許可の義務付け訴訟を提起することが考えられる（不受理の救済方法については→114頁）が、当該訴訟において本件通知の違法性を主張できるかどうかが問題となる（**違法性の承継**の問題。基判180頁参照）。

なお、仮に、上記**イ・ウ**のような解釈をとらず、本件通知の処分性を否定する場合には、公法上の当事者訴訟（行訴法4条）として、本件通知の違法確認訴訟（または本件食品が食品衛生法に違反しないことの確認訴訟）を提起することが考えられる。

(5)　登録免許税還付通知請求拒否通知

最判平成17年4月14日民集59巻3号491頁（基判232頁、百選Ⅱ155、CB11-12）は、Xが登記を受ける際に登録免許税を誤って納付したとして、登録免許法31条2項に基づき、登記官（Y）に対し、所轄税務署長に対して還付通知をすべき旨の請求をしたところ、Yがこれを拒否する旨の通知をした事案で、拒否通知の処分性を認めた。

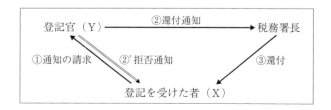

その理由であるが、還付通知請求制度（1年の期間制限がある）によらな

ければ還付を受けることができないという手続の排他性が法律で規定されているとすれば（本件で被告行政側はそのように主張した）、還付通知を拒否する通知は、登記を受けた者に対して還付請求権を否定することになるので、処分性が認められる。しかし、上掲平成17年判決は、そのような手続の排他性を否定し、拒否通知の取消しを受けなくても、登録免許税の過誤納金の還付（消滅時効期間は5年）を請求することはできるとした。そのうえで、「登録免許税法31条2項は、登記等を受けた者に対し、**簡易迅速に還付を受けることができる手続を利用することができる地位を保障している**」ところ、「拒否通知は、登記等を受けた者に対して上記の**手続上の地位を否定する法的効果を有する**」として、その処分性を認めた。

この判決は、還付請求権という実体法上の権利の否定ではなく、「簡易迅速に還付を受けることができる手続を利用することができる地位」という手続上の地位の否定に着目して処分性を認めたものとして、注目される。

(6) 病院開設中止勧告

【設問4】
　Xは、医療法（平成9年法律第125号による改正前のもの）7条に基づき、病床数を400とする病院開設許可申請をしたところ、A県知事Yは、同法30条の7に基づき、「当該医療圏における病床数が、A県地域医療計画に定める必要病床数に達しているため」との理由で、本件申請に係る病院の開設を中止するよう勧告した（本件勧告）。XはYに対し、本件勧告を拒否するとともに、速やかに本件申請に対する許可をするよう求めたところ、YはXに対し、本件申請を許可した。他方、厚生省通知において、「医療法第30条の7の規定に基づき、都道府県知事が医療計画達成の推進のため特に必要があるものとして勧告を行ったにもかかわらず、病院開設が行われ、当該病院から保険医療機関の指定申請があった場合にあっては、健康保険法〔平成10年法律第109号による改正前のもの〕43条ノ3第2項に規定する『著シク不適当ト認ムルモノナルトキ』に該当するものとして、地方社会保険医療協議会に対し、指定拒否の諮問を行うこと」とされていた。

　Xは、本件勧告を違法と考えており、本件申請に係る病院を開設したいが、その場合、上記の通達に従って、保険医療機関の指定が拒否される可能性が高く、そうなれば病院の経営は困難になる（いわゆる国民皆保険制度がとられているわが国では、保険を利用しないで病院で受診する者はほとんどいない）。また、多額の投資をして病院の開設をした後に保険医療機関指定の拒否処分を争うことは経済的に不可能と考えている。Xは、どのような訴訟を提起すべきか。

◆医療法◆
※平成９年法律第125号による改正前のもの
第７条　病院を開設しようとするとき……は、開設地の都道府県知事（……）の許可を受けなければならない。
２　略
３　都道府県知事は、前２項の許可の申請があった場合において、その申請に係る施設の構造設備及びその有する人員が第21条……の規定に基づく省令の定める要件に適合するときは、前２項の許可を与えなければならない。
４　略
第21条　病院は、厚生省令の定めるところにより、次に掲げる人員及び施設を有し、かつ、記録を備えて置かなければならない。（ただし書略）
　一　……厚生省令で定める員数の医師、歯科医師、看護婦その他の従業者
　一の二　略
　二　各科専門の診察室
　三〜十七　略
２　略
第30条の７　都道府県知事は、医療計画の達成の推進のため特に必要がある場合には、病院を開設しようとする者又は病院の開設者若しくは管理者に対し、都道府県医療審議会の意見を聴いて、病院の開設又は病院の病床数の増加若しくは病床の種別の変更に関して勧告することができる。

◆健康保険法◆
※平成10年法律第109号による改正前のもの
43条ノ３第２項　都道府県知事保険医療機関……ノ指定ノ申請アリタル場合ニ於テ当該病院……ガ……保険医療機関…トシテ著シク不適当ト認ムルモノナルトキハ其ノ指定ヲ拒ムコトヲ得

　本問は、最判平成17年７月15日民集59巻６号1661頁（基判164頁、百選Ⅱ154、CB11-13。以下「平成17年判決」という）をモデルとしている。
　Xは本件勧告を違法と考えており、また、後に保険医療機関指定の拒否処分を争うことは経済的に不可能であるというのであるから、本件勧告を対象とする訴訟を考えるべきであり、本件勧告の処分性の有無が問題となる。
ア　勧告違反の医療法および健康保険法上の効果
　本件勧告は、法律（医療法30条の７）に基づくものであるが、勧告という文言からは、行政指導であるように見える。また、勧告に従わない場合にどのような法的効果が生じるのかに着目すると、医療法上は、申請に係る施設の構造設備・人員が一定の要件に適合する限り、知事は許可を与えなければならないとされており（７条３項）、勧告に従わないことを理由に、病院開

設不許可等の処分がされることはない。

　他方、健康保険法43条ノ3第2項およびこれに関する厚生省通知によると、勧告に従わない場合、保険医療機関の指定が拒否される可能性が高く、そうなれば病院の経営は困難になる。

　　＊　なお、勧告不服従に対する指定拒否は、健康保険法（平成10年改正前）に明示されておらず、厚生省通知で定められているにすぎないので、その適法性が問題となるが、最判平成17年9月8日判時1920号29頁は、「医療の分野においては、供給が需要を生む傾向があり、人口当たりの病床数が増加すると1人当たりの入院費も増大するという相関関係がある」から、「医療計画に照らし過剰な数となる病床を有する病院を保険医療機関に指定すると、不必要又は過剰な医療費が発生し、医療保険の運営の効率化を阻害する事態を生じさせるおそれがある」として、その適法性を認めている。

　イ　相当程度確実な、重大な不利益による処分性認定

　以上を前提として、平成17年判決は、次のとおり、本件勧告の処分性を肯定した。すなわち、本件勧告は、**医療法上は行政指導として定められている**けれども、勧告を受けた者に対し、これに従わない場合には、**相当程度の確実さをもって**、病院を開設しても**保険医療機関の指定を受けることができなくなる**という結果をもたらす。そして、いわゆる国民皆保険制度が採用されているわが国においては、保険医療機関の指定を受けることができない場合には、**実際上病院の開設自体を断念せざるをえない**。このような勧告の保険医療機関の指定に及ぼす効果および病院経営における保険医療機関の指定のもつ意義を併せ考えると、この勧告は、「行政庁の処分その他公権力の行使に当たる行為」（行訴法3条2項）に当たる。後に保険医療機関の指定拒否処分の効力を抗告訴訟によって争うことができるとしても、そのことは上記の結論を左右しない。

　ウ　法的効果がなくても処分性を認定しうるか

　平成17年判決の判示で注目されるのは、本件勧告が医療法上は行政指導の性質を有すると明言したうえで、勧告不服従は「相当程度の確実さをもって」指定拒否という「結果をもたらす」と指摘するにとどまり、指定拒否が勧告不服従の法的効果であると明言することなく、本件勧告の処分性を認めたことである。その背景には、多額の投資をして病院の開設をした後に保険医療機関指定拒否処分を争うのは実際上困難であり、**実効的な権利救済**のためには本件勧告を争わせる必要があるとの考慮があるものと思われる。

　　＊　しかし、本判決の後に出された最大判平成20年9月10日民集62巻8号

2029頁（基判196頁、百選Ⅱ147、CB11-14）は、実効的な権利救済という観点を考慮しつつも、私人の法的地位への直接的な影響を詳細に論じて、事業計画決定の処分性を認めていること（→第19講【設問4】〔307頁〕）からすると、私人の法的地位への直接的な影響を処分性認定の要件とする最高裁の考え方は、基本的には維持されており（塩野・行政法Ⅱ123頁）、上掲平成17年判決も、実質的には指定拒否を勧告不服従の法的効果と認めたものと解すべきである（基判169頁）。なお、このように解したとしても、実際上病院を開設できなくなることは、勧告不服従の法的効果とはいえないので注意してほしい。この点は、実効的権利救済のために勧告に処分性を認めるべき事情として考慮すべきである。

以上より、Xは本件勧告の取消訴訟を提起すべきである。

エ　他の救済方法との関係

本問のXは、後に保険医療機関の指定拒否処分を争うことは経済的に不可能と考えているが、事案によっては、勧告の取消訴訟ではなく、後の保険医療機関指定拒否処分の取消訴訟が提起されることもありうる。この場合には、当該訴訟において、前提となっている勧告の違法性を主張できるかが問題となる（**違法性の承継**の問題。→373頁）。

* この点につき、本件勧告に処分性を認める以上、本件勧告に対する不服は本件勧告の取消訴訟で争うべきであって、違法性の承継は認められないとも考えられるが（最判平成17年10月25日判時1920号32頁における藤田裁判官の補足意見を参照）、本件では勧告の違法性を早期に争わせるために、それ自体は行政指導にすぎない本件勧告に処分性を認めたのであって、本件勧告に関する争いを早期に遮断すべき要請があるわけではないから、違法性の承継を認めるべきであるとの考え方もありうる。

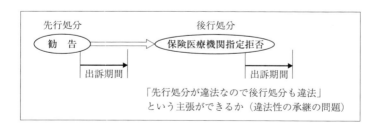

なお、仮に、本件勧告の処分性を否定する場合には、公法上の当事者訴訟（行訴法4条）として、本件勧告の違法確認訴訟（または本件勧告に従う義務がないことの確認訴訟）を提起することが考えられる。

(7) 土壌汚染対策法の通知

【設問5】
　A社は、甲県内の土地（以下「本件土地」という）上に、洗たく業用の洗浄施設を設置し、使用していた。同洗浄施設は、土壌汚染対策法（平成26年法律第51号による改正前のもの。以下「法」という）3条1項所定の有害物質使用特定施設であった。甲県知事Yは、同洗浄施設の廃止を確認したため、本件土地の所有者であるXに対し、法3条2項に基づく通知（以下「本件通知」という）を行い、これにより、Xは、本件土地の土壌汚染状況調査を実施してその結果を報告すべきものとされた。これに対し、Xは本件通知の取消訴訟を提起した。本件通知は処分に当たるか。

◆土壌汚染対策法◆
※平成26年法律第51号による改正前のもの
（使用が廃止された有害物質使用特定施設に係る工場又は事業場の敷地であった土地の調査）
第3条　使用が廃止された有害物質使用特定施設（……）に係る工場又は事業場の敷地であった土地の所有者、管理者又は占有者（以下「所有者等」という。）であって、当該有害物質使用特定施設を設置していたもの又は次項の規定により都道府県知事から通知を受けたものは、環境省令で定めるところにより、当該土地の土壌の特定有害物質による汚染の状況について、環境大臣が指定する者に環境省令で定める方法により調査させて、その結果を都道府県知事に報告しなければならない。（ただし書略）
2　都道府県知事は、……有害物質使用特定施設の使用が廃止されたことを知った場合において、当該有害物質使用特定施設を設置していた者以外に当該土地の所有者等があるときは、環境省令で定めるところにより、当該土地の所有者等に対し、当該有害物質使用特定施設の使用が廃止された旨その他の環境省令で定める事項を通知するものとする。
3　都道府県知事は、第1項に規定する者が同項の規定による報告をせず、又は虚偽の報告をしたときは、政令で定めるところにより、その者に対し、その報告を行い、又はその報告の内容を是正すべきことを命ずることができる。
4・5　略
第65条　次の各号のいずれかに該当する者は、1年以下の懲役又は100万円以下の罰金に処する。
　一　第3条第3項……の規定による命令に違反した者
　二～六　略

　本問は、最判平成24年2月3日民集66巻2号148頁（基判181頁、CB11-16）をモデルとしている。

法3条2項による通知（2項通知）を受けた土地所有者等は、同条1項による調査報告の義務を負う。もっとも、上記調査報告義務に違反した者は、直接罰則の対象とはされておらず、同条3項による報告命令（3項命令）を受ける可能性があるにとどまり、3項命令に違反した者が、罰則の対象とされている（同法65条1号）。そこで、上掲平成24年判決の第1審旭川地判平成21年9月8日判例自治355号38頁は、①調査報告義務は土壌汚染対策法3条1項によって生じており、2項通知は当該義務の発生を知らせるにすぎない、②2項通知を受けただけでは調査報告義務の履行を強制されることはなく、任意の履行を期待されるにとどまる、③3項命令を受けたときに争うことで権利救済として足りる、との理由で、2項通知の処分性を否定した。

　これに対し、上掲平成24年判決は、2項通知の処分性を認めた。すなわち、2項通知は土地所有者等に**調査報告義務**を生じさせ、その**法的地位に直接的な影響**を及ぼすとして、第1審の理由①②を否定した。また、2項通知を受けた土地所有者等が調査報告義務を履行しない場合でも、速やかに3項命令が発せられるわけではないため、早期に3項命令の取消訴訟を提起できないから、**実効的な権利救済**の観点からも、2項通知の取消訴訟が制限されるべき理由はないとして、第1審の理由③を否定した。

　第1審の挙げる理由①については、法3条1項は、「通知を受けたものは、……調査させて、……報告しなければならない」と規定しており、通知によって調査報告義務が生じると解されること、理由②については、たしかに、罰則規定があれば義務であると解しやすいが、罰則規定がないからといって、義務でないとはいえないこと（212頁も参照）、理由③については、3項命令の段階まで調査報告義務の存否が確定しないと、不安定な状態が続き、土地の売却等に支障を来たすことから、上掲平成24年判決の判断が妥当であると解される（桑原勇進・平成24年度重要判例解説44頁参照）。

　なお、本問では問われていないが、3項命令の取消訴訟において2項通知の違法性を主張できるか（**違法性の承継**。→373頁）が問題となりうる。

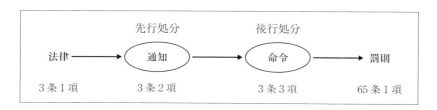

通知等の処分性（法的効果）が問題となった判例として、以上のほか、源泉徴収による所得税の納税告知につき、確定した税額がいくばくであるかについての税務署長の意見が初めて公にされるものであることから、処分に当たるとした最判昭和45年12月24日民集24巻13号2243頁（基判231頁、百選Ⅰ60）がある。

第19講　取消訴訟の対象(2)

> ◆学習のポイント◆
> 1　告示や条例制定等の規範定立行為は、一般的抽象的な効果を有するものであって具体性を欠くから、原則として処分に当たらないが、例外的に処分性が認められる場合がある。判例の着眼点に注意する。
> 2　行政計画の処分性につき、判例は、用途地域の指定について、一般的抽象的な法効果を生じるにすぎないとして、処分性を否定する一方、土地区画整理事業計画の決定について、宅地所有者等が建築制限を伴う手続に従って換地処分を受けるべき地位に立たされること、および実効的な権利救済の見地から、処分性を肯定する。
> 3　給付に関する決定の処分性については、個別法の立法者が処分の仕組みを定めているかどうかを、文言や行手法・行審法に関する特則等から読み取る。処分性が認められない場合は、民事訴訟（または当事者訴訟）の提起が可能であるので、取消訴訟による場合との違いに注意する。
> 4　行政の行為に処分性を認めることにより、違法性の承継の問題等が派生することに注意する。処分性の認定が実効的権利救済に与える影響につき、当事者訴訟（確認訴訟）等による救済も視野に入れて、理解を深める。

1　一般的行為（一般処分）——直接性（具体性）

(1)　二項道路の一括指定

【設問1】二項道路の一括指定
　Y県知事は、県告示（以下「本件告示」という）によって、幅員4m未満1.8m以上の道を建築基準法42条2項のみなし道路（二項道路）として一括指定した。後述のように、二項道路に接する敷地にある建物は、建替えの際セットバック（後退して建物を建築すること）義務がかかる。Xは、自己所有

> 地に建物を新築するにあたって、その敷地に接する通路部分について、二項道路に該当するか否かをＹ県に照会したところ、該当するとの回答があった。しかし、Ｘとしては、本件一括指定当時、本件通路部分の幅員は1.8mに満たなかったから、本件通路部分は二項道路に該当しないと考えており、そのことを訴訟により明確にしたいと考えている。本件告示による二項道路の一括指定は、抗告訴訟の対象となる処分に当たるか。

◆建築基準法◆
（道路の定義）
第42条　この章の規定において「道路」とは、次の各号のいずれかに該当する幅員４メートル（……）以上のもの（……）をいう。
　一　道路法（……）による道路
　二　略
　三　……この章の規定が適用されるに至った際現に存在する道
　四・五　略
２　……この章の規定が適用されるに至った際現に建築物が立ち並んでいる幅員４メートル未満の道で、特定行政庁の指定したものは、前項の規定にかかわらず、同項の道路とみなし、その中心線からの水平距離２メートル（……）の線をその道路の境界線とみなす。（ただし書略）
３〜６　略
（敷地等と道路との関係）
第43条　建築物の敷地は、道路（……）に２メートル以上接しなければならない。
　一・二　略
２　略

　本問は、最判平成14年１月17日民集56巻１号１頁（基判233頁、百選Ⅱ149、CB11-9）をモデルとしている。
ア　二項道路（みなし道路）とは
　建築物の敷地は、幅員4m以上の道路に、2m以上接していなければならない（建築基準法42条１項・43条。これを**接道義務**という）。しかし、この規制が定められた1950年より前には、幅員4m未満でも道路と認められていたものが多くあったので、救済措置が定められた。すなわち、1950年の時点で現に建物が立ち並んでいる幅員4m未満の道で、行政庁が指定したものは、中心線から2mの部分（すなわち、幅員4m）を道路とみなすとされた（建築基準法42条２項）。これが二項道路（みなし道路）である。これによって、既存建築物が道路内に食い込んで存在する場合が出てくるが、**既存不適格建築物**（建築基準法３条２項。→304頁）となるので、除却義務が生ずる

わけではない。ただ、将来において建替え等が行われる際には、幅員4mを確保するよう、道路の中心から2mはセットバックしなければならない。このように、二項道路は、非常に長期間を経ることにより、幅員4mを確保することを目指した制度である。

  ＊　自己の建築物の敷地が接する幅員4m未満の道が二項道路に指定された場合、上記のとおり、セットバックすれば建替え等ができるのに対し、二項道路に指定されない場合、建替え等ができないから、一般的には、二項道路に指定された方が敷地所有者に有利である。しかし、別の幅員4m以上の道路に接していて、既に接道要件を満たしている敷地にある建物（下図のBおよびD）については、二項道路に指定されなくても建替え等ができるが、指定された場合には建替え等の際にセットバック義務が生じるので、指定されない方が有利である。このように、二項道路をめぐる利害関係は複雑であり、紛争が生じやすい。

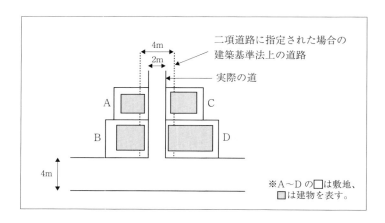

イ　一括指定の処分性

二項道路の指定は、本来、具体的に町名地番を定めて、個々の道路について行うべきと考えられるが、二項道路とすべき道路が多数あったことから、実際には、ほとんどの行政庁では、告示や規則によって一定の要件を定め、一括して指定する方式がとられた。このような一括指定の処分性が争われたのが、上掲平成14年判決である。

一括指定の場合、**具体的にどの道が二項道路**になったのか（本件でいうと、どの道が幅員4m未満1.8m以上なのか）、関係する私人にとって、さらに、指定をした行政庁自身にも、**直ちに正確**にはわからない。そこで、上掲

平成14年判決の原審である大阪高判平成10年6月17日判タ994号143頁は、「そもそも本件告示のような包括的指定処分によっては具体的にどの道路が二項道路に当たるかも不明であり、告示自体によって、直ちに建築制限等の私権の制限が生じるものと認めることはできない」として、処分性を否定した。

しかし、一括指定の方法が法律上許容されるものであるとすれば、一括指定によって、(関係者にとって直ちには明らかではないにせよ) **客観的**には、指定の効果が及ぶ個々の道（本件でいうと幅員4m未満1.8m以上の道）に**二項道路としての私権制限が生じる**はずである（そのように解さないと、一括指定の方法によっては、そもそも二項道路の指定がなかったことになってしまう）。このことを前提として、上掲平成14年判決は、「本件告示によって二項道路の指定の効果が生じるものと解する以上、このような指定の効果が及ぶ個々の道は二項道路とされ、その敷地所有者は……**具体的な私権の制限を受ける**」から、一括指定は「個人の権利義務に対して直接影響を与えるもの」であるとして、その処分性を認めた。本来個別指定（これは対象が特定されており、処分に当たる）の方法を予定している建築基準法42条2項が、一括指定の方法をも許容していると解する以上、一括指定にも個別指定と同様の法的効果を認めざるをえず、一括指定をいわば個別指定の束と捉えて、処分性を認めたものと解される。

本問における提起すべき訴訟については、→390頁。

(2) 条例制定行為

> **【設問2】保育所廃止条例**
> Xらは、Y市が設置・運営する4つの保育所（本件各保育所）で保育を受けている児童およびその保護者である。Y市は、本件各保育所を民営化することとし、2003年12月、Y市保育所条例の一部を改正する条例（本件改正条例）を制定、公布し、2004年4月1日から施行した。本件改正条例は、Y市が設置する保育所の名称と位置を定めるY市保育所条例別表から、本件各保育所に係る部分を削除するものである。民営化に反対するXらが、本件各保育所を存続させ、本件各保育所での保育を受け続けるには、どのような法的手段（行訴法に規定されているものに限る）をとるべきか。

◆児童福祉法◆
※平成24年法律第67号による改正前のもの
第1条 すべて国民は、児童が心身ともに健やかに生まれ、且つ、育成されるよう努

めなければならない。
2　略
第2条　国及び地方公共団体は、児童の保護者とともに、児童を心身ともに健やかに育成する責任を負う。
第24条　市町村は、保護者の労働又は疾病その他の政令で定める基準に従い条例で定める事由により、その監護すべき乳児、幼児……の保育に欠けるところがある場合において、保護者から申込みがあったときは、それらの児童を保育所において保育しなければならない。ただし、保育に対する需要の増大、児童の数の減少等やむを得ない事由があるときは、家庭的保育事業による保育を行うことその他の適切な保護をしなければならない。
2　前項に規定する児童について保育所における保育を行うことを希望する保護者は、厚生労働省令の定めるところにより、入所を希望する保育所その他厚生労働省令の定める事項を記載した申込書を市町村に提出しなければならない。（以下略）
3　市町村は、一の保育所について、当該保育所への入所を希望する旨を記載した前項の申込書に係る児童のすべてが入所する場合には当該保育所における適切な保育を行うことが困難となることその他のやむを得ない事由がある場合においては、当該保育所に入所する児童を公正な方法で選考することができる。
4〜5　略
第33条の4　……市町村長、福祉事務所長……は、次の各号に掲げる……保育の実施……を解除する場合には、あらかじめ、当該各号に定める者に対し、……保育の実施……の解除の理由について説明するとともに、その意見を聴かなければならない。（ただし書略）
　一・二　略
　三　……保育の実施　当該……保育の実施に係る児童の保護者
　四・五　略
第33条の5　……保育の実施……の解除については、行政手続法第3章（第12条及び第14条を除く。）の規定は、適用しない。

　本問は、最判平成21年11月26日民集63巻9号2124頁（基判211頁、百選Ⅱ197、CB11-15）をモデルとしている。
　本問で、本件改正条例の制定行為に処分性が認められるとすれば、その取消訴訟を提起するとともに執行停止（行訴法25条）の申立てをすることが考えられるので、処分性の有無が問題となる。
　　ア　限られた特定の者に対してのみ適用されるものか
　条例制定行為の処分性について、上掲平成21年判決に先立つ最判平成18年7月14日民集60巻6号2369頁（高根町簡易水道事業給水条例事件、基判216頁、百選Ⅱ150、CB1-7）は、「本件改正条例は、旧高根町が営む簡易水道事業の水道料金を一般的に改定するものであって、そもそも**限られた特定の者**

に対してのみ適用されるものではなく、本件改正条例の制定行為をもって行政庁が法の執行として行う処分と実質的に同視することはできない」として、処分性を否定した。

このように最高裁が「行政庁が法の執行として行う処分と実質的に同視」しうることを要件としているのは、立法と法の執行とを区別し、処分は法の執行として行われるものであって、立法そのものは原則として処分に当たらないという前提に立つためと考えられる。上掲平成21年判決も、前提として、「条例の制定は、普通地方公共団体の議会が行う立法作用に属するから、一般的には、抗告訴訟の対象となる行政処分に当たるものでないことはいうまでもない」と述べている。

そこで、本件改正条例の制定行為が「限られた特定の者に対してのみ適用」され、「行政庁が法の執行として行う処分と実質的に同視」しうるか否かが問題となる。

本件改正条例は、公の施設の設置や廃止については条例で定めなければならないとする地方自治法244条の2に従って、条例の形式をとっているが、「本件各保育所の廃止のみを内容とするものであって、他に行政庁の処分を待つことなく、その施行により各保育所廃止の効果を発生させ、当該保育所に現に入所中の児童及びその保護者という限られた特定の者らに対して」（上掲平成21年判決）、影響を与えるものである。

これに対し、高根町簡易水道事業給水条例は、施行時に現に当該水道を利用している特定の者のみならず、今後当該水道を利用する不特定多数の者にも反復継続的に適用される点で、事案が異なると考えられる（古田孝夫・最判解民事篇平成21年度（下）865頁）。

イ　法的地位への直接的影響

次に、「直接国民の権利義務を形成しまたはその範囲を確定する」という要件との関係で、本件各保育所で現に保育を受けている児童およびその保護者に対して、当該保育所で保育を受ける利益が法的利益として保障されているかが問題となる。

これに関連する先例として、最判平成14年4月25日判例自治229号52頁（基判216頁）は、区立小学校の統廃合を内容とする条例について、「本件条例は一般的規範にほかならず、上告人らは、被上告人東京都千代田区が社会生活上通学可能な範囲内に設置する小学校においてその子らに法定年限の普通教育を受けさせる権利ないし法的利益を有するが、具体的に特定の区立小学校で教育を受けさせる権利ないし法的利益を有するとはいえない」とし

て、処分性を否定した。

これに対し、上掲平成21年判決は、「保育所の利用関係は、**保護者の選択に基づき、保育所及び保育の実施期間を定めて設定されるものであり**、保育の実施の解除がされない限り（同法33条の4参照）、保育の実施期間が満了するまで継続するものである。そうすると、特定の保育所で現に保育を受けている児童及びその保護者は、保育の実施期間が満了するまでの間は当該保育所における保育を受けることを期待し得る法的地位を有する」とした。そして、以上の点と、上述アを合わせて、「本件改正条例は、……**当該保育所に現に入所中の児童及びその保護者という限られた特定の者らに対して、直接、当該保育所において保育を受けることを期待し得る上記の法的地位を奪う結果を生じさせるものであるから**、その制定行為は、行政庁の処分と実質的に同視し得る」とした。

ウ　合理的な紛争解決——判決の効力への着目

さらに、上掲平成21年判決は、次のとおり、当事者訴訟（ないし民事訴訟）と取消訴訟の判決の効力を比較し、本件改正条例制定行為を取消訴訟で争わせる方が、合理的な紛争解決につながることを指摘する。「市町村の設置する保育所で保育を受けている児童又はその保護者が、当該保育所を廃止する条例の効力を争って、当該市町村を相手に**当事者訴訟ないし民事訴訟**を提起し、勝訴判決や保全命令を得たとしても、これらは訴訟の当事者である当該児童又はその保護者と当該市町村との間でのみ効力を生ずるにすぎないから、これらを受けた市町村としては当該保育所を存続させるかどうかについての実際の対応に困難を来すことにもなり、処分の**取消判決や執行停止の決定に第三者効（行政事件訴訟法32条）が認められている取消訴訟において当該条例の制定行為の適法性を争い得るとすることには合理性がある**」（取消判決の第三者効につき、→380頁）。

この考え方は、**実効的な権利救済**という観点から見て合理的であることを理由の1つとして、土地区画整理事業計画決定の処分性を認めた後掲最大判平成20年9月10日（**【設問4】**〔307頁〕）に通じるものがあり、処分性認定方法に関する最高裁の傾向を示すものとして、注目される（→323頁）。

エ　訴えの利益の消滅

上掲平成21年判決は、以上の理由から、本件改正条例の制定行為の処分性を認めたが、「現時点においては、上告人らに係る**保育の実施期間がすべて満了していることが明らかであるから、本件改正条例の制定行為の取消しを求める訴えの利益は失われた**」として、結局、訴えを却下した（訴えの利益

の消滅については→第21講）。本件のように、時間の経過によって訴えの意味が失われてしまうような事案では、**仮の救済**がとりわけ重要であり（保育園の入園に関する事案として→395頁以下）、本件では、**本件改正条例の制定行為の執行停止**（行訴法25条）の申立てをしておくことが肝要である。

オ　他の救済方法との関係

本件各保育所の廃止を前提として、Xらに対して当該保育所での**保育の解除**（上掲児童福祉法33条の4参照）が行われることが予想されるので、それが行われる前であれば**差止訴訟**、既に行われた場合には**取消訴訟**を提起することが考えられる。保育の解除が処分に当たることについては、**行手法の不利益処分手続の一部適用除外**を定める上掲児童福祉法33条の5が手がかりとなる（→基判224頁）。しかし、本件改正条例制定行為に処分性が認められるとすると、上記差止訴訟ないし取消訴訟において、本件改正条例制定行為（すなわち、本件各保育所の廃止）の違法性を主張できないのではないかが問題となる（**違法性の承継**の問題。→373頁）。

(3)　行政計画

ア　完結型（土地利用規制型）計画

> **【設問3】**
> 　Y県は、都市計画法21条2項・18条1項・8条に基づき、Y県都市計画用途地域指定の変更を行い、そのなかで、Xの経営する病院を含む地域を準工業地域から工業地域に指定替えした。Xは、この指定替えによって、従前より予定していた施設の拡張が極めて困難になるとともに、周辺に危険な工場等が建設されて病院としての環境が破壊されることを恐れた。Xは、上記の指定替えが法律の要件に適合しない違法なものであることを理由として、訴訟を提起することにより、上述のような不利益を被るのを防ぎたいと考えている。Xは、どのような訴訟を提起すべきか。

◆都市計画法◆（第12講【設問2】〔189頁〕も参照）
（区域区分）
第7条　都市計画区域について無秩序な市街化を防止し、計画的な市街化を図るため必要があるときは、都市計画に、市街化区域と市街化調整区域との区分（以下「区域区分」という。）を定めることができる。（ただし書略）
　　一～二　略
2　市街化区域は、すでに市街地を形成している区域及びおおむね10年以内に優先的かつ計画的に市街化を図るべき区域とする。
3　市街化調整区域は、市街化を抑制すべき区域とする。
（地域地区）

第8条　都市計画区域については、都市計画に、次に掲げる地域、地区又は街区を定めることができる。
　一　第一種低層住居専用地域、第二種低層住居専用地域、第一種中高層住居専用地域、第二種中高層住居専用地域、第一種住居地域、第二種住居地域、準住居地域、田園住居地域、近隣商業地域、商業地域、準工業地域、工業地域又は工業専用地域（以下「用途地域」と総称する。）
　二～十六　略
２～４　略
第9条
１～10　略
11　準工業地域は、主として環境の悪化をもたらすおそれのない工業の利便を増進するため定める地域とする。
12　工業地域は、主として工業の利便を増進するため定める地域とする。
13～23　略

◆建築基準法◆（第1講【設例C】〔18頁〕も参照）
（適用の除外）
第3条　略
２　この法律又はこれに基づく命令若しくは条例の規定の施行又は適用の際現に存する建築物若しくはその敷地又は現に建築、修繕若しくは模様替の工事中の建築物若しくはその敷地がこれらの規定に適合せず、又はこれらの規定に適合しない部分を有する場合においては、当該建築物、建築物の敷地又は建築物若しくはその敷地の部分に対しては、当該規定は、適用しない。
３　前項の規定は、次の各号のいずれかに該当する建築物、建築物の敷地又は建築物若しくはその敷地の部分に対しては、適用しない。
　一・二　略
　三　工事の着手がこの法律又はこれに基づく命令若しくは条例の規定の施行又は適用の後である増築、改築、移転、大規模の修繕又は大規模の模様替に係る建築物又はその敷地
　四・五　略
（用途地域等）
第48条
１～10　略
11　準工業地域内においては、別表第2（る）項に掲げる建築物は、建築してはならない。（ただし書略）
12　工業地域内においては、別表第2（を）項に掲げる建築物は、建築してはならない。（ただし書略）
13～17　略
別表第二　用途地域等内の建築物の制限（……第48条……関係）

(る)	準工業地域内に建築してはならない建築物	一　次に掲げる事業（……）を営む工場 （一）　火薬類取締法（……）の火薬類（玩具煙火を除く。）の製造 （二）　消防法（……）第2条第7項に規定する危険物の製造（政令で定めるものを除く。） （三）　マッチの製造 （四）～（三十一）　略 二　危険物の貯蔵又は処理に供するもので政令で定めるもの 三　個室付浴場業に係る公衆浴場その他これに類する政令で定めるもの
（を）	工業地域内に建築してはならない建築物	一　（る）項第3号に掲げるもの 二　ホテル又は旅館 三　キャバレー、料理店その他これに類するもの 四　劇場、映画館、演芸場若しくは観覧場又はナイトクラブその他これに類する政令で定めるもの 五　学校（幼保連携型認定こども園を除く。） 六　病院 七　店舗、飲食店、展示場、遊技場、勝馬投票券発売所、場外車券売場その他これに類する用途で政令で定めるものに供する建築物でその用途に供する部分の床面積の合計が10,000平方メートルを超えるもの

　本問は、最判昭和57年4月22日民集36巻4号705頁（基判188頁、百選Ⅱ148、CB11-6）をモデルとしている。
　　a　用途地域制度とは
　まず、条文を参照しながら、用途地域制度について理解する必要がある。**用途地域**制度（都市計画法8条1項1号）は、都市計画による土地利用規制の基本的な仕組みで、いわば計画的に「住み分け」をするものである。例えば、ある地域に住居と工場とが無秩序に混在していると、住民は工場からの騒音等に悩まされ、工場は周辺住民に気を遣って自由に操業できず、どちらにとっても不幸である。そこで、主として住居を建てる地域、主として工場を建てる地域、等を都市計画であらかじめ指定しておくのが、用途地域の制度である（現行法上は、13の地域に細分化されており、住居系は黄～緑色、商業系は赤色系統、工業系は青色系統の色で図示される）。これと**建築基準法上の建築規制を連動**させること（建築基準法48条・別表第2）により、例えば住居地域では工場の建築確認は下りず、工業地域では病院や学校等の建築確認は下りないため、住居と工場との住み分けが実現される。**容積率**（建築物の延べ床面積の敷地面積に対する割合）および**建蔽率**（建築物の建築面

積の敷地面積に対する割合）についても、用途地域ごとに上限が定められている（建築基準法52条・53条）。

　もっとも、実際には、都市計画が定められる以前から、住居と工場とが混在している地域もあり、そのような地域では、いきなり住居地域と工業地域とを明確に分けることは困難であるため、混在を認める地域を設定せざるをえない。準工業地域は、そのような地域である。しかし、混在を認め続けるだけでは、いつまで経っても住み分けが実現しないため、例えば、ある程度工場が増えてきて、将来的に住居がなくなっていく見通しが立った時点で、工業地域に指定替えをすることが考えられる。このように、都市計画は、ある程度現状に合わせて策定する必要がある一方で、長期的には、単に現状を容認するのではなく、望ましいまちづくりの方向に誘導していく役割を有する。

　b　用途地域指定および指定替えによる法的効果

　本問は、そのような指定替えが問題となったケースであるが、条文を参照しながら、本件の指定替えによって、Xが具体的にどのような不利益を受けうるかを理解する必要がある。問題文によると、Xは、本件の指定替えによって、①従前より予定していた施設の拡張が極めて困難になるとともに、②周辺に危険な工場等が建設されて病院としての環境が破壊されることを恐れたとされているが、これを具体的に見ていく。

　まず、①については、準工業地域では病院の建築が制限されていないのに対し、工業地域では病院を建築してはならないとされている（建築基準法48条11項・12項・別表第2（る）項・（を）項6号）。ただし、指定替えの法的効果が生じた際（都市計画法20条の告示のあった日）に現に存する建築物（または建築等の工事中の建築物）については、指定替えによる新たな規制は、適用されない（建築基準法3条2項）。このように、建築時には建築基準法（またはこれに基づく命令もしくは条例）に適合していたが、建築後に行われた法令の改正や都市計画の変更等により、これらの規定に適合しなくなった建築物のことを**既存不適格建築物**という。既存不適格建築物については、そのままの状態での存続が許されるが、将来、建築物の建替えや増築等を行う際には、新規定への適合義務が生じる（建築基準法3条2項・3項3号）。これは、建築物の建築等には莫大な費用を要するため、既に建築されている建築物に新規定を直ちに適用することによる損失や混乱を避けつつ、長期的には新規定への適合を確保する趣旨である。したがって、本件の指定替えにより、Xの病院が違法建築物となって除却等を求められることはないが、従

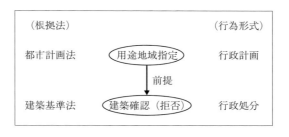

前より予定していた施設の拡張は極めて困難になる。

次に、②については、建築基準法別表第2の(る)項と(を)項とを比較すると、(る)項1号・2号に掲げられている、特に危険性の高い工場や施設については、準工業地域には建築できないのに対し、工業地域には建築できる。したがって、本件の指定替えにより、Xの病院の周辺にこれらの工場等が建設される可能性があり、それによって病院としての環境が破壊されることをXは恐れているのである。

　c　用途地域指定（指定替え）に対する争い方

Xは、本件の指定替えが違法なものであることを理由として、訴訟を提起することにより、bで見た①および②の不利益を被るのを防ぎたいと考えているが、どのような訴訟を提起すべきであろうか。一連の行政の行為の中に処分に当たるものがあるか否かによって、争い方が大きく異なるので、まず、この点を検討すべきである。

建築確認（建築基準法6条1項）は、それを得なければ建築物の建築ができず（同条8項）、違反に対する罰則もあること（同法99条1項1号。→第1講【設例C】(1)〔18頁〕）から、処分に当たる。

したがって、上記①の不利益を防ぐ方法としては、Xは、施設拡張につき確認申請を行い、工業地域に指定替えされていることを理由に確認が拒否された場合は、当該**確認拒否処分の取消訴訟**を提起することが考えられる。そして、当該訴訟の中で、確認拒否の前提とされている工業地域指定が違法であることを主張しうる。

　　＊　このように、処分の取消訴訟において、その前提とされている行政計画の違法性を争えるという構造は、192頁で述べたのと同様である。

もっとも、このような争い方だけでは、紛争の核心が工業地域への指定替えの違法性にあるにもかかわらず、指定替えの時点では争えず、将来の増築の時期（指定替えから長期間を経過している可能性もある）まで待たなければならないこと、しかも、工業地域への指定替えがされた以上、病院の増築

の確認申請をしても認められる見込みはないにもかかわらず、訴訟で争うためだけに、費用をかけて設計を行い、確認申請をしなければならないことから、実効的な権利救済としては不十分ではないかが問題となる。

　次に、上記②の環境悪化については、Ｘの病院の周辺に工場が進出してきた場合に、当該**工場に対する建築確認の取消訴訟**を提起し（Ｘの原告適格は認められると解される。→第21講【設問３】〔354頁〕）、当該訴訟の中で、工場への建築確認の前提とされている工業地域の指定が違法であることを主張することが考えられる。しかし、Ｘが危惧しているのは、特定の工場の進出というよりは、周辺地域全体の環境悪化であると考えられるから、これを防ぐためには、周辺地域に進出してくる工場の一つひとつに対して建築確認取消訴訟を提起する必要があり、実効的な救済とは言い難い。

　そこで、紛争の根本原因であり、かつ、Ｘの病院建築の自由を制限している工業地域指定自体を処分と捉えて、これに対する取消訴訟を提起できないかが問題となる。

　しかし、上掲最判昭和57年４月22日は、次のように述べて、これを否定している。「都市計画区域内において工業地域を指定する決定……が、当該地域内の土地所有者等に建築基準法上新たな制約を課し、その限度で一定の法状態の変動を生ぜしめるものであることは否定できないが、**かかる効果は、あたかも新たに右のような制約を課する法令が制定された場合におけると同様の当該地域内の不特定多数の者に対する一般的抽象的なそれにすぎず**、このような効果を生ずるということだけから直ちに右地域内の個人に対する具体的な権利侵害を伴う処分があったものとして、これに対する抗告訴訟を肯定することはできない。……なお、右地域内の土地上に現実に前記のような建築の制限を超える建物の建築をしようとしてそれが妨げられている者が存する場合には、その者は現実に自己の土地利用上の権利を侵害されているということができるが、この場合右の者は右建築の実現を阻止する行政庁の具体的処分をとらえ、前記の地域指定が違法であることを主張して右処分の取消を求めることにより権利救済の目的を達する途が残されていると解されるから、前記のような解釈をとっても格別の不都合は生じない」。

　この判例を前提とする限り、工業地域指定自体に対する取消訴訟は認められず、基本的には、上述の建築確認（拒否）に対する取消訴訟によるべきことになる。もっとも、この問題については、行政計画の処分性に関するその後の判例の動向を踏まえて、再検討の余地があるので、次の【設問４】の検討の中で、さらに考察することとしたい。

イ 非完結型（事業型）計画

> **【設問4】**
> 　Y市が施行する土地区画整理事業の事業計画の決定（土地区画整理法〔以下「法」という〕52条1項）に対し、施行地区内に土地を所有するXらが、本件事業は公共施設の整備改善・宅地の利用増進という法所定の目的（2条1項）を欠く等と主張して、取消訴訟を提起した。本件事業計画決定は、取消訴訟の対象となる処分に当たるか。

◆土地区画整理法◆
（定義）
第2条　この法律において「土地区画整理事業」とは、都市計画区域内の土地について、公共施設の整備改善及び宅地の利用の増進を図るため、この法律で定めるところに従って行われる土地の区画形質の変更及び公共施設の新設又は変更に関する事業をいう。
2～7　略
8　この法律において「施行区域」とは、都市計画法（……）第12条第2項の規定により土地区画整理事業について都市計画に定められた施行区域をいう。
（土地区画整理事業の施行）
第3条　1～3　略
4　……市町村は、施行区域の土地について土地区画整理事業を施行することができる。
5　略
（施行規程及び事業計画の決定）
第52条　……市町村は、第3条第4項の規定により土地区画整理事業を施行しようとする場合においては、施行規程及び事業計画を定めなければならない。この場合において、その事業計画において定める設計の概要について、……都道府県知事の認可を受けなければならない。
2　略
（事業計画の決定及び変更）
第55条　1～8　略
9　……市町村が第52条第1項の事業計画を定めた場合においては、……市町村長は、遅滞なく、国土交通省令で定めるところにより、施行者の名称、事業施行期間、施行地区その他国土交通省令で定める事項を公告しなければならない。
10～13　略
（建築行為等の制限）
第76条　次に掲げる公告があった日後、第103条第4項の公告がある日までは、施行地区内において、土地区画整理事業の施行の障害となるおそれがある土地の形質の変更若しくは建築物その他の工作物の新築、改築若しくは増築を行い、又は政令で定める移動の容易でない物件の設置若しくは堆積を行おうとする者は、……都道府県

知事（……）の許可を受けなければならない。
　一～三　略
　四　市町村……が第3条第4項……の規定により施行する土地区画整理事業にあっては、事業計画の決定の公告又は事業計画の変更の公告
　五　略
2・3　略
4　……都道府県知事等は、第1項の規定に違反し……た者がある場合においては、これらの者又はこれらの者から当該土地、建築物その他の工作物又は物件についての権利を承継した者に対して、相当の期限を定めて、土地区画整理事業の施行に対する障害を排除するため必要な限度において、当該土地の原状回復を命じ、又は当該建築物その他の工作物若しくは物件の移転若しくは除却を命ずることができる。
5　略
（換地計画の決定及び認可）
第86条　施行者は、施行地区内の宅地について換地処分を行うため、換地計画を定めなければならない。この場合において、施行者が……市町村……であるときは、国土交通省令で定めるところにより、その換地計画について都道府県知事の認可を受けなければならない。
2～5　略
（換地）
第89条　換地計画において換地を定める場合においては、換地及び従前の宅地の位置、地積、土質、水利、利用状況、環境等が照応するように定めなければならない。
2　略
（換地処分）
第103条　換地処分は、関係権利者に換地計画において定められた関係事項を通知してするものとする。
2　換地処分は、換地計画に係る区域の全部について土地区画整理事業の工事が完了した後において、遅滞なく、しなければならない。（ただし書略）
3　……市町村……は、換地処分をした場合においては、遅滞なく、その旨を都道府県知事に届け出なければならない。
4　……都道府県知事は、……前項の届出があった場合においては、換地処分があった旨を公告しなければならない。
5・6　略
第140条　第76条第4項の規定による命令に違反して土地の原状回復をせず、又は建築物その他の工作物若しくは物件を移転し、若しくは除却しなかった者は、6月以下の懲役又は20万円以下の罰金に処する。

　a　土地区画整理事業とは
　土地区画整理事業は、道路、公園等の公共施設を整備・改善するとともに、土地の区画を整え、宅地の利用の増進を図る事業である（法2条1項）。

地権者からその権利に応じて少しずつ土地を提供してもらい、道路・公園等の公共施設に充てるほか、その一部を**保留地**として売却し、事業費に充てる。地権者にとっては、土地区画整理事業後の宅地（これを**換地**という）の面積は、従前に比べ減少する（これを**減歩**という）が、都市計画道路や公園等の公共施設が整備され、土地の区画が整うことにより、利用価値の高い宅地が得られる。換地を定める際には、換地と従前の宅地の位置、地積、土質、水利、利用状況、環境等が照応するように定めなければならないとされている（**照応の原則**。法89条1項）。

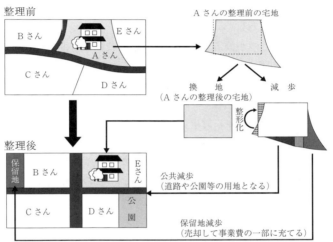

出典：国土交通省都市・地域整備局市街地整備課ウェブサイト

b 土地区画整理事業と訴訟

土地区画整理事業に不服のある施行地区内の土地所有者は、どのような訴訟で争うことができるであろうか。事業のプロセスにおいて、訴訟の対象となりうるものとして、**事業計画決定**（法52条1項）および**換地処分**（法103条）が考えられる。

このうち、換地処分は、従前の宅地を整理後の宅地（換地）に変換するものであるから、土地所有者の権利に直接的な変動を及ぼすものであり、処分に該当する。したがって、この段階で取消訴訟で争えることについては、問題がない。問題は、事業計画決定の段階で、取消訴訟で争えるか否かである。

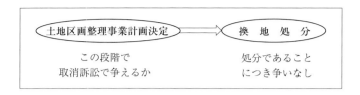

　c　青写真判決

　この点につき、最大判昭和41年2月23日民集20巻2号271頁（CB11-3）は、事業計画自体ではその遂行によって利害関係者の権利にどのような変動を及ぼすかが具体的に確定されているわけではなく、事業の**青写真**たる性質を有するにすぎないとした。

　もっとも、事業計画が公告されると、事業の施行の障害となるおそれのある**建築行為等が制限される**（法76条1項）。しかし、これは、公告に伴う**付随的な効果**にとどまり、事業計画の決定ないし公告そのものの効果として発生する権利制限ではないとした。

　さらに、上記の建築制限に対する救済としては、原状回復命令等の取消訴訟が可能であり、また、換地処分が行われた場合には、その取消訴訟が可能であるので、事業計画決定の取消訴訟を許さなければ、利害関係者の権利保護に欠けるとは言い難く、そのような訴えは、**争訟の成熟性**ないし**具体的事件性を欠く**とした。

　d　判例変更

　しかし、上記のいわゆる青写真判決は、最大判平成20年9月10日民集62巻8号2029頁（基判196頁、百選Ⅱ147、CB11-14。以下「平成20年判決」という）によって、42年ぶりに変更された。その理由は、次のとおりである。

　①　事業計画決定がされると、施行地区全体での減歩の程度や施行後の公共施設の位置・形状等がわかり、施行地区内の宅地所有者等の**権利にいかなる影響が及ぶか**について、一定の限度で**具体的に予測する**ことが可能になる。そして、特段の事情のない限り、事業計画に従って具体的な事業がそのまま進められる。事業計画の公告による建築行為等の制限は、このような具体的な事業の施行の障害を防ぐために法的強制力を伴って設けられており、施行地区内の宅地所有者等は、換地処分の公告の日まで、その制限を継続的に課され続ける。そうすると、施行地区内の宅地所有者等は、事業計画決定によって、上記のような建築制限を伴う土地区画整理事業の手続に従って**換地処分を受けるべき地位に立たされる**ということができ、その意味で、その

法的地位に直接的な影響が生じる。この点につき、藤田裁判官の補足意見は、「事業計画決定は、土地区画整理事業の全プロセスの中において、いわば、換地にまで到る権利制限の連鎖の発端を成す行為である」と説明している。

②　換地処分の段階に至ってから取消訴訟を提起し、事業計画が違法であるという原告の主張が認められたとしても、換地処分の性質上、原告の換地だけを元に戻すことはできず、施行区域全体を元に戻さざるをえないことから、換地処分を取り消すことは公共の福祉に適合しないとして、**事情判決**（行訴法31条。→360頁）がされる可能性が相当程度ある。そこで、**実効的な権利救済**を図るためには、事業計画決定の段階で取消訴訟の提起を認めることに合理性がある。この考え方は、換地処分等の具体的処分の段階で争えるから、それで救済として十分であるとした青写真判決とは対照的であり、特に、最高裁が「実効的な権利救済を図るという観点」に明示的に言及して処分性を認めたことは、極めて注目される。

以上より、【設問4】の本件事業計画決定は、取消訴訟の対象となる処分に当たる。

　e　判例変更の射程——非完結型（事業型）計画と完結型（土地利用規制型）計画

平成20年判決の射程は、用途地域の指定（【設問3】）にも及び、これについても処分性が認められることになるのであろうか。

土地区画整理事業計画は、それに基づいて将来具体的な事業が施行されることが予定されており、事業を行うという計画の目的は、計画の決定だけで完結するわけではない。このような計画を**非完結型（事業型）計画**ということができる。これに対し、用途地域の指定は、それに続く行政の行為が予定されているわけではなく、土地利用のあり方を規制するという計画の目的は、計画の決定自体によって完結する。このような計画を**完結型（土地利用規制型）計画**ということができる。

平成20年判決は、**非完結型計画についての判断**であり、完結型計画である用途地域の指定には、上記dの理由づけは当てはまらないと考えられる。すなわち、例えば、【設問3】（→301頁）で、Xが施設の拡張についての確認拒否処分の取消訴訟を提起し、その前提問題として工業地域指定の違法性が認定され取消判決がなされたとしても、Xの施設拡張は可能になるが、指定替えがされた地域全体に当然に影響が及ぶわけではないから、裁判所が事情判決をせざるをえないという状況が広く生じるわけではないと考えられる（平成20年判決の藤田裁判官の補足意見を参照）。したがって、**平成20年判決**

の射程は、用途地域の指定には及ばないと解される（増田稔・最判解民事篇平成20年度457頁。基判192〜193頁参照）。

　　＊　平成20年判決と都市計画事業認可の処分性および都市計画決定の処分性との関係につき、→192頁＊および基判205〜210頁。

　f　処分性を認めることに伴う問題

一般に、ある行政の行為に処分性を認めることは、その行為について「取消訴訟で争える」だけではなく、「取消訴訟でしか争えない」という効果（**取消訴訟の排他的管轄**）を生じさせ（→256頁）、そこには、**出訴期間の制限**（行訴法14条）が伴う。その結果、当該行為について早く争いたい者にとっては、早期かつ抜本的な紛争解決に資する反面、後から争いたいと考える者にとっては、救済の制約となりうる。

本問に関して言うと、土地区画整理事業計画決定に処分性が認められることにより、事業計画決定の取消訴訟の出訴期間（計画決定のような一般処分の出訴期間につき、→261頁のコラム）を経過すると、原則として、事業計画について訴訟で争うことはできなくなる。

もっとも、当該事業計画を前提として換地処分がされた場合、換地処分の取消訴訟を提起することは可能であるが、当該取消訴訟の中で、「事業計画が違法なので、それを前提とする換地処分も違法である」という主張をすることが許されるかが問題となる。これがいわゆる**違法性の承継**の問題であり（→373頁）、出訴期間制度の趣旨を重視すると、そのような主張は許されないとする方向に傾く。この結論が合理的か否か、また、行政計画の特性に応じて、事前手続の整備を含めた合理的救済システムを立法によって構築すべきではないか、議論のあるところである（平成20年判決の藤田補足意見および近藤補足意見を参照）。【**設問3**】についても、このような観点から、用途地域指定に処分性を認めることの利害得失を考えてみてほしい。

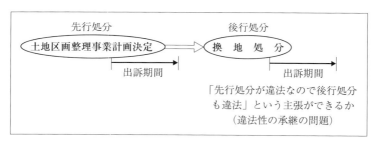

2 給付に関する決定――公権力性

(1) 補助金交付決定

> 【設問5】
> 国が交付する補助金の交付決定は、抗告訴訟の対象となる処分に当たるか。

◆補助金等に係る予算の執行の適正化に関する法律(補助金適正化法)◆（第2講【設問2】〔41頁〕も参照）
（補助事業等の遂行等の命令）
第13条　各省各庁の長は、補助事業者等が提出する報告等により、その者の補助事業等が補助金等の交付の決定の内容又はこれに附した条件に従って遂行されていないと認めるときは、その者に対し、これらに従って当該補助事業等を遂行すべきことを命ずることができる。
2　各省各庁の長は、補助事業者等が前項の命令に違反したときは、その者に対し、当該補助事業等の遂行の一時停止を命ずることができる。
（是正のための措置）
第16条　各省各庁の長は、補助事業等の完了又は廃止に係る補助事業等の成果の報告を受けた場合において、その報告に係る補助事業等の成果が補助金等の交付の決定の内容及びこれに附した条件に適合しないと認めるときは、当該補助事業等につき、これに適合させるための措置をとるべきことを当該補助事業者等に対して命ずることができる。
2　略
（決定の取消）
第17条　各省各庁の長は、補助事業者等が、補助金等の他の用途への使用をし、その他補助事業等に関して補助金等の交付の決定の内容又はこれに附した条件その他法令又はこれに基く各省各庁の長の処分に違反したときは、補助金等の交付の決定の全部又は一部を取り消すことができる。
2～4　略
（補助金等の返還）
第18条　各省各庁の長は、補助金等の交付の決定を取り消した場合において、補助事業等の当該取消に係る部分に関し、すでに補助金等が交付されているときは、期限を定めて、その返還を命じなければならない。
2～3　略
（徴収）
第21条　各省各庁の長が返還を命じた補助金等又はこれに係る加算金若しくは延滞金は、国税滞納処分の例により、徴収することができる。
2　前項の補助金等又は加算金若しくは延滞金の先取特権の順位は、国税及び地方税に次ぐものとする。

（不服の申出）
第25条　補助金等の交付の決定、補助金等の交付の決定の取消、補助金等の返還の命令その他補助金等の交付に関する各省各庁の長の処分に対して不服のある地方公共団体（……）は、政令で定めるところにより、各省各庁の長に対して不服を申し出ることができる。
2　各省各庁の長は、前項の規定による不服の申出があったときは、不服を申し出た者に意見を述べる機会を与えた上、必要な措置をとり、その旨を不服を申し出た者に対して通知しなければならない。
3　略
第31条　次の各号の一に該当する者は、3万円以下の罰金に処する。
一　第13条第2項の規定による命令に違反した者
二・三　略

ア　給付に関する決定に処分性を見出す手がかり

　補助金交付決定のような**給付行政**における行為は、行為の性質自体からは、契約上の行為（贈与契約の申込みに対する承諾等）と解される。しかし、本来契約上の行為の性質を有するものであっても、立法政策によって処分として扱い、取消訴訟の排他的管轄に服させることは可能であると考えられ、その場合には、結果として、当該行為に公定力・不可争力が生じる。すなわち、**立法政策によって**当該行為に**公権力性が付与された**ことになる。

　したがって、この問題は、処分性の定式（→276頁）との関係では、「公権力」に該当するか否かの問題であるが、この定式自体の解釈から結論が導かれるわけではなく、**個別法（条例を含む）が当該行為を処分として扱う（すなわち、取消訴訟の排他的管轄に服させる）立法政策をとっているかどうかの解釈問題となる**（なお、→87頁＊の指摘も参照）。

　そこで、個別法に、「……に関する行政機関の決定は処分である」とか「処分でない」等の規定が置かれていれば、わかりやすいのであるが、立法実務では、一般に、当該行為が処分に当たるか否かということ自体を定める規定は置かれない。個別法の規定では、当該行為が処分であることを前提として、**処分であることをうかがわせる文言**（**申請、決定、決定の取消し、命令、等々**）が用いられたり、何らかの例外的な取扱い、すなわち、**行手法上の処分手続の（一部）適用除外**とか、当該行為につき**行政上の不服申立て**を経なければ取消訴訟を提起できないこと（行訴法8条1項ただし書参照。→246頁）等が規定される。したがって、個別法を解釈する側としては、これらの規定を手がかりとして、個別法の立法者が当該行為が処分であることを前提としているか否かを読み取ることになる。

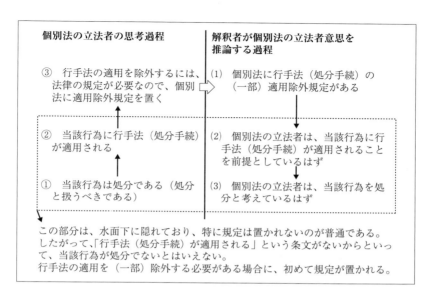

イ　処分性を認めることの救済法上の意味

訴訟との関係では、給付に関する決定に処分性が認められる場合には、取消訴訟で争うことができるとともに、取消訴訟でしか争えない。これに対し、処分性が認められない場合には、契約上の行為であるので、民事訴訟（または当事者訴訟）で争うことができる。すなわち、給付に関する決定の処分性の有無は、当該行為を訴訟で争えるか否かの分岐点ではなくて、**取消訴訟で争うべきか民事訴訟（または当事者訴訟）で争うべきかの分岐点**である。したがって、処分性を認めることが原告となる私人の救済にとって当然に有利であるとはいえず、その利害得失を個別に検討する必要がある（→320頁）。

ウ　補助金適正化法の解釈による処分性認定

以上を踏まえて、まず、補助金適正化法の規定の文言に着目すると、交付の**申請**（5条）、**決定**（6条）、**決定の取消し**（17条）という、一般に処分について用いられるのと同様の文言が用いられている。贈与契約であるとすれば、それぞれ、契約の申込み、承諾、解除という文言を用いるはずであるから、このことは、補助金適正化法が交付決定を契約上の行為ではなく処分と捉えていることをうかがわせる。また、補助事業の**遂行命令・停止命令**（13条）、**是正命令**（16条）、補助金の**返還命令**（18条）についての規定が置かれており、これも、「命ずる」という文言からすると、対等当事者間の申入れ

ではなく、処分であると解される。とりわけ、補助金適正化法13条2項の停止命令違反については、**罰則**が定められている（31条）。さらに、補助事業者が補助金の返還命令に応じなかったときには、国税滞納処分の例により**強制徴収**できるとされている（21条）。以上より、補助金適正化法は、交付決定を含む、補助金をめぐる法律関係について、契約関係ではなく処分によって規律される関係と捉えていると解される。

また、アで述べたように、行政上の不服申立てに関する規定があれば有力な手がかりとなるが、補助金適正化法25条は、補助金交付決定等に不服のある地方公共団体は、各省各庁の長に対して不服を申し出ることができると定めている。これは、地方公共団体が、行審法上、その固有の資格においては不服申立てをすることができないこと（行審法7条2項。→238頁）から、地方公共団体についての特別の不服申出の途を開いたものであって、私人に関しては、**行審法**による**不服申立て**ができることを前提としていると解される。

以上より、国が交付する補助金の交付決定は、抗告訴訟の対象となる処分に当たると解される（塩野宏「補助金交付決定をめぐる若干の問題点」〔初出1990年〕同『法治主義の諸相』〔有斐閣、2001年〕177頁参照）。

(2) 労災就学援護費の支給決定

【設問6】
　Xは、夫Aが業務上の事由により死亡したとして、労働者災害補償保険法（労災保険法）12条の8第1項4号に基づき、遺族補償給付を請求するとともに、その子Bのために、同法29条1項2号・2項に基づき、労災就学援護費の支給の申請をした。しかし、労働基準監督署長は、Aの死亡は業務上の事由によるものではないとして、遺族補償給付および労災就学援護費のいずれについても、不支給とする旨の決定をした。Xは、これらの決定に不満であり、訴訟を提起することにより、遺族補償給付および労災就学援護費の支給を受けたいと考えている。Xは、どのような訴訟を提起すべきか。

　なお、本件事案当時、労災保険法29条2項を受けた同法施行規則（2020年改正前）は、労災就学援護費の支給に関する事務は、事業場の所在地を管轄する労働基準監督署長が行うと規定していたが、同援護費に関する具体的な規定は置いていなかった。そして、「労災就学援護費の支給について」と題する厚生労働省通達は、労災就学援護費は労災保険法29条の社会復帰促進等事業として設けられたものであることを明らかにしたうえ、その別添「労災就学等援護費支給要綱」において、支給対象者、支給額、支給期間、欠格事由、支給手続等を定めており、所定の要件を具備する者に対し、所定額を支給す

> ること、支給を受けようとする者は、申請書を労働基準監督署長に提出しなければならず、同署長は、同申請書を受け取ったときは、支給、不支給等を決定し、その旨を申請者に通知しなければならないこととしていた。

◆労働者災害補償保険法◆

第7条　この法律による保険給付は、次に掲げる保険給付とする。
　一　労働者の業務上の負傷、疾病、障害又は死亡（以下「業務災害」という。）に関する保険給付
　二～四　略
2・3　略

第12条の8　第7条第1項第1号の業務災害に関する保険給付は、次に掲げる保険給付とする。
　一　療養補償給付
　二・三　略
　四　遺族補償給付
　五～七　略
2　前項の保険給付（……）は、労働基準法……規定する災害補償の事由……が生じた場合に、補償を受けるべき労働者若しくは遺族……に対し、その請求に基づいて行う。
3～4　略

第29条　政府は、この保険の適用事業に係る労働者及びその遺族について、社会復帰促進等事業として、次の事業を行うことができる。
　一　略
　二　被災労働者の療養生活の援護、……その遺族の就学の援護、……その他被災労働者及びその遺族の援護を図るために必要な事業
　三　略
2　前項各号に掲げる事業の実施に関して必要な基準は、厚生労働省令で定める。
3　略

第38条　保険給付に関する決定に不服のある者は、労働者災害補償保険審査官に対して審査請求をし、その決定に不服のある者は、労働保険審査会に対して再審査請求をすることができる。
2　前項の審査請求をしている者は、審査請求をした日から3箇月を経過しても審査請求についての決定がないときは、労働者災害補償保険審査官が審査請求を棄却したものとみなすことができる。
3　略

第39条　前条第1項の審査請求及び再審査請求については、行政不服審査法（平成26年法律第68号）第2章（第22条を除く。）及び第4章の規定は、適用しない。

第40条　第38条第1項に規定する処分の取消しの訴えは、当該処分についての審査請求に対する労働者災害補償保険審査官の決定を経た後でなければ、提起することができない。

◆労働保険審査官及び労働保険審査会法◆
(管轄審査官)
第7条　労働者災害補償保険法第38条第1項の規定による審査請求……は、原処分をした行政庁の所在地を管轄する都道府県労働局に置かれた審査官に対してするものとする。
2　略
(審査請求期間)
第8条　審査請求は、審査請求人が原処分のあったことを知った日の翌日から起算して3月を経過したときは、することができない。ただし、正当な理由によりこの期間内に審査請求をすることができなかったことを疎明したときは、この限りでない。
2　略

　本問は、最判平成15年9月4日判時1841号89頁(基判217頁、百選Ⅱ152、CB11-10)をモデルとしているが、遺族補償給付の拒否決定の処分性についても問うために、事案を改変した。
　ア　保険給付に関する決定
　まず、遺族補償給付は保険給付の一種であり、その拒否決定については、保険給付に関する決定につき**行審法に基づく不服申立ての特則**を定める労災保険法38条～40条および「労働保険審査官及び労働保険審査会法」7条・8条が手がかりとなる。これらの規定は、保険給付に関する決定が行審法に基づく不服申立ての対象となることを前提として、その特則および取消訴訟における**不服申立前置**(行訴法8条1項ただし書参照)を定めるものと解されるから、労災保険法は、保険給付に関する決定を処分として扱っていることが明らかである。したがって、遺族補償給付の不支給決定については、労災保険法38条1項の規定する審査請求をし(審査請求期間は、労働保険審査官及び労働保険審査会法8条により、不支給決定のあったことを知った日の翌日から3カ月以内)、これに対する労働者災害補償保険審査官の決定を得たうえで(労災保険法40条)、取消訴訟を提起すべきである(再審査請求の前置は義務付けられていないので、これをしなくても取消訴訟の提起は可能である。→247頁コラム)。さらに、支給決定を求める申請型義務付け訴訟(行訴法3条6項2号・37条の3)も提起できる。
　イ　労災就学援護費の支給決定
　これに対し、労災就学援護費については、労災保険法29条2項およびそれを受けた同法施行規則には、処分性認定の手がかりとなるような具体的な仕組みは何ら定められておらず、支給決定の仕組みを直接定めるのは通達であ

ることから、支給〔拒否〕決定に処分性は認められないのではないかが問題となる。しかし、上掲平成15年判決は、次のように述べて、その処分性を肯定した。「労災就学援護費に関する制度の仕組みにかんがみれば、〔労災保険〕法は、労働者が業務災害等を被った場合に、……保険給付を補完するために、労働福祉事業〔現：社会復帰促進等事業〕として、保険給付と同様の手続により、……労災就学援護費を支給することができる旨を規定しているものと解するのが相当である。そして、被災労働者又はその遺族は、……労働基準監督署長の支給決定によって初めて具体的な労災就学援護費の支給請求権を取得する」。

この判決は、**労災就学援護費の支給に関する仕組みを、通達による部分も含めて、全体として法律（労保険法）が規定したものと解したうえで、保険給付**（これに関する決定の処分性は、上述アのとおり、明らかに認められる）**と同様の手続が定められていると解釈することにより、労災就学援護費の支給決定に処分性を認めた**。給付に関する決定について、法律自体では何ら具体的な定めをしていないにもかかわらず、柔軟な解釈により処分性を認めた判例として注目される（理論的な問題点および論じ方の注意点につき、基判221～223頁参照）。

	根　拠	処分性
保険給付に関する決定	法　律	あ　り
↑（補完） 労災就学援護費の支給決定	法律⇒省令⇒通達⇒要綱	あ　り（同様の手続と解すべきなので）

したがって、Xは、労災就学援護費の不支給決定の取消訴訟を提起すべきである。また、同援護費の支給決定を求める申請型義務付け訴訟（行訴法3条6項2号・37条の3）も提起できる。

* 　上記の取消訴訟についても、労災保険法38～40条が適用され、特別の審査請求手続を経なければ提起できないかが問題となる。上掲平成15年判決が「保険給付と同様の手続」としていることからすると、労災就学援護費の不支給決定にも上記規定が適用されると解する余地もあるように思われる。しかし、明文の規定がないことから、行政実務では、労災就学援護費の不支給決定には上記規定は適用されず、一般法である行審法が適用されると解されている（中原茂樹「行政不服審査手続過程に関する一考察」『稲

葉馨先生・亘理格先生古稀記念　行政法理論の基層と先端』〔信山社、2022年〕388頁参照）。この実務の見解に従うと、審査請求を経ずに直ちに取消訴訟を提起することもできる。
＊＊　2020年の労災保険法施行規則の改正により、労災就学援護費を含む12の社会復帰促進等事業の実施について、根拠規定が設けられた。これにより、処分の仕組みの主要部分が法令ではなく通達で定められているという問題は、解消された。

関連判例として、最判令和 4 年12月13日民集76巻 7 号1872頁は、健康保険法に基づく健康保険組合による「被保険者」の資格の確認が処分に当たること（上掲平成15年判決における保険給付に関する決定〔上掲**ア**〕と同様に、特別の審査請求手続および不服申立前置が定められている）を前提として、「被扶養者」の資格の確認についても、被扶養者の法律上の地位を規律するものであり、早期に確定させ、適正公平な保険給付の実現や実効的な権利救済等を図る必要性が高いものとして、処分に当たるとした。他に、国有普通財産（普通財産については→454頁）の払下げは私法上の売買であり処分に当たらないとした最判昭和35年 7 月12日民集14巻 9 号1744頁（基判234頁）、弁済供託は民法上の寄託契約の性質を有するが、供託物取戻請求に理由があるかどうかを行政機関として判断する権限が供託官に与えられているから、供託物取戻請求に対する供託官の却下処分は行政処分に当たるとした最大判昭和45年 7 月15日民集24巻 7 号771頁（基判234頁、百選Ⅱ142）がある。

ウ　他の救済方法との関係

上掲平成15年判決のように労災就学援護費の不支給決定に処分性を認めた場合、不支給決定の取消訴訟が可能になる反面、当事者訴訟や民事訴訟で争うことはできなくなる。これに対し、**不支給決定の処分性を否定した場合、給付を求める民事訴訟または当事者訴訟**を提起することが考えられる。そこで、両者の原告にとってのメリット・デメリットを比較してみる（山本・探究321頁以下参照）。

a　取消訴訟のメリット

不支給決定の処分性を認めた場合、申請拒否処分の取消しとして**請求が行訴法により定型化されている**ので、請求を立てやすい。審理において、**釈明処分の特則**（行訴法23条の 2 ）が適用されるというメリットもある。また、支給額等について行政機関に**裁量**が認められる場合でも、不支給決定の取消訴訟であれば、**取消判決の拘束力**（行訴法33条）により、判決理由中の判断に従って、改めて決定をしてもらえるので、適切な救済を得やすい。さら

に、本件に関しては、遺族補償給付の不支給決定は、処分であることが明らかであり、取消訴訟で争うべきなので、これと争い方をそろえた方が、原告にとってわかりやすいというメリットもある。

他方、不支給決定の処分性を否定した場合、不支給決定は、贈与契約の申込みに対して承諾をしないことを意味する。契約自由の原則が妥当する私人間の契約の場合、申込みに対する承諾義務はないから、不承諾そのものを訴訟で争うことはできず、承諾がされて契約が成立した場合に初めて、当該契約の履行を求める訴訟が可能になる。これに対し、行政機関が一定の要件の下で一定の給付をすべきことが法定されている（または、平等原則等の法解釈により導かれる）場合には、要件を満たす申込みに対して承諾義務が生じるので、**承諾を求める民事訴訟または当事者訴訟が可能**と考えられる。しかし、これは、私人間の民事訴訟には通常見られないタイプの請求であり、**請求の立て方が定型化されておらず、不明確**であるという問題がある。給付すべき金額等につき行政機関に**裁量**が認められる場合、金額等に一定の幅をもたせた請求を立てるべきか、また、そのような請求が認容された場合、判決の効力がどうなるかもはっきりしない。

b　取消訴訟のデメリット

取消訴訟の原告にとってのデメリットは、**出訴期間の制限**（行訴法14条）、および、**不服申立前置**が定められている場合は、**不服申立期間内に不服申立**てをしなければならないことである。民事訴訟または当事者訴訟については、そのような制限はない。上掲平成15年判決の事案では、原告が取消訴訟を提起していたため、処分性を認めることが原告の権利救済の妨げとなることはなかったが、処分性の認定は類型的な判断であるから、労災就学援護費の不支給決定が処分に当たることが判例上確定すると、今後はあらゆる事案において、同不支給決定は処分として扱われ、その結果、関係者の救済が制限される可能性がある。そのような観点からは、上掲平成15年判決のように、法令自体に明確な定めのない行為に処分性を認めることに対しては、異論もありうる。

3　まとめ

第18講および本講の考察をまとめると、処分性として論じられる問題には、次の２つの側面が含まれており、いずれの側面かによって、処分性認定の際に考慮すべき要素が異なる。

(1) 「直接国民の権利義務を形成しまたはその範囲を確定する」
　　――訴えの利益の問題
ア　訴えの利益の柔軟な認定による処分性拡大

　処分性の定式のうち、「直接国民の権利義務を形成しまたはその範囲を確定する」という要件は、およそ主観訴訟である以上は要求される、広い意味での**訴えの利益**の有無が、取消訴訟においては処分性の要素として判断されているものと考えられる。**内部行為・行政指導・立法行為・行政計画**等の処分性に関する問題は、主にこの側面に関わる。従来（2004年行訴法改正前）の議論では、この意味での処分性を否定することは、（訴えの利益を否定することを意味するから）当該行為について司法的救済を否定することにつながると考えられた。そこで、司法的救済をすべきと考えられる事案では、処分性の定式に典型的には当てはまらない行為に対しても、処分性を拡大する試みがされてきた。

イ　処分性拡大の波及効果

　このような処分性拡大の試みは、実効的な権利救済の観点からは望ましい面がある。しかし、ある行為に処分性を認めることは、当該事案限りの判断ではなく、当該法的仕組みにおける当該行為が処分に当たるという、類型的な判断である。そこで、処分性の拡大が、同時に、次のような波及効果（見方によっては副作用）をもたらしうることに注意が必要である。

　まず、ある行為に処分性を認めることは、当該行為につき取消訴訟で争えるのみならず、取消訴訟でしか争えないという効果（**取消訴訟の排他的管轄**）をもたらし、そこには**出訴期間の制限**（行訴法14条）が伴う。そこで、私人にとっては、当該行為について当事者訴訟や民事訴訟で争う可能性（後述**ウ**）が排除されたり、当該行為を前提とする後続の行政処分の取消訴訟において、当該行為の違法性を主張できなくなる（**違法性の承継**〔→373頁〕の否定）という問題が生じる（これらを総称して**遮断効**ということがある）。

　また、処分性を認めることは、上述のような行訴法上の効果だけではなく、**行手法第2章・第3章の処分手続**が適用されるという効果ももたらす。そこで、もともと個別法の立法者が処分に当たることを予定していなかった行為（例えば、第18講【設問4】〔→287頁〕の病院開設中止勧告について、医療法の立法者は、処分に当たることを予定していなかったと考えられる）に、司法的救済の必要性から処分性を認めると、立法者の予期に反して、行政機関は当該行為につき行手法上の処分手続をとることを迫られる。さらに、行審法の適用も、処分性の有無によって決まる。

このように、**処分性の認定**は、**当該事案における取消訴訟対象性を認める**ことにとどまらず、行手法、行審法および行訴法の処分に関する手続がパッケージ（塩野・行政法Ⅱ124頁の表現では、「標準装備」）として**適用される**、**１つの法的仕組みを認める**ことになる（基判172頁のコラムも参照）。

　ウ　解決の方向──当事者訴訟の活用

以上のような処分性拡大に伴う波及効果について、これを望ましくない副作用と考える場合には、次のような２つの方向の解決策が考えられる（橋本博之・判例評論554号10頁〔2005年〕参照）。

第１に、処分については行手法および行訴法の手続がパッケージ（標準装備）として適用されるという前提（上述**イ**）を改め、救済の必要性から特に処分性が認められた行為については、行手法の処分手続や取消訴訟の排他的管轄等が適用されないと解することである。しかし、これは、処分という行政制度の根幹に関わる仕組みの基本的前提を覆すことになるので、慎重な考慮が必要である（塩野・行政法Ⅱ124頁）。

第２に、処分性の否定が司法的救済の否定につながるという、従来の処分性拡大論の前提（上述**ア**）を見直し、法令解釈上処分に当たることが明確でない行為については、2004年の改正行訴法で活用の方向が示された**当事者訴訟（特に確認訴訟）**を受け皿とすることである。

　　＊　ただ、ここでの処分性の問題が広義の訴えの利益の問題である（上述**ア**）とすると、処分性が否定された場合、当事者訴訟の訴えの利益（確認の利益等）も否定されるのではないか、という疑問が生ずるかもしれない。しかし、処分性は、当該仕組みに関する類型的な判断である（上述**イ**）のに対し、当事者訴訟の訴えの利益は、当該事案における当事者についての個別的な判断であるので、後者においては、当該事案に即した柔軟な判断がなされうると解される。2004年改正行訴法における当事者訴訟活用論も、このことを前提にしているものと思われる。

この第２の考え方からは、実効的権利救済のために当該行為を訴訟で争わせる必要があると判断される場合、そこから直ちに処分性を認める方向で検討するのではなく、**取消訴訟と当事者訴訟のどちらがより実効的な権利救済**につながるか、という観点を考慮すべきであると考えられる。取消訴訟の方が、**取消判決の第三者効**（行訴法32条）が認められる等、紛争の画一的・合理的解決に資する場合もあるので、その点も考慮すべきである（上掲最判平成21年11月26日〔→300頁〕参照）。

(2) 「公権力」——民事訴訟（または当事者訴訟）との振り分けの問題

処分性の定式のうち、契約との対比で問題となる「**公権力**」の要件（→313頁以下）については、そもそも訴訟で争えるかどうかという訴えの利益の問題ではなく、いずれにせよ訴訟で争えるが、**取消訴訟で争うべきか民事訴訟（または当事者訴訟）で争うべきかという、振り分けの問題**である。そして、これについては、基本的に、**個別法の立法者がどのような立法政策をとっているかという、立法者意思を探求する解釈方法**となる。その意味で、上述(1)の訴えの利益の問題とは、観点が異なるので注意してほしい。

* もっとも、契約との区別の問題に関しても、法令解釈上処分に当たるか否かが明確でない場合に、取消訴訟と民事訴訟（または当事者訴訟）のどちらがより実効的救済につながるかという観点を考慮することは、ある程度可能であると解される（→320頁）。

(3) 判例のまとめ

処分性に関する判例をまとめると、以下の表のとおりである。

（〇は処分性肯定、×は処分性否定を意味する）

「直接国民の権利義務を形成しまたはその範囲を確定する」——訴えの利益の問題

直接性（内部行為）（第18講2）		
消防長の同意 （最判昭和34年1月29日。279頁）	×	行政機関相互の行為なので
墓地埋葬法の解釈通達 （最判昭和43年12月24日。280頁）	×	行政機関相互の行為なので
新幹線工事実施計画の認可 （最判昭和53年12月8日。280頁）	×	行政機関相互の行為と同視されるので

法的効果（通知・勧告等）（第18講3）		
源泉徴収による所得税の納税告知 （最判昭和45年12月24日。293頁）	〇	確定した税額がいくばくであるかについての税務署長の意見が初めて公にされるから
輸入禁制品該当の通知 （最判昭和54年12月25日。280頁）	〇	観念の通知であるが、法律の規定に準拠し、かつ、貨物を適法に輸入できなくなるという法律上の効果を及ぼすので
公務員の採用内定通知 （最判昭和57年5月27日。281頁）	×	採用の準備手続としてされる事実上の行為にすぎないので
交通反則金の納付告知 （最判昭和57年7月15日。 第14講【設問3】〔215頁〕）	×	反則金の納付義務を課すものではなく、また、反則行為に関する争いは専ら刑事手続によることが道交法上予定されているから
開発許可申請に対する公共施設管理者の同意 （最判平成7年3月23日。281頁）	×	法は同意がある場合に限って開発行為を認めており、同意を拒否する行為自体は権利ないし法的地位を侵害するものではないこと、また、同意に関する手続、基準・要件等が法定されていないことから
食品衛生法違反通知 （最判平成16年4月26日。284頁）	〇	法律の趣旨に適った行政実務の下で、輸入許可が受けられないという法的効力を有するので

登録免許税還付通知請求の拒否通知 (最判平成 17 年 4 月 14 日。286 頁)	○	簡易迅速に還付を受けることができる手続上の地位を否定する法的効果を有するので
病院開設中止勧告 (最判平成 17 年 7 月 15 日。288 頁)	○	医療法上は行政指導であるが、勧告不服従により、相当程度確実に保険医療機関の指定が拒否され、病院開設を断念せざるをえなくなるので
土地汚染対策法の通知 (最判平成 24 年 2 月 3 日。291 頁)	○	土地所有者等に調査報告義務を生じさせ、その法的地位に直接的な影響を及ぼすので

具体性（一般的行為）（第 19 講 1）		
二項道路の一括指定の告示 (最判平成 14 年 1 月 17 日。295 頁)	○	指定の効果の及ぶ個々の道は二項道路とされ、その敷地所有者は具体的な私権制限を受けるので
公立小学校を統廃合する条例 (最判平成 14 年 4 月 25 日。299 頁)	×	具体的に特定の小学校で教育を受けさせる権利ないし法的利益はないので
水道料金を改定する条例 (最判平成 18 年 7 月 14 日。298 頁)	×	限られた特定の者に対してのみ適用されるものではないので
公立保育所を廃止する条例 (最判平成 21 年 11 月 26 日。298 頁)	○	限られた特定の者らに対して、直接、当該保育所において保育を受けることを期待し得る法的地位を奪うので
用途地域の指定 (最判昭和 57 年 4 月 22 日。306 頁)	×	法令の制定と同様の、不特定多数者に対する一般的抽象的な制約なので
市町村営土地改良事業施行認可 (最判昭和 61 年 2 月 13 日。 第 21 講【設問 4】〔359 頁〕)	○	性格を同じくする国営または都道府県営の土地改良事業計画の決定について、行政上の不服申立ての対象とされていることから
土地区画整理事業計画決定 (最大判平成 20 年 9 月 10 日。310 頁)	○	建築規制を伴う事業手続に従って換地処分を受けるべき地位に立たされ、法的地位に直接的な影響が生じること、および、実効的な権利救済の観点から

「公権力」——民事訴訟（または当事者訴訟）との振分けの問題

給付に関する決定（第 19 講 2）		
供託物取戻請求に対する供託官の却下処分 (最大判昭和 45 年 7 月 15 日。320 頁)	○	行政機関としての判断権限が供託官に与えられているから
労災就学援護費の支給決定 (最判平成 15 年 9 月 4 日。318 頁)	○	保険給付と同様の手続により支給する旨が規定されていると解され、支給決定によって初めて具体的な支給請求権が発生するので

公共施設の設置・供用（第 18 講 1）		
ごみ焼却場設置行為 (最判昭和 39 年 10 月 29 日。276 頁)	×	一連の行為を分析すると、私法上の契約と内部手続行為があるのみで、公権力の行使に当たる行為はないので

第20講　取消訴訟の原告適格

◆学習のポイント◆
1　取消訴訟の原告適格について、判例の判断枠組み、すなわち、処分の根拠規定（処分要件）を出発点とし、行訴法9条2項（関係法令の参酌および被侵害利益の内容・性質等の勘案）により個別的利益を切り出す方法を、具体的事案に即して習得する。
2　上記の「行訴法9条2項による個別的利益の切出し」とは異なる類型があることにも注意する（→346頁コラム）。

1　原告適格とは

　ある行政の行為に処分性が認められたとしても、それに対して誰でも取消訴訟を提起できるわけではない。取消訴訟は主観訴訟であるから、当該訴訟によって自己の権利利益の保護を図る者のみが提起できる。このように取消訴訟を提起できる資格のことを**原告適格**という。行訴法9条1項は、取消訴訟の原告適格を有する者について、処分の「取消しを求めるにつき法律上の利益を有する者」としている。したがって、原告適格がどのような場合に認められるかは、この「法律上の利益」の解釈問題となる。

　処分性が認められることは、当該処分によって名宛人の権利義務が直接形成されることを意味するから、**処分の名宛人は、当該処分の取消しを求める法律上の利益を当然に有する**（ただし、狭義の訴えの利益が認められないことはありうる。→350頁以下）。したがって、実際に原告適格が問題となるのは、**処分の名宛人以外の第三者**が当該処分の取消しを求める場合である。すなわち、「行政庁」・「処分の名宛人」の二面関係ではなく、「行政庁」・「処分の名宛人」・「当該処分について利害関係を有する第三者」の**三面関係**において、原告適格が問題となる。

　＊　特定の名宛人のいない**一般処分**（例：第19講【設問2】〔→297頁〕の保育所廃止条例、同【設問4】〔→307頁〕の土地区画整理事業計画決定）は、

特定範囲の者の法的地位に対する直接的な影響を理由に処分性が認められるのであるから、当該特定範囲の者（上述の例では、当該保育所に現に入所中の児童・保護者、施行地区内の宅地所有者）は、当然に原告適格を有する。なお、346頁のコラム「『行訴法9条2項による個別的利益の切出し』とは異なる類型」も参照。

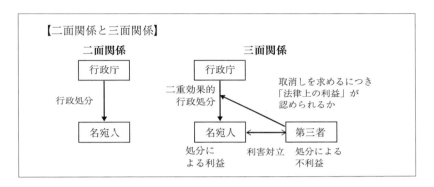

2　判例の基本的枠組みと行訴法9条2項の新設

【設問1】
　行訴法9条1項にいう「処分……の取消しを求めるにつき法律上の利益を有する者」の解釈について、従来の判例の立場を整理したうえで、2004年に追加された同条2項と従来の判例との関係（判例を確認したものか、判例よりも原告適格の範囲を拡大したものか。拡大したとすれば、具体的にどのような点においてか）を説明せよ。

(1)　法律上保護された利益説

　まず、前提として、1で述べたように、取消訴訟の原告適格の問題は、行訴法9条1項にいう**「法律上の利益」の解釈問題**である。そして、その具体的内容につき、2004年の行訴法改正前には、何ら規定が置かれておらず、すべて判例・学説に委ねられていた。

　この点につき、判例は一貫して、**法律上保護された利益説**とよばれる立場をとっている。最高裁は、既に、最判昭和37年1月19日民集16巻1号57頁（基判284頁、百選Ⅱ164。公衆浴場の営業許可の取消訴訟につき、既存業者の原告適格を、距離制限規定の趣旨の解釈によって肯定した）においてこの立場を示していた（なお、競業者の原告適格につき、→346頁コラム）が、

判断枠組みを明確に示したのは、**主婦連ジュース訴訟判決**（最判昭和53年3月14日民集32巻2号211頁、基判280頁、百選Ⅱ128、CB12-1）である。この判決は、行政上の不服申立適格を有する者について、「当該処分により自己の権利若しくは**法律上保護された利益**を侵害され又は必然的に侵害されるおそれのある者をいう」とし、「右にいう法律上保護された利益とは、行政法規が私人等権利主体の**個人的利益を保護**することを目的として行政権の行使に制約を課していることにより保障されている利益であって、それは、行政法規が他の目的、特に**公益**の実現を目的として行政権の行使に制約を課している結果たまたま一定の者が受けることとなる**反射的利益とは区別される**べきものである」とした。この判決は、行政上の不服申立適格（→237頁）に関するものであるが、取消訴訟の原告適格についても先例とされている。

このように、判例は、行訴法9条1項にいう「法律上の利益」を「法律上保護された利益」と解し、かつ、公益と個人的利益との区別を前提として、「法律上保護された利益」と認められるためには、法律が個人的利益を保護していると解されることが必要であるとする。

(2) 関係法令の考慮

この説に立つ場合、「法律上保護された利益」が当該処分の根拠規定に明示されたものに限られるとすると、原告適格の認められる範囲が狭くなりすぎるという問題がある。なぜなら、一般に、処分の根拠規定は、取消訴訟の原告適格の範囲を考慮して作られるわけではなく、根拠規定に個人の利益保護が明記されることは少ないからである。そこで、判例は、様々な解釈上の工夫をしている。

まず、**新潟空港訴訟判決**は、「当該行政法規が、不特定多数者の具体的利益をそれが帰属する個々人の個別的利益としても保護すべきものとする趣旨を含むか否かは、**当該行政法規及びそれと目的を共通する関連法規の関係規定によって形成される法体系の中において**、当該処分の根拠規定が、当該処分を通して右のような個々人の個別的利益をも保護すべきものとして位置付けられているとみることができるかどうかによって決すべきである」とした（最判平成元年2月17日民集43巻2号56頁、基判280頁、百選Ⅱ183、CB12-2）。そして、航空運送事業免許の根拠規定（航空法101条〔当時〕）自体は、事業計画が「経営上及び航空保安上適切なもの」かどうかの審査を求めるにとどまるが、航空法1条の目的規定や関連法規（公共用飛行場周辺における航空機騒音による障害の防止等に関する法律〔以下「航空機騒音障害防止法」という〕）の趣旨を踏まえると、騒音障害の有無および程度をも審査の

際の考慮要素とすべきであり、したがって、新規路線免許によって著しい騒音被害を受ける者には、免許取消しを求める原告適格が認められるとした（後掲コラム〔→332頁〕）。

(3) 被侵害利益の考慮

また、**もんじゅ訴訟判決**は、「当該行政法規が、不特定多数者の具体的利益をそれが帰属する個々人の個別的利益としても保護すべきものとする趣旨を含むか否かは、当該行政法規の趣旨・目的、**当該行政法規が当該処分を通して保護しようとしている利益の内容・性質等を考慮して判断すべきである**」とした（最判平成 4 年 9 月22日民集46巻 6 号571頁、基判282頁、百選Ⅱ156、CB12-4）。そして、原子炉周辺住民が原子炉設置許可処分を争う原告適格について、仮に事故が発生した場合の**被害の性質（生命・身体への直接的かつ重大な被害）**を考慮して根拠法規を解釈し、これを肯定した。

さらに、急傾斜地のマンション建設に係る都市計画法上の開発許可処分に対して、開発区域の隣接地に居住する住民らが提起した取消訴訟について、最高裁は、がけ崩れ等による直接的な被害を受けることが予想される範囲の地域に居住する者は、原告適格を有するとした（最判平成 9 年 1 月28日民集51巻 1 号250頁、基判282頁、CB12-6）。この判決では、がけ崩れ等の災害が発生すると人の**生命・身体の安全**が脅かされること、および、**被害が一定範囲の地域の住民に直接的に及ぶこと**等が考慮要素とされた。

被侵害利益が財産権の場合は、生命・身体の場合よりも個別的利益と認められにくいが、根拠法令の趣旨によっては、財産権についても個別的利益と認められる場合がある。最判平成13年 3 月13日民集55巻 2 号283頁（基判282頁、百選Ⅱ157）は、林地開発許可に関する森林法の規定は、周辺土地の**財産権**までを個別的利益として保護する趣旨を含まないとした。これに対し、最判平成14年 1 月22日民集56巻 1 号46頁（基判283頁、百選Ⅱ158、CB12-8）は、建築基準法が国民の財産の保護をも目的とすること（1条）等に鑑みると、総合設計許可（敷地内に歩行者が自由に通行・利用できる公開空地を設けること等により、容積率や建築物の高さの制限を緩和する制度）に関する同法の規定は、当該建築物の倒壊、炎上等による被害が直接及ぶことが想定される周辺の一定範囲の建築物を個別的利益として保護する趣旨を含む（すなわち、周辺の**建築物の所有者**に原告適格が認められる）とした。

処分により**影響を受ける者**の範囲が不特定の場合は、**原告適格が否定される傾向にある**。例えば、前述の主婦連ジュース訴訟、特急料金値上げ認可を鉄道利用者が争った**近鉄特急訴訟**（最判平成元年 4 月13日判時1313号121頁、

基判281頁、百選Ⅱ162、CB12-3。なお、後掲【設問5】（344頁）参照）、史跡指定解除処分をその遺跡の研究者等が争った**伊場遺跡訴訟**（最判平成元年6月20日判時1334号201頁、基判281頁、百選Ⅱ163）では、いずれも原告適格が否定された。

また、風営法による営業制限地域内でのパチンコ店の営業許可取消訴訟については、一方で、診療所等の**特定の施設**に着目した制限地域の規定は、当該施設につき善良で静穏な環境の下で円滑に業務をする利益を保護していると解するが（最判平成6年9月27日判時1518号10頁、基判283頁、CB12-5）、他方で、住居地域等を制限地域とする規定は、**一定の広がりのある地域**の良好な風俗環境を一般的に保護する趣旨であり、当該地域に居住する住民の個別的利益を保護する趣旨を含まないとしている（最判平成10年12月17日民集52巻9号1821頁、基判284頁、百選Ⅱ160、CB12-7）。いわば、特定の施設という「点」からの距離制限については、当該施設設置者に原告適格を認めるが、住居地域等の「面」における制限については、当該地域の居住者に原告適格を認めないものであり、これについても、被侵害利益の特定性の違いが結論を分けたものと思われる（ただし、近時の最高裁には変化の兆しが見られる。後掲【設問4】〔341頁〕参照）。

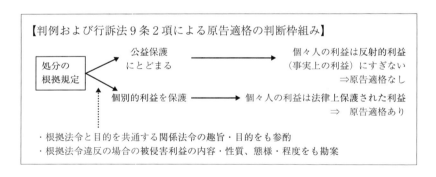

(4) 行訴法9条2項の意味

以上のように、判例は、法律上保護された利益説を前提としつつも、解釈の工夫により、原告適格をある程度柔軟に認めてきたが、2004年の行訴法改正に至る議論において、国民の権利利益の実効的な救済という観点からは、従来の判例ではなお原告適格が狭すぎるのではないかが問題とされた。そこで、法改正によって原告適格を拡大する方策が検討された結果、行訴法9条2項が追加された。同項は、従来の判例の最も進んだ部分を条文化して一般

化することにより、これを足がかりとして、原告適格のさらなる拡大を目指すものである。

行訴法9条2項は、処分の相手方以外の者について「法律上の利益」の有無を判断する際の必要的考慮事項を定めている。長い条文であるが、次の4つの部分に分けて理解する必要がある。すなわち、処分の**根拠法令の規定の文言のみによることなく**、①**根拠法令の趣旨・目的**および②**当該処分において考慮されるべき利益の内容・性質**を考慮するものとする。そして、上記①を考慮する際には、③**根拠法令と目的を共通にする関係法令の趣旨・目的を参酌**するものとし、上記②を考慮する際には、④**当該処分が根拠法令に違反してされた場合に害される利益の内容・性質、害される態様・程度を勘案**するものとする（①と③、②と④がそれぞれ対になっている）。

この条文は、従来の判例法理を確認するという側面を有することから、これによって従来の判例よりも原告適格を拡大することにつながるのか、疑問に思われるかもしれない。これについては、次の2点を指摘することができる。

第1に、判例によって示された考慮事項は、直接には、そこで問題となった事案および個別法についての判断であって、他の事案や個別法にも当然に妥当するわけではない。これに対し、行訴法9条2項は、**一般的に（あらゆる事案・個別法について）上記①〜④の考慮を求めた**ところに、大きな意味がある。

第2に、とりわけ上記④が一般的な要考慮事項として明記されたことは、原告適格の拡大にとって重要な意味をもつ。もともと、処分の根拠規定が個々人の個別的利益を保護する趣旨を含むか否かについて、当該規定自体の解釈によって決しうるという考え方（→328頁）には無理があり（小早川・行政法講義下Ⅲ260頁）、水掛け論に陥ってしまう。そこで、上記④の**被侵害利益の内容・性質等を考慮に入れることにより、根拠規定が保護する個別的利益を切り出すという方法**（塩野・行政法Ⅱ143頁）が、有用と考えられる。その際、建前上は、あくまでも根拠規定を解釈するための要素として被侵害利益を考慮する（次頁の図でいうと、被侵害利益を見て直ちに原告適格の有無を決するのではなく、視線をもう一度根拠規定に戻して、当該利益を根拠規定が個別的利益として保護していると解すべきか否かを判断する）のであるが、作業の実質としては、被侵害利益の内容・性質を決め手として原告適格の有無を決することになる（基判279頁の図も参照）。その意味で、実質的には、「法的保護に値する利益説」に近づくともいえる（塩野・行政法Ⅱ143

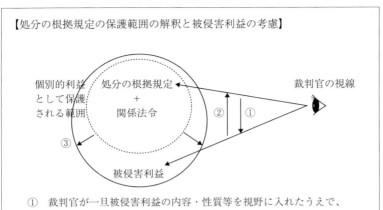

頁)。「法的保護に値する利益説」は、「法律上保護された利益説」のいわばアンチテーゼとして、原告適格の拡大に大きな役割を果たしたと考えられるが、現時点では、上述のような形で、「法律上保護された利益説」が「法的保護に値する利益説」の考え方を実質的に取り入れることにより、両説の対立は解消されつつあるといえよう。

●コラム● 関係法令についての注意点

① 許可基準等を定める法律の規定の委任を受けた施行令や施行規則等の規定は、行訴法9条2項にいう「処分……の根拠となる法令」そのものであって、「関係法令」ではない。すなわち、処分の根拠となる法律とその委任を受けた命令とが一体となって、「根拠となる法令」(「法律」ではなく「法令」とされていることに注意)を構成している(なお、区別が微妙な場合として、→後掲3(3)ア〔342頁〕)。

② 通達は法令ではない(→160頁)から、通達を関係法令とするのは、問題がある。通達に示されている解釈を法令の解釈に取り込みたい場合は、「通達にAと書いてあるから、Aと解釈すべきである」とするのではなく(これでは裁判所が行政機関の解釈に拘束されることになってしまう)、「そもそも当該法令はAと解釈すべきであり、当該通達はその旨を確認したものである(裁判所が正しいと考える解釈を、行政機関も採用している)」と説明すべきである(処分性の認定についての事案であるが、最判平成16年4月26日民集58巻4号989頁〔食品衛生法違反通知事件、基判173頁、CB11-11。→284頁〕の説明方法を参照)。

③ 行訴法9条2項は、根拠法令と「目的を共通にする関係法令」としているが、実際の手順としては、まず根拠法令の具体的な目的を判断したうえで、それと目的を共通にする関係法令を探索するのではなく(根拠法令自体から具体的な目的を導けるのであれば、

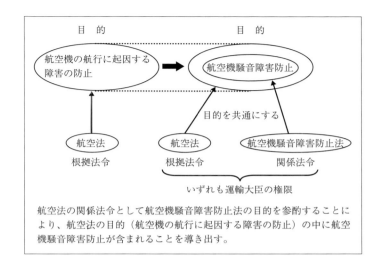

関係法令を持ち出す必要はない)、根拠法令自体からは抽象的な目的しか導き出せない場合に、根拠法令の目的と関連のある関係法令を探索したうえで、当該関係法令の目的を手がかりとして、根拠法令の具体的な目的を導き出すことになる(福井ほか・新行政事件訴訟法275頁)。例えば、上掲新潟空港訴訟判決は、航空法自体の目的規定(1条)には、「航空機の航行に起因する障害の防止」という抽象的な定めがあるにすぎないが、航空法に基づく航空運送事業の免許権限を有する運輸大臣が、航空機騒音障害防止法に基づく航空機の航行方法の指定権限をも有していることに着目し、航空機騒音障害防止法を航空法の関連法規としたうえで、それを手がかりに、航空法に基づく同免許の審査において航空機騒音障害防止の観点を考慮すべきであるという結論を導いた。

3 原告適格の具体的判断手順
―― 行訴法9条2項の下での判例の展開

(1) 小田急訴訟大法廷判決――リーディングケース

【設問2】
　第12講【設問2】(→189頁) の事案で、A県環境影響評価条例は、鉄道の新設または改良等の事業でその実施が環境に著しい影響を及ぼすおそれのあるものを「対象事業」としたうえで、対象事業に係る許認可権者(本件では、本件事業の認可権者である国土交通大臣)に対し、許認可等を行う際に評価書の内容に十分配慮するよう、A県知事が要請しなければならず、また、対象事業が都市計画法の規定により都市計画に定められる場合には、同条例による環境影響評価手続を都市計画決定手続に合わせて行うよう努めなければならないと規定している。また、同条例は、事業者が対象事業を実施しよう

> とする地域およびその周辺地域で当該事業の実施が環境に著しい影響を及ぼ
> すおそれのある地域として、「関係地域」をＡ県知事が定めなければならない
> としている。本件事業に係る「関係地域」内に居住しているＸらは、本件認
> 可の取消しを求める原告適格を有するか（都市計画法の関係条文については、
> →189頁の参照条文を見よ）。

　本問は、最大判平成17年12月7日民集59巻10号2645頁（小田急訴訟大法廷判決、基判238頁、百選Ⅱ159、CB12-9）をモデルとしている。この判決は、行訴法9条2項に関する最初の最高裁判決として、同項の適用のあり方を具体的に示したものである。また、都市計画事業認可につき、最判平成11年11月25日判時1698号66頁（環状6号線訴訟、基判143頁、百選Ⅰ53）を変更して、事業地周辺の居住者に取消訴訟の原告適格を認めたものとしても、極めて注目される。そこで、この判決をモデルにして、行訴法9条2項の下での原告適格の具体的判断方法を見ていく。あらかじめ要点を示すと、次の4点を順に検討すべきである。

　ア　法律上保護された利益説の定式を示し、処分の相手方以外の者の原告適格が問題となっているため行訴法9条2項に従うことを指摘する。

　イ　**根拠法令および関係法令の参酌**により、当該処分の根拠規定が一定の利益（例：周辺住民の健康または生活環境上の利益）を保護していると解されることを導く。

　ウ　**被侵害利益の内容・性質の勘案**により、上記**イ**で保護利益とされたものの中から、一般的公益に吸収解消されない**個別的利益**（例：健康または生活環境に係る**直接的かつ著しい被害**を受けない利益）を切り出す。

　エ　当該事案の原告が、上記**ウ**にいう**個別的利益を有する者**（例：健康または生活環境に係る直接的かつ著しい被害を受ける者）に当たるか否かの当てはめ（＝当該個別的利益を有する者の具体的な範囲の認定）を行う。

　ア　判断枠組み——法律上保護された利益説および行訴法9条2項
　まず、前提として、上掲平成17年判決は、以下のとおり、行訴法9条1項に関する従来の判例法理（法律上保護された利益説）を確認する。この点

は、行訴法9条2項の追加後も、条文上明示されていないので、解釈論として示す必要があることに注意してほしい。

　すなわち、処分の取消しを求めるにつき「法律上の利益を有する者」（行訴法9条1項）とは、当該処分により自己の**権利**もしくは**法律上保護された利益**を侵害され、または必然的に侵害されるおそれのある者をいう。当該処分を定めた行政法規が、不特定多数者の具体的利益を専ら一般的公益の中に吸収解消させるにとどめず、それが帰属する**個々人の個別的利益**としてもこれを保護すべきものとする趣旨を含むと解される場合には、このような利益もここにいう法律上保護された利益に当たる。そして、処分の相手方以外の者について上記の法律上保護された利益の有無を判断するにあたっては、同法9条2項に従う。

イ　根拠法令および関係法令の参酌により一定の利益が保護されていることを認定

　上記の見地に立つと、まず着目すべきは、処分の根拠法令が、処分要件をどのように定めているかである。本問では、都市計画事業認可の根拠規定は都市計画法59条であり、同法61条1号は、**認可の基準**の1つとして、事業の内容が**都市計画に適合**することを挙げている。そこで、都市計画の基準に関する同法13条を見ると、都市計画は**公害防止計画に適合**したものでなければならないとされている（同条1項柱書）。

　次に、本件認可の根拠法令である都市計画法の**関係法令**として、第1に、上記の公害防止計画の根拠法令である**公害対策基本法**（19条〔現在の環境基本法17条〕参照）が、騒音、振動等による健康または生活環境に係る著しい被害の発生を防止することを趣旨・目的としていることが参酌される。

　第2に、A県（上掲平成17年判決の事案では、東京都）**環境影響評価条例**が、対象事業に係る許認可権者に対し、許認可等を行う際に評価書の内容に十分配慮するよう、知事が要請しなければならない等とし、都市計画の決定または変更に際し、公害防止等に適正な配慮が図られるようにすることを趣旨・目的としていることが参酌される（なお、上掲平成17年判決の事案当時は、**環境影響評価法**が未制定であったため、環境影響評価条例が関係法令とされたが、現在では、同法が制定されているので、同法が関係法令となる）。

　　＊　法律が定める要件を条例によって付加・変更することはできないため、上記のように、「要請」とされている。本判決がこのような本件条例を関係法令と認めたことにつき、調査官解説は、「当該処分において考慮することが相当な要素を定めることによりその根拠法令の目的を推認させるような

法令について、厳密な意味での当該処分の処分要件ないし義務的な考慮要素を定めるものでなくても、『目的を共通にする関係法令』に当たるとされる場合があり得る」としている（森英明・最判解民事篇平成17年度917頁）。もっとも、本件事案当時、環境影響評価法は未制定であったものの、既に条例や個別法等によって環境影響評価制度が普及しつつあり、環境影響評価を考慮要素とすることが実質的に相当とみられる状況があったことも指摘されている（同934頁）。以上につき、基判249～251頁参照。

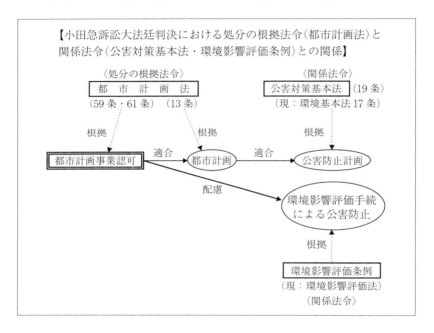

以上より、都市計画事業認可に関する都市計画法の規定は、事業に伴う騒音、振動等による事業地周辺住民の健康または生活環境の被害発生を防止することも趣旨・目的としていると解される。

ウ　被侵害利益の勘案による個別的利益の切出し

さらに、上記で保護利益とされたものの中から、一般的公益に吸収解消されない個別的利益を切り出すため、**被侵害利益の内容・性質**が勘案される。

すなわち、都市計画法またはその関係法令に違反した違法な都市計画に基づいて都市計画事業認可がされた場合、そのような事業に起因する騒音、振動等による被害を**直接的**に受けるのは、事業地周辺の**一定範囲の地域の居住者**に限られ、その被害の程度は、居住地が事業地に**接近するにつれて増大**す

る。また、上記の被害を反復、継続して受けた場合、**健康や生活環境に係る著しい被害**にも至りかねない。このような被害の内容・性質・程度に照らせば、騒音、振動等によって健康または生活環境に係る**著しい被害を直接的に受けるおそれのある個々の住民**は、そのような被害を受けないという利益を**個別的利益**として保護されていると解される。

> *　上記の判断は、都市計画事業認可の「取消しを求めるにつき法律上の利益を有する者」（行訴法9条1項）とは何かという法解釈（規範定立）の中で、一般に違法な都市計画事業認可がされた場合に、どのような範囲の者にどのような被害が生じうるかを勘案しているのであって、実際に本件認可によってXらにどのような被害が生じうるかを論じているわけではない。都市計画事業認可取消訴訟の原告適格がどのような範囲の者に認められるかという一般論（規範定立）と、Xらがそれに該当するかという判断（当てはめ。後掲エ）とは、区別しなければならない。判例をお手本にして、まず前者を論じてから、後者を論ずるようにしてほしい。

エ　当該原告への当てはめ
――個別的利益を有する者の具体的な範囲の認定

上記ウにより、抽象的には「健康又は生活環境に係る著しい被害を直接的に受けるおそれ」のある住民に原告適格が認められるが、本件事案のXらがそれに当たるか否かを判断するには、その具体的な範囲を認定する必要がある。上掲平成17年判決は、東京都環境影響評価条例の規定する「関係地域」が、事業の実施が環境に著しい影響を及ぼすおそれのある地域として知事が定めるものであることを考慮して、「関係地域」内の居住者に原告適格を認めた。よって、「関係地域」内に居住するXらは、本件認可の取消しを求める原告適格を有する。

> *　ここで、原告の保護利益が害されることの厳密な認定を要するとすると、本案審理における判断まで行うことになってしまうから、訴訟要件たる原告適格の段階では、上記ウの「健康又は生活環境に係る著しい被害を直接的に受けるおそれ」が抽象的に認められる地域に居住する者であれば足りると解すべきであり、その際、そのような地域の範囲を簡明に認定しうる手がかりを模索すべきである。上掲平成17年判決は、そのような観点から、環境影響評価条例の規定する「関係地域」に着目したものと考えられる（基判251頁参照）。最判平成26年7月29日民集68巻6号620頁（基判252頁、CB12-13）は、産業廃棄物処分業許可の取消しを求める周辺住民の原告適格を、環境影響調査報告書における調査対象地域に居住するか否かを重要な考慮要素として（具体的にどのような被害が生じうるのかを個別に証明できなくても）認めたが、これも上記と同様の趣旨と解される。

(2) 場外車券発売施設設置許可
——申請書の記載事項および被侵害利益への着目

【設問3】
　Aは、2005（平成17）年、場外車券発売施設（以下「本件施設」という）の設置許可を経済産業大臣Yに申請したところ、Yはこれを許可した（以下「本件許可」という）。本件施設の敷地（以下「本件敷地」という）からそれぞれ120m、800m離れた場所で医療施設を開設するX_1、X_2、本件敷地から1,000m以内の地域に居住するX_3らは、本件許可の取消しを求める原告適格を有するか。

◆**自転車競技法**（平成19年法律82号による改正前のもの）◆
第4条　車券の発売等の用に供する施設を競輪場外に設置しようとする者は、経済産業省令の定めるところにより、経済産業大臣の許可を受けなければならない。（以下略）
2　経済産業大臣は、前項の許可の申請があったときは、申請に係る施設の位置、構造及び設備が経済産業省令で定める基準に適合する場合に限り、その許可をすることができる。
3・4　略

◆**自転車競技法施行規則**（平成18年経済産業省令126号による改正前のもの）◆
（場外車券発売施設の設置等の許可の申請）
第14条　法第4条第1項の規定により、競輪場外における車券の発売等の用に供する施設（以下「場外車券発売施設」という。）の設置……の許可を受けようとする者は、次に掲げる事項を記載した許可申請書を……経済産業大臣に提出しなければならない。
　　一～八　略
2　前項の許可申請書には、次に掲げる図面を添付しなければならない。
　　一　場外車券発売施設付近の見取図（敷地の周辺から1,000メートル以内の地域にある学校その他の文教施設及び病院その他の医療施設の位置並びに名称を記載した10,000分の1以上の縮尺による図面）
　　二・三　略
3　略
（許可の基準）
第15条　法第4条第2項の経済産業省令で定める基準（……）は、次のとおりとする。
　　一　学校その他の文教施設及び病院その他の医療施設から相当の距離を有し、文教上又は保健衛生上著しい支障を来すおそれがないこと。〔注：以下「位置基準」という〕
　　二・三　略
　　四　施設の規模、構造及び設備並びにこれらの配置は、……周辺環境と調和したも

ので……あること。〔注：以下「周辺環境調和基準」という〕
2　略

　本問は、最判平成21年10月15日民集63巻8号1711頁（基判284頁、百選Ⅱ161、CB12-10）をモデルとしている。
ア　根拠法令の検討――許可基準および申請書の記載事項への着目
　場外車券発売施設の設置許可の基準として、自転車競技法（以下「法」という）4条2項の委任を受けた法施行規則（以下「規則」という）15条1項で、位置基準（1号）および周辺環境調和基準（4号）が定められている。そして、法4条1項の委任を受けて許可申請書の添付書類について規定する規則14条2項が、「敷地の周辺から1,000メートル以内の地域にある学校その他の文教施設及び病院その他の医療施設の位置並びに名称を記載した……図面」の添付を求めている。これらの規定は、規則15条1項1号の要件該当性を行政庁が判断する際に、「敷地の周辺から1,000メートル以内の地域にある学校その他の文教施設及び病院その他の医療施設」を考慮すべきことを求めていると解する余地がある。
　もっとも、添付書類に記載が求められている事項が、一律に処分の要考慮事項とされているとは限らず、当該仕組みの趣旨を踏まえた当該規定の解釈の問題となる。その際、処分が根拠法令に違反してされた場合に害される利益の内容・性質をも考慮すべきである。
イ　個別的利益の切出しおよびその具体的範囲の認定
　　――被侵害利益の勘案
①　原　審
　上掲平成21年判決の原審大阪高判平成20年3月6日判時2019号17頁は、「場外車券発売施設の設置許可がされた場合に、当該施設に賭博及び富くじに相当する車券を購入する目的で広範な地域から不特定多数の者が参集し、このように来集する者らを通じて射幸的な雰囲気が当該施設の周辺地域に伝播し、その善良な風俗に悪影響を及ぼすおそれ」があり、そのような「善良な風俗及び生活環境に対する悪影響を直接的に受けるのは、当該施設の周辺の一定範囲の地域に居住し、事業を営む住民に限られ、その被害の程度は、居住地や事業地が当該施設に接近するにつれて増大する」こと、「また、当該施設の周辺地域に居住し、事業を営む住民が、当該地域で居住、事業を営み続けることにより上記の被害を反復、継続して受けた場合、その被害は、これらの住民のストレス等の健康被害や生活環境に係る変化・不安感等著し

い被害にも至りかねない」ことに着目し、上記**ア**の規定は、当該場外施設の敷地の周辺から1,000m以内の地域に居住し、または事業を営む住民に対し、違法な場外施設の設置許可に起因する善良な風俗および生活環境に対する著しい被害を受けないという具体的利益を保護したものと解して、X_1、X_2、X_3らのいずれについても原告適格を認めた。

② 最高裁

これに対し、上掲平成21年判決は、前提として「一般的に、場外施設が設置、運営された場合に周辺住民等が被る可能性のある被害は、**交通、風紀、教育**など広い意味での**生活環境**の悪化であって……、直ちに周辺住民等の生命、身体の安全や健康が脅かされたり、その財産に著しい被害が生じたりすることまでは想定し難い……。そして、このような生活環境に関する利益は、基本的には公益に属する利益というべきであって、法令に手掛かりとなることが明らかな規定がないにもかかわらず、当然に、法が周辺住民等において上記のような被害を受けないという利益を個々人の個別的利益としても保護する趣旨を含むと解するのは困難といわざるを得ない」とした。

　＊　このように、上掲平成21年判決が原告適格を一般的に否定する要素として被侵害利益の内容・性質を考慮したことに対しては、「この要素を、原告適格を拡張するために考慮することを指示した行訴法9条2項の逆用ないし誤用である」（山本・探究464頁）等の批判がある。

そのうえで、位置基準に関しては、「当該場外施設の設置、運営に伴い著しい業務上の支障が生ずるおそれがあると位置的に認められる区域に医療施設等を開設する者」に原告適格が認められ、それに当たるかどうかは、「距離や位置関係を中心として社会通念に照らし合理的に判断すべき」とした。そして、上記**ア**の規定により見取図の添付が義務付けられていることについては、「資料の1つとなり得るものではあるが、……地理的状況等を一切問題とすることなく、これらの者すべてに一律に……原告適格が認められるとすることはできない」として、X_2については、保健衛生上著しい支障を来すおそれがあると位置的に認められないとして原告適格を否定する一方、X_1については、上記の地理的状況等の勘案が必要であるとして差し戻した（差戻審大阪地判平成24年2月29日判時2165号69頁は、原告適格を認めた）。

次に、周辺環境調和基準については、「基本的に、用途の異なる建物の混在を防ぎ都市環境の秩序ある整備を図るという一般的公益を保護する見地からする規制」であり、同基準の文言から「場外施設の周辺に居住する者等の具体的利益を個々人の個別的利益として保護する趣旨を読み取ることは困

難」であるとして、X₃らの原告適格を否定した。
③ 検　討
　原審と最高裁の結論の差異は、交通、風紀、教育などの（広い意味での）生活環境上の利益の重要性に対する評価の差異によるところが大きいと考えられ（宇賀・概説Ⅱ215頁）、行訴法9条2項および上掲最大判平成17年12月7日の考え方の下でも、この種の生活環境上の利益については、原告適格の拡大に限界があることを示す例といえる。学説上は、上掲平成21年判決のような厳格な解釈を批判し、実効的な権利救済の観点から、より柔軟な解釈を求める見解が有力である（塩野・行政法Ⅱ148頁）。近時の最高裁には、次の【設問4】のように、変化の兆しも見られる。

(3)　納骨堂経営許可
　　——周辺住民の生活環境が個別的利益と認められた例

【設問4】
　Y市長は、宗教法人であるAに対し、墓地、埋葬等に関する法律（以下「法」という）10条に基づき、納骨堂（鉄筋コンクリート造地上6階建て）の経営許可（以下「本件許可」という）をした。同納骨堂から100m以内の距離にある家に居住するXらは、本件許可の取消訴訟を提起した。Xらは、本件許可の取消しを求める原告適格を有するか。

◆墓地、埋葬等に関する法律（墓地埋葬法）◆
第1条　この法律は、墓地、納骨堂又は火葬場の管理及び埋葬等が、国民の宗教的感情に適合し、且つ公衆衛生その他公共の福祉の見地から、支障なく行われることを目的とする。
第2条　1～3　略
4　この法律で「墳墓」とは、死体を埋葬し、又は焼骨を埋蔵する施設をいう。
5　この法律で「墓地」とは、墳墓を設けるために、墓地として都道府県知事（市又は特別区にあっては、市長又は区長。以下同じ。）の許可を受けた区域をいう。
6　この法律で「納骨堂」とは、他人の委託をうけて焼骨を収蔵するために、納骨堂として都道府県知事の許可を受けた施設をいう。
7　この法律で「火葬場」とは、火葬を行うために、火葬場として都道府県知事の許可をうけた施設をいう。
第10条　墓地、納骨堂又は火葬場を経営しようとする者は、都道府県知事の許可を受けなければならない。
2　略

◆Y市墓地、埋葬等に関する法律施行細則（Y市規則。以下「本件細則」という）◆
（趣旨）

第1条　墓地、埋葬等に関する法律（……以下「法」という。）の施行については、墓地、埋葬等に関する法律施行規則（……）に定めるもののほか、この細則の定めるところによる。
（許可の基準）
第8条　市長は、法10条の規定による許可の申請があった場合において、当該申請に係る墓地等〔注：墓地、納骨堂および火葬場をいう〕の所在地が、学校、病院及び人家の敷地からおおむね300m以内の場所にあるときは、当該許可を行わないものとする。ただし、市長が当該墓地等の付近の生活環境を著しく損なうおそれがないと認めるときは、この限りでない。

本問は、最判令和5年5月9日民集77巻4号859頁をモデルとしている。
ア　根拠法令および関係法令の検討
上掲令和5年判決は、最判平成12年3月17日判時1708号62頁（以下「平成12年判決」という）を踏襲して、法10条は「その許可の要件を特に規定しておらず、それ自体が墓地等の周辺に居住する者個々人の個別的利益をも保護することを目的としているものとは解し難い」としつつ、次のように述べる。「もっとも、法10条が上記許可の要件を特に規定していないのは、墓地等の経営が、高度の公益性を有するとともに、国民の風俗習慣、宗教活動、各地方の地理的条件等に依存する面を有し、一律的な基準による規制になじみ難いことに鑑み、……都道府県知事の広範な**裁量**に委ね、地域の特性に応じた自主的な処理を図る趣旨に出たものと解される。そうすると、同条は、法の目的に適合する限り、墓地経営等の**許可の具体的な要件**が、都道府県（市又は特別区にあっては、市又は特別区）の**条例又は規則により補完され得る**ことを当然の前提としているものと解される」。「そして、本件細則8条は、法の目的に沿って、Y市長が行う法10条の規定による墓地経営等の許可の要件を具体的に規定するものであるから、Xらが本件各許可の取消しを求める原告適格を有するか否かの判断に当たっては、その**根拠となる法令として本件細則8条の趣旨及び目的を考慮すべきである**」。

法には墓地等の経営許可の要件の定めを条例や規則に委任する旨の規定はないから、許可要件を条例や規則で定めた場合、委任条例や委任命令には当たらない。その法的性格について、①法律上は要件が開かれており、法令の目的に違背しない限り条例・規則で要件を定めることもできるとの見解と、②裁量基準（→144頁）を条例・規則で定めたものであるという見解がある（塩野・行政法Ⅲ208頁参照）。いずれの見解によっても、地方公共団体の条例・規則は法令としての性格を有するから、行訴法9条2項との関係では、

根拠法令または関係法令（上掲令和5年判決の原審）として考慮される。

イ　個別的利益の切出しおよびその具体的範囲の認定

　上掲令和5年判決は、本件細則8条の趣旨および目的から、次のように、周辺住民の個別的利益保護を導く。「本件細則8条本文は、墓地等の設置場所に関し、墓地等が死体を葬るための施設であり（法2条）、その存在が人の死を想起させるものであることに鑑み、良好な生活環境を保全する必要がある施設として、**学校、病院及び人家**という**特定の類型の施設**に特に**着目**し、その周囲おおむね300m以内の場所における墓地経営等については、これらの施設に係る**生活環境を損なうおそれがある**ものとみて、これを原則として禁止する規定であると解される。そして、本件細則8条ただし書は、墓地等が国民の生活にとって必要なものであることにも配慮し、上記場所における墓地経営等であっても、個別具体的な事情の下で、上記生活環境に係る利益を著しく損なうおそれがないと判断される場合には、例外的に許可し得ることとした規定であると解される」。「そうすると、本件細則8条は、墓地等の所在地からおおむね**300m以内の場所に敷地がある人家**については、これに居住する者が平穏に日常生活を送る利益を個々の居住者の個別的利益として保護する趣旨を含む」。

ウ　分析――平成12年判決との関係

　上掲令和5年判決は、「平成12年判決は、周辺に墓地及び火葬場を設置することが制限される施設の類型〔住宅、事務所、店舗を含めて広く規定されていた〕や当該制限を解除する要件〔「公共の福祉の見地から支障がないと認めるとき」とされていた〕につき、条例中に本件細則8条とは異なる内容の規定が設けられている場合に関するものであって、事案を異にし、本件に適切でない」として、判例変更をすることなく、Xらの原告適格を認めた。

　これに対し、宇賀克也裁判官の意見は、「本件で平成12年判決を変更せず、専ら本件細則の解釈により原告適格の有無を判断すると、今後、他の地方公共団体における墓地経営等の許可につき取消訴訟が提起された場合、その都度、条例又は規則の規定の仕方に応じた解釈を要することとなり、訴訟の入口である原告適格の判断だけのために数年争われ……るという非生産的な事態は解消されない。そして、規定の僅かな表現の差異という立法上の偶然……により、あるいは、同じ内容が定められていても、それが条例や規則で定められているか要綱で定められているかの違いにより、『当該法令と目的を共通にする関係法令』（行政事件訴訟法9条2項）に当たるかに差異が生じ、地方公共団体ごとに原告適格の有無が異なるという事態が生じ得る」と

して、判例変更をすべきとした。

このような問題点は残されているものの、「学校、病院」のみならず「人家」についても、法令が「特に着目」した「特定の類型の施設」として、個別的利益が認められたことが注目される。また、【設問3】の最判平成21年10月15日では、「交通、風紀、教育など広い意味での生活環境の悪化」について、「基本的には公益に属する」とされた（→340頁）のに対し、墓地等による生活環境の悪化について、「人の死を想起させるもの」であるとして、個別的利益と認められたことも注目される。この種の生活環境上の利益について、原告適格拡大に向けた突破口を開く判決になりうると思われる。

(4) 鉄道運賃上限認可
――目的規定・意見聴取手続・被侵害利益への着目

【設問5】
鉄道会社Ａは、鉄道事業法16条１項に基づき、地方運輸局長Ｙに対し、上限運賃の値上げ認可を申請したところ、Ｙはこれを認可した（以下「本件認可」という）。Ａに運賃を支払って、当該鉄道を通勤の手段として反復継続して日常的に利用しているＸは、本件認可の取消しを求める原告適格を有するか。

◆**鉄道事業法**（11頁、68頁も参照）◆
（意見の聴取）
第65条　地方運輸局長は、第64条の規定により、旅客運賃等の上限に関する認可に係る事項がその権限に属することとなった場合において、当該事項について必要があると認めるときは、利害関係人又は参考人の出頭を求めて意見を聴取することができる。
２　地方運輸局長は、その権限に属する前項に規定する事項について利害関係人の申請があったときは、利害関係人又は参考人の出頭を求めて意見を聴取しなければならない。
３　前２項の意見の聴取に際しては、利害関係人に対し、証拠を提出する機会が与えられなければならない。

◆**鉄道事業法施行規則**◆
第73条　法第65条第１項及び第２項の利害関係人（……）とは、次のいずれかに該当する者をいう。
　一　鉄道事業における基本的な旅客運賃等の上限に関する認可の申請者
　二　第１号の申請者と競争の関係にある者
　三　利用者その他の者のうち地方運輸局長が当該事案に関し特に重大な利害関係を有すると認める者

ア　根拠法令の検討——目的規定および意見聴取手続への着目

　鉄道料金の値上げ認可について、従来の判例（上掲最判平成元年4月13日〔近鉄特急訴訟〕→329頁）は、利用者の原告適格を否定していた。しかし、当該事案は、現行の鉄道事業法ではなく、その前身の地方鉄道法に関するものである。そして、鉄道事業法が、地方鉄道法には存在しなかった目的規定を置き、利用者の利益の保護を目的として掲げていること（1条）に鑑みれば、上掲平成元年判決の射程は、鉄道事業法に基づく上限運賃の認可には及ばないと見る余地があり、改めて、鉄道事業法の規定につき、行訴法9条2項に即して検討する必要がある。

　下級審では、原告適格を認める裁判例が現れており（東京地判平成25年3月26日判時2209号79頁、基判281頁。第2審：東京高判平成26年2月19日訟月60巻6号1367頁、CB12-12。最決平成27年4月21日判例集未登載により上告棄却・上告不受理）、以下では、これを参照することとする。

　鉄道事業法1条は、**利用者の利益の保護を目的**として掲げており、また、同法65条1項・2項および同法施行規則73条3項は、地方運輸局長による上限運賃認可において、利用者が利害関係人として**意見の聴取**の対象となりうることを規定していることから、上限運賃認可に関する鉄道事業法の規定は、利用者の利益を保護することも趣旨・目的としていると解される。

イ　個別的利益の切出しおよびその具体的範囲の認定
　　——被侵害利益の勘案

　そして、「処分が違法にされた場合に害される利益の内容及び性質並びにこれが害される態様及び程度についてみるに、少なくとも居住地から職場や学校等への日々の通勤や通学等の手段として反復継続して日常的に鉄道を利用している者については、違法な旅客運賃認可処分が行われ、違法に高額な旅客運賃設定がされるならば、……経済的負担能力いかんによっては、当該鉄道を利用することが困難になり、日々職場や学校等に通勤や通学等すること自体が不可能になったり、住居をより職場の近くに移転せざるを得なくなったりするなどの**日常生活の基盤を揺るがすような重大な損害**が生じかねない」。「そうすると、『利用者の利益の保護』を重要な理念として掲げ、その具体的な確保のための条項を置いている鉄道事業法が、上記のような重大な損害を受けるおそれがある鉄道利用者についてまで、違法な旅客運賃認可処分がされてもその違法性を争うことを許さず、これを甘受すべきことを強いているとは到底考えられないというべきであるから、……鉄道事業法16条1項は、これらの者の具体的利益を、専ら一般的公益の中に吸収解消させるに

とどめず、それが帰属する個々人の個別的利益としてもこれを保護すべきものとする趣旨を含んでいると解すべきである。したがって、……鉄道事業法16条1項に基づく旅客運賃認可処分に関し、少なくとも居住地から職場や学校等への日々の通勤や通学等の手段として反復継続して日常的に鉄道を利用している者が有する利益は、『法律上保護された利益』に該当する」（上掲平成25年判決）と解される。

* 個別的利益を有する者の具体的範囲の認定に関して、上掲平成25年判決では、「本件訴えは、北総線の利用状況が様々に異なる原告17名により提起されたものであるが、原告適格に関する審理がいたずらに複雑かつ長期化するのを避けたいという当裁判所の意向を踏まえて、原告らにおいて、原告を5名に絞るという的確な対応がされたもの」とされており、実効的な権利救済のために具体的範囲の認定作業を簡略化する試みとして、興味深い。

以上より【設問5】のXは原告適格を有する。

●コラム● 「行訴法9条2項による個別的利益の切出し」とは異なる類型

【設問2】〜【設問5】で見たのは、基本的に、行訴法9条2項に従って被侵害利益を勘案することにより、薄く広がる利益の中から、特定範囲の「濃い」利益を切り出して、その範囲の者に原告適格を認める手法である（→基判279頁の図も参照）。しかし、そのような方法によるまでもなく、あるいは、そのような方法とは別の観点から、原告適格が認められる類型もある。

1 処分の名宛人ではないが、処分の法的効果が直接及んでいる者

処分の名宛人でない者であっても、処分の法的効果が直接及んでいるため、当然に原告適格が認められる場合がある（「準名宛人」ということがある。中川丈久「取消訴訟の原告適格について（1）」法教379号（2012年）69頁）。これは、判例の定式（→335頁）でいうと、当該処分により自己の「権利」を侵害される（または必然的に侵害されるおそれのある）者に当たるため、「法律上保護された利益」に当たるかどうかを行訴法9条2項により判断するまでもなく、原告適格を有すると解される。最判平成25年7月12日判時2203号22頁は、滞納者と他の者との共有不動産につき滞納者の持分が国税徴収法に基づいて差し押さえられた場合、滞納者の持分と使用収益上の不可分一体をなす持分を有する他の共有者も、当該不動産に係る処分の権利が制限されるため、差押処分の取消しを求める原告適格を有するとした。別の例として、土地収用法に基づく事業認定は、起業者を名宛人とするが、それにより、起業地内の土地の所有者は、土地を収用または使用されるべき地位に立たされる（基判329頁）から、原告適格を有する（→326頁＊も参照）。

2 競願の場合（→第21講【設問5】〔360頁〕）

例えば、AとXとが同一周波をめぐって競願関係にあり、行政庁YがXよりもAを優位と認めて、①Aに対する免許付与および②Xに対する拒否処分をした場合、①と②とは表裏の関係にあるため、Xは、②のみならず①の取消訴訟についても当然に原告適格を有する。

3 競業者の場合（→第12講【設問1】(2)〔186頁〕）

一般廃棄物処理業の既存許可業者が新規参入業者に対する許可の取消しを求める原告適格を有するかについて、最判平成26年1月28日民集68巻1号49頁（基判265頁、百選Ⅱ165、CB12-11）は、法律上保護された利益説の定式および行訴法9条2項に従う（これは、上記2の競願の場合と異なり、競業者には当然に原告適格が認められるわけではないことを意味する）とつつも、被侵害利益の考慮による個別的利益の切出しとは異なる判断方法をとっている。すなわち、一般廃棄物処理業に関する需給調整の仕組みや許可の性質（公企業の特許）等を総合考慮すると、廃棄物処理法は、既存許可業者について、当該区域の衛生や環境を保持するうえでその**基礎**となるものとして、その事業に係る営業上の利益を個別的利益として保護する趣旨を含むとした（→基判279頁も参照）。

第21講　取消訴訟と時間の経過
──狭義の訴えの利益・執行停止

◆学習のポイント◆
1 　取消訴訟の判決時までに期間の経過等の理由により処分の効果がなくなった場合には、原則として訴えの利益はなくなるが、その場合でも、なお処分の取消しによって回復すべき法律上の利益がある者については、訴えの利益が認められる（行訴法9条1項かっこ書）。そこで、処分の効果がなくなったといえるのはどのような場合か、また、それでもなお回復すべき法律上の利益が認められるのはどのような場合かについて、判例を理解する。
2 　取消訴訟における仮の救済である執行停止（行訴法25条以下）について、要件等を理解し、具体的事案に当てはめられるようになること。

総説　時間の経過と狭義の訴えの利益および執行停止制度

　取消訴訟を提起しても、すぐに判決が出るわけではなく、処分時と判決時との間には、長ければ数年以上のタイムラグがある。

　そこで、判決時までに、期間の経過その他の理由により処分の効果がなくなる場合がある。取消訴訟は、処分の効果を失わせることを目的とする訴訟であるから、判決時までに処分の効果がなくなった場合には、原則として訴えの利益はなくなる（次頁図②）。ただし、その場合にも、なお処分の取消しによって回復すべき法律上の利益がある者については、訴えの利益が認められる（行訴法9条1項かっこ書）。このような、処分を取り消す実際上の必要性のこと（時間の経過による消滅だけでなく、当初からその有無が問題となる場合もある）を、広義の訴えの利益から処分性および原告適格を除いたもの（行訴法9条1項から原告適格の問題を除いたもの）という意味で、**狭義の訴えの利益**と呼んでいる。

　また、取消訴訟を提起しただけでは、処分の効果は停止せず（執行不停止

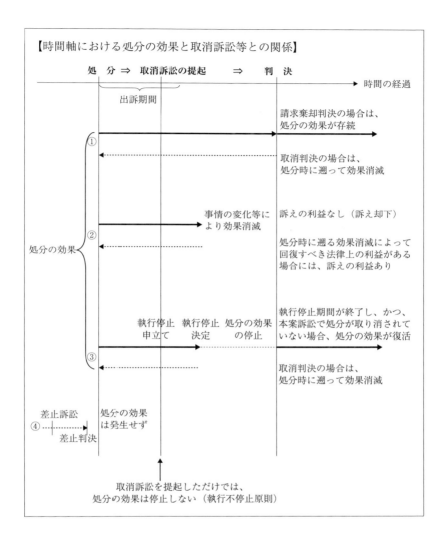

原則。行訴法25条1項)、当該処分が有効であることを前提として行政過程が進行するので、判決時までに、処分の相手方に重大な損害が生じる可能性がある(さらに、上記のとおり、訴えの利益が消滅する可能性もある)。そこで、実効的な権利救済のためには、仮の救済制度が重要であり、これが**執行停止制度(行訴法25条)**である(図③)。

このように、行政処分に対する救済を検討する際には、時間の経過を意識することが重要である。なお、上記の執行停止によっても実効的な救済が果

たされない（間に合わない）おそれがあり、より早い段階で、処分が行われること自体を防ぎたい場合は、処分の差止訴訟を提起すべきである（図④）。

1　狭義の訴えの利益

(1)　9条1項かっこ書の典型例

【設問1】免職処分と取消しの利益
　国家公務員Xは、国家公務員法78条4号に基づく分限免職処分を受け、その取消しを求める訴え（本件訴訟）を提起したが、訴訟係属中に、市議会議員に立候補して当選した。公職選挙法90条によると、公務員は、公職の候補者として届出をしたときは、その届出の日に当該公務員の職を辞したものとみなされる。本件訴訟につき訴えの利益は認められるか。

　本問は、最大判昭和40年4月28日民集19巻3号721頁（CB13-1）をモデルとしている。Xは、市議会議員に立候補したことにより、公務員の職を辞したものとみなされ、公務員たる地位を回復しうる余地はなくなったが、免職処分を受けてから立候補するまでの**給料請求権を回復するため、訴えの利益が認められる**。これは、行訴法9条1かっこ書に該当する典型例と考えられる。

(2)　免許停止処分・一般運転者としての免許更新処分と取消しの利益

【設問2】
(1)　Aは、道路交通法（以下「道交法」という）違反を理由として、運転免許停止30日の処分（原処分）を受けたが、直ちに同法上の同日講習を受講したので、停止期間が短縮されて、免許停止1日の処分となった。これに対し、Aは、そもそも原処分の理由とされた違反行為をしていないから、原処分は違法であるとして、原処分の取消訴訟を提起した（なお、Aが上記の同日講習を受講したのは、原処分の取消訴訟を提起して執行停止の申立てをしても、直ちに原処分の効果が停止するわけではないので、免許停止期間を短縮するために、やむをえないと考えたからである）。
　道交法および同法施行令の規定によると、道交法違反者が公安委員会から行政処分を受ける際、当該違反者に過去3年以内の免許停止処分の前歴がある場合には、前歴のない者に比して不利益に扱われるが、免許停止処分後1年間を無違反・無処分で経過した場合には、前歴のないものとみなされる。Aは、本件原処分後1年間を無違反・無処分で経過したため、上記取扱いとの関係では、道交法上不利益を受けるおそれはなくなった。

しかし、Ａの免許証には本件原処分を受けた旨の記載が残されており、これにより、取締官から事実上不利益な扱いを受けたり、就職・取引その他の社会生活上の不利益を被るおそれがあるから、Ａは、本件処分の取消しの利益は失われないと主張した。Ａの主張は認められるか。
(2)　Ｂは、運転免許証の更新申請をしたところ、Ｃ県公安委員会は、Ｂが更新申請前に道交法違反行為（本件違反行為）をしたことを前提として、優良運転者である旨の記載のない（すなわち、一般運転者としての）免許証を交付した（本件更新処分）。優良運転者および一般運転者の免許証の有効期間は、いずれも５年であるが、優良運転者については、道交法上、優良運転者である旨の記載のある免許証を交付することが定められているほか、更新時講習の時間短縮および手数料軽減等の優遇措置が定められている。Ｂは、本件違反行為をしていないとして、優良運転者である旨の記載のある免許証の交付を求めたいと考えているが、どのような訴訟を提起すべきか。

ア　設問２(1)——運転免許停止処分と取消しの利益

　本問は、最判昭和55年11月25日民集34巻６号781頁（基判315頁、百選Ⅱ168、CB13-2）をモデルとしている。第１審（福井地判昭和51年１月23日判時826号34頁）・原審（名古屋高金沢支判昭和52年12月14日判時889号32頁）は、「免許停止処分が、当該被処分者に対し、その違反行為の存在を確認・宣言する**制裁的処分**としての性格を有することにかんがみると、右処分が違法である場合においてはこのような性格の処分が記載されている免許証を常時所持することにより、原告は、警察官等に原処分の存在を覚知され、そのため原告の名誉、感情、信用等をそこなう可能性が常時継続することになり、このようなことは原告にとって黙過することのできない違法状態が存するというべきであるから、右違法な処分を取消し、もって違法状態を排除することは、法の保護に値する原告の利益と解すべきである」として、訴えの利益を認めた。

　これに対し、最高裁は、上記の不利益について、「このような可能性の存在が認められるとしても、それは本件原処分がもたらす**事実上の効果にすぎない**」として、訴えの利益を否定した。

　最高裁の判断の背景には、免許停止処分は危険な運転から公衆を保護することを目的とするものであって、過去の違反行為に対して制裁を課すことを目的とするものではないとの考え方があるものと思われる（最高裁は、授益的行政処分の撤回についても、適格性の欠如が明らかとなり処分の存続が公

益に適合しないために行われるものと捉えており、義務違反に対する制裁とは捉えていない。最判昭和63年6月17日判時1289号39頁、基判2頁、百選Ⅰ86、CB2-3。→48頁)。また、処分の相手方の救済としては、**国家賠償**で足りると考えているものと思われる。

* たしかに、道交法は、違反行為に対する制裁としては刑罰および反則金を規定しており (→213頁)、免許停止処分については、制裁を直接の**目的**とするものとは位置づけていないと解される。しかし、免許停止処分の実際の**機能**に着目すると、原審が指摘するように、違反行為の存在を確認・宣言して制裁(義務違反を理由とする不利益)を課すという側面があることは否定できず、だからこそ、それが相手方の名誉、信用等を損なう可能性が存するものと解される。処分によって害される利益の内容・性質を考慮して法律上の利益の有無を判断するという行訴法9条2項(ただし、この規定は直接には、処分の相手方以外の者の原告適格に関するものであり、本件のような場合に直接適用されるわけではない)の考え方も参照すると、上記のような名誉、信用等の毀損についても、回復すべき法律上の利益と認める余地はあると考えられる(山本・探究482頁参照)。
** 実効的な救済の観点からも、国家賠償の成立には公務員の主観的要件が必要とされるため、法令違反の処分によって損害を受けた者が常に国家賠償によって救済されるとは限らず (→428頁)、救済を国家賠償に限定することには問題がある。

イ 設問2(2)——優良運転者の記載のない免許証更新処分と取消しの利益

本問は、最判平成21年2月27日民集63巻2号299頁(基判315頁、CB13-8)をモデルとしている。

a 優良運転者制度の沿革と趣旨

まず、上掲平成21年判決に沿って、優良運転者制度の沿革と趣旨を説明する。この制度は、一定期間無違反を継続した免許証保有者を優良運転者とし、それまで3年とされていた免許証の有効期間を5年とするという利点を与えることにより、その実績を評価し賞揚するとともに、優良な運転へと免許証保有者を**誘導**し、もって交通事故の防止を図ることを目的として創設された。そして、優良運転者に自覚を促し、また、他の免許証保有者にも安全運転を心がけるようにさせるため、優良運転者であることは、これを**免許証上明らかにする**こととされた。併せて、優良運転者に対しては、更新時講習の時間が短縮され、手数料も軽減された。その後、2001年の道交法改正で、新たに違反運転者等という概念が設けられ、免許証の有効期間は、違反運転者等についてのみ3年とされ、優良運転者および一般運転者については5年

とされた。しかし、優良運転者と一般運転者とは引き続き制度上区別することが前提とされ、優良運転者については更新手続における優遇措置が強化された。

2001年改正前			改正後	
	有効期間			有効期間
優良運転者	5年		優良運転者	5年
上記以外	3年	⇒	一般運転者	5年
			違反運転者等	3年

b 最高裁の判断

以上のような優良運転者制度の趣旨および沿革等を考慮して、上掲平成21年判決は、「同法〔道交法〕は、客観的に優良運転者の要件を満たす者に対しては優良運転者である旨の記載のある免許証を交付して更新処分を行うということを、単なる事実上の措置にとどめず、その者の**法律上の地位**として保障するとの立法政策を、交通事故の防止を図るという制度の目的を全うするため、特に採用した」と解したうえで、「客観的に優良運転者の要件を満たす者であれば優良運転者である旨の記載のある免許証を交付して行う更新処分を受ける法律上の地位を有することが肯定される以上、一般運転者として扱われ上記記載のない免許証を交付されて免許証の更新処分を受けた者は、上記の法律上の地位を否定されたことを理由として、これを回復するため、同更新処分の取消しを求める訴えの利益を有する」とした。

c 検討

本件で、訴えの利益を認めるための最大のネックは、優良運転者も一般運転者も、免許証の有効期間が5年と変わらないことである（制度導入時のように、優良運転者のみ有効期間が5年であれば、訴えの利益は容易に認められる）。そこで、現行法上の優良運転者と一般運転者との取扱いの差異を分析すると、優良運転者については、その旨が免許証に記載される点と、更新手続上の優遇措置がある点とが挙げられる。原審（東京高判平成18年6月28日民集63巻2号351頁）は、主に後者の点に着目して、本件更新処分中のBを一般運転者とする部分は一部拒否処分に当たるとした。しかし、最高裁は、更新手続上の優遇措置は更新処分がされるまでの手続上の要件に関するものであって、更新処分がもたらす法的利益とはいえないとして、原審の理論構成を否定した。そして、本件更新処分全体について処分性を肯定したうえで、訴えの利益の問題を論じ、上述（b）の判断をした。最高裁は、処分による個々の利益・不利益自体よりも、立法の目的・意図（優良運転者を一

般運転者と制度上区別することによる、優良な運転への誘導）を重視したものと考えられる。

＊　その意味で、本判決の射程は、運転免許停止処分の取消しの利益の問題（【設問2】(1)）には及ばないと解される。免許停止処分を受けた旨の免許証への記載は、事実上のものであって、法律が制裁目的で定めているものではないからである。もっとも、処分による不利益の内容・性質という観点からは、運転免許停止処分の取消しの利益を認めないこととのアンバランスが生じているのではないかという問題がある。

　d　争い方

以上より、本件更新処分の取消しの利益が認められるが、さらに、優良運転者である旨の記載のある免許証を交付して更新処分を行うことの義務付け訴訟が考えられる。その際、優良運転者である旨の記載のある免許証を交付して更新処分を行うことは、免許証の更新申請の内容を成す事項とはされていない（上掲平成21年判決参照）ので、非申請型義務付け訴訟（行訴法3条6項1号）に該当するとも考えられる。しかし、そうすると、免許証に優良運転者である旨の記載がないことにより「重大な損害を生ずるおそれがある」（行訴法37条の2第1項）ような事案は考え難く、義務付け訴訟を認めるのは困難となる。この点につき、更新申請に対して、客観的に優良運転者の要件を満たす者に対しては優良運転者である旨の記載のある免許証を交付して更新処分を行うことが法定されているのであるから、申請に対して法令上すべきである処分がされていないという意味で、「法令に基づく申請……を却下し又は棄却する旨の処分……がされた場合」（行訴法37条の3第1項2号）と同様の法律状態が生じていると解することも可能と思われる（長屋文裕・最判解民事篇平成21年度(上)181～183頁参照）。したがって、申請型義務付け訴訟（行訴法3条6項2号）の提起が可能と考える。

(3) 建築確認・開発許可と取消しの利益

ア　建築確認と取消しの利益

【設問3】
　Y市建築主事は、Aの申請に係る土地（本件土地）上に建築する建築物（本件建物）につき、建築基準法6条に基づく建築確認（本件建築確認）を行った。これに対し、本件土地に隣接する土地に居住するXは、本件建物が建築基準法の定める構造耐力の基準（同法20条）に適合しておらず、地震の際に倒壊するおそれがあるとして、Y市建築審査会に対し、本件建築確認の取消しを求める審査請求をした。しかし、同審査会は、これを棄却する裁決を

> した。その後、本件建物は完成し、完了検査を経て検査済証の交付がされ（建築基準法7条）、使用に供されている。Xは、本件建物の建築基準法違反を是正させるため、どのような訴訟を提起すべきか。

◆建築基準法◆（第1講【設例C】〔19頁〕の条文も参照）
（建築物に関する完了検査）
第7条　建築主は、第6条第1項の規定による工事を完了したときは、国土交通省令で定めるところにより、建築主事の検査を申請しなければならない。
2・3　略
4　建築主事が第1項の規定による申請を受理した場合においては、建築主事……（……）は、その申請を受理した日から7日以内に、当該工事に係る建築物及びその敷地が建築基準関係規定に適合しているかどうかを検査しなければならない。
5　建築主事等は、前項の規定による検査をした場合において、当該建築物及びその敷地が建築基準関係規定に適合していることを認めたときは、国土交通省令で定めるところにより、当該建築物の建築主に対して検査済証を交付しなければならない。
（検査済証の交付を受けるまでの建築物の使用制限）
第7条の6　……建築物を新築する場合……においては、当該建築物の建築主は、第7条第5項の検査済証の交付を受けた後でなければ、当該新築に係る建築物……を使用し、又は使用させてはならない。（ただし書略）
　　一～三　略
2～4　略

　まず、本件**建築確認の取消訴訟**が考えられる。建築確認は、これを受けなければ建築物の建築ができず（建築基準法6条1項・8項）、違反に対する罰則も規定されている（建築基準法99条1項1号・2号）ことから、**処分性**が認められる。次に、Xの**原告適格**については、建築基準法が国民の生命・健康・財産の保護を図ることを目的としていること、構造耐力の基準（建築基準法20条）に適合しない建築物が地震の際に倒壊することにより、隣地居住者の生命・身体・財産に重大な損害を及ぼすおそれがあることから、認められると解される（総合設計許可に関する最判平成14年1月22日民集56巻1号46頁、基判283頁、百選Ⅱ158、CB12-8〔→329頁〕参照）。
　問題は、建築工事が既に完了していることから、本件建築確認の**取消しの利益**が認められるか否かである。これに関しては、建築確認後に建築物に対して行われる法的チェック、すなわち、**完了検査**（建築基準法7条）および**違反是正命令**（建築基準法9条1項）との関係に着目すべきである。なぜなら、建築確認を取り消すことによって、検査済証の交付を阻止できたり、違反是正命令を発する義務が特定行政庁に生じたりするとすれば、工事完了後

であっても建築確認の取消しを求める訴えの利益は認められると解されるからである。

この点につき、最判昭和59年10月26日民集38巻10号1169頁（基判288頁、百選Ⅱ170、CB13-4）は、**完了検査も違反是正命令も、建築関係規定または建築基準法令への適合性を基準とするものであって、当該建築物が建築確認どおりのものであるかどうかを基準とするものではない**上、違反是正命令を発するかどうかは、特定行政庁の**裁量**に委ねられているから、建築確認を取り消さなくても、検査済証の交付を拒否したり違反是正命令を発することは法的に可能であり、また、建築確認が取り消されたとしても、検査済証の交付を拒否したり、違反是正命令を発する法的拘束力が生ずるわけではない。したがって、**建築確認は、それを受けなければ建築工事をできないという法的効果を付与されているにすぎず、当該工事が完了した場合には、建築確認の取消しの利益は失われる**とした。

この考え方に従うと、本件建築確認の取消しの利益は既に失われており、Xは、特定行政庁（建築基準法2条35号）たるY市長がAに対して本件建物の**違反是正命令を発するよう求める非申請型義務付け訴訟（行訴法3条6項1号）**を提起すべきである。この場合、行訴法37条の2に規定する訴訟要件および本案勝訴要件を満たす必要がある。

  ＊ また、Y市建築主事による検査済証の交付（建築基準法7条5項）の取消訴訟も一応考えられるが、検査済証の交付を取り消しても、建築物の使用を開始できないという効果を生じる（建築基準法7条の6）だけなので、違法建築物を是正させることはできないし、建築物の使用が開始された場合には、検査済証交付の取消しの利益は失われるとする裁判例がある（東京地判昭和61年10月30日判時1217号44頁）。したがって、本件の解決としては不適切である。

なお、本問では問われていないが、Xは、本件建築確認の取消しの利益が消滅するのを防ぐためには、**工事完了前に本件建築確認の取消訴訟を提起する**とともに、本件**建築確認の執行停止（処分の効力の停止。→366頁）**の申立て（行訴法25条2項）をしておくべきであったといえる。工事完了前に処分の効力停止の決定が得られれば、適法に工事を行いうるという建築確認の効力が停止するから、それ以降の工事を阻止できる（違反に対しては罰則がある。建築基準法99条1項2号）とともに、建築確認取消訴訟の訴えの利益が消滅するのを防ぐことができる。

  ＊ 2014年の法改正により、建築基準法令に基づく処分については不服申立

前置が廃止された（→246頁）ため、建築審査会への審査請求を経なくても、建築確認の取消訴訟を提起できる。

【建築物に対する法的チェックの基準と効果（判例）】

	基準（チェックされる事項）	法的効果	建築のプロセス
建築確認 （建基6条）	建築計画が建築基準関係規定に適合しているか	適法に建築工事を行える ⇒工事完了により効果終了	設計 ↓ ⇒工事開始 ↓ 工事完了
完了検査 （建基7条）	建築物が建築基準関係規定に適合しているか （建築確認への適合ではない）	建築物の使用を開始できる ⇒使用開始により効果終了	⇒使用開始 ↓
違反是正命令 （建基9条）	建築物が建築基準法令に適合しているか （建築確認への適合ではない）	建築物の除却等をしなければならない	⇒除却等

イ　開発許可と取消しの利益

a　市街化区域内の土地を開発区域とする開発許可

市街化区域（既に市街地を形成している区域および概ね10年以内に優先的かつ計画的に市街化を図るべき区域。都市計画法7条2項。→301頁）内の土地を開発区域とする**開発許可**（都市計画法29条。→281頁）は、「これを受けなければ適法に開発行為を行うことができないという法的効果を有するものであるが」、「開発許可の存在は、**違反是正命令**を発する上において法的障害となるものではなく、また、たとえ開発許可が違法であるとして判決で取り消されたとしても、違反是正命令を発すべき法的拘束力を生ずるものでもないというべきである。そうすると、開発行為に関する工事が完了し、検査済証の交付もされた後においては、開発許可が有する前記のようなその本来の効果は既に消滅して」いるから、開発許可の取消しを求める訴えの利益は失われる（最判平成5年9月10日民集47巻7号4955頁、基判295頁、CB13-7）。

b　市街化調整区域内の土地を開発区域とする開発許可

これに対し、**市街化調整区域**（市街化を抑制すべき区域。都市計画法7条3項。→301頁）内の土地を開発区域とする開発許可の取消訴訟については、当該開発行為に関する工事が完了し、検査済証が交付された後においても、**予定建築物等の建築等が可能となるという法的効果を排除することができる**

ので、訴えの利益が認められる（最判平成27年12月14日民集69巻8号2404頁、基判295頁、CB13-10）。

　c　両者の違いの理由

　市街化区域においては、もともと開発許可を受けなくても、用途地域等における建築物の制限（→303頁）等に従う限り、自由に建築物の建築等を行える。したがって、開発許可を取り消しても、自由に建築物の建築等を行えることに変わりはない。これに対し、市街化調整区域においては、原則として知事等の許可を受けない限り建築物の建築等が制限されており（都市計画法43条1項）、開発許可を受けた場合に、開発区域において予定建築物等の建築等が可能となる（同法42条1項）。したがって、開発許可を取り消せば、予定建築物等の建築等ができなくなる。このように、市街化区域と市街化調整区域とで、開発許可の取消しにより排除しうる法的効果が異なることが、上記ａとｂの違いの理由である（以上につき、→基判292～296頁）。

(4)　原状回復の事実上の不能と取消しの利益

>【設問4】土地改良事業の工事完成と施行認可処分取消しの利益
>　Ｙ県知事は、Ａ町に対し、町営土地改良事業（本件事業）施行認可処分（本件認可処分）をした。これに対し、本件事業地内に土地を所有するＸは、本件事業は農業生産とは直接結びつくことのない国道バイパス新設のために土地改良法を利用するものであって違法であるとして、本件認可処分の取消しを求めて出訴した。他方、Ａ町は、本件認可処分後、工事に着手し、すべての工事を完了した。さらに、Ａ町は、Ｙ県知事から換地計画の認可を得たうえで、換地処分を行い、換地処分の登記を完了した。本件認可処分の取消訴訟につき訴えの利益は認められるか。

　本問は、最判平成4年1月24日民集46巻1号54頁（基判316頁、百選Ⅱ172、CB13-6）をモデルとしている。

ア　町営土地改良事業施行認可の処分性

　まず、町営土地改良事業施行認可については、それ自体は行政計画としての性格を有し、後の換地処分によって初めて土地所有者等の権利義務への影響が具体化するものであって、処分に当たらないのではないかが問題となる。

　この点につき、上記判決の差戻前の第1審神戸地判昭和58年8月29日判時1097号32頁および第2審大阪高判昭和59年8月30日判例自治8号93頁は、最大判昭和41年2月23日民集20巻2号271頁（CB11-3、いわゆる青写真判決、

→310頁）を引用して本件認可処分の処分性を否定し、訴えを却下した。しかし、最判昭和61年2月13日民集40巻1号1頁（基判233頁）は、国営または都道府県営の土地改良事業計画の決定は、土地改良法上、行審法による不服申立ての対象となることが前提とされていること等から、処分性を有するところ、市町村営の土地改良事業施行の認可は、国営または都道府県営の土地改良事業計画の決定と、手続中に占める位置・役割を同じくすることから、処分性を有するとして、第1審に差し戻した。

この判決は、最大判平成20年9月10日民集62巻8号2029頁（→310頁）よりも早い段階で、最高裁が行政計画の処分性を認めていた例として、重要である。

イ　原状回復の事実上の不能と取消しの利益・事情判決

次に、工事の完了によって本件認可処分の取消しの利益が失われないかが問題となる（モデル判例の事案では、上記のように処分性の認定に長い年月を要している間に、工事が完了したのであるが、今度はそのことを理由に取消しの利益が否定されるとすると、原告にとっては、まさに「踏んだり蹴ったり」である）。

まず、建築確認（【設問3】）や開発許可の場合と異なり、工事の完了によって本件認可処分の効果が消滅するわけではない。すなわち、「本件認可処分は、本件事業の施行者であるA町に対し……土地改良事業施行権を付与するものであり、本件事業において、**本件認可処分後に行われる換地処分等の一連の手続及び処分は、本件認可処分が有効に存在することを前提とする**ものであるから、本件訴訟において本件認可処分が取り消されるとすれば、これにより右換地処分等の法的効力が影響を受けることは明らかである」（上掲平成4年判決）。

これは、建築確認・完了検査・違反是正命令が、建築のプロセスの各要所で法令違反をそのつどチェックするものであって、前の行為が有効であることを前提として後の行為が積み重ねられていく性質のものでないのに対して、土地改良事業については、事業施行認可を前提として、後の換地処分等の行為が積み重ねられ、事業が具体化されていくため、前提である事業施行認可が覆れば、法的には、その上に積み重ねられたすべての行為が覆るという考え方であると思われる。

そこで、問題は、事業施行認可が取り消されることにより、法的には原状回復義務が生じるとしても、工事の完了により、社会通念上、原状回復が不可能であることを理由に、取消しの利益が失われるか否かである。この点に

つき、上掲平成4年判決は、「本件訴訟において、本件認可処分が取り消された場合に、本件事業施行地域を本件事業施行以前の原状に回復することが、本件訴訟係属中に本件事業計画に係る工事及び換地処分がすべて完了したため、社会的、経済的損失の観点からみて、社会通念上、不可能であるとしても、右のような事情は、行政事件訴訟法31条の適用に関して考慮されるべき事柄であって、本件認可処分の取消しを求めるXの法律上の利益を消滅させるものではない」とした。

取消しの利益がないとして訴えが却下される場合と、行訴法31条に基づく**事情判決**がされる場合とで、原告の救済にとってどのような違いがあるであろうか。前者の場合は、本案につき裁判所の判断が示されることはないが、後者の場合は、**判決の主文で処分が違法であることが宣言される**（行訴法31条1項後段。事情判決の主文の違法宣言には**既判力**が生ずる。塩野・行政法Ⅱ206頁）。さらに、事情判決においては、**損害賠償または損害防止の程度およびその方法等が考慮され**（同項前段）、また、**中間違法宣言判決**の制度（同条2項）があるので、裁判所が終局判決前に処分が違法である旨を宣言することにより、被告側において損害の除去、補填等がなされることが期待できる（塩野・行政法Ⅱ197頁）。以上の点で、上掲平成4年判決の考え方は、原告の救済に資するものとして評価できる。

(5) 保安林指定解除と取消しの利益

最判昭和57年9月9日民集36巻9号1679頁（長沼訴訟、基判316頁、百選Ⅱ171、CB13-3）は、保安林指定解除処分に基づく立木竹の伐採に伴う理水機能の低下の影響を直接受ける点において洪水や渇水の防止上の利益を侵害されているため上記処分の取消しを求める原告適格を有する者について、いわゆる**代替施設の設置**によって上記の洪水や渇水の危険が解消され、その防止上からは保安林の存続の必要性がなくなったと認められるに至ったときは、上記処分の取消しを求める**訴えの利益は失われる**とした。

(6) 競願・更新と取消しの利益

【設問5】東京12チャンネル事件

Xは、総務大臣Yに対し、第12チャンネルのテレビジョン放送局の開設免許を申請したところ、5者の競願となり、Yは、Aに免許を付与し、Xに対しては免許拒否処分をした。そこで、Xは、自己に対する免許拒否処分の取消しを求める審査請求をしたが、Yがこれを棄却する裁決（本件裁決）をしたため、Xは本件裁決の取消しを求めて（電波法96条の2により裁決主義がとられている。→248頁）出訴した。係争中に、Aに付与された免許について

> は、5年の免許期間が満了したが、引き続きAに再免許が与えられている。再免許は、新規申請の場合と異なり、従前の免許者に対して簡易な手続で付与されうる（電波法15条）。
>   当該取消訴訟において、Yが次のような主張をした場合、それぞれ、裁判所はどのように判断すべきか。
> (1) 本件裁決が取り消されても、既にAに免許が付与されている以上、Xに免許を付与する余地はないから、Xは、本件裁決の取消しを求める利益を有しない。
> (2) 仮に(1)のようにいえず、本件裁決が取り消された場合には、再審査により、Aに付与された免許が取り消されて、改めてXに免許が付与される余地があるとしても、現時点では、当該免許は既に5年の免許期間を満了しているから、結局、Xは、本件裁決の取消しを求める利益を有しない。

　本問は、最判昭和43年12月24日民集22巻13号3254頁（基判297頁、百選Ⅱ166、CB14-2）をモデルとしている。

ア　競願と取消しの利益

　Yの主張(1)について、上掲昭和43年判決は、次のような注目すべき判断をした（以下の説明では、裁決主義との関係は省略する）。すなわち、AとXとは、係争の同一周波をめぐって**競願関係**にあり、Yは、XよりもAを優位と認めて、①Aに対する免許付与および②Xに対する拒否処分をしたのであるから、①と②とは、**表裏の関係**にある。そして、Xは、①②のいずれに対しても取消訴訟を提起できる（①の取消しを求める原告適格を有することにつき、→346頁コラム）が、いずれの訴えも、自己の申請が優れていることを理由とする場合には、その目的を同一にするものである。したがって、②に対する取消訴訟のみを提起する場合にも、②が違法として取り消されると、Yは、**決定前の白紙の状態に立ち返って再審査**をすべきであり（この義務は、**取消判決の拘束力**〔行訴法33条2項。→381頁〕により生ずると解される）、その結果、①を取り消し、Xに対し免許を付与することもありうるから、訴えの利益が認められる。

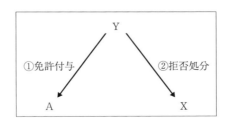

イ　更新（再免許）と取消しの利益

Yの主張(2)について、上掲昭和43年判決は、次のように述べて、訴えの利益を認めた。すなわち、当初の免許期間満了後、直ちに再免許が与えられ、継続して事業が維持されている場合に、これを免許失効の場合と同視して、訴えの利益を否定すべきでない。なぜなら、訴えの利益の有無という観点からは、**当初の免許期間の満了と再免許は、単なる形式にすぎず、免許期間の更新とその実質において異ならない**からである。

この判断の背景として、放送局の免許期間が5年（上掲昭和43年判決の事案当時は3年）とされており（電波法13条1項）、放送施設の耐用年数に比して不相応に短期であること、また、再免許は、新規申請の場合と異なり、従前の免許者に対して簡易な手続で付与されうること（同法15条）が挙げられる。したがって、処分の期間満了とそれに続く再処分との関係を考察する際には、再処分という形式にとらわれず、上記のような具体的事情を考慮して実質的に判断すべきであると思われる。

(7)　処分基準による不利益取扱いと取消しの利益

【設問6】
Xは、風俗営業等の規制及び業務の適正化等に関する法律（以下「法」という）に基づく許可を甲県公安委員会Yから受けて、パチンコ店を営んでいる。Xは、同店に設置された換金所において、客に提供した賞品を買い取ったという法23条1項2号違反（以下「本件違反」という）の事実により、法52条2号に基づき、罰金30万円の略式命令を受けた。YはXに対し、本件違反を理由として、法26条1項に基づき、40日間の営業停止を命ずる処分（以下「本件処分」という）をした。

Yは、行手法12条1項に基づく処分基準として、Yが行う法に基づく営業停止命令等の量定の基準（以下「本件基準」という）を定め、公にしている。本件基準は、風俗営業者に対し営業停止命令を行う場合の停止期間について、各処分事由ごとにその量定における上限および下限ならびに標準となる期間を定めたうえで、過去3年以内に営業停止命令を受けた風俗営業者に対しさらに営業停止命令を行う場合の量定の加重について、上記の上限および下限にそれぞれ過去3年以内に営業停止命令を受けた回数の2倍の数を乗じた期間をその上限および下限とし、上記の標準の2倍の期間をその標準とする旨を定めている。

Xは、本件処分の取消訴訟（以下「本件訴訟」という）を提起した。本件訴訟の係属中に本件処分による営業停止期間が経過した後も、本件訴訟につき訴えの利益は認められるか。

◆風俗営業等の規制及び業務の適正化等に関する法律◆
（用語の意義）
第2条　この法律において「風俗営業」とは、次の各号のいずれかに該当する営業をいう。
　一〜三　略
　四　まあじゃん屋、ぱちんこ屋その他設備を設けて客に射幸心をそそるおそれのある遊技をさせる営業
　五　略
2〜13　略
（営業の許可）
第3条　風俗営業を営もうとする者は、風俗営業の種別（前条第1項各号に規定する風俗営業の種別をいう。以下同じ。）に応じて、営業所ごとに、当該営業所の所在地を管轄する都道府県公安委員会（以下「公安委員会」という。）の許可を受けなければならない。
2　略
（遊技場営業者の禁止行為）
第23条　第2条第1項第4号の営業（……）を営む者は、……その営業に関し、次に掲げる行為をしてはならない。
　一　略
　二　客に提供した賞品を買い取ること。
　三・四　略
2・3　略
（営業の停止等）
第26条　公安委員会は、風俗営業者若しくはその代理人等が当該営業に関し法令若しくはこの法律に基づく条例の規定に違反した場合において著しく善良の風俗若しくは清浄な風俗環境を害し若しくは少年の健全な育成に障害を及ぼすおそれがあると認めるとき、又は風俗営業者がこの法律に基づく処分……に違反したときは、当該風俗営業者に対し、当該風俗営業の許可を取り消し、又は6月を超えない範囲内で期間を定めて当該風俗営業の全部若しくは一部の停止を命ずることができる。
2　略
第49条　次の各号のいずれかに該当する者は、2年以下の懲役若しくは200万円以下の罰金に処し、又はこれを併科する。
　一　第3条第1項の規定に違反して同項の許可を受けないで風俗営業を営んだ者
　二〜七　略
第52条　次の各号のいずれかに該当する者は、6月以下の懲役若しくは100万円以下の罰金に処し、又はこれを併科する。
　一　略
　二　第23条第1項第1号又は第2号の規定に違反した者
　三〜五　略

本問は、最判平成27年3月3日民集69巻2号143頁（基判308頁、百選Ⅱ167、CB13-9）をモデルとしている。
　本件処分による営業停止の効果は、期間の経過によりなくなっているが、Xが本件処分から3年以内に再度営業停止処分を受ける場合には、本件基準により量定が加重されるため、これが「処分……の取消しによって回復すべき法律上の利益」（行訴法9条1項かっこ書）といえるか。
　本問で、仮に、先行処分を受けたことを理由として後行処分の量定を加重する旨が、法自体またはその委任を受けた法規命令によって定められていたとすれば、本件訴訟には当然に訴えの利益が認められる。

　　＊【設問2】(1)（→350頁）で、道交法および同法施行令の規定により、免許停止処分を受けたことが前歴として後の行政処分において不利益に扱われる期間中は、免許停止処分の取消しの利益が認められる。また、【設問5】(2)（→361頁）で、電波法上、当初の免許を受けていた者は、新規申請よりも簡易な手続で再免許を受けられることから、当初の免許期間の終了後も当初の免許の拒否処分の取消しの利益が認められる。

　しかし、本問では、先行処分を理由とする後行処分における不利益取扱いが、法令ではなく行政庁が設定した処分基準（→104頁）によって定められていることから、このような場合にも先行処分の取消しの利益が認められるのかが問題となる。
　この点につき、上掲平成27年判決は、次のように述べて、取消しの利益を肯定した。すなわち、行手法「12条1項に基づいて定められ公にされている処分基準は、単に行政庁の行政運営上の便宜のためにとどまらず、不利益処分に係る判断過程の公正と透明性を確保し、その相手方の権利利益の保護に資するために定められ公にされるものというべきである。したがって、行政庁が同項の規定により定めて公にしている処分基準において、先行の処分を受けたことを理由として後行の処分に係る量定を加重する旨の不利益な取扱いの定めがある場合に、当該行政庁が後行の処分につき当該処分基準の定めと異なる取扱いをするならば、裁量権の行使における**公正かつ平等な取扱い**の要請や基準の内容に係る相手方の信頼の保護等の観点から、**当該処分基準の定めと異なる取扱いをすることを相当と認めるべき特段の事情がない限り**、そのような取扱いは裁量権の範囲の逸脱又はその濫用に当たることとなるものと解され、この意味において、当該行政庁の**後行の処分における裁量権は当該処分基準に従って行使されるべきことがき束されており**、先行の処分を受けた者が後行の処分の対象となるときは、上記特段の事情がない限り

当該処分基準の定めにより所定の量定の加重がされることになる」。以上より、「上記先行の処分に当たる処分を受けた者は、……〔当該〕処分の効果〔本問では営業停止40日〕が期間の経過によりなくなった後においても、**当該処分基準の定めにより上記の不利益な取扱いを受けるべき期間内**〔本問では本件処分から3年〕はなお当該処分の取消しによって回復すべき法律上の利益を有する」。

　この判決は、**裁量基準による覊束**を明言した初めての最高裁判決であり、極めて注目される。ただし、この判決は、先行処分の取消訴訟の訴えの利益に関するものであるため、上記判旨にいう「当該処分基準の定めと異なる取扱いをすることを相当と認めるべき特段の事情」の有無については審理されていない（市原義孝・最判解民事篇平成27年度（上）80頁注（24）参照）。仮に、後行処分の取消訴訟において、裁量基準の定めと異なる取扱いをした処分の適法性や、裁量基準を機械的に適用して個別事情を考慮しない処分の適法性が問題となった場合には、上記「特段の事情」の有無に関して、**裁量基準の合理性**および**個別事情考慮義務**の内容（→147頁）が審理されると解される。その意味で、この判決の考え方に従うとしても、裁量処分の違法性を判断する際には、裁量基準の合理性および個別事情考慮義務の検討が必要なくなるわけではないので、注意してほしい。

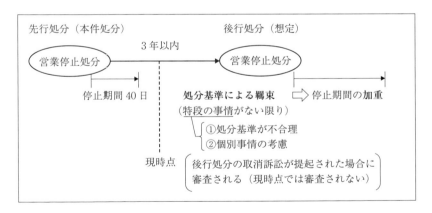

2　執行停止（行訴法25条）

(1)　仮処分の排除と執行停止制度

　一般に、裁判には一定の時間を要するため、訴訟で争っているうちに既成事実が積み重ねられることによる不利益を防ぐため、仮の権利保護（仮の救

済）が必要となる。通常の民事訴訟においては、仮の権利保護のための措置として、民事保全法に基づく仮処分の制度がある。しかし、行訴法は、**公権力の行使に対しては仮処分をすることができない**としたうえで（同法44条）、これに替わるものとして、**執行停止制度を定めている**（同法25条）。

(2) 執行不停止原則（行訴法25条1項）

まず、行訴法25条1項は、「処分の取消しの訴えの提起は、処分の効力、処分の執行又は手続の続行を妨げない」と規定し、**執行不停止原則**を定めている。したがって、取消訴訟を提起しただけでは、当該処分に関する行政過程の進行を止めることはできない。これは、取消訴訟の乱発（濫訴）を予防し、行政の円滑な運営を確保する趣旨とされる。そのうえで、原告が仮の救済を申し立て、その申立てが一定の要件を備えている場合に、執行停止を認めるという仕組みになっている。

(3) 執行停止の対象（行訴法25条2項）

執行停止には、①**処分の効力の停止**、②**処分の執行の停止**、③**手続の続行の停止**の3種類がある。ただし、①は、②または③によって目的を達することができる場合には、することができない（行訴法25条2項ただし書）。「執行停止」という言葉からは、処分の執行の停止のみをイメージしがちであるが、処分の効力の停止ができる場合があることに注意してほしい。例えば、**【設問3】**（→354頁）において、建築工事が完了する前に建築確認について仮の救済を申し立てたい場合、建築確認の執行や手続の続行の仕組みはないので、建築確認の効力の停止を申し立てることができ、工事完了前に効力停止の決定がされれば、適法に工事を行えるという建築確認の効力が停止するため、それ以降の工事を阻止できる。

なお、**申請拒否処分については、執行停止が機能しない**（申請拒否処分の効力等を停止しても、申請が認容されたことにはならない）という問題があったが、2004年改正行訴法で**仮の義務付け**（行訴法37条の5第1項）が法定されたことにより、解決が図られた（→398頁）。

(4) 執行停止の積極要件（行訴法25条2項本文・3項）

積極要件の第1は、「処分の取消しの訴えの提起があった場合」であること、すなわち**本案訴訟の係属**である（行訴法25条2項本文）。この点は、民事訴訟において、保全訴訟が本案訴訟から独立しているのと異なる。

積極要件の第2は、「**重大な損害を避けるため緊急の必要があるとき**」である（行訴法25条2項本文）。この要件は、かつては、「回復の困難な損害を避けるため緊急の必要があるとき」とされていたが、要件が厳しすぎるとい

う批判を受けて、2004年改正行訴法で、「重大な損害」に改められるとともに、その判断にあたっては、「**損害の回復の困難の程度を考慮するものとし、損害の性質及び程度**並びに**処分の内容及び性質**をも勘案するものとする」とされた（25条3項）。したがって、回復の困難な損害であれば「重大な損害」と認定しやすいが、回復が困難でなくても、損害の性質および程度を勘案して「重大な損害」と認定することが可能になった。

また、「処分の内容及び性質」も勘案されることから、一方で、当該処分を維持する公益上の必要性、他方で、当該処分が申立人のみならず広く多数の者に与える影響を勘案して、「重大な損害」を認定すべきと解される（小林・行政事件訴訟法280頁）。例えば、事業停止命令の執行停止においては、命令を維持する公益上の必要性と、命令によって申立人および当該事業の利用者らが被る不利益とを比較考量すべきと解される（曽和ほか編著・事例研究行政法310頁〔北村和生〕）。

> **【設問7】弁護士懲戒処分の執行停止**
> XはA弁護士会に所属する弁護士であるが、同弁護士会は、Xには弁護士倫理に反する非行に該当する事由があるとして、Xを業務停止3カ月の懲戒処分（本件懲戒処分）に付した。これに対し、XがY（日本弁護士連合会）に対し審査請求をしたところ、Yは、審査請求を棄却する裁決をした（本件裁決）。Xは、本件裁決が違法であると主張して、裁決取消しの訴えを提起する（弁護士法61条2項により裁決主義がとられている。→248頁）とともに、本件懲戒処分の効力の停止を求めて、執行停止の申立てをした。なお、Xは、当該業務停止期間中に期日が指定されているものだけで31件の訴訟案件を受任していた。Xの申立ては、執行停止の積極要件（行訴法25条2項・3項）を満たすか。

本問は、最決平成19年12月18日判時1994号21頁（基判317頁、百選Ⅱ192、CB17-5）をモデルとしている。

上記最高裁決定は、原審の判断を正当として是認したものであり、原審東京高決平成19年7月19日判時1994号25頁は、次のように述べて、行訴法25条2項・3項の要件該当性を認め、本件懲戒処分の効力を停止した。すなわち、本件懲戒処分を受けたXは、依頼者との委任契約の解除、訴訟代理人等の辞任手続、顧問契約の解除を行わなければならず、これにより、Xの弁護士としての**社会的信用**が低下し、それまでに培われた依頼者との業務上の信頼関係も損なわれる。これらの**損害の性質**から、本案で勝訴しても完全に回

復することは**困難**であり、また、金銭賠償によって完全に補填することも困難である。それに加え、Xが業務停止期間中に期日が指定されているものだけで31件の訴訟案件を受任していることから推認できるXが被る**損害の程度**を勘案すれば、一旦生じた損害の回復は困難で、本件懲戒処分によってXに重大な損害が生じると認められる。

この決定は、2004年の行訴法25条改正後の執行停止の具体的なあり方を示すものとして、重要である。

(5) 執行停止の消極要件（行訴法25条4項）

執行停止は、「公共の福祉に重大な影響を及ぼすおそれがあるとき」または「本案について理由がないとみえるとき」は、することができない。本案に理由がないとみえることの主張・疎明の責任は、被申立人（行政）側にある。

(6) 執行停止の手続等

執行停止申立ての管轄裁判所は、本案の係属する裁判所である（行訴法28条）。

執行停止決定は、疎明に基づいてする（行訴法25条5項）。執行停止決定は、口頭弁論を経ないですることができるが、あらかじめ当事者の意見をきかなければならない（同条6項）。執行停止決定に対しては、即時抗告をすることができるが（同条7項）、即時抗告は、執行停止決定の執行を停止する効力を有しない（同条8項）。

執行停止決定が確定した後に、その理由が消滅し、その他事情が変更したときは、裁判所は、相手方の申立てにより、決定をもって、執行停止決定を取り消すことができる（行訴法26条1項）。

なお、以上の規定は、仮の義務付けおよび仮の差止めにも準用されている（行訴法37条の5第4項）。

(7) 内閣総理大臣の異議

執行停止の申立てがあった場合、**裁判所の決定の前後を問わず**、内閣総理大臣は、裁判所に対し、異議を述べることができる（行訴法27条1項）。この異議があったときは、裁判所は、執行停止をすることができず、また、既に執行停止の決定をしているときは、これを取り消さなければならない（行訴法27条4項）。

これは、**裁判所の判断に対して行政権の長が介入できるという異例の制度**であり、以下のような歯止めが設けられている。すなわち、異議には理由を付さなければならず（行訴法27条2項）、この理由の中で、内閣総理大臣は、

処分の効力の存続等の措置をとらなければ公共の福祉に重大な影響を及ぼすおそれのある事情を示すものとされている（行訴法27条3項）。また、内閣総理大臣は、やむをえない場合でなければ、異議を述べてはならず、異議を述べたときは、次の常会で国会に報告しなければならない（行訴法27条6項）。

　しかし、異議があると裁判所はその実質的適法性について審査できず、それに従わなければならない点に根本的な問題がある。この制度の合憲性について、行訴法の立法関係者は、執行停止は処分が適法であるかどうかの最終的判断ではなく、簡易な手続による暫定的措置であるから、本来、司法作用ではなく行政作用であり、したがって、これを内閣総理大臣の権限に委ねても司法権の侵害にならないとしている。しかし、仮の救済は司法的救済を実効的なものとするために不可欠のものであり、その最終判断を行政権に委ねるこの**制度の合憲性**については、**疑問**とする学説が多い。2004年行訴法改正に至る行政訴訟改革の議論では、この制度の廃止を含めた見直しが検討されたが、結局、そのまま維持されている。

　なお、内閣総理大臣の異議に関する規定は、**仮の義務付け**および**仮の差止め**にも**準用**されている（行訴法37条の5第4項）。

第22講　取消訴訟の審理・判決

◆学習のポイント◆
1 　取消訴訟においては民事訴訟と同様、基本的には当事者主義（処分権主義および弁論主義）がとられているが、一部修正されている点に注意する。
2 　取消訴訟における原告側の主張制限として、自己の法律上の利益に関係のない違法の主張制限（行訴法10条1項）および違法性の承継の問題（後行処分の取消訴訟において先行処分の違法性を主張することの制限）があることを理解する。
3 　取消訴訟における立証責任（情報公開訴訟の場合、裁量処分の場合、等）について、判例の立場を理解する。
4 　取消判決の効力（既判力、形成力・第三者効および拘束力）について理解する。
5 　被告側の主張制限と取消判決の拘束力の両方に関わる問題として、「理由の差替え」と「異なる理由による再処分」との関係を理解する。

1　当事者主義と職権主義

　民事訴訟においては、当事者のイニシアティブを尊重する当事者主義が原則とされており、処分権主義（訴訟を提起するか否か、何につき裁判所の判断を求めるか、訴訟をどこまで続けるか等を当事者に委ねる主義）および弁論主義（裁判の基礎となる証拠の収集を当事者の責任に任せる主義）がとられる。
　取消訴訟においても、訴えの提起、訴訟物の特定、訴えの取下げについては**処分権主義**が妥当し、原告に委ねられている。しかし、被告である行政主体が和解や請求の認諾を自由に行えるかについては、法律による行政の原理との関係で、議論がある。
　また、取消訴訟においても基本的には**弁論主義**が妥当し、当事者が主張し

ない事実を裁判所が職権で取り上げる**職権探知**は、認められないと解されている。しかし、ある事実について争いがあって当事者が適切に立証活動をしないときに、裁判所が自ら証拠を収集する**職権証拠調べ**は認められており（ただし、その証拠調べの結果について、当事者の意見をきかなければならない。行訴法24条）、その限りで弁論主義が修正されている。職権証拠調べは裁判所の権限ではあるが義務ではない（最判昭和28年12月24日民集7巻13号1604頁、基判341頁、百選Ⅱ185）。

さらに、2004年の行訴法改正で、**釈明処分の特則**（23条の2）が設けられた。すなわち、裁判所は、訴訟関係を明瞭にするため、処分または裁決の理由を明らかにする資料や、審査請求に係る事件の記録の提出等を、行政庁に対して求めること等ができる。

2　取消訴訟における主張制限（行訴法10条）

取消訴訟における主張制限には、原告側の主張制限として、①自己の法律上の利益に関係のない違法の主張制限（行訴法10条1項）、②裁決取消訴訟における原処分の違法の主張制限（いわゆる原処分主義。行訴法10条2項）、③いわゆる違法性の承継の問題があり、被告側の主張制限として、④処分理由の差替えの制限がある。このうち、②は行政上の不服申立てと関連するので、第16講（→248頁）で扱った。④は、取消判決の拘束力（反復禁止効）と関連するので、後述4（→379頁以下）で、取消判決の効力について説明した後に扱う（→382頁以下）。したがって、ここでは①および③を取り上げる。

(1) 自己の法律上の利益に関係のない違法の主張制限

> 【設問1】
> 　原子炉設置許可取消訴訟（→139頁）において、原子炉の設置場所の付近住民である原告が、当該事業者には原子炉を設置するために必要な経理的基礎（原子炉等規制法43条の3の6第1項2号）がないと主張することは、行訴法10条1項により許されないか。

◆核原料物質、核燃料物質及び原子炉の規制に関する法律（原子炉等規制法）◆
（設置の許可）
第43条の3の5　発電用原子炉を設置しようとする者は、政令で定めるところにより、原子力規制委員会の許可を受けなければならない。
2　略

一～十　略
（許可の基準）
第43条の3の6　原子力規制委員会は、前条第1項の許可の申請があった場合においては、その申請が次の各号のいずれにも適合していると認めるときでなければ、同項の許可をしてはならない。
　一　略
　二　その者に発電用原子炉を設置するために必要な技術的能力及び経理的基礎があること。
　三　その者に重大事故（……）の発生及び拡大の防止に必要な措置を実施するために必要な技術的能力その他の発電用原子炉の運転を適確に遂行するに足りる技術的能力があること。
　四　発電用原子炉施設の位置、構造及び設備が核燃料物質若しくは核燃料物質によって汚染された物又は発電用原子炉による災害の防止上支障がないものとして原子力規制委員会規則で定める基準に適合するものであること。
2・3　略

　行訴法10条1項は、「取消訴訟においては、**自己の法律上の利益に関係のない違法**を理由として取消しを求めることができない」と規定している。この規定は、行訴法9条と同様に、取消訴訟が主観訴訟であることに由来するが、9条が原告適格という訴訟要件の問題であるのに対し、10条1項は本案審理に際しての主張制限に関する規定である。典型例として、国税徴収法の定める公売処分について、担保権者等に対する通知（同法96条1項1号・2号参照）がなされなかったことを理由として、滞納者が公売処分の違法を主張することは、行訴法10条1項により許されない。

　しかし、行政法令には個人の保護よりも公益目的のために設けられた規定が多いので、専ら原告個人の利益を保護している規範への違反しか主張できないとすると、原告が主張しうる違法事由が著しく限定されてしまうおそれがある。

　航空機の騒音被害に関する新潟空港訴訟（最判平成元年2月17日民集43巻2号56頁、基判340頁、百選Ⅱ183、CB12-2。→328頁）において、原告は、当該路線の利用客の大部分が遊興目的の団体客であり、また、当該路線について、輸送力が著しく供給過剰になること等から、当該事業免許は、航空法101条1項（当時）の免許基準（「当該事業の開始が、公衆の利用に適応するものであること」および「当該事業の開始によって当該路線における航空輸送力が……著しく供給過剰にならないこと」等）に適合しないと主張した。これに対し、最高裁は、これらの違法事由の主張は、自己の法律上の利益に

関係のない違法をいうものであり、行訴法10条1項により、その主張自体失当であるとした。しかし、これらの免許基準に適合する事業免許であって初めて、原告に一定の騒音を受忍させることが正当化されるとすれば、これらの免許基準違反の主張は原告の法律上の利益（航空機の騒音によって著しい障害を受けないという利益）に関係があると解される（小早川編・改正行政事件訴訟法研究74頁〔中川丈久〕参照）。

このように、公益要件であっても、その充足によって原告の法律上の利益を適法に侵害しうる（当該要件を充足しなければ原告の法律上の利益を適法に侵害しえない）という関係にある場合には、当該要件の不充足は原告の法律上の利益に関係のある違法であり、原告は当該要件の不充足を主張しうると解される（小早川・行政法講義下Ⅱ182頁、室井力＝芝池義一＝浜川清『行政事件訴訟法・国家賠償法〔第2版〕』〔日本評論社、2006年〕161頁〔野呂充〕）。

本問については、原子炉等規制法43条の3の6第1項2号の経理的基礎に関する要件が、災害の防止上支障のない原子炉の設置には一定の経理的基礎が要求されるという趣旨であるとすれば（東海第二原発訴訟に係る東京高判平成13年7月4日判時1754号35頁参照）、原告の生命・身体の安全の保護という法律上の利益と関係があるから、当該要件違反を主張しうる。これに対し、周辺住民の生命・身体の安全は、同項2号のうちの技術的能力および同項3号・4号の要件によって確保されており、同項2号の経理的基礎に関する要件は、周辺住民の生命・身体の安全の確保とは無関係であるとすれば、原告は当該要件違反を主張しえないと解される（柏崎・刈羽原発訴訟に係る新潟地判平成6年3月24日行集45巻3号304頁参照）。

(2) 先行処分の違法性の主張制限——違法性の承継

【設問2】建築安全条例に基づく安全認定と違法性の承継
　建築基準法43条1項に定める接道義務について、同条3項は条例による制限の付加を認めている。同項に基づき、甲県建築安全条例（以下「本件条例」という）4条1項は、接道義務を厳格化しているが、同条3項は、知事が安全上支障がないと認定（以下「安全認定」という）する場合は、1項の規定を適用しない旨を定める。この安全上支障がないかどうかの判断は、もともとは建築確認をする際に建築主事が行うものとされていたが、1998年の建築基準法改正により、建築確認業務を民間機関である指定確認検査機関も行うことができるようになったことに伴い、本件条例が改正され、建築確認とは別に知事が安全認定を行うこととされたものである。このように判断機関が

分離されたのは、接道要件充足の有無は客観的に判断することが可能な事柄であり、建築主事または指定確認検査機関が判断するのに適しているが、安全上の支障の有無は、専門的な知見に基づく裁量により判断すべき事柄であり、知事が一元的に判断するのが適切であるとの見地による。

　Aは、自己が建築しようとする建築物（以下「本件建築物」という）につき、甲県知事から安全認定（以下「本件安全認定」という）を受けたうえで、甲県建築主事から建築確認（以下「本件建築確認」という）を受けた。これに対し、隣接地に居住するXは、審査請求を経たうえで、本件建築確認の取消訴訟を提起した。当該訴訟において、「本件安全認定は違法であるから、それを前提とする本件建築確認も違法である」という主張をXがすることは許されるか。

◆建築基準法◆（第1講【設例C】〔19頁〕の条文も参照）
（敷地等と道路との関係）
第43条　建築物の敷地は、道路（……）に2メートル以上接しなければならない。
　一・二　略
2　略
3　地方公共団体は、次の各号のいずれかに該当する建築物について、その用途、規模又は位置の特殊性により、第1項の規定によっては避難又は通行の安全の目的を十分に達成することが困難であると認めるときは、条例で、その敷地が接しなければならない道路の幅員、その敷地が道路に接する部分の長さその他その敷地又は建築物と道路との関係に関して必要な制限を付加することができる。
　一　略
　二　階数が3以上である建築物
　三　略
　四　延べ面積（……）が1,000平方メートルを超える建築物
　五　略

◆甲県建築安全条例◆
（建築物の敷地と道路との関係）
第4条　延べ面積（……）が1,000平方メートルを超える建築物の敷地は、その延べ面積に応じて、次の表に掲げる長さ以上道路に接しなければならない。

延べ面積	長さ
1000平方メートルを超え、2000平方メートル以下のもの	6メートル
2000平方メートルを超え、3000平方メートル以下のもの	8メートル
3000平方メートルを超えるもの	10メートル

2　略
3　前2項の規定は、建築物の周囲の空地の状況その他土地及び周囲の状況により知

事が安全上支障がないと認める場合においては、適用しない。

本問は、最判平成21年12月17日民集63巻10号2631頁（基判320頁、百選Ⅰ81、CB2-8）をモデルとしている。

ア　違法性の承継の原則的否定とその理由

まず、前提として、安全認定は、「建築主に対し、建築確認申請手続において……接道義務の違反がないものとして扱われるという地位を与えるものである」（上掲最判）から、処分に当たると解される（接道義務については→295頁）。

そうすると、本問は、いわゆる**違法性の承継**の問題、すなわち、行政過程が複数の処分によって構成され、**先行処分を前提として後行処分が行われる場合**に、後行処分の取消訴訟において、「**先行処分が違法であるから、それを前提とする後行処分も違法である**」という主張ができるかという問題である。

> ＊　なお、安全認定の要件である「安全上支障がない」（本件条例4条3項）との判断が、「避難又は通行の安全の目的」（建築基準法43条3項）でなされるとすると、当該建築物の居住者等の安全を確保する趣旨であって、隣接する建築物の居住者等には安全認定および（それを前提とする）建築確認の取消しを求める原告適格が認められないのではないかが問題となる。しかし、「道路のないところに建築物が相当の密度で立ち並ぶことは、当該建築物の居住者等のみならずこれに隣接する建築物等の居住者等の……災害時の避難や消火活動にも大きな支障を来す」から、本件条例4条3項は、「当該建築物に災害が発生した場合に、当該建築物及びその隣接する建築物等についてその居住者等の生命又は身体の安全等及び財産としてのその建築物を保護することをもその目的に含む」（上掲平成21年判決の1審・東京地判平成20年4月18日民集63巻10号2657頁）と解され、それらの者に安全認定および（それを前提とする）建築確認の取消しを求める原告適格が認められると解される。また、同様の理由により、それらの訴訟において、隣接する建築物の居住者等が安全認定の違法性を主張することは、行訴法

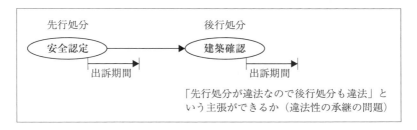

10条1項（→371頁）によって制限されないと解される。

処分の法効果を否定するには当該処分の取消訴訟によらなければならないとする**取消訴訟の排他的管轄**（→256頁）、および、**処分をめぐる法律関係の早期安定を図る出訴期間制度**（行訴法14条）の趣旨から、違法性の承継は原則として否定されるが、例外的に認められるための基準が問題となる。

> * 違法性の承継は、上記のとおり、取消訴訟の排他的管轄および出訴期間制度の趣旨から生ずる問題であるから、先行行為に処分性が認められない場合には、違法性の承継の否定という問題は生じず、後行行為の取消訴訟において先行行為の違法を主張することは当然できる（例えば、第18講【設問2】における、消防長による不同意〔先行行為〕と建築主事による建築確認拒否〔後行行為〕との関係〔→279頁〕や、第12講【設問2】における、都市計画決定〔先行行為〕と都市計画事業認可〔後行行為〕との関係〔→189頁〕）。これに対し、先行行為に処分性を認める場合には、実効的な権利救済との関係で、違法性の承継の問題に注意しなければならない（第18講【設問3】〔→282頁〕、同【設問4】〔→287頁〕、同【設問5】〔→291頁〕、第19講【設問2】〔→297頁〕、同【設問4】〔→307頁〕）。

イ 違法性の承継が認められるための基準

上掲平成21年判決を参照すると、違法性の承継が認められるためには、次の3点が基準になると解される。すなわち、①**先行処分と後行処分とが1つの目的を目指し、結合して初めてその効果を発揮するといえるか**、②**先行処分を争うための手続的保障が十分か**、③**後行処分の段階まで争訟を提起しないという判断が合理的か**である。

ウ 本件への当てはめ

上掲平成21年判決は、以下のとおり、上記①〜③の基準をいずれも満たすとした。

上記①については、「建築確認における接道要件充足の有無の判断と、安全認定における安全上の支障の有無の判断は、異なる機関がそれぞれの権限に基づき行うこととされているが、もともとは一体的に行われていたものであり、避難又は通行の安全の確保という**同一の目的**を達成するために行われるものである。そして、……安全認定は、……建築確認と**結合して初めてその効果を発揮する**」。

上記②については、「安全認定があっても、これを申請者以外の者に**通知することは予定されておらず**、建築確認があるまでは工事が行われることもないから、周辺住民等これを争おうとする者がその存在を**速やかに知ることができるとは限らない**（これに対し、建築確認については、工事の施工者

は、〔建築基準〕法89条1項に従い建築確認があった旨の表示を工事現場にしなければならない。)。そうすると、安全認定について、その適否を争うための手続的保障がこれを争おうとする者に十分に与えられているというのは困難である」。

上記③については、「仮に周辺住民等が安全認定の存在を知ったとしても、その者において、安全認定によって**直ちに不利益を受けることはなく**、建築確認があった段階で初めて**不利益が現実化**すると考えて、その段階までは争訟の提起という手段は執らないという判断をすることがあながち不合理であるともいえない」。

以上より、上掲平成21年判決は、違法性の承継を認め、建築確認の取消訴訟において、安全認定が違法であるために本件条例4条1項所定の接道義務の違反があると主張することは許されるとした。最高裁が違法性の承継を初めて正面から肯定し、その判断基準を示した点で、注目される。

なお、上記②と③は、「または」の関係にあると解され、②を満たさなくても③を満たせば、違法性の承継は認められると解される（土地収用法に基づく事業認定と収用裁決との間の違法性の承継につき、基判326〜330頁参照）。

3 取消訴訟における立証責任

【設問3】
(1) 情報公開法に基づく不開示決定の取消訴訟において、開示請求に係る行政文書に不開示情報（同法5条各号）が記録されているか否かの主張・立証責任は、原告・被告のいずれにあるか。
　また、開示請求に係る行政文書を行政機関が保有していないことを理由とする不開示決定（同法9条2項）の取消訴訟において、不開示決定時に行政機関が当該行政文書を保有していたか否かの主張・立証責任は、原告・被告のいずれにあるか。
(2) 原子炉設置許可取消訴訟において、設置許可をした行政庁の判断に不合理な点があるか否かの主張・立証責任は、原告・被告のいずれにあるか。

(1) 取消訴訟における立証責任に関する実務・学説

取消訴訟における立証責任（証明責任）については、裁判例が少なく、一般的な基準は判例上明らかにされていないが、裁判実務においては、民事訴訟におけるのと同様に、**法律要件分類説**によるとする考え方が強いと見られている（小早川・行政法講義下Ⅱ178頁）。すなわち、法規範の定める要件

を、ある者にとって有利な効果を定める「権利発生要件」と、その者にとって不利な効果を定める「権利障害要件」とに分類し、自己に有利な規範の要件事実について各当事者に立証責任が課せられるとするものである。

これに対し、学説上は、侵害処分については被告が立証責任を負い、申請拒否処分については場合を分けて考える（自由の回復・社会保障請求権の充足に関する場合には被告が、資金交付請求の場合には原告が負う等）とする説（塩野・行政法Ⅱ173頁）、処分を適法ならしめる事実に関し行政庁の調査義務の範囲で被告側が立証責任を負うとする説（小早川・行政法講義下Ⅱ178頁）など、種々の見解が存在するが、通説といえるものはない。

以下では、最高裁の判例が存在する若干の分野について、判例の考え方を紹介する。

(2) 不開示情報該当性の立証責任・文書存在の立証責任

【設問3】(1)前段について、情報公開法・情報公開条例における**不開示情報該当性の主張・立証責任は、被告側にある**というのが判例の立場である（最判平成6年2月8日民集48巻2号255頁〔基判341頁〕、最判平成14年2月28日判時1782号10頁）。最高裁は、その理由を述べていないが、①行政文書については、原則として開示義務が課されており、不開示とされるのは例外であること、②当該行政文書を被告側が所持していること、等を理由とするものと解され、妥当な判断であると思われる。

* ただし、インカメラ審理が認められていない現行制度（→226頁）の下で、当該行政文書が開示されたのと同様の状態になるのを避けつつ、不開示情報該当性の具体的な立証を行うことには困難が伴うため、どの程度の立証をもって足りるとするかが問題となる。

【設問3】(1)後段について、最判平成26年7月14日判時2242号51頁（沖縄返還「密約」文書開示請求事件、基判341頁、百選Ⅱ187）は、次のように判断した。情報公開法上、行政機関が開示請求に係る行政文書を保有していることが開示請求権の成立要件とされている（→221～222頁）から、行政機関が行政文書を保有していないことを理由とする不開示決定の取消訴訟においては、**行政機関が当該文書を保有することにつき原告側が主張・立証責任を負う**。そして、行政機関が過去のある時点で当該文書を保有していたことを原告側が立証できたが、不開示決定時における保有を直接立証できない場合、文書保有の推認の可否は、文書の内容や性質、その保有に至る経緯や上記決定時までの期間、その保管の体制や状況等に応じて、個別具体的に検討すべきである（外交交渉の過程で作成される文書については、保管の体制や

状況等が通常と異なりうることを踏まえて推認の可否を検討すべきであり、当該「密約」文書については不開示決定時の保有を推認できないとされた）。この判決は、法律要件分類説に立って原告側に立証責任を負わせつつ、不開示決定時における行政機関の文書保有を原告側が立証することの困難さに対して、一定の配慮をしたものと思われる。

(3) 原子炉設置許可の判断に不合理な点があることの立証責任

【設問3】(2)について、最判平成4年10月29日民集46巻7号1174頁（伊方原発訴訟、基判96頁、百選Ⅰ74、CB4-5）は、「原子炉設置許可処分についての右取消訴訟においては、右処分が前記のような性質を有することにかんがみると、**被告行政庁がした右判断に不合理な点があることの主張、立証責任は、本来、原告が負うべきもの**と解されるが、当該原子炉施設の安全審査に関する資料をすべて被告行政庁の側が保持していることなどの点を考慮すると、**被告行政庁の側において**、まず、その依拠した前記の具体的審査基準並びに調査審議及び判断の過程等、被告行政庁の**判断に不合理な点のないことを相当の根拠、資料に基づき主張、立証する必要があり**、被告行政庁が右主張、立証を尽くさない場合には、被告行政庁がした右判断に**不合理な点があることが事実上推認される**」としている。この判示冒頭の「前記のような性質」とは、裁量処分であることを指すと解され（→139頁）、この判示は、法律要件分類説に基づき、**裁量権の逸脱・濫用の立証責任は原告にある**（行訴法30条参照）という考え方を前提としつつ、原告の主張・立証の負担を軽減したものと解される。したがって、立証責任を被告に負わせたとか、立証責任を被告に転換したというわけではないので、注意が必要である（参照、米田雅宏「取消訴訟における証明責任」法学教室360号〔2010年〕24頁）。

4 取消判決の効力

取消訴訟の判決には、**却下**（訴訟要件を満たさない場合）・**棄却**（処分が違法でない場合）・**認容**（処分が違法である場合。ただし、例外的に、処分が違法であるにもかかわらず請求を棄却する事情判決の制度がある。→360頁）の3種類がある（終章末尾の図）。取消訴訟における請求認容判決は、処分を取り消す判決、すなわち取消判決である。以下では、取消判決の効力について説明する。

取消判決には、①既判力、②形成力、③拘束力の3つの効力がある。

(1) 既判力

取消訴訟の判決が確定すると、民事訴訟の判決と同様に（民事訴訟法114

条1項)、既判力が生じる。既判力とは、訴訟において判決が確定した場合に、その訴訟の対象となった同一事項について、当事者が再び訴訟によって争うことができなくなることを意味する。判決が確定したにもかかわらず、当事者および裁判所がその判断を尊重せずに蒸し返すことを認めると、紛争の終局的解決は得られないから、既判力は、紛争の終局的・強制的解決という訴訟制度の目的達成にとって、不可欠のものである。

(2) 形成力

取消訴訟において、行政処分を取り消す判決が確定すると、**処分の効果は処分時に遡って消滅**する。法的には、処分が最初からなかったことになるわけである。これを取消判決の形成力という。形成力が訴訟の原告との関係で生じることは当然であるが、行訴法32条1項は、取消判決の効果が第三者にも及ぶことを規定しており、第三者との関係でも処分の効力は遡及的に消滅することになる。これを**取消判決の第三者効**という。例えば、265頁の図のAが本件処分(Aの土地の所有権をBに取得させる権利取得裁決)の取消訴訟を提起し、本件処分が違法であるとして取り消されると、本件処分の効果は処分時に遡って消滅し、その効力はBにも及ぶ。すなわち、BはAに対して登記抹消などの義務を負う。このような効力を認めないと、原告が取消訴訟で勝訴しても、第三者に行政処分の効果の消滅を主張できず、十分な救済を得られないからである。他方で、判決の効力を受ける第三者の手続保障のため、**第三者の訴訟参加**(行訴法22条)および**第三者再審**(同法34条)の制度が置かれている。

なお、取消判決の第三者効に関する行訴法32条1項は、取消訴訟以外の抗告訴訟には準用されていない(行訴法38条。無効確認訴訟につき390頁、義務付け訴訟につき394頁参照)。

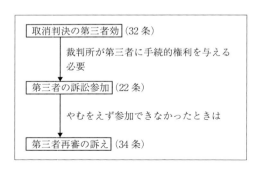

(3) 拘束力

　上述のような取消判決の形成力によって、当該処分は最初からなかったことになる。しかし、これだけでは原告の救済として不十分な場合がある。例えば、行政庁が同一理由で同一内容の処分を再び行うようなことがあれば、原告は取消訴訟で勝訴した意味がなくなってしまう。また、申請を拒否する処分が判決によって取り消された場合、行政庁がまだ申請に応答していない状態に戻ることになるが、原告としては申請を認容してほしいのであるから、これだけでは原告の救済として不十分である。そこで、行訴法33条1項は、「処分又は裁決を取り消す判決は、その事件について、処分又は裁決をした行政庁その他の関係行政庁を拘束する」と規定した。これを**取消判決の拘束力**という。これにより、

　①　行政庁は、取り消された行政処分と同一事情の下で、同一理由に基づいて同一内容の処分をすることは許されない（拘束力の消極的効果。**反復禁止効**ともいう）。

　②　行政庁は、**取消判決の趣旨に従って改めて措置をとるべき義務を負う**（拘束力の積極的効果）。具体的には、申請拒否処分が判決により取り消された場合は、行政庁は、判決の趣旨に従い、改めて申請に対する処分をしなければならない（行訴法33条2項）。したがって、ある理由で申請を拒否した処分につき、その理由で拒否するのは違法であるとして判決で処分が取り消されれば、ほかに拒否する理由がない限り、行政庁は当該申請を認容する処分をしなければならない。

　また、申請を認容する処分が手続の違法を理由として判決で取り消された場合には、行政庁は手続を改めて処分をやり直さなければならない（同法33条3項）。

　前述の**既判力**は、**後訴の裁判所を拘束**するものであるのに対し、ここにいう**拘束力**は、**行政庁を拘束**するものである。

　なお、取消判決の拘束力による行政庁の義務の内容は、当該行政庁がそれを行う法令上の権限があるものに限られるとする判例として、最判令和3年6月24日民集75巻7号3214頁（基判342頁、百選Ⅱ196）。

5 「理由の差替え」と「異なる理由による再処分」

【設問4】
　Xは、情報公開法（以下「法」という）に基づいて、行政庁Yに対し、国道事務所の折衝費に関する文書（本件文書）の開示を請求したところ、Yは、「本件文書には、関係者との内密の協議を目的とする懇談に関する情報が含まれており、本件文書を開示すると、事務の適正な遂行に支障を及ぼすおそれがあるため、法5条6号に該当する」との理由（以下「理由A」という）を提示して、不開示決定（本件決定）をした。これに対して、Xは、本件決定の取消訴訟（本件取消訴訟）を提起した。
(1) 本件取消訴訟において、Yは、本件文書に記録されている懇談が内密の協議を目的としているという主張には無理があると考えるに至り、理由Aによって本件決定を維持するのは困難であると判断したため、これに替えて、「本件文書には関係者の個人情報が含まれているため、法5条1号に該当する」という理由（以下「理由B」という）を主張した。このような主張をすることは許されるか。
(2) 本件取消訴訟において、Yが上記(1)のような主張をせず、裁判所は、本件文書を開示しても事務の適正な執行に支障を及ぼすおそれはないから法5条6号に該当しないとして、本件決定の取消判決を出した。その後、Yが、「本件文書に個人情報が含まれているため、法5条1号に該当する」という理由（理由B）で、再び不開示決定をすることは許されるか。

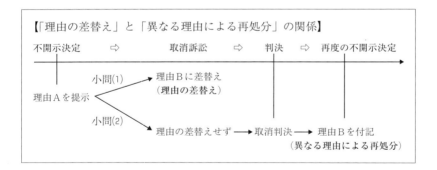

（1）　設問4(1)——理由の差替え
ア　理由提示との関係
　まず、前提として、本件決定の理由提示自体には不備はない。すなわち、理由Aが本件決定の根拠となりえないものであったとしても、理由提示とし

ては、行政庁がどのような事実関係に基づいてどのような法規を適用して本件決定をしたかを、その記載自体から了知しうるものである以上、不備があるとはいえない（→126頁コラム）。したがって、【設問4】(1)は、理由提示不備の瑕疵の治癒の問題（→107頁）ではない。

　しかし、本件のような処分理由の差替えを認めると、理由提示を要求した行手法の趣旨を没却するとも考えられることから、理由提示制度と理由の差替えとの関係が問題となる。

　　a　**理由提示と理由の差替えの禁止とは直接の関係はないという考え方**
　情報公開条例に関する事案である最判平成11年11月19日民集53巻8号1862頁（基判331頁、百選Ⅱ180、CB10-1）は、非公開決定に理由提示を要求する条例の趣旨は、行政庁の恣意の抑制と不服申立ての便宜にあるが、「そのような目的は非公開の理由を具体的に記載して通知させること……自体をもってひとまず実現されるところ、本件条例の規定をみても、右の理由通知の定めが、右の趣旨を超えて、一たび通知書に理由を付記した以上、実施機関が当該理由以外の理由を非公開決定処分の取消訴訟において主張することを許さないものとする趣旨をも含むと解すべき根拠はない」としている。学説上も、理由提示と理由の差替えの禁止は直接の関係はなく、「行政庁としては、慎重考慮した上で理由を付して処分をしても、そのことで行政庁側の調査義務・真実発見義務が果たし終わったというわけではない。以前の理由に誤りがあれば、訴訟段階で適切な理由を付することになる」とする見解がある（塩野・行政法Ⅱ186頁）。

　　b　**理由提示制度の趣旨から理由の差替えを制限する見解**
　これに対し、理由の差替えを認めると、理由提示制度の背景にある、「およそ必要な調査検討を経ない処分によって格別の不利益を課せられてはならないという法的な地位」を害するおそれがあるとして、これを制限する見解（小早川・行政法講義下Ⅱ208頁以下）や、理由提示を要求した法の趣旨から、信義則上、要件事実の同一性を害するような理由の差替えや追加は許されないとする見解（原田・要論409頁）がある。

　最判昭和56年7月14日民集35巻5号901頁（基判334頁、百選Ⅱ179、CB3-4）は、青色申告（→59頁）に対する更正処分の理由の差替えの事案で、一般的に青色申告書に対する更正処分の取消訴訟において理由の差替えが自由に認められるかどうかはともかく、当該事案においては、理由の差替えを許しても、更正処分を争うにつき被処分者に格別の不利益を与えるものではないとして、これを認めた。この判決は、被処分者に格別の不利益を与える場

合には、理由の差替えが制限されるとする趣旨とも解される（基判334〜335頁）。

イ　紛争の一回的解決および義務付け訴訟との関係

以上のように、理由提示と理由の差替えとの関係をどう理解するかについては見解が分かれているが、少なくとも**申請拒否処分については、理由の差替えを認める見解**が有力である。なぜなら、理由Aによる申請拒否処分の取消訴訟において、理由Bへの差替えを認めず、判決で処分を取り消したとしても、申請が認容されるわけではなく、行政庁は理由Bに基づいて再び拒否処分をすることができるので、必ずしも原告の救済につながらないからである。むしろ、1回の訴訟の中で、理由A、理由B、その他すべての申請拒否事由の有無を審理した方が、**紛争の一回的解決**につながり、原告の救済にも資すると考えられる（上記b説をとる小早川・行政法講義下Ⅱ214頁も、この立場である）。この点は、不利益処分の場合に、別の理由に基づく再処分の可能性があるとしても、原告が取消判決によって当初の処分による不利益をとりあえず免れるのと異なる（例えば、青色申告の更正処分の理由の差替え〔上掲アb〕が否定されて当該更正処分が取り消されると、再度の更正処分がなされない限り、被処分者は当該更正処分に基づく滞納処分等を免れる）。

また、申請拒否処分に対しては、申請認容を求める**申請型義務付け訴訟**（行訴法3条6項2号・37条の3）を提起することができ、この訴訟においては、申請認容を義務付ける以上、当初の拒否理由Aのみならず、あらゆる申請拒否事由の有無が審理される。したがって、少なくとも、義務付け訴訟に併合提起された取消訴訟（行訴法37条の3第3項第2号。→270頁）においては、理由の差替えが認められると解される。さらに、義務付け訴訟が併合審理されていない取消訴訟についても、申請拒否処分取消訴訟の実質は申請認容を求める訴訟である（例えば、不開示決定取消訴訟の実質は情報公開請求訴訟である）と考えると、あらゆる申請拒否事由の有無を審理すべきであるという考え方につながる（塩野・行政法Ⅱ255頁）。

(2)　設問4(2)——異なる理由による再処分

通説的な理解では、取消判決の拘束力（行訴法33条）により、反復禁止効が生じるが、これは、取り消された処分と同一事情の下で同一理由に基づく同一内容の処分をしてはならないことを意味する。すなわち、同一事情でも同一理由でなければ同一内容の処分をすることができることになる。この原則をそのまま当てはめると、本問のような再度の不開示決定は許されること

になる。大阪高判平成10年6月30日判時1672号51頁（CB14-6）は、事務事業情報に当たることを理由とする公文書不開示決定が判決で取り消された後に、個人情報・法人情報等に当たることを理由として再び不開示決定をすることは許される（取消判決の拘束力に反しない）としている。

しかし、このように解すると、**紛争の一回的解決**の要請に反するので、**口頭弁論終結時までに行政庁が提出できるのに提出しなかった理由によって、行政庁が同一の処分を繰り返すことは許されない**とする見解が有力である（芝池・救済法142頁、小早川・行政法講義下Ⅱ227頁、上掲大阪高判の原審大津地判平成9年6月2日判例自治173号27頁）。すなわち、申請拒否処分の取消訴訟（→**【設問4】**(1)〔382頁〕）において、行政庁は理由の追加・差替えが許されるというだけではなく、むしろ口頭弁論終結時までに可能な限り追加・差替えをすべきであり、それをしなかった場合には、後に当初の処分と別の理由で再度拒否処分をすることは許されないと解される。

* なお、**【設問4】**(1)において、理由Ｂへの差替えが許されないと解する場合には、**【設問4】**(2)における理由Ｂによる再処分は、当然に許されると解すべきである。なぜなら、理由の差替えも異なる理由による再処分も認めないとすれば、行政庁が当初付した理由の誤りを追加調査によって是正する機会を一切認めないことになるが、これは、著しく公益を害するおそれがあり（本問では、関係者の個人情報が公開されてしまう）、また、行政庁がそのような事態を恐れて、当初の処分時の調査に時間をかけすぎ、処分が著しく遅延するおそれがあるからである。

第23講　無効等確認訴訟・義務付け訴訟

◆学習のポイント◆
1　処分に重大明白な瑕疵があって無効であることを主張する場合（実際には、取消訴訟の出訴期間を徒過した場合に問題となる）の救済方法について、争点訴訟、当事者訴訟および無効確認訴訟（補充訴訟）の相互関係を理解するとともに、予防訴訟としての無効確認訴訟について理解する。また、処分が不存在であることを主張したい場合の救済方法についても、具体例に即して理解する。
2　非申請型義務付け訴訟および申請型義務付け訴訟について、訴訟要件および原告本案勝訴要件を、具体例に即して理解する。また、仮の義務付けの申立要件についても理解する。

1　無効等確認訴訟

【設問1】処分の無効・不存在と救済方法
(1)　Y県収用委員会は、Aの土地の所有権を起業者Bに取得させる収用裁決（権利取得裁決）をした（以下「本件処分」という）。本件処分の取消訴訟の出訴期間（土地収用法133条1項）は、既に過ぎているが、Aは、この処分を違法と考えており、自己が所有者であることを主張したいと考えている。Aは、誰に対してどのような訴訟を提起すべきか（→265頁参照）。
(2)　国家公務員Cは、懲戒免職処分を受け、当該処分の審査請求期間（国家公務員法90条の2）は、既に過ぎている（当該処分については、審査請求前置が定められている。国家公務員法92条の2。→250頁）。しかし、Cは、当該処分を違法と考えており、訴訟によって公務員の地位を回復したいと考えている。どのような訴訟を提起すべきか。
(3)　Dは、土地改良法に基づく換地処分を受けたが、「照応の原則」（→309頁）に反して、自分だけ不当に狭い土地へと換地処分がされたので、換地処分をやり直してほしいと考えている。しかし、当該換地処分の取消訴訟の出訴期間（行訴法14条）は、既に過ぎている。Dは、どのような訴訟を

提起すべきか。
(4)　事業者Eに対して原子炉の設置許可処分がされ、当該処分の取消訴訟の出訴期間は、既に過ぎている。しかし、当該原子炉設置予定地の周辺に居住するFは、当該原子炉は法の定める基準を満たさず、安全性に問題があるので、訴訟によって当該原子炉の建設および運転を阻止したいと考えている。Fは、誰に対してどのような訴訟を提起すべきか。
(5)　Gは、国税の賦課処分を受け、当該処分の審査請求期間（行審法18条）は、既に過ぎている（当該処分については、審査請求前置が定められている。国税通則法115条。→247頁）。しかし、Gは、当該処分を違法と考えており、当該処分を前提とする租税滞納処分がされるのを防ぐため、訴訟を提起したいと考えている。どのような訴訟を提起すべきか。
(6)　第19講【設問1】（→294頁）の事案において、Xは、どのような訴訟を提起すべきか。

(1)　設問1(1)——争点訴訟を提起すべき場合

　行政処分の法効果を否定するには、原則として、取消訴訟によらなければならない（取消訴訟の排他的管轄。→256頁）から、本問の場合、本件処分の取消訴訟を提起するのが原則的な争い方である。しかし、既に出訴期間を過ぎているので、いわば最後の手段として、処分の**瑕疵が重大かつ明白**であって**無効**であることを前提に、Bに対して自己が所有者であることの確認を求める民事訴訟（**争点訴訟**。行訴法45条）を提起することが考えられる。なお、この場合に、Y県を被告として、本件処分の無効確認訴訟を提起できるかが問題となるが、Bを被告とする民事訴訟の方がより直截的な争い方であり、それによって目的を達することができるので、無効確認訴訟は提起できないと解される（行訴法36条。基本的には以上のように考えられるが、別の考え方もありうる。基判350～351頁参照）。

(2)　設問1(2)——当事者訴訟を提起すべき場合

　(2)のケースでは、免職処分に重大明白な瑕疵があって無効であるからCは依然として公務員の地位を有すると主張して、公務員としての地位確認訴訟を提起することが考えられる。公務員の勤務関係は、伝統的に公法関係と考えられているので、これは**公法上の当事者訴訟**（行訴法4条後段の実質的当事者訴訟）に当たる。なお、この場合に、国を被告として、免職処分の無効確認訴訟を提起できるかが問題となるが、上記の地位確認訴訟の方がより直截的な争い方であり、それによって目的を達することができるので、無効確認訴訟は提起できないと解される（行訴法36条）。

(1)(2)で述べたように、無効確認訴訟は、処分の効力の有無を前提とする**現在の法律関係に関する訴え（争点訴訟または当事者訴訟）によって目的を達することができないものに限り、提起することができる**（行訴法36条。**無効確認訴訟の補充性**）。これは、処分に重大明白な瑕疵があって無効の場合には、取消訴訟の排他的管轄が及ばないから、民事訴訟の原則（→257頁）に戻り、現在の法律関係を争うのが原則であって、過去の行為の無効確認を求めることができるのは例外的な場合であるという考え方に立つものと解される。

(3) 設問1(3)——**無効確認訴訟の方がより直截的で適切な争訟形態である場合**

ただし、理論上「現在の法律関係に関する訴え」を想定しうる場合に常に無効確認訴訟を提起できないとすると、実効的な権利救済の妨げになるおそれがある。そこで、「現在の法律関係に関する訴えによって目的を達することができない」場合とは、処分の無効を前提とする**当事者訴訟または民事訴訟と比べて、無効確認訴訟の方がより直截的で適切な争訟形態である場合**を含むと解すべきである。

【設問1】(3)については、換地処分の無効を前提として、従前地の所有権の確認訴訟等を提起することは可能であるが、Dは、換地処分が行われること自体に不満があるわけではなく、換地処分のやり方が不公平なのでやり直してほしいのであるから、換地処分の無効確認訴訟（行訴法38条1項により、**取消判決の拘束力**に関する行訴法33条が準用されており、行政庁は無効確認判決の趣旨に従って処分をやり直す義務を負う。→381頁）の方がより直截的で適切な争訟形態であり、行訴法36条の要件を満たすと考えられる（最判昭和62年4月17日民集41巻3号286頁、基判346頁、百選Ⅱ173、CB15-2)。

(4) 設問1(4)——**民事差止訴訟と無効確認訴訟とが両立する場合**

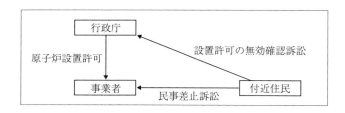

このケースでは、事業者Eに対する民事の差止訴訟が可能であるが、この

訴訟は、人格権に基づくものであって、原子炉の設置許可が違法かどうかを争点とするものではないので、「処分の無効を前提とする……民事訴訟」に当たらない（最判平成4年9月22日民集46巻6号1090頁〔もんじゅ訴訟〕、基判377頁、百選Ⅱ174、CB15-3）。したがって、この場合は、事業者Eを被告とする民事差止訴訟と、国を被告とする設置許可無効確認訴訟の両方が可能である。

(5) 設問1(5)——**予防訴訟としての無効確認訴訟**

行訴法36条前段は、**予防訴訟**、すなわち、「当該処分又は裁決に続く処分により損害を受けるおそれのある者」による無効確認訴訟を認めている。例えば、重大明白な瑕疵のある課税処分に基づいて、滞納処分を受けるおそれがある者は、滞納処分を受けるのを予防するために、その前提になっている課税処分の無効確認訴訟を提起することができる。

* この予防訴訟についても、「現在の法律関係に関する訴えによって目的を達することができないもの」という補充性要件が係るかどうかについては、係るとする一元説、係らないとする二元説の対立がある。判例は、特に補充性要件を問題とすることなく、滞納処分を受けるおそれのあるときに課税処分の無効確認訴訟の訴えの利益を認めている（最判昭和51年4月27日民集30巻3号384頁）。

以上をまとめると、下の図のようになる。

【無効の行政処分と救済方法】

①現在の法律関係に関する訴え
　・民事訴訟（争点訴訟——行訴法45条）
　・公法上の当事者訴訟（行訴法4条後段）
②無効確認訴訟（行訴法3条4項・36条）
　・予防訴訟（行訴法36条前段）
　・補充訴訟（行訴法36条後段）← ①によって目的を達することができないもの（この要件が予防訴訟にも係るかについては争いあり）

---

(6) 設問1(6)——**処分不存在確認訴訟**

行訴法3条4項は、無効「等」確認訴訟について規定しており、「等」には、処分の不存在・存在・有効確認訴訟が含まれる。

第19講【設問１】（294頁）のケースで、二項道路の一括指定の処分性が認められた最判平成14年１月17日民集56巻１号１頁（基判233頁、百選Ⅱ149、CB11-9）は、問題となった通路部分は指定処分の時点で幅員1.8m 未満であったから、指定処分によって二項道路に指定されていないと原告が主張して（指定処分が違法または無効であるという主張ではない。したがって、出訴期間の制限を受けないし、指定処分に重大明白な瑕疵がある必要もない）、当該通路部分について指定処分が存在しないことの確認を求めた処分不存在確認訴訟であり、行訴法36条の要件を満たすとされた。

また、この場合、**公法上の当事者訴訟としての確認訴訟**（行訴法４条）によって、当該通路部分が二項道路に当たらない旨（または、当該通路部分が二項道路であることによるセットバック義務の不存在）の確認を求めることも、許容されると解される。

> ＊　上掲平成14年判決の調査官解説（竹田光広・最判解民事篇平成14年13頁）は、上記の当事者訴訟につき、二項道路指定という公権力行使に関する不服の実体を有するので、法定外抗告訴訟と解さざるをえないとして、許容されないとする（それを前提に、上記の処分不存在確認訴訟は行訴法36条の要件を満たすとしている）。しかし、上記の当事者訴訟は、当該通路部分について指定処分が存在しないという事実を主張するものであって、指定処分に関する不服（指定処分が違法または無効であること）を主張するものではないから、抗告訴訟としか解せないものではなく、許容されるべきである（小早川・行政法講義下Ⅲ295頁、334頁参照）。この場合、行訴法36条との関係では、処分不存在確認訴訟と当事者訴訟のいずれが直截的で適切であるとは必ずしもいえない（両者は、訴訟類型は異なるが、同趣旨の請求と解される）ので、訴訟選択の困難を避けるため、いずれも許容されると解すべきである。

なお、当該通路部分が二項道路に当たるか否かは、指定処分によって定められた二項道路の要件（幅員1.8m 以上）を指定当時に満たしていたか否かによって客観的に定まるものであり、照会に対するＹ県の回答によって左右されるものではないから、同回答は事実上のものであって処分に該当せず、したがって、同回答に対する取消訴訟は提起できない。

(7)　取消訴訟に関する規定の準用

無効等確認訴訟については、基本的に取消訴訟に関する規定が準用されている（行訴法38条）。ただし、事情判決に関する31条および取消判決の第三者効に関する32条１項については、準用されていないという問題がある。取消訴訟との機能的な共通性（無効確認訴訟は「時機に後れた取消訴訟」であ

ること）からすると、無効確認訴訟にも事情判決や判決の第三者効を認めるべきと思われる（処分無効確認訴訟について明文の規定を欠いていた行政事件訴訟特例法の下で、無効確認判決の第三者効を認めた判例として、最判昭和42年3月14日民集21巻2号312頁、基判377頁、百選Ⅱ198）。

2　非申請型義務付け訴訟

> **【設問2】産業廃棄物処理施設に対する措置命令の義務付け**
> 　Aは、産業廃棄物の安定型最終処分場（以下「本件処分場」という）を操業していた。安定型最終処分場は、性状の安定したいわゆる安定型産業廃棄物（廃プラスチック類・がれき類・ガラス陶磁器くず・金属くず・ゴムくず）を埋め立てることを前提としているため、地下水への浸透を防ぐ遮水工や、公共水域への浸出水を処理する浸出水処理施設が設けられていない。しかし、本件処分場には、安定型産業廃棄物以外の廃棄物が埋め立てられ、本件処分場の地下には浸透水基準を大幅に超過した鉛を含有する水が浸透しており、これが地下水を汚染して本件処分場の外に流出する危険性が高まっていた。
> 　Xは、本件処分場から100mの場所に居住している。Xの居住地に上水道は配備されておらず、Xは井戸水を飲料水および生活水として利用している。Xは、「Y県知事がAに対し本件処分場について廃棄物処理法19条の5第1項に基づき生活環境の保全上の支障の除去等の措置を命ずること」（以下「本件措置命令」という）の義務付けを求めて訴訟を提起した（以下「本件訴訟」という）。本件訴訟は訴訟要件を充足するか。また、本件訴訟でXが勝訴した場合、判決の効力はAに及ぶか。

◆**廃棄物の処理及び清掃に関する法律（廃棄物処理法）**◆（第11講【設問3】〔181頁〕も参照）
第19条の5　産業廃棄物処理基準又は産業廃棄物保管基準（……）に適合しない産業廃棄物の保管、収集、運搬又は処分が行われた場合において、生活環境の保全上支障が生じ、又は生ずるおそれがあると認められるときは、都道府県知事（……）は、必要な限度において、次に掲げる者（……）に対し、期限を定めて、その支障の除去等の措置を講ずべきことを命ずることができる。
　一　当該保管、収集、運搬又は処分を行った者（……）
　二～五　略
　2　略

　本問は、福岡高判平成23年2月7日判時2122号45頁（基判352頁、CB15-5）をモデルとしている。

(1) 一定の処分（行訴法37条の2第1項）

一般に、訴えにおいては、裁判所の審理および判決の対象を画するため、請求内容を特定する必要がある。しかし、義務付け訴訟および差止訴訟は、取消訴訟と異なり、将来行われるべき処分を対象とするため、処分の具体的な内容を完全に特定することは困難であり、これを厳格に求めることは、実効的な権利救済の妨げとなる。そこで、**裁判所の判断が可能な程度に特定されていれば、ある程度の幅が許される**という趣旨で、「一定の処分」と規定されている。

本問で義務付け請求の対象とされている本件措置命令は、根拠法令のほか、処分の対象となる者および産業廃棄物処分場が特定されており、裁判所において、Y県知事に対して生活環境の保全上の支障の除去等のために何らかの措置をすること等を義務付けるべきか否かについて判断することが可能である。したがって、本件措置命令は、「一定の処分」として特定されていると解される。

(2) 原告適格（行訴法37条の2第3項・4項）

次に、Xの原告適格について検討する。

原告適格は、義務付け訴訟が取消訴訟と同様に主観訴訟であることから要求されるものであり、取消訴訟の場合と同様に、「**法律上の利益**」の有無が基準とされる（行訴法37条の2第3項・同条4項による**9条2項の準用**）。その際、取消訴訟においては、行政庁が第三者に処分をすることによる原告の法律上の利益の侵害の有無が問題となるのに対し、義務付け訴訟においては、行政庁が第三者に処分をしないことによる原告の法律上の利益の侵害の有無が問題となる。

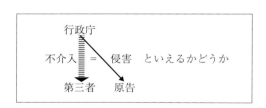

本問では、廃棄物処理法19条の5第1項の措置命令の趣旨・目的、考慮されるべき利益の内容・性質は、産業廃棄物処理施設の許可制度（同法15条）のそれ（最判平成26年7月29日民集68巻6号620頁、基判252頁、CB12-13。→337頁参照）と共通すると解される。したがって、産業廃棄物処分場の周辺に居住する住民のうち、当該処分場から有害物質が排出された場合にこ

れに起因する健康または生活環境に係る著しい被害を直接的に受けるおそれのある者は、当該処分場に対する措置命令の義務付けを求める原告適格を有すると解される。Xは、本件処分場から100mの場所に居住し、地下水を飲料水および生活水として利用していることから、Xは、本件処分場から有害物質が排出された場合にこれに起因する健康または生活環境に係る著しい被害を直接的に受けるおそれのある者に当たり、原告適格を有すると解される。

(3) 重大な損害を生ずるおそれ（行訴法37条の2第1項・2項）

この要件は、**申請型義務付け訴訟には定められていない、非申請型に特有の要件**である。非申請型義務付け訴訟を認めることは、法令上の申請権（→113頁）がない者にあたかも申請権を認めるのと同じような結果となるため、義務付け訴訟による救済の必要性が高い場合に限られるべきであるという考え方に基づいている（小林・行政事件訴訟法161頁、福井ほか・新行政事件訴訟法139頁、365頁）。「重大な損害」を生ずるか否かを判断するにあたっての考慮要素が、2項に定められている。

本問では、Xは本件処分場の周辺に居住し、地下水を飲料水および生活水として利用している（上水道が整備されておらず、地下水を利用せざるをえない）ところ、本件処分場の地下に浸透水基準を大幅に超過した鉛を含有する水が浸透しており、これが地下水を汚染して本件処分場の外に流出する危険性が高まっている。特に鉛を含有する水を飲用することによる生命・健康への被害は回復困難であることから、行訴法37条の2第2項の考慮要素に照らし、「重大な損害を生ずるおそれ」が認められる（以上の当てはめにつき→395頁のコラム）。

(4) 損害を避けるため他に適当な方法がないとき（補充性）（行訴法37条の2第1項）

この要件を満たさない場合の**典型例は、損害を避けるための方法が個別法の中で特別に法定されている場合**である。

例えば、税額の計算を誤り、納付すべき税額を過大に申告した者は、更正の請求（国税通則法23条）をすることができ、これが損害を避けるための適当な方法に当たるので、行政庁が職権で減額更正処分をすることを求める非申請型義務付け訴訟は提起できない。

> ＊　なお、上記の説明の前提として、更正の請求は申告納税方式（国税通則法16条1項1号）による租税についての手続であり、この場合、更正処分がされなければ、申告どおりの税額が確定する（行政庁による租税賦課処

分は介在しない。この点で、【設問１】(5)〔→387頁〕の事案とは異なる）。
ただし、申告が明白かつ重大な錯誤に基づく場合は、申告の錯誤無効の主張による還付請求が認められうる。最判昭和39年10月22日民集18巻8号1762頁（基判59頁、百選Ⅰ122）参照。

また、別の例として、一般に、不利益処分に対して不服のある者は、当該処分の取消訴訟により適切な救済が得られるから、当該処分の職権取消しを求める非申請型義務付け訴訟を提起することは、原則としてできないと解される。

これに対し、**第三者に対する規制を求める義務付け訴訟は、当該第三者に対する民事差止訴訟が可能であるという理由で、補充性の要件を満たさない**ことにはならないと解される。行政法規に基づき行政庁の権限行使を求める行政訴訟と、人格権侵害を理由とする私人間の民事訴訟とでは争点が異なるし、このような場合にどちらがより適切な方法かを法が指定しているわけではなく、その選択は私人に委ねられている（並行提起も認められる）と解されるからである（塩野・行政法Ⅱ250頁。ただし、基判361～362頁も参照。なお、無効確認訴訟における同様の問題につき、→388頁）。

したがって、本問ではＸはＡに対する民事差止訴訟を提起することが可能であるが、義務付け訴訟の補充性の要件を満たすと解される。

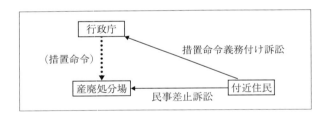

(5) 義務付け判決の効力と第三者に対する訴訟告知

義務付け訴訟の判決には、取消判決の第三者効の規定（行訴法32条。→380頁）は準用されていない（行訴法38条）。本問では、判決の効力はＡに及ばない。

したがって、第三者に判決の効力を及ぼすには、第三者の訴訟参加（行訴法22条）または訴訟告知（民事訴訟法53条）を活用して、第三者を当該義務付け訴訟の中に引き込むことが必要である（塩野・行政法Ⅱ257頁）。

また、非申請型義務付け訴訟において裁判所が処分することを命じる場合に、その処分について法定された行政手続（意見陳述手続等）が履践されな

いという問題があり、この点からも、第三者を当該義務付け訴訟の中に引き込んで防御の機会を与えることが必要であると解される。

●コラム● 「重大な損害を生ずるおそれ」（行訴法37条の2第1項・2項）と原告適格（同条3項・4項）との関係

　非申請型義務付け訴訟の原告適格の判断において、被侵害利益の内容および性質ならびにこれが害される態様および程度が勘案要素とされている（行訴法37条の2第4項による9条2項の準用）ため、「重大な損害を生ずるおそれ」の勘案要素（行訴法37条の2第1項・第2項）と重なるのではないかという問題がある。両者の要件の違いは、次のとおりである。
　第1に、理論的な位置づけが異なる。すなわち、原告適格は、義務付け訴訟が取消訴訟と同様に主観訴訟であることから当然に要求される要件であるのに対し、「重大な損害を生ずるおそれ」は、非申請型義務付け訴訟について特に要求される、いわばプラスアルファの要件である。
　第2に、判断方法が異なる。すなわち、原告適格の判断は、違法状態を仮定した場合に、原告の利益について一般的にどのような被害が生じうるかという一般的・抽象的な判断である（最判平成26年7月29日民集68巻6号620頁の判断方法〔→337頁〕を参照）のに対し、「重大な損害を生ずるおそれ」については、当該事案における個別具体的な事情を基に判断される（その意味では、本案の判断に近いものとなる。本問における上掲平成23年判決の判断方法〔→393頁〕を参照）。
　もっとも、上記第2点の判断方法の違いを事例問題の答案のレベルで表現するのは困難な場合が多いと思われるので、上記第1点、すなわち、両者は根拠条文も理論的位置づけも異なる別個の訴訟要件であることを意識したうえで、それぞれについて検討を行うことが重要であり、結果的に両者の考慮要素が重なるのはやむをえないと思われる。
　なお、両者の検討順序は特に定まっていない。理論的には、「重大な損害を生ずるおそれ」がプラスアルファの要件であることからすると、まず原告適格を検討したうえで、原告適格を有する者について、「重大な損害を生ずるおそれ」の有無を検討するのがわかりやすいと思われる。しかし、これは条文の順序と逆になるので、条文の順序に従って、先に「重大な損害を生ずるおそれ」を検討する方法もありうる。

3　申請型義務付け訴訟

【設問3】保育園入園義務付け訴訟と仮の義務付け
　Y市に居住するXの長女Aは、気管切開手術を受けた後、カニューレ（喉に開けた穴に常時装着して気管への空気の通り道を確保する器具）を装着している。Xは、2010年1月20日、Y市が設置運営する普通保育園であるB保育園へのAの入園申込みをしたが、Y市福祉事務所長は、同年2月23日、Aについて適切な保育を確保することが困難であり、児童福祉法（平成24〔2012年〕法律第67号による改正前のもの、以下同）24条1項ただし書にいう

「やむを得ない事由」があるとして、同申込みに対する不承諾処分をした。Xは、同年3月4日、希望保育園をB保育園、C保育園、D保育園またはE保育園（Y市が設置運営する普通保育園は、これらの4園である）として、保育園入園申込みの変更届を提出したが、Y市福祉事務所長は、同年3月23日、Aについて適切な保育を確保することが困難であり、児童福祉法24条1項ただし書にいう「やむを得ない事由」があるとして、上記変更届による保育園入園の不承諾処分をした。

Xは、たん等の吸引が適切に行われれば、Aは普通保育園に通園できると考えており、通園の便のため、できればB保育園に入園させたいが、看護師の配置等の点で困難がある場合には、少なくともY市が設置運営するいずれかの普通保育園に入園させたいと考えている。また、Aは2012年3月には保育園を卒園する年齢に達するため、なるべく早く入園の承諾を得たいと考えている。Xは、どのような法的手段（行訴法に規定されているものに限る）をとり、どのような主張をすべきか（児童福祉法の規定につき、第19講【設問2】〔→297頁〕を参照）。

本問は、東京地判平成18年10月25日判時1956号62頁および東京地決平成18年1月25日判時1931号10頁（CB17-4）をモデルとしている。

(1) 一定の処分（行訴法3条6項2号）・取消訴訟等の併合提起（行訴法37条の3第3項）

XがB保育園への入園にこだわる場合には、①B保育園への入園不承諾処分の**取消訴訟**、②B保育園への入園承諾処分の**義務付け訴訟**および③同承諾処分の**仮の義務付け**の申立てをすることが考えられる。

しかし、Aが普通保育園に通園可能と判断される場合であっても、Y市が設置運営する普通保育園（B保育園、C保育園、D保育園およびE保育園）のうちいずれに入園させるべきかについては、個別の保育園の事情に応じて、Y市福祉事務所長に一定の裁量が認められると解される。

したがって、XがB保育園に強くこだわらず、いずれかの普通保育園への入園を目指す場合には、①「B保育園、C保育園、D保育園またはE保育園」への入園不承諾処分の**取消訴訟**、②それらのうちいずれかの保育園への入園承諾処分の**義務付け訴訟**および③同承諾処分の**仮の義務付け**の申立てをすることが考えられる。義務付け訴訟の対象は**「一定の処分」**とされていること（行訴法3条6項2号）から、このような一定の幅のある処分の義務付けも認められると解される（上掲判決および決定を参照）。

なお、上記①の取消訴訟の提起は、上記②の義務付け訴訟の訴訟要件であ

り（行訴法37条の3第3項2号）、また、上記②の義務付け訴訟の提起は、上記③の仮の義務付けの申立要件である（行訴法37条の5第1項）。したがって、本問のようなケースで仮の義務付けの申立てをする場合には、上記①〜③をセットで提起する必要があることに注意してほしい。

(2) 申請拒否処分が取り消されるべきものであること（行訴法37条の3第1項2号）

拒否処分型の申請型義務付け訴訟については、申請拒否処分が取り消されるべきものであること、すなわち、併合提起された申請拒否処分取消訴訟の本案勝訴要件を満たすことが訴訟要件とされている（行訴法37条の3第1項2号）。

*　この要件については、学説上は本案勝訴要件と解する説が有力であるが、判例は、訴訟要件と解している。すなわち、併合提起された取消訴訟につき請求が棄却される場合、義務付け訴訟については、請求棄却ではなく訴え却下となる（最判平成21年12月17日判時2068号28頁〔百選Ⅱ199〕参照）。

本問でいうと、本件入園不承諾処分が取り消されるべきものであること、すなわち、同処分が違法であることが必要である。本件入園不承諾処分は、Xからの入園申込みについて、児童福祉法24条1項ただし書にいう「やむを得ない事由」があるとして行われたものである。「やむを得ない事由」という抽象的な文言、および、適切な保育の確保について福祉事務所長の専門技術的な判断を要することからすると、同要件該当性の判断には一定の裁量が認められると解される。しかし、他方において、児童福祉法が児童の健やかな育成の重要性を強調していること（1条1項・2条）からすると、「障害のある児童であっても、その障害の程度及び内容に照らし、保育所に通う障害のない児童と身体的、精神的状態及び発育の点で同視することができ、保育所での保育が可能な場合であるにもかかわらず、処分行政庁が、児童福祉法24条1項ただし書にいう『やむを得ない事由』があるとして、当該児童に対し、保育所における保育を承諾しなかった場合には、そのような不承諾処分は、考慮すべき事項を適切に考慮しなかったという点において、処分行政庁の裁量の範囲を超え、又は裁量権を濫用したものというべきであって、違法である」（上掲東京地判平成18年10月25日）と解される。

(3) 原告本案勝訴要件（行訴法37条の3第5項）

本問で不承諾処分が取り消されるべきものであると認められた場合、Aについて普通保育園への入園を承諾しないことは、処分行政庁の裁量権の逸脱・濫用となると解されるから、行訴法37条の3第5項後段の「**行政庁がそ**

の処分……をしないことがその裁量権の範囲を超え若しくはその濫用となると認められるとき」という要件も満たされると考えられる（上掲東京地判平成18年10月25日判決参照）。すなわち、本問のようなケースでは、申請認容処分義務付け訴訟の本案勝訴要件は、併合提起された申請拒否処分取消訴訟の本案勝訴要件と、ほぼ重なっている。

これに対し、運賃変更認可処分の義務付け訴訟のようなケースでは、併合提起された認可拒否処分取消訴訟に理由がある（すなわち、認可拒否処分が違法である）と認められても、具体的にどのような変更を認めるかにつき、なお行政庁の裁量が認められるので、義務付け訴訟の本案勝訴要件が当然に満たされるわけではない（そこで、行訴法37条の3第6項に基づき、取消訴訟についてのみ終局判決がされる場合もある。大阪地判平成19年3月14日判タ1252号189頁参照）。

なお、最高裁が申請型義務付け訴訟の請求を認容した事例として、水俣病の認定義務付けに関する最判平成25年4月16日民集67巻4号1115頁（基判101頁、百選Ⅰ75）がある。

(4) 仮の義務付け（行訴法37条の5）
ア 仮の義務付けが法定されたことの意味

(3)で見たように、申請拒否処分がされた場合の義務付け訴訟については、拒否処分取消訴訟の裏返しのような面があり、2004年の行政法改正による義務付け訴訟の法定前から、拒否処分**取消判決の拘束力**（行訴法33条2項。→381頁）によって、ある程度義務付けに近い機能を発揮することは可能であった。

しかし、申請拒否処分の取消訴訟については、有効な仮の救済手段がないという問題があった。すなわち、一方で、取消訴訟における仮の救済として執行停止（行訴法25条）があるが、申請拒否処分の効力等を停止しても、申請が認容されたことにはならず（手続のやり直しについて規定する行訴法33条2項・3項は、執行停止決定に準用されていない。同条4項）、他方で、処分については、民事保全法に基づく仮処分が排除されている（行訴法44条）。

仮の義務付けの法定は、この空隙を埋めるものである。特に、本問のように、時間の経過によって本案訴訟の意味が失われてしまうようなケースでは、大きな効果を発揮する。

イ　償うことのできない損害を避けるために緊急の必要があるとき（行訴法37条の5第1項）

　執行停止が原状を維持する方向での仮の救済であるのに対し、仮の義務付けは、処分または裁決があったのと同様の状態を暫定的に作り出すものであるから、その要件は、執行停止の場合（行訴法25条2項「重大な損害を避けるため緊急の必要があるとき」）よりも厳格になっており、「償うことのできない損害を避けるため緊急の必要」があるときとされている。この要件について、実効的な権利救済の見地からは、金銭賠償による填補が不可能な損害に限定すべきではなく、金銭賠償のみによる救済では社会通念に照らして著しく不合理と認められる場合も、「償うことのできない損害」に含まれると解すべきである（宇賀・概説Ⅱ361頁）。

　本件では、本案訴訟の判決確定を待っていては、Aは、保育園に入園して保育を受ける機会を失う可能性が高いこと、子どもにとって、幼児期にどのような環境の下でどのような生活を送るかはその子どもの心身の成長、発達のために重要な事柄であることから、本件入園不承諾処分によってAが受ける損害は、金銭賠償による填補が不可能な損害であり、かつ、Aは、現に保育園に入園することができない状況に置かれており、損害の発生が切迫しているから、「償うことのできない損害を避けるため緊急の必要」があるときに当たると解される（上掲東京地決平成18年1月25日）。

ウ　本案について理由があるとみえるとき（行訴法37条の5第1項）

　執行停止においては、「本案について理由がないとみえる」ことが消極要件とされており（行訴法25条4項）、これについては、被申立人（行政）側に主張・疎明責任があると解されているのに対し、仮の義務付けについては、「本案について理由があるとみえる」ことが積極要件とされており、これは主張・疎明責任を申立人に課す趣旨であると考えられる。上掲東京地決平成18年1月25日は、本件の事案について、この要件の該当性を認めた（理由は、→397頁で見た義務付け訴訟における考え方と同様である）。

　なお、執行停止の場合（行訴法25条4項）と同様に、仮の義務付けについても、「公共の福祉に重大な影響を及ぼすおそれがある」ことが消極要件とされている（行訴法37条の5第3項）。

第24講　差止訴訟・当事者訴訟・住民訴訟

> ◆学習のポイント◆
> 1　差止訴訟の訴訟要件、すなわち、一定の処分がされる蓋然性があること、重大な損害を生ずるおそれ（処分がされた後の取消訴訟等により容易に救済されないこと）、補充性（先行処分の取消訴訟の提起により後行処分をできなくなることが法令上定められているような場合でないこと）および原告適格について理解するとともに、仮の差止めについても、申立要件を理解する。
> 2　公法上の当事者訴訟としての確認訴訟について、将来の処分の予防を目的とする場合には、法定外抗告訴訟および差止訴訟との関係が問題となることを理解したうえで、確認の利益について、①確認対象の適切さ（ダイレクトアタックの可否）、②給付訴訟に対する補充性および③即時確定の必要性（紛争の成熟性）が要求されることを理解する。さらに、仮の救済について、民事保全法上の仮処分を利用しうることを理解する。
> 3　住民訴訟について、訴訟要件（住民であること、監査請求前置、対象となる財務会計行為の特定および出訴期間）、4つの訴訟類型（特に4号訴訟の仕組み）、および、原因行為の違法性をどこまで争えるかという問題があることを理解する。

総説　差止訴訟と当事者訴訟（確認訴訟）との関係

　訴訟類型の選択を考えるとき、取消訴訟と当事者訴訟との振り分けに関しては、既に行われた処分について当事者訴訟で争いうるとすることは取消訴訟の排他的管轄（→256頁）に反するため、処分については取消訴訟、処分に関わらない公法上の法律関係については当事者訴訟という形で、明確に区別される（処分性の有無によって争い方はいずれか一方に決まり、両立することはない）。

これに対し、差止訴訟は、処分に関する争いではあるが、処分が行われる前の段階で提起されるため、処分の前提となる公法上の法律関係を争う当事者訴訟との区別が、必ずしも明確ではない。もともと取消訴訟の排他的管轄が出訴期間制度の趣旨から生じる原則である（→256頁）とすると、処分がされる前の段階では、出訴期間は問題とならないから、処分の前提となる公法上の法律関係について当事者訴訟で争うことは、当然には排除されないと解される。そこで、差止訴訟と当事者訴訟との区別や関係が問題となる。

> **【設問1】差止訴訟と確認訴訟との関係**
> 　Ｙ（東京都教育委員会）の教育長は、都立学校の各校長に対し、「入学式、卒業式等における国旗掲揚及び国歌斉唱の実施について（通達）」（本件通達）を発し、教職員に対して、入学式、卒業式等において国旗に向かって起立し、国歌を斉唱すること、ピアノ伴奏をすること（以下「起立・斉唱・伴奏」という）を命ずるよう通達した。校長らはこれに従って、入学式や卒業式等の式典に際し、そのつど、教職員に対し、職務命令書によって個別に、起立・斉唱・伴奏を命じている（本件職務命令）。Ｙは、本件職務命令に従わなかった教職員に対し、1回目は戒告、2回目は減給1カ月、3回目は減給6カ月、4回目は停職1カ月という基準で懲戒処分を行っている。なお、過去に他の懲戒処分歴のある教職員に対しては、より重い処分がされているが、免職処分がされた例はない。
> 　これに対し、都立学校の教職員であるＸらは、起立・斉唱・伴奏を強制されることはＸらの思想・良心の自由等を侵害すると考えており、訴訟を提起することにより、本件職務命令に従わないことを理由に懲戒処分を受けたり、昇給等に関する処遇上の不利益を受けたりするのを予防したいと考えている。どのような訴訟の提起および仮の救済の申立てをすべきか。

　本問は、最判平成24年2月9日民集66巻2号183頁（基判364頁、百選Ⅱ200、CB15-6。以下「平成24年判決」という）をモデルとしている。この判決は、2004年改正行訴法の下で、差止訴訟と当事者訴訟（確認訴訟）との関係について最高裁が初めて詳細な判断を示したものであり、極めて注目される。

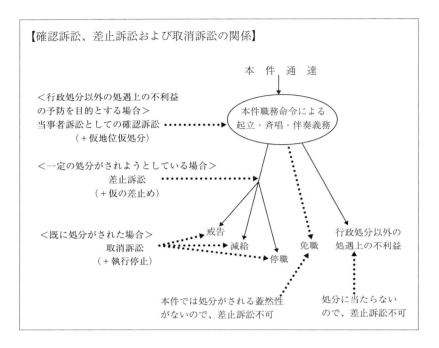

(1) 前提①——本件通達の処分性

まず、前提として、本件通達および本件職務命令の処分性が問題となる。これらの行為に処分性が認められるとすれば、Xらは、その取消訴訟によって目的を達しうるとともに、それ以外の争い方は制限されうるからである。しかし、平成24年判決は、いずれについても処分性を否定している。

すなわち、本件通達については、「上級行政機関であるYが関係下級行政機関である都立学校の各校長を名宛人としてその職務権限の行使を指揮するために発出したものであって、個々の教職員を名宛人とするものではなく、本件職務命令の発出を待たずに当該通達自体によって個々の教職員に具体的な義務を課すものではない」として、処分性を否定した（通達の処分性については、→160頁）。

(2) 前提②——本件職務命令の処分性

次に、職務命令について、伝統的には、特別権力関係における行政組織内部の行為であるとして、処分性を否定する見解（雄川一郎『行政争訟法』〔有斐閣、1966年〕80頁）がある一方で、特別権力関係論を否定する立場からも、私企業における業務命令の法的性質と基本的には変わらないとして、

処分性を否定する見解（室井力『特別権力関係論』〔勁草書房、1968年〕383頁）がある。また、職務命令が行政機関への訓令としての意味をもたない公務員自身に対する命令（服装の指定、出張命令等）である場合には、職務命令を直接の対象とする何らかの抗告訴訟も考えられるとしつつ、これを取消訴訟の対象とすると、取消訴訟の排他的管轄により、かえって争い方が制限されることを指摘する見解（塩野・行政法Ⅲ316頁）もある。この点につき、平成24年判決は、**本件職務命令は**「教育公務員としての職務の遂行の在り方に関する校長の上司としての職務上の指示を内容とするものであって、**教職員個人の身分や勤務条件に係る権利義務に直接影響を及ぼすものではない**」として、処分性を否定した。

なお、平成24年判決は、以上のように本件通達および本件職務命令の処分性を否定しても、以下に述べるような救済方法があるから、「争訟方法の観点から権利利益の救済の実効性に欠けるところがあるとはいえない」としており、最高裁が**実効的な権利救済の観点**を考慮していることを示すものとして、注目される。

1 差止訴訟

以上を前提として、まず、本件職務命令に従わないことを理由とする懲戒処分の差止訴訟について検討する。

(1) 一定の処分がされようとしている場合（行訴法3条7項・37条の4第1項）

差止訴訟の対象については、義務付け訴訟の場合（→392頁）と同様に、請求内容特定の要請と、将来行われる処分の具体的内容を特定することの困難さとを考慮して、**裁判所の判断が可能な程度に特定されていれば、ある程度の幅が許される**という趣旨で、「一定の処分」とされている。

また、救済の必要性を基礎づける前提として、一定の処分が「されようとしている」こと、すなわち、**一定の処分がされる蓋然性**があることが必要である。

* 訴訟提起のタイミングという観点からは、タイミングが遅すぎると、係争中に当該処分が行われてしまい、差止訴訟の訴えの利益が失われてしまう（取消訴訟に変更する必要が生じる）おそれがあるが、逆に、タイミングが早すぎても、当該処分が「されようとしている」とはいえないとして、却下されるおそれがある。そこで、早すぎず、遅すぎない絶妙のタイミングを狙う必要がある。

これを本件について見ると、Yの定めた基準に従い、本件職務命令違反の累積によって懲戒処分が加重されていくが、免職処分が行われた例はないというのであるから、免職処分がされる蓋然性は認められない。他方、それ以外の懲戒処分（停職、減給または戒告）がされる蓋然性はあると認められ（入学式と卒業式とで、毎年度少なくとも２回職務命令が発せられるから、２年以内に４回の職務命令違反となり停職に至りうる）、かつ、いずれの懲戒処分がされるかを特定することは困難であるから、「本件職務命令違反を理由とする停職、減給または戒告の懲戒処分」について、「一定の処分」として差止訴訟の対象と認められると解される。

(2) 重大な損害を生ずるおそれ（行訴法37条の４第１項・２項）

　差止訴訟は、いわば前倒しの取消訴訟であり、「行政庁が処分をする前に裁判所が事前にその適法性を判断して差止めを命ずるのは、国民の権利利益の実効的な救済及び司法と行政の権能の適切な均衡の双方の観点から、そのような判断と措置を事前に行わなければならないだけの救済の必要性がある場合であることを要するものと解される。したがって、……『**重大な損害を生ずるおそれ**』があると認められるためには、処分がされることにより生ずるおそれのある損害が、**処分がされた後に取消訴訟等を提起して執行停止の決定を受けることなどにより容易に救済を受けることができるものではなく、処分がされる前に差止めを命ずる方法によるのでなければ救済を受けることが困難なものであることを要する**」（平成24年判決）。

　このように、「処分がされた後の取消訴訟および執行停止では実効的な救済を図ることが困難か」という観点は、主として、補充性の要件（→後述(3)）ではなく、「重大な損害を生ずるおそれ」の要件で考慮されることに注意してほしい。

　これを本件について見ると、「本件通達を踏まえて懲戒処分が**反復継続的かつ累積加重的**にされる危険が現に存在する状況の下では、事案の性質等のために取消訴訟等の判決確定に至るまでに相応の期間を要している間に、毎年度２回以上の各式典を契機として……懲戒処分が反復継続的かつ累積加重的にされていく**事後的な損害の回復が著しく困難になることを考慮すると**」（平成24年判決）、上記要件に当てはまると解される。

　　＊　最判平成28年12月８日民集70巻８号1833頁（基判377頁、百選Ⅱ145、CB15-7）は、自衛隊機運航差止訴訟について、航空機による騒音被害は、離着陸のつど発生し、これを**反復継続的**に受けることにより蓄積していくおそれがあるから、事後的な取消訴訟等による救済になじまない性質のも

のであるとして、「重大な損害を生ずるおそれ」の要件充足を認め、訴えを適法とした（→277頁）。

(3) 補充性（行訴法37条の4第1項ただし書）

この要件は、ただし書として規定されていることから、例外的な場合に限られると解すべきであり、差止めを求める処分（後行処分）の前提となる先行処分があって、**先行処分の取消訴訟を提起すれば、当然に後行処分をすることができないことが法令上定められているような場合**を指すと解される。

例えば、国税徴収法90条3項により、第2次納税義務者（納税義務者が租税を滞納した場合に納税義務者に代わって租税を納付する義務を負う者）が納付告知（先行処分）の取消訴訟を提起すれば、その訴訟の係属する間は、当該国税につき滞納処分（後行処分）ができないとされているので、滞納処分の差止訴訟は、原則として、補充性の要件を満たさない。ただし、納付告知（先行処分）の出訴期間を徒過した場合には、滞納処分（後行処分）の差止訴訟ができると解されるが、本案において、納付告知（先行処分）の違法性を主張しうるかという、違法性の承継の問題（→373頁）が生じる（塩野・行政法Ⅱ262頁）。

これを本件について見ると、仮に本件通達または本件職務命令に処分性が認められるとすれば、その取消訴訟との関係で、本件差止訴訟は補充性の要件を欠くとされる余地がある（平成24年判決の原審は、そのように判断した）。しかし、本件通達および本件職務命令は処分に当たらないこと（→402頁、403頁）を前提とすると、それらの取消訴訟との関係は問題とならない。したがって、本件では補充性の要件を満たすと解される。

> ＊ なお、平成24年判決は、「本件では懲戒処分の取消訴訟等及び執行停止との関係でも補充性の要件を欠くものではない」旨を述べているが、(2)で見たとおり、この問題は、主として、「重大な損害を生ずるおそれ」の要件において考慮すべきと解される。

(4) 原告適格（行訴法37条の4第3項・4項）

本問では、処分の名宛人となる者が訴えを提起しているので、当然に原告適格が認められるが、処分の名宛人以外の者が差止訴訟を提起する場合（三面関係）には、原告適格が問題となる。行訴法37条の4第3項は、差止訴訟の原告適格につき、取消訴訟の場合と同様に、**「法律上の利益」**の有無を基準としたうえで、同条4項は、**行訴法9条2項を準用**している。

裁判例として、広島地判平成21年10月1日判時2060号3頁は、「鞆の浦」を擁する港町の公有水面埋立免許につき、周辺住民が歴史的・文化的な景観

利益の侵害等を主張して差止訴訟を提起した事案で、原告適格を肯定したうえで、差止請求を認容した。

(5) 仮の差止め（行訴法37条の5第2項～4項）

差止訴訟における仮の救済手段として、仮の差止め（行訴法37条の5第2項以下）がある。

積極要件は、差止訴訟の提起（適法な本案訴訟の係属）、「**償うことのできない損害を避けるため緊急の必要**」があること、および「**本案について理由があるとみえる**」ことである（同条2項）。消極要件は、「公共の福祉に重大な影響を及ぼすおそれがある」ことである（同条3項）。

本問では、「本件職務命令違反を理由とする停職、減給または戒告の懲戒処分」について、差止訴訟を提起するとともに、仮の差止めを申し立てることが考えられる。

仮の差止めを認容した裁判例として、次のものがある。大阪高決平成19年3月1日賃金と社会保障1448号58頁は、住民票の消除処分につき、それによって投票日の迫る市議会議員選挙において選挙権を行使することが極めて困難になり、選挙権の侵害は事後的回復が困難であるとして、仮の差止めを認めた。また、神戸地決平成19年2月27日賃金と社会保障1442号57頁は、条例改正による市立保育所の廃止（民間移管）処分（第19講【設問2】〔297頁〕参照）について、「民間移管の内容や円滑な移管のためにとられる予定の引継ぎや共同保育等のスケジュール等の諸般の事情を前提とした上で、市立保育所としての本件保育所の廃止が保育児童やその保護者らに与える影響について勘案」して、仮の差止めを認めた。

他方、広島地決平成20年2月29日判時2045号98頁（鞆の浦事件）は、公有水面埋立免許の仮の差止めについて、申立人らは、免許がなされた場合、直ちに差止訴訟を取消訴訟に変更し、それと同時に執行停止の申立てをし、本件埋立てが着工される前に執行停止の許否の決定を受けることが十分可能であるから、償うことのできない損害を避けるための緊急の必要がないとして、申立てを却下した（なお、本案訴訟の広島地判平成21年10月1日〔上掲(4)〕は、本件埋立免許の差止請求を認容した）。

2 確認訴訟

次に、本件職務命令による起立・斉唱・伴奏義務がないことの確認訴訟が考えられる。この訴訟がどの訴訟類型に位置づけられるかにつき、平成24年判決は、次の(1)・(2)のように場合を分けて検討している。

(1) 将来の処分の予防を目的とする場合

平成24年判決は、上記確認訴訟が将来の懲戒処分の予防を目的とする場合には、**法定外抗告訴訟（無名抗告訴訟）**として位置づけられるとしたうえで、本件では法定抗告訴訟である差止訴訟（上述1）が可能なので、事前救済の争訟方法としての補充性の要件を欠き、不適法であるとした（この判旨の問題点につき、→基判374頁）。

  * ただし、義務の不存在を確認することにより将来の処分を制約する可能性のある訴訟であっても、将来の処分の予防を主たる目的とするのではなく、現に義務（権利制限）を課されていること自体による損害の発生・拡大の予防を主たる目的とする場合には、公法上の当事者訴訟たる確認訴訟として適法とされる余地がある。最判平成25年1月11日民集67巻1号1頁（基判104頁、百選I 46、CB1-8。→157頁）は、省令の規定により特定の事業（第1類・第2類医薬品の郵便等販売）を禁止されている事業者が当該規定の無効を主張して当該事業を行うことができる地位の確認を求める訴えについて、公法上の当事者訴訟として確認の利益および法律上の争訟性が肯定され適法であるとした原審の判断を前提として、本案の判断をしている。当該訴えは、省令の規定により営業活動の制限を受けることによる**営業損害の発生・拡大の予防を主たる目的**とするものであって、省令違反を理由とする将来の不利益処分の予防を主たる目的とするものではないと解されることが、平成24年判決の事案との違いであると考えられる（岩井伸晃＝須賀康太郎・最判解民事篇平成24年度（上）107頁以下、148頁〔平成24年判決の調査官解説〕参照）。

(2) 処分以外の不利益の予防を目的とする場合

他方、平成24年判決は、「本件職務命令に基づく公的義務の存在は、……勤務成績の評価を通じた昇給等に係る不利益という行政処分以外の処遇上の不利益が発生する危険の観点からも、都立学校の教職員の法的地位に現実の危険を及ぼし得るものといえるので、このような行政処分以外の処遇上の不利益の予防を目的とする訴訟として構成する場合には、**公法上の当事者訴訟**の一類型である公法上の法律関係に関する**確認の訴え（行訴法4条）**として位置付けることができる」とした。

(3) 確認の利益

一般に、確認訴訟の訴訟要件として、確認の利益が必要である。給付訴訟と異なり、確認訴訟においては、確認の対象となりうるものは形式的には無限定なので、判決による解決を必要とする紛争が現実にあるか、また、紛争解決手段として確認判決によることが有効・適切か、という観点から、確認

の利益の有無が判断される（新堂・新民事訴訟法269頁）。

　公法上の当事者訴訟としての確認訴訟における確認の利益について、行訴法は特に規定を置いていないので、民事訴訟法における確認の利益論を基礎としつつ、行政訴訟の特質を踏まえた解釈をする必要がある。具体的には、次の3点が重要である。

ア　確認対象の選択の適切さ

　当事者訴訟としての確認訴訟は、取消訴訟等のように請求内容が定型化されていない（取消訴訟であれば、請求内容は「処分の取消し」に限定されている）ので、確認対象として適切なものを選択しなければならない（単に「確認訴訟」とするのでは不十分であり、「何を」確認するのかを明示しなければならない）。

　その際、いわゆる**ダイレクトアタック**、すなわち、行政の特定の行為を捉え、その違法性を直接攻撃すること（取消訴訟はこの形態をとる。→257頁）が認められるかが問題となる。本問について言うと、「本件通達の違法確認」や「本件職務命令の違法確認」などの請求である。

　この点につき、「公法上の**法律関係に関する確認の訴え**」という行訴法4条の文言や、現在の法律関係の確認を求めるべきであるとする民事訴訟法における確認訴訟の原則からすると、基本的には、過去に行われた行為を直接攻撃するのではなく、**原告の現在の権利義務や法的地位に引き直した請求を立てる必要がある**と考えられる。本問について言うと、「原告らが入学式、卒業式等の式典において起立・斉唱・伴奏をする義務のないことの確認」である。

　しかし、行政過程は、様々な行政の行為形式が組み合わされて展開していくのが通例であるので、確認訴訟の予防的機能を果たすには、行為の違法または無効を確認の対象とすることになじむ場合が民事関係よりは多いとの指摘もある（塩野・行政法Ⅱ279頁）。

　この点について、行訴法4条改正後初の最高裁判例（ただし、行政活動ではなく立法行為に関するもの）である**在外国民選挙権判決**（最大判平成17年9月14日民集59巻7号2087頁、基判378頁、百選Ⅱ202、CB16-5。→基本憲法Ⅰ310頁）が参考になる。これは、在外国民に国政選挙における選挙権の行使を認める制度の適用を両議院の比例代表選挙に限定する**公職選挙法**の規定につき、①主位的に、在外国民である原告らに衆議院小選挙区選出議員の選挙および参議院選挙区選出議員の選挙における選挙権の行使を認めていない点において**違法であることの確認**を求めるとともに、②予備的に、**原告ら**

が衆議院小選挙区選出議員の選挙および参議院選挙区選出議員の選挙において**選挙権を行使する権利を有することの確認**を求めた事例である。最高裁は、①については、他により適切な訴えによってその目的を達成することができる場合には、確認の利益を欠き不適法であるところ、本件においては、②の方が**より適切な訴え**であるので、①は不適法とした。すなわち、最高裁は、①のダイレクトアタックをそもそも不適法であるとはしておらず、原告の権利義務や法的地位に引き直した請求によって紛争を適切に解決できない場合には、ダイレクトアタックを認める趣旨と解される。その後、最大判令和4年5月25日民集76巻4号711頁（基判379頁）は、国が在外国民である原告に対して次回の最高裁判所裁判官国民審査において審査権を行使させないことが違憲・違法であることの確認訴訟につき、適法な訴えと認めた。

以上より、本問では、「Xらが入学式、卒業式等の式典において、起立・斉唱・伴奏をする義務のないことの確認」を求めるのが適切であると考えられる。

イ　確認訴訟という方法選択の適切さ——給付訴訟等に対する補充性

一般に、民事訴訟においては、**給付訴訟または形成訴訟を提起できる場合は、確認訴訟は提起できない**とされる（**確認訴訟の補充性**）。確認訴訟は不定型な訴訟であり、最後の救済手段と考えられているからである。当事者訴訟においても、ある行政決定について、給付訴訟または形成訴訟を提起できる場合には、確認訴訟は提起できないと解される。

本問では、Xらが本件職務命令に従わないことによる（処分以外の）処遇上の不利益を予防するために適切な給付訴訟または形成訴訟はないから、確認訴訟を選択するのが適切であると考えられる。

ウ　即時確定の必要性——紛争の成熟性

確認訴訟が認められるためには、**原告の権利や法的地位に、現実的かつ具体的な不安や危険が生じていなければならない**。具体的には、次のような観点を考慮すべきと考えられる。すなわち、行政機関が原告の法的地位を否定する見解を（例えば通達の形で）最終的なものとして示し、原告の法的地位に不安が生じていること、原告・被告間で争点が明確になっていること、このタイミングでの裁判が認められないと原告が実効的な救済を受けられなくなること、等である（中川丈久「行政訴訟としての『確認訴訟』の可能性」民商法雑誌130巻6号〔2004年〕976頁以下）。

これを本問について見ると、本件通達および本件職務命令によって、起立・斉唱・伴奏義務を課されないというXらの法的地位を否定する行政機関

の見解が最終的なものとして示され、それに基づき昇給等に係る処遇上の不利益が発生し拡大する危険が生じてXらの法的地位に現実の危険が及んでいること、原告・被告間で起立・斉唱・伴奏義務の有無という争点が明確であること、処遇上の不利益が**反復継続的かつ累積加重的に発生し拡大していくと事後的な損害の回復が著しく困難になる**ことから、即時確定の必要性が認められると解される（平成24年判決参照）。

なお、アで紹介した在外国民選挙権判決では、「選挙権は、これを行使することができなければ意味がないものといわざるを得ず、**侵害を受けた後に争うことによっては権利行使の実質を回復することができない性質**のものであるから、その権利の重要性にかんがみると、具体的な選挙につき選挙権を行使する権利の有無につき争いがある場合にこれを有することの確認を求める訴えについては、それが有効適切な手段であると認められる限り、確認の利益を肯定すべきものである」とされた。

(4) 当事者訴訟における仮の救済――民事保全法

当事者訴訟における仮の救済については、行訴法に特別の手段が定められているわけではなく、また、行訴法44条にいう仮処分の排除は、公権力の行使（処分）に関わらない当事者訴訟には適用されないと解されるので、民事保全法によることになる。本問でも、処分以外の処遇上の不利益の予防を目的とする確認訴訟については、民事保全法に基づく**仮処分**の申立てをすることができる。

> ＊ 執行停止（行訴法25条2項）および仮の義務付け・仮の差止め（行訴法37条の5第1項・2項）の場合と異なり、民事保全法に基づく仮処分については、本案訴訟の提起は申立要件とされていない。したがって、本問で確認訴訟を提起せずに仮処分の申立てをすることも可能である。

民事保全法23条2項は、「仮の地位を定める仮処分命令は、争いがある権利関係について債権者に生ずる著しい損害又は急迫の危険を避けるためこれを必要とするときに発することができる」と規定しており、これを用いることが考えられる。本問について言うと、例えば、「起立・斉唱・伴奏義務を負わない地位を仮に定める仮処分」である。

「著しい損害又は急迫の危険を避けるためこれを必要とするとき」とは、「現状のまま本案判決の確定まで待たせるのでは、債権者に甚だ酷な不利益や苦痛を与え、重大な損害（直接・間接の財産的損害に限らず、名誉・信用その他精神上のものでもよい）が生じ、あるいは、取り返しのつかない結果を生じかねない危険が切迫している」ような場合を指すと解されている（中

野貞一郎／青木哲補訂『民事執行・保全入門〔補訂第2版〕』〔有斐閣、2022年〕347頁)。この要件と、執行停止（行訴法25条2項）や仮の差止め（行訴法37条の5第2項）の要件とを比較して、いずれが厳しいかは一概にはいえないが、考え方としては共通しているといえるであろう。

> ＊ 東京高決平成24年7月25日判時2182号49頁は、薬事法施行規則の規定が無効であることを前提として、事業者らが第1類・第2類医薬品につき郵便等販売をすることができる権利（地位）を有すること（→157頁）を仮に確認する仮処分は、公権力の行使である改正省令（制定行為）の効力停止の実質を有するものであるから、行訴法44条により許されないとした。この決定に従うと、当事者訴訟における仮の救済手段が存在しないことになり、実効的権利救済の観点から疑問がある。

3　住民訴訟

住民訴訟（地方自治法242条の2）は、地方公共団体の職員のなした**違法な財務会計行為**（違法な公金支出・財産処分・契約締結や、税の徴収・財産管理等の懈怠〔「**怠る事実**」という〕など）**を正すため、住民であれば誰でも出訴が認められる**ものであり、客観訴訟（民衆訴訟）の一種である。主観訴訟である取消訴訟等よりも間口が広く、本案審理に持ち込みやすいため、住民による行政監視の手段として、よく利用されている。客観訴訟であるため、訴訟要件や訴訟類型等の定めは立法政策に委ねられており（→275頁）、次のように定められている。

(1)　訴訟要件

①**出訴権者**　出訴権者は、普通地方公共団体の**住民**である（地方自治法242条の2第1項）。したがって、原告が住民訴訟の間に転居等によって住民でなくなった場合には、訴えは却下される。なお、住民訴訟が係属している場合、他の住民が別に訴えを提起して同一の請求をすることはできない（同条4項）。

②**監査請求前置**　住民訴訟を提起するには、**住民監査請求**を経なければならない（地方自治法242条の2第1項）。監査請求には**期間制限**（当該行為のあった日または終わった日から**1年以内**）があるが、**正当な理由**があればその限りでない（地方自治法242条2項）。一般に、地方公共団体の職員の違法な財務会計行為について、住民が直ちに知ることは困難であり、報道等によって発覚した時点では当該行為から既に1年を経過していることも多いので、「正当な理由」の有無がしばしば争点となる。

また、監査請求の段階において、**対象となる財務会計行為を特定**しなければならない。ただし、この要件を厳格に解すると、情報源に乏しい住民にとって負担過重となり、住民訴訟の実効性が損なわれるので、監査委員において監査請求の対象を特定して認識することができる程度に摘示されていれば足りる（最判平成16年11月25日民集58巻8号2297頁）。
　なお、住民監査請求は、違法のみならず不当な財務会計行為をも対象としうるが、住民訴訟の対象は、違法な財務会計行為に限られる。
　③**出訴期間**　住民訴訟は、地方自治法242条の2第2項が定める期間内（例えば、監査委員の監査の結果または勧告に不服がある場合は、当該監査の結果または当該勧告の内容の通知があった日から**30日以内**）に提起しなければならない。

(2) 訴訟類型（地方自治法242条の2第1項）

　次の4つの訴訟類型が規定されている。
　①　行為の差止めの請求（1号請求）。ただし、差止請求は公共の福祉を著しく阻害するおそれがあるときは、することができない（地方自治法242条の2第6項）。
　②　行政処分の取消しまたは無効確認の請求（2号請求）。行政処分が財務会計行為に当たる場合でなければならないので、対象は限られる。
　③　怠る事実の違法確認請求（3号請求）。税の賦課徴収や財産管理を怠る場合等である。
　④　地方公共団体の執行機関（または職員）を被告として、地方公共団体に損害を与えた者に**損害賠償**（または**不当利得返還**）**請求することを求める請求**（4号請求）。
　このうち、④の4号請求が最もよく用いられるものであり重要である。これは、住民としては地方公共団体が違法な財務会計行為によって損害を被ったと考えており、加害者に対して損害賠償（または不当利得返還）請求をすべきであると考えているのに対し、地方公共団体がそのような損害賠償等の請求をしようとしない場合に、執行機関（または職員）を被告として、上記損害賠償等の請求をすることを求めるものである。この訴訟で住民の勝訴判決が確定すると、地方公共団体は加害者に対して損害賠償金等の支払いを請求しなければならず、60日以内に支払いがされないときは、訴訟を提起しなければならない（242条の3）。このように**2段階の訴訟**が予定されていることに注意してほしい。
　例えば、地方公共団体の長が違法な財務会計行為により地方公共団体に損

害を与えた場合、下図のように、①まず、執行機関としての長を被告として、長個人に対し賠償請求するよう求める請求をする。この訴訟が提起された場合、②長個人に対して訴訟の告知をしなければならず（242条の2第7項）、③長個人は、この訴訟に参加できる（民事訴訟法42条）とともに、判決の効力（参加的効力）を受ける（民事訴訟法46条・53条4項）。④この訴訟で住民の勝訴判決が確定すると、地方公共団体は長個人に対して損害賠償金等の支払いを請求しなければならないが、訴訟を提起するときは、利益相反を避けるため、長ではなく代表監査委員が地方公共団体を代表する（地方自治法242条の3第5項）。

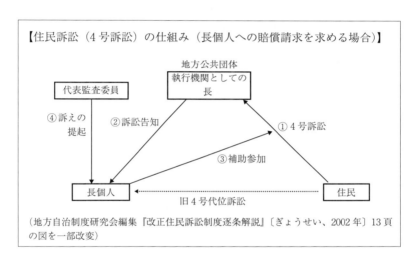

なお、2002年の法改正前は、住民が地方公共団体に代位して、直接加害者（上図では長個人）に対して損害賠償等の請求をする仕組みであった（上図の旧4号代位訴訟）。この場合、長個人や職員個人が被告として矢面に立たされることになる。これに対し、現在の仕組みでは、第1段階の訴訟では地方公共団体が矢面に立ち、長個人や職員個人はその背後に退いている。これは、長個人や職員個人の負担を軽減し、職務の萎縮を防ぐ効果があると考えられる反面、住民の側から見ると、責任追及が迂遠になるという批判もありうる。

(3) 原因行為の違法と財務会計行為の違法

住民訴訟の対象は財務会計行為に限られており、あらゆる行政活動を対象としうるわけではない。しかし、行政活動は財政支出をもたらすことが多い

から、地方公共団体の財政支出をもたらす原因行為の違法性をすべて住民訴訟で争えるとすれば、結局、ほとんど限定がなくなってしまうおそれがある。他方、原因行為の違法性を一切争えないとすると、地方財務行政の適正な運営を確保するという住民訴訟の制度趣旨に反すると考えられる。そこで、限界を画する基準が問題となる。

> **【設問2】一日校長事件**
> 東京都教育委員会は、都内の公立学校で教頭職にあった者のうち、勧奨退職に応じた29名について、1983年3月31日付で1日だけ校長に任命し、昇給させたうえで、同日に退職承認処分をした。これを受けて、東京都知事Yは、上記の29名について、昇給後の号給を基礎として算定した退職手当の支出決定を行った。これに対し、東京都の住民であるXは、本件支出決定は違法であり、東京都は、上記29名の者が教頭職のまま退職した場合の退職金支給額との差額分の損害を被ったとして、地方自治法242条の2第1項4号（2002年改正前）に基づき、Y個人に対し、東京都に代位して損害賠償を請求した。Xの請求は認められるか。

本問は、最判平成4年12月15日民集46巻9号2753頁（基判380頁、CB16-3）の事案を簡略化したものである。

平成4年判決は、4号訴訟について、「財務会計上の行為を行う権限を有する当該職員に対し、職務上の義務に違反する財務会計上の行為による当該職員の個人としての損害賠償義務の履行を求めるもの」であるから、「賠償責任を問うことができるのは、たといこれに先行する原因行為に違法事由が存する場合であっても、右原因行為を前提としてされた当該職員の行為自体が財務会計法規上の義務に違反する違法なものであるときに限られる」とした。

そして、教育委員会と地方公共団体の長との権限配分（教育行政については長から独立した機関である教育委員会の固有の権限とされ、教育行政の財政的基盤の確立については長の権限とされていること）に鑑みると、教育委員会がした人事に関する処分については、長は、上記処分が著しく合理性を欠きそのためにこれに予算執行の適正確保の見地から看過しえない瑕疵の存する場合でない限り、上記処分を尊重しその内容に応じた財務会計上の措置をとる義務があり、これを拒むことは許されないとした（本件は上記の場合に当たらないとして、請求を棄却した）。

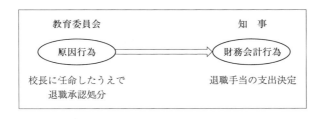

　その後に出された最判平成20年1月18日民集62巻1号1頁（丹後地区土地開発公社事件、基判380頁、百選Ⅰ92）等も踏まえると、住民訴訟において違法な原因行為を前提とする財務会計行為が違法とされるのは、以下のいずれかの場合であると解される。すなわち、①**原因行為が無効**であるとき（これは、原因行為が契約である場合に問題となる）、②当該財務会計行為の権限者が**原因行為の取消権などの是正権限**を有するとき、③**原因行為が著しく合理性を欠きそのためにこれに予算執行の適正確保の見地から看過しえない瑕疵**が存するとき、である（内野俊夫・最判解民事篇平成20年度15頁参照）。

(4) 住民訴訟の対象とされている損害賠償請求権等の放棄の適法性

　住民訴訟の対象とされている損害賠償請求権または不当利得返還請求権を議会の議決により放棄する例が相次ぎ、住民訴訟制度を骨抜きにするものであって違法ではないか等の議論が高まった。この問題について、最判平成24年4月20日民集66巻6号2583頁（基判381頁、CB16-6）は、次のように判断した。すなわち、地方自治法96条1項10号は、債権放棄の実体的要件を制限していないから、その適否の実体的判断は、選挙を通じて選出された議員から成る議決機関である**議会の裁量権**に基本的に委ねられている。もっとも、住民訴訟の対象とされている損害賠償請求権または不当利得返還請求権を放棄する旨の議決がされた場合、個々の事案ごとに、①当該請求権の発生原因である財務会計行為等の性質、内容、原因、経緯および影響、②当該議決の趣旨および経緯、③当該請求権の放棄または行使の影響、④住民訴訟の係属の有無および経緯、⑤事後の状況その他の諸般の事情を総合考慮して、**これを放棄することが普通地方公共団体の民主的かつ実効的な行政運営の確保を旨とする地方自治法の趣旨等に照らして不合理であって議会の裁量権の範囲の逸脱・濫用に当たるときは、その議決は違法となり、当該放棄は無効と**なる。そして、上記①については、その**違法事由の性格**や当該職員または当該支出等を受けた者の**帰責性**が考慮される。

上記のような議会による請求権放棄が行われる背景には、職務を行うにつき軽過失の場合にも、違法な財務会計行為と相当因果関係が認められる損害の全額について、長個人や職員個人に賠償請求することは、個人責任として過酷な場合があるという問題があった。そこで、2017年の法改正で、条例において、長や職員等の地方公共団体に対する賠償責任について、その職務を行うにつき**善意**でかつ**重大な過失**がないときは、**賠償責任額を限定**してそれ以上の額を免責する旨を定めることができることとされた（地方自治法243条の2第1項。条例で定める場合の免責に関する参酌基準および責任の下限額は、政令で定められる）。他方、議会による請求権放棄が客観的かつ合理的に行われることに資するため、議会は、請求権放棄に関する議決をしようとするときは、あらかじめ監査委員の意見を聴かなければならないこととされた（地方自治法242条10項）。

第25講　国家賠償(1)

◆学習のポイント◆
1　国賠法1条の基本構造について、民法715条の使用者責任と比較しつつ理解するとともに、「国又は公共団体」・「公権力の行使」（広義説）、「公務員」（加害行為者の特定の問題を含む）、「その職務を行うについて」（外形標準説）の各要件の意味を理解する。
2　国賠法1条の違法性の要件について、抗告訴訟における違法性（根拠規範・規制規範違反）と同一（違法性同一説）か、異なる（違法性相対説・職務行為基準説）か、また、違法性と過失の要件の関係について、二元的に判断されるか、一元的に判断されるか、という見解の対立の具体的な意味を理解する。

1　国賠法1条の基本構造

【設問1】国賠法と使用者責任の比較、公権力の行使
(1)　甲市の設置する中学校の教諭Pによって体罰を加えられ負傷した生徒Aは、どのような法的救済を受けることができるか。
(2)　学校法人乙の設置する中学校の教諭Qによって体罰を加えられ負傷した生徒Bの場合は、どうか。AとBとで、受けられる法的救済に差はあるか。

(1)　国賠法1条の基本構造――民法上の使用者責任との比較

国賠法1条1項は、「国又は公共団体の公権力の行使に当る公務員が、その職務を行うについて、故意又は過失によって違法に他人に損害を加えたときは、国又は公共団体が、これを賠償する責に任ずる」と規定する。これは、明治憲法の下でとられていた主権無答責の法理を否定する憲法17条に基づくものである。

類似の制度として、民法715条に基づく使用者責任がある。両者の違いは、次のとおりである。

①　使用者免責（民法715条1項ただし書）の規定が国賠法にはないこと。

ただし、民法715条について使用者免責が認められることはほとんどないとされている。

② 国賠法1条2項は、求償権行使の要件を故意または重過失の場合に限定しているのに対し、民法715条3項は、そのような限定をしていないこと。ただし、民法715条3項による求償権は、判例・学説上、限定的に解されている。

③ 国賠法1条が適用されるときには**公務員個人**は**被害者**に対し**直接責任を負わない**とするのが確立した判例である（最判昭和30年4月19日民集9巻5号534頁、基判412頁、百選Ⅱ228）のに対し、民法によると、加害者本人に対して709条に基づく賠償請求が可能であること。

④ 外国人が被害者である場合、国賠法上は相互保証主義（6条）が適用されるのに対し、民法にはそのような規定はないこと。

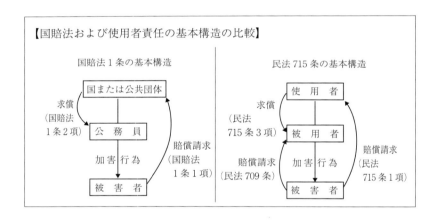

【国賠法および使用者責任の基本構造の比較】

このように、国賠法1条と民法715条の法効果は近似化しており、加害者である公務員にとっては上記③の点が重要な違いであるものの、被害者救済という観点からは、両制度はかなりの程度共通しているということができる。

本問について見ると、【設問1】(2)については、Bは乙に対し民法715条に基づく使用者責任を追及しうるとともに、Qに対し民法709条に基づき損害賠償を請求しうる。これに対し、【設問1】(1)のAについては、公立学校における教育活動が国賠法1条1項にいう「公権力の行使」に当たるとすれば国賠法、当たらないとすれば民法が適用されるので、この点につき、次項で検討する。

(2) 「国又は公共団体」・「公権力の行使」
―― 民法上の使用者責任との振り分け

　国賠法1条1項にいう「公権力の行使」の意義については、①国・公共団体のすべての活動を含むとする最広義説、②国・公共団体の私経済作用および国賠法2条の対象を除くすべての活動を含む（したがって、学校の教育活動、行政指導等の非権力的行為を含む）とする広義説、③命令、強制等の伝統的な権力作用に限定する狭義説がある。

　判例は、**広義説**を採用していると解される。すなわち、公立学校における教育活動（最判昭和62年2月6日判時1232号100頁、基判412頁、百選Ⅱ209）、宅地開発指導要綱に基づき負担金の納付を求める行為（最判平成5年2月18日民集47巻2号574頁、基判125頁、百選Ⅰ95、CB5-5。→165頁）、税法上の特例の適用に関する誤った教示・行政指導（最判平成22年4月20日裁判集民234号63頁）につき、国賠法1条1項にいう「公権力の行使」に当たるとしている。

　そこで、【設問1】(1)につき、判例に従うと、Pの行為は国賠法1条1項にいう「公権力の行使」に当たり、Aは同項に基づき甲市に損害賠償請求できるが、Pに対しては賠償請求できない（上述(1)③）。したがって、加害者本人に対する賠償請求の可否について、【設問1】(2)のBの場合と異なることになる。

　このように、広義説をとった場合、教育活動という行為の性質は共通しているのに、設置者が公共団体か否かによって国賠法の適用の有無が左右されることになる。すなわち、ここでは、国賠法1条1項の「国又は公共団体」という要件が、国賠法と民法との振り分けにおいて独自の意味をもつ（塩野・行政法Ⅱ320頁、宇賀・概説Ⅱ444頁）。

　なお、上記の場合とは逆に、国または地方公共団体以外の団体（の職員）に法令上「公権力の行使」が認められ、その限りで当該団体が「公共団体」と認められることはありうる（塩野・行政法Ⅱ320頁）。

(3) 「公務員」

　国賠法1条1項にいう「公務員」は、公務員法上の公務員に限定されず、「公権力の行使」を委ねられた者を意味する。したがって、国または地方公共団体以外の団体の職員に「公権力の行使」の権限が与えられている場合には、その限りで、国賠法上の「公務員」として扱われる（→439頁）。

　また、次のように、加害行為をした公務員の特定が問題となる場合がある。

【設問2】加害行為者および加害行為の特定
　税務署職員Xは、税務署長が実施した定期健康診断の一環として胸部エックス線撮影による検診を受けたところ、Xが初期の肺結核に罹患していることを示す陰影があった。しかし、Xは、税務署長から何ら指示を受けなかったため、従来どおり職務に従事した結果、1年後に結核罹患が判明するまでの間に病状が悪化し、長期療養を余儀なくされた。上記検診は、税務署長の甲県保健所への嘱託に基づき、甲県の職員である同保健所勤務の医師によって行われたものであった。また、上記健康診断後Xが適切な指示を受けなかった原因は、読影にあたった医師が陰影を見落としたか、陰影の存在を報告することを怠ったか、税務署の健康管理担当の職員が報告を受けたにもかかわらずとるべき措置をとらなかったかのいずれかであることは判明したが、そのうちのいずれであるかは不明である。Xは、国賠法上の救済を受けることができるか。

　本問は、最判昭和57年4月1日民集36巻4号519頁（基判412頁、百選Ⅱ224、CB18-4）をモデルとしている。

　加害行為者および加害行為の特定につき、上記判決は、「国又は公共団体の公務員による一連の職務上の行為の過程において他人に被害を生ぜしめた場合において、それが具体的にどの公務員のどのような違法行為によるものであるかを特定することができなくても、右の**一連の行為のうちのいずれかに行為者の故意又は過失による違法行為**があったのでなければ右の被害が生ずることはなかったであろうと認められ、かつ、それがどの行為であるにせよこれによる被害につき行為者の属する国又は公共団体が法律上賠償の責任を負うべき関係が存在するときは、国又は公共団体は、加害行為不特定の故をもって国家賠償法又は民法上の損害賠償責任を免れることができない」としている。

　学説上は、国賠法1条の責任の性質につき、**代位責任説**（第一次的には公務員個人が負っている責任を国または公共団体が代位するという考え方）をとるか、**自己責任説**（公務員は国または公共団体の手足として行動したにすぎず、国または公共団体自身が第一次的な責任を負うという考え方）をとるかによって説明が異なりうるが、結論としては、上記判例の見解が概ね支持されている。その意味で、両説の対立は、この問題の結論に影響するわけではないと解される。最高裁は、いずれの立場に立つかを明示していない。

　　＊　最判令和2年7月14日民集74巻4号1305頁（基判421頁、百選Ⅱ229）は、複数の公務員が共同して加害行為を行い、その損害を国または公共団体が

賠償した場合に、当該公務員らが国賠法1条2項により国または公共団体に対して負う**求償債務**について、原審が代位責任説の立場から分割債務と解したのを否定し、**連帯債務**であるとした。その際、最高裁は、代位責任説と自己責任説のいずれをとるかには言及せず、宇賀克也裁判官の補足意見は、両説が解釈論上の意義をほとんど失っており、いずれの説をとっても連帯債務と解すべきことを指摘している。

ただし、上掲昭和57年判決は、「この法理が肯定されるのは、それらの一連の行為を組成する各行為のいずれもが国又は同一の公共団体の公務員の職務上の行為にあたる場合に限られ、一部にこれに該当しない行為が含まれている場合には、もとより右の法理は妥当しない」としている。これは、責任の所在を明確化するためと解される。

そして、本件については、医師による検診は甲県保健所の業務としてされたものであって、同医師が国の機関ないし補助者として検診をしたとは解されないとした。したがって、原因が甲県の公務員（甲県保健所の医師）の行為か国の公務員（税務署の健康管理担当職員）の行為かが判明しない以上、甲県も国も賠償責任を負わない。この点については、税務署長が健康診断の際に検診を保健所に委嘱するかどうかは内部事情であり、被害者との関係では、健康診断という一連の行為は包括的に国の公権力の行使と見るべきであるとの批判がある（阿部・国家補償法82頁）。

(4) 「その職務を行うについて」

> **【設問3】外形標準説**
> 警視庁の巡査Aは、生活費に窮した結果、職務行為を装って金を奪うことを企て、非番の日に制服・制帽を着用し、同僚の巡査から盗んだ拳銃を携帯のうえ、神奈川県へ赴いた。Aは、Bを呼び止めて所持品検査を行い、Bにスリの嫌疑をかけて交番に連行し、所持金を預かって逃走しようとしたが、声を立てられたので、Bを拳銃で撃って死亡させた。Bの遺族であるXは、どのような法的救済を求めることができるか。

本問は、最判昭和31年11月30日民集10巻11号1502頁（基判413頁、百選Ⅱ223、CB18-1）をモデルとしている。

上記判決は、国賠法1条は「公務員が主観的に権限行使の意思をもってする場合にかぎらず自己の利をはかる意図をもってする場合でも、**客観的に職務執行の外形をそなえる行為**をしてこれによって、他人に損害を加えた場合には、国又は公共団体に損害賠償の責を負わしめて、ひろく国民の権益を擁

護することをもって、その立法の趣旨とする」として（**外形標準説**）、東京都の賠償責任を認めた。

　この判決の結論については、被害者救済の観点から支持しうるが、理論的根拠や具体的判断基準が示されていないこと、および事案の特殊性から、判決の射程については明確でないとの指摘がされている（塩野・行政法Ⅱ350頁）。本件で、Aが職務質問を装わずにいきなりBを射殺した場合には、相手方の信頼保護を理由とする外形標準説は適用されないとも解される。また、外形標準説は、「その職務を行うについて」に当たるための基準であって、「公権力の行使に当る公務員」に当たるための基準ではないから、警察官でない者が警察官の制服・制帽を着用し、警察官から盗んだ拳銃を用いて犯行に及んだとしても、外形標準説は適用されない。そのような場合まで視野に入れると、本件で東京都に賠償責任を負わせる法的根拠は、外形標準説ではなく、盗まれた拳銃の管理責任に求めるべきであったとも考えられる（宇賀・概説Ⅱ447頁）。

　なお、国賠法1条が適用される場合、加害者である公務員個人は被害者に対して賠償責任を負わないのが原則であるが（→418頁）、被害者救済のために外形標準説により同条の適用範囲が拡大された部分に関しては、公務の萎縮を防ぐという公務員個人の免責の趣旨が及ばないから、公務員個人も賠償責任を負うと解すべきである（塩野・行政法Ⅱ354頁）。したがって、本問で、XはAに対しても賠償請求しうる。

2　国賠法1条の違法性と過失
　　　──抗告訴訟における違法性との比較

　国賠法上の違法性については、抗告訴訟における違法性、すなわち国や地方公共団体等の機関が作用の根拠規範・規制規範に違反したこと（公権力発動要件の欠如）という意味での違法性と、同一なのか異なるのかが問題となる。また、それと関連して、国賠法上の違法性と過失とは、別個の要件として別々に判断されるのか、それとも、判断要素が同一ないし重なり合うものとして、一元的に判断されるのかも問題となる。

　この問題に関する最高裁判例は、まず、警察官・検察官による逮捕・起訴、裁判官による裁判、国会議員による立法といった、一般の行政処分とは異なる特殊な行為に関するものが先行し、その後、一般の行政処分に関する判例が展開した。そこで、以下でもその順序で検討する。

(1) 逮捕・起訴、裁判、立法と国賠法上の違法性

【設問4】
次の各場合に、検察官、裁判官および国会議員の行為は、それぞれ国賠法上違法と認められるか。また、どのような要件を満たせば違法と認められるか。
(1) 刑事事件において被告人Ａの無罪判決が確定した後、当該事件につき公訴を提起した検察官の行為は違法であったとして、Ａが国家賠償を請求した場合
(2) Ｂが民事訴訟で敗訴判決を受け、上訴せずに判決が確定した後、当該判決における法解釈の誤りに気づき、当該裁判をした裁判官の行為は違法であったとして、国家賠償を請求した場合
(3) 国会議員が在外国民に選挙権を認める立法を怠ったことは憲法違反であり違法であるとして、投票を認められなかった在外国民Ｃが国家賠償を請求した場合

逮捕・起訴、裁判、立法といった、一般の行政処分とは異なる特殊な行為については、そもそも国賠法が適用されるか否かが問題となりうるが、最高裁は、これらの行為にも国賠法が適用されることを前提としつつ、以下のとおり、それぞれの行為の特殊性に応じた限定を加えている。

ア　逮捕・起訴

最判昭和53年10月20日民集32巻7号1367頁（基判413頁、百選Ⅱ222、CB18-2）は、「刑事事件において無罪の判決が確定したというだけで直ちに起訴前の逮捕・勾留、公訴の提起・追行……が違法となるということはない。けだし、逮捕・勾留はその時点において犯罪の嫌疑について相当な理由があり、かつ、必要性が認められるかぎりは適法であり、……起訴時あるいは公訴追行時における検察官の心証は、その性質上、判決時における裁判官の心証と異なり、起訴時あるいは公訴追行時における各種の証拠資料を総合勘案して合理的な判断過程により有罪と認められる嫌疑があれば足りるものと解するのが相当であるからである」としている。

この判決については、公務員の職務上の注意義務違反を国賠法上の違法性の基準とする**職務行為基準説**を最高裁がとった先例と理解されることがある。しかし、もともと客観的に罪を犯したことは逮捕・起訴の要件とされていない（逮捕の要件は、刑事訴訟法199条1項により、「被疑者が罪を犯したことを疑うに足りる相当な理由があるとき」とされている）から、公権力発動要件の欠如と国賠法上の違法性（公務員の職務上の注意義務違反）とを別

個のものと捉えるという意味での職務行為基準説（→後述426頁）をとったわけではないと解される（宇賀・概説Ⅱ453頁）。

イ　裁　判

最判昭和57年3月12日民集36巻3号329頁（基判414頁、百選Ⅱ221）は、「裁判官がした争訟の裁判に上訴等の訴訟法上の救済方法によって是正されるべき瑕疵が存在したとしても、これによって当然に国家賠償法1条1項の規定にいう違法な行為があったものとして国の損害賠償責任の問題が生ずるわけのものではなく、右責任が肯定されるためには、当該裁判官が違法又は不当な目的をもって裁判をしたなど、裁判官がその付与された権限の趣旨に明らかに背いてこれを行使したものと認めうるような特別の事情があることを必要とする」とした。この判決は、**上訴等による瑕疵の是正が制度上予定されている**という裁判作用の特質に着目して、国賠法上の違法を特に限定したものと解される。

ウ　立　法

最判昭和60年11月21日民集39巻7号1512頁（在宅投票制度廃止事件、基判414頁）は、①「国家賠償法1条1項は、国又は公共団体の公権力の行使に当たる**公務員が個別の国民**に対して**負担する職務上の法的義務に違背**して当該国民に損害を加えたときに、国又は公共団体がこれを賠償する責に任ずることを規定するものである。したがって、国会議員の立法行為（立法不作為を含む。以下同じ。）が同項の適用上違法となるかどうかは、国会議員の立法過程における行動が個別の国民に対して負う職務上の法的義務に違背したかどうかの問題であって、当該立法の内容の違憲性の問題とは区別されるべき」であるとの判断を前提として、②「国会議員は、立法に関しては、原則として、国民全体に対する関係で政治的責任を負うにとどまり、個別の国民の権利に対応した関係での法的義務を負うものではないというべきであって、国会議員の立法行為は、立法の内容が憲法の一義的な文言に違反しているにもかかわらず国会があえて当該立法を行うというごとき、容易に想定し難いような例外的な場合でない限り、国家賠償法1条1項の規定の適用上、違法の評価を受けない」とした。

最大判平成17年9月14日民集59巻7号2087頁（在外国民選挙権事件、基判414頁、百選Ⅱ202、CB16-5。→408頁）は、上記①の判断を踏襲したうえで、上記②の基準に代えて、「**立法の内容又は立法不作為が国民に憲法上保障されている権利を違法に侵害するものであることが明白な場合や、国民に憲法上保障されている権利行使の機会を確保するために所要の立法措置を執**

ることが必要不可欠であり、それが明白であるにもかかわらず、国会が正当な理由なく長期にわたってこれを怠る場合などには、例外的に」、国会議員の立法行為は国賠法上違法になるとの基準を立てた。この判示は、上掲昭和60年判決と「異なる趣旨をいうものではない」とされているが、実質的には、立法行為が国賠法上違法とされる余地を拡大したものと解される（当該事案においては、上記の例外的な場合に当たるとして、各人に対し慰謝料5,000円の支払いを命じた）。

最大判平成27年12月16日民集69巻8号2427頁（基判414頁）は、女性について6カ月の再婚禁止期間を定めていた民法733条1項の規定について、100日を超過する部分を憲法違反としつつ、国賠法1条1項の適用上は、上掲昭和60年判決および上掲平成17年判決の判断枠組みに従い、憲法違反が明白であるにもかかわらず国会が正当な理由なく長期にわたって改廃等の立法措置を怠っていたとは評価できないから、当該立法不作為は違法の評価を受けないとした（→基本憲法I 318頁コラム）。

最大判令和4年5月25日民集76巻4号711頁（在外日本人国民審査権事件、基判415頁。→本書409頁）は、最高裁判所裁判官の国民審査において審査権を行使できなかった在外国民に対し、上掲最大判平成17年9月14日の判断枠組みに従い、慰謝料5,000円の支払いを命じた。

(2) 一般の行政処分と国賠法上の違法性・過失
ア　行政機関による事実認定の誤りと国賠法上の違法性

【設問5】所得金額を過大に認定した更正処分と国賠法上の違法性
　商品包装用などの紙箱の製造業者であるXは、1973年分の事業所得につき、所得金額を100万円（収入金額500万円、売上原価その他の必要経費400万円）とする確定申告をした。これに対し、税務署長Aの命を受けた税務職員らは、所得税の調査のため、数回にわたってX方に赴き、申告書記載以外の収入が発覚していることを告知して、帳簿書類等の提示を求めたが、Xがこれを拒否したため、調査を行うことができなかった。
　そこで、Aは、Xの得意先や取引銀行を反面調査して、Xの同年分の収入金額を1,000万円と把握し、そこからXが提出した申告書記載の必要経費（400万円）を控除して、Xの同年分の所得金額を600万円とする更正処分（本件更正処分）をした。
　Xは、これを不服として、本件更正処分の取消訴訟を提起した。同訴訟において、Xの1973年分の収入金額は1,000万円と認定されたが、同年分の必要経費について、Xが新たに提出した実額の証拠資料が採用されて、800万円と認定されたため、Xの同年分の所得金額につき200万円を超える部分の本件更

> 正処分を取り消す旨の判決が出され、同判決は確定した。
> そこで、Xは、本件更正処分は、収入が増加していれば売上原価その他の必要経費も増加するのが当然なのに、これを故意または過失によって考慮しなかった違法なものであると主張し、慰謝料、営業上の信用毀損による損害および弁護士費用について、国に損害賠償請求した。Aが本件更正処分をしたことは、国賠法上違法と認められるか。

本問は、最判平成5年3月11日民集47巻4号2863頁（基判386頁、百選Ⅱ213、CB18-8）をモデルとしている。

本件では、取消訴訟において、本件更正処分が所得税法に反する（所得税法に規定する課税要件を満たさない）違法な処分であることが確定している。問題は、Aがそのような違法な更正処分をしたことが、直ちに国賠法上違法と評価されるかである。

この点につき、上掲平成5年判決は、「税務署長のする所得税の更正は、所得金額を過大に認定していたとしても、そのことから直ちに国家賠償法1条1項にいう違法があったとの評価を受けるものではなく、税務署長が資料を収集し、これに基づき課税要件事実を認定、判断する上において、**職務上通常尽くすべき注意義務を尽くすことなく漫然と**更正をしたと認め得るような事情がある場合に限り、右の評価を受ける」としている。

そして、納税義務者は収入金額および必要経費の正確な申告を義務付けられていること、納税義務者が必要経費に係る資料を整えておくことは困難ではなく、しかも、必要経費は納税義務者に有利な課税要件事実であることから、納税義務者において税務署長の行う調査に協力せず、資料等によって申告書記載の必要経費が過少であることを明らかにしない以上、特段の事情のない限り、税務署長が申告書記載の金額を採用して必要経費を認定することは何ら違法ではないとし、当該事案において、税務署長がその職務上通常尽くすべき注意義務を尽くすことなく漫然と更正をした事情は認められないから、国賠法にいう違法があったとはいえないとした。

この判決は、抗告訴訟における処分の違法性、すなわち処分が根拠規範または規制規範に違反する（公権力発動要件の欠如）という意味での違法性と、国賠法上の違法性とは同一ではないとする**違法性相対説**に立ち、かつ、国賠法上の違法性の判断基準につき、職務上の注意義務違反を基準とする**職務行為基準説**をとるものと解される（井上繁規・最判解民事篇平成5年度(上)377頁）。

(1)(→423頁以下)で見た判例については、逮捕・起訴、裁判、立法という、それぞれの行為の特殊性に応じた判断であるとも解されるが、上掲平成5年判決は、典型的な行政処分である租税更正処分について、違法性相対説・職務行為基準説をとったことが注目される。

これに対し、有力反対説は、一般の行政処分については、公権力発動要件の欠如をもって国賠法上の違法と解したうえで(公権力発動要件欠如説)、公務員の注意義務違反については違法性ではなく過失の問題として処理すべきであるとする(→429頁)。

イ　行政機関による法解釈の誤りと国賠法上の違法性

> 【設問6】住民票続柄記載国賠事件
> 　Aは、婚姻の届出をせず事実婚を選択している夫婦であるB(母)およびC(父)の間に出生した。1994年10月1日、Aの出生届の通知を受けた甲市長は、職権で、Bの世帯票にAを記載する際、世帯主であるBとの続柄を「子」と記載した。これは、国が定めた住民基本台帳事務処理要領で、嫡出子については「長男(女)、二男(女)、三男(女)」の例によって記載し、非嫡出子については「子」と記載することとされていたのに従ったものである。これに対し、このような記載方法は憲法14条等に違反する違法なものであるとして、AおよびBは、甲市長に対してAの住民票の世帯主との続柄欄の記載処分の取消しを求める(本件取消訴訟)とともに、甲市に対して損害賠償を求めた(本件国賠訴訟)。その後、上記事務処理要領が改正され、1995年3月1日から、住民票における世帯主との続柄は、嫡出子であると認知された非嫡出子であるとを問わず、いずれも「子」と記載されることに改められた。本件取消訴訟および本件国賠訴訟について、裁判所はどのように判断すべきか。

本問は、最判平成11年1月21日判時1675号48頁(基判415頁、CB18-9)をモデルとしている。

まず、本件取消訴訟について、上掲平成11年判決は、住民票に特定の住民の氏名を記載する行為は、選挙人名簿への登録を決定づけるから処分に当たるのに対し、続柄の記載は法的効果を有しないから、処分に当たらないとして、訴えを却下した。なお、原審の東京高判平成7年3月22日判時1529号29頁は、続柄の記載の処分性を認めたが、上記事務処理要領の改正により、取消しの利益が失われたとした。

次に、本件国賠訴訟について、上掲平成11年判決は、上掲最判平成5年3月11日(→426頁)を引用して職務行為基準説に立つことを確認したうえで、

国によって定められた事務処理要領が明らかに法令の解釈を誤っているなど特段の事情がない限り、市長はこれに従うべきところ、住民票においても戸籍と同様に嫡出子と非嫡出子とを区別して続柄の記載をするという定めが明らかに住民基本台帳法の解釈を誤っているとはいえないとして、国賠法上の違法性を否定した。

このような判断方法がとられた結果、**裁判所の審査は、本件記載が明らかに住民基本台帳法の解釈を誤っているか否かに限定され**、それ以上に本件記載の同法違反（さらには憲法違反）について踏み込んだ判断はされていない。これに対し、国賠訴訟の違法状態排除機能を重視する立場からは、公権力発動要件欠如説に立って本件記載の住民基本台帳法違反そのものについて判断すべきであったとの批判がなされうる（→後述エ）。

* ただし、本件に関しては、問題となった記載方法は、本件判決時には既に改められていたので、今後に向けた違法状態排除は問題にならない事案であった。最高裁が踏み込んだ判断を避けたのは、そのような事情を考慮したからかもしれない。

ウ　検討――職務行為基準説（違法性相対説）と公権力発動要件欠如説（違法性同一説）

上記アおよびイで見たように、最高裁判例は、国賠法上の違法性について、基本的に、**違法性相対説・職務行為基準説**に立っていると解される。最判平成20年2月19日民集62巻2号445頁（メイプルソープ事件）も、関税定率法に基づく輸入禁制品該当通知について、取消請求を認容する一方で、職務行為基準説に立ち、国賠法上の違法性を否定した。最判平成19年11月1日民集61巻8号2733頁（基判415頁、百選Ⅱ214）も職務行為基準説をとったが、問題となった402号通達は、一旦健康管理手当等の受給権を取得した被爆者が日本国外に居住地を移した場合に、受給権が失権するという重大な結果を伴うことから、相当程度慎重な検討を行うべき職務上の注意義務があったとして、同通達の発出とそれに従った取扱いは国賠法上違法であるとした。

職務行為基準説においては、職務上の注意義務違反が国賠法上の違法性の要件とされているため、国賠法上の**違法性と過失が一元的に審査**されることになる。これは、**民法不法行為法**において、違法性（民法709条にいう「権利又は法律上保護される利益」の侵害）と過失の要件が一元的に判断される傾向にあるのと共通の考え方であると解される。

これに対し、学説上有力な見解は、抗告訴訟における違法性と国賠訴訟に

おける違法性を同一のものと捉え(**違法性同一説**)、公権力発動要件の欠如をもって国賠法上の違法と解したうえで(**公権力発動要件欠如説**)、公務員の注意義務違反については違法性ではなく過失の問題として処理すべきである(**違法性と過失の二元的審査**)とする(塩野・行政法Ⅱ341頁、宇賀・概説Ⅱ472頁)。この見解によると、公権力発動要件が欠如しているが職務上の注意義務違反は認められない場合、国賠法上「**違法だが過失がない**」と判断されることになり、賠償請求は棄却されても判決理由中に処分の違法性が示されることによって、**国賠制度の違法行為抑止・違法状態排除機能**が発揮されることが企図されている。

　最高裁判決においても、その後の行政決定一般に関わるような場合には、「違法だが過失がない」という判断方法がとられる例がある。最判平成3年7月9日民集45巻6号1049頁(基判416頁、百選Ⅰ45、CB1-4。→155頁、基本憲法Ⅰ44頁)は、14歳未満の者には在監者との接見を原則として許さない旨を定めていた監獄法施行規則について、法律の委任の範囲を超えて無効であり、これに基づく接見不許可処分は違法であるとしたが、同施行規則の有効性につき、それまで実務上も裁判上も問題とされたことがなく、同施行規則が法律の委任の範囲を超えることが当該法令の執行者にとって容易に理解可能であったとはいえないから、監獄所長には過失がなかったとした。この判決については、賠償請求が棄却されたという結論においては原告敗訴を意味するが、判決理由中で無効と判断された監獄法施行規則の規定は、その後速やかに削除されており、国賠訴訟の違法状態排除機能が発揮された事案といえる。

　また、最判平成16年1月15日民集58巻1号226頁(基判416頁、CB18-10)は、在留資格を有しない外国人には国民健康保険被保険者資格がないという法解釈を前提とした、被保険者証交付拒否処分について、一定の場合には被保険者資格が認められると解すべきであり、処分は違法であるとしたが、「ある事項に関する法律解釈につき異なる見解が対立し、実務上の取扱いも分かれていて、そのいずれについても相当の根拠が認められる場合に、公務員がその一方の見解を正当と解しこれに立脚して公務を遂行したときは、後にその執行が違法と判断されたからといって、直ちに上記公務員に過失があったものとすることは相当ではない」として、処分をした担当者の過失を否定した。この判決も、違法と過失の二元的判断により、その後の違法な行政活動の是正に資するとともに、法解釈が分かれる場合の過失の認定のあり方を示すものとして、注目される。

* 上掲平成3年判決および上掲平成16年判決は、いずれも、「国賠法上の」違法性を判断したと明示しているわけではないが、違法性と過失を二元的に判断している点、および、職務上の注意義務違反を国賠法上の違法性ではなく過失の問題としている点において、職務行為基準説をとる他の判例と異なっている。

【国賠法上の違法性・過失の位置づけ——抗告訴訟および民法不法行為法との比較】

訴訟の種類 要件	抗告訴訟	国家賠償訴訟		民法不法行為法 （損害賠償訴訟）
		公権力発動要件欠如説 （違法性同一説）	職務行為基準説 （違法性相対説）	
①公権力発動要件の欠如（根拠規範・規制規範違反）	違法性	違法性	判断示されず	
②公務員（加害者）の注意義務違反		過失	違法性・過失の一元的判断	違法性・過失の一元的判断

エ　まとめ——両説の違い

　以上に見た、判例の基本的立場である職務行為基準説（違法性相対説）と、有力反対説である公権力発動要件欠如説（違法性同一説）とで、国賠法上の違法性および過失の要件認定において、それぞれ何が判断されているのか、そして、それぞれの要件と抗告訴訟における違法性および民法不法行為法における違法性・過失の要件とがどのように対応しているかをまとめたのが、上の図である。

　公権力発動要件欠如説においては、①国賠法上の違法性要件において、**抗告訴訟における違法性と同様に（違法性同一説）**、公権力発動要件の欠如（行政作用の根拠規範・規制規範違反）が判断され、②国賠法上の過失要件において、公務員の職務上の注意義務違反について判断される（国賠法上の**違法性・過失の二元的判断**）。これは、国賠訴訟の有する、**法治国原理の担保という行政救済制度としての側面（抗告訴訟との共通性）**を重視する見解である。

　これに対し、**職務行為基準説**においては、①公権力発動要件の欠如については、国賠訴訟では直接判断されず、②公務員の職務上の注意義務違反が、国賠法上の違法性要件において判断される（その意味で、**抗告訴訟における違法性と国賠訴訟における違法性とが一致しない＝違法性相対説**）と同時に、それが国賠法上の過失の問題としても位置づけられる（国賠法上の**違法性・過失の一元的判断**）。これは、国賠訴訟の有する、**損害の公平な填補と**

いう**損害賠償制度としての側面（民法不法行為法との共通性）を重視する見解**であると解される。

　ただし、職務行為基準説においても、②の職務上の注意義務違反が認められて国賠法上違法と判断される場合には、①の抗告訴訟における違法性も認められることが前提になっていると解される。抗告訴訟における違法性が認められない場合には、それによって権利利益の侵害が生じても、相手方は、損失補償請求権を有する場合を除き、これを受忍しなければならないと解され、国賠法上違法とされることはないと考えられるからである（塩野・行政法Ⅱ339～340頁）。

　結局、両説の違いは、①公権力発動要件の欠如は認められるが②職務上の注意義務違反は認められない場合に、公権力発動要件欠如説では「**国賠法上、違法だが過失がない**」と判断されるのに対し、職務行為基準説では、「**（抗告訴訟において違法かどうかはともかく）国賠法上は違法でない**」と判断されるという点にある。そして、【設問6】（住民票続柄記載国賠事件、→427頁）のように、抗告訴訟の訴訟要件が満たされず公権力発動要件の欠如について判断される機会がない場合、国賠訴訟において「違法だが過失がない」と判断される（当該事案で原審の上掲東京高判平成7年3月22日は、そのように判断した）のと、「（抗告訴訟において違法かどうかはともかく）国賠法上は違法でない」と判断されるのとでは、結論は同じであるとしても、**判決理由中に裁判所による違法性判断が示されるか否かという点において、大きな違いがある**。公権力発動要件欠如説の狙いは、そのような場合に、判決理由中に処分の違法性判断を示させる点にある（宇賀・概説Ⅱ472頁）。

第26講　国家賠償(2)

◆学習のポイント◆
1 規制権限不行使が国賠法上違法となるための要件について、具体例に即して理解する。
2 公私協働の仕組みにおける国賠法上の責任主体について、具体例に即して理解する。
3 国賠法2条の営造物の設置管理の瑕疵がどのような場合に認められるかについて、道路・河川・その他の営造物の3つに分けて理解する。
4 費用負担者の賠償責任（3条）、民法の適用（4条）、他の法律の適用（5条）および相互保証主義（6条）について、概要を理解する。

1 規制権限不行使の違法性

(1) 宅建業法事件——リーディングケース

【設問1】
　A社は、1972年10月、Y県知事から宅地建物取引業法（以下「宅建業法」という）に基づいて宅建業者の免許を受け、1975年10月、免許の更新を受けた。
　しかし、実質上の経営者であるBは、当時、宅建業法違反による刑事訴追中で、免許更新が行われたのはその執行猶予中であり、免許更新の欠格事由（宅建業法5条1項3号）に該当していた。
　Bは、他人所有の土地建物を取得して購入者に移転できる可能性はないのに、これをA社所有の建売住宅として売り出し、1976年9月、その旨を信じたXに売却して代金の支払いを受けた。しかし、A社はこれを他に流用したため、Xは本件土地建物の所有権を取得できなかった。
　A社の取引に関する苦情の申出は、上記免許更新直前の1975年9月にあったのが最初であるが、同免許更新後も苦情が相次いだため、Y県の担当職員

> は、A社と被害者との交渉の経過を見守りながら被害者救済の可能性を模索しつつ行政指導を続けた。しかし、救済の実現が危ぶまれるうえに新たな苦情も続いたため、1977年4月に至り、Y県知事は、宅建業法66条に基づきA社の免許を取り消した。
> 　Xは、知事がA社に免許を付与し更新したこと、および、業務の停止や免許の取消しをしなかったことによって損害を被ったとして、Y県に対し賠償請求した。Xの請求は認められるか。

　本問は、最判平成元年11月24日民集43巻10号1169頁（基判394頁、百選Ⅱ216、CB18-5、以下「宅建業法事件最判」という）をモデルとしている。

　本件は、下図のように典型的な三面関係の事案である。被害者は直接の加害者（本件ではA社）に対して賠償請求しうることはいうまでもないが、加害者が無資力である等の理由で十分な救済を受けられないことも多いので、行政機関が規制権限を適切に行使しなかったことを理由として、国または公共団体に対して賠償請求できないかが問題となる。

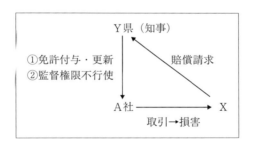

ア　免許の付与・更新——根拠法令の保護範囲の問題

　本件の免許更新は、宅建業法の定める欠格事由に該当しているにもかかわらずなされたのであるから、**公権力発動要件の欠如**という**意味で違法**であることは明らかである。しかし、判例は、基本的に**違法性相対説**に立っており（→426頁）、かつ、国賠法1条の違法性を、公務員が個別の国民に対して負担する職務上の法的義務に違背することと捉えている（最判昭和60年11月21日民集39巻7号1512頁〔基判414頁〕。→424頁）ため、本件免許更新がXとの関係で国賠法上違法となるかを検討する。

　この点につき、宅建業法事件最判は、次のように述べて、国賠法上の違法性を否定した。すなわち、宅建業の免許制度の趣旨は、直接的には、宅地建物の取引の公正を確保し、宅地建物の円滑な流通を図るところにある。もっ

第26講　国家賠償(2)　433

とも、宅建業法は、取引関係者の利益の保護を顧慮した規定を置いており、免許制度も、究極的には取引関係者の利益保護に資するが、前記のような趣旨のものであることを超え、免許業者の人格・資質等を一般的に保証し、ひいては個々の取引関係者が被る具体的な損害の防止・救済を制度の直接的な目的とするものではなく、かかる損害の救済は一般の不法行為規範（本件でいうと、A社のXに対する不法行為に基づく損害賠償義務）等に委ねられているから、免許の付与・更新それ自体は、法所定の免許基準に適合しない場合であっても、個々の取引関係者に対する関係で直ちに国賠法上違法となるものではない。

　この判決の結論に対しては、宅建業法が取引関係者の利益を保護する規定を置いており、かつ、Bがいわば札付きの人物であったにもかかわらず免許更新がされていること等から、個々の取引関係者との関係で違法でないとすることには疑問がある（同判決の反対意見を参照）。

　しかし、抗告訴訟のみならず**国賠訴訟においても、処分の根拠法令の保護範囲が問題になりうること**自体は、否定できないと解される。例えば、本件でA社の競業者である宅建業者C社が、A社に客を奪われて損害を被ったと訴えたとしても、賠償は認められないと考えられる。宅建業の免許制度は、取引の安全を保護するものであって、競業者を保護するものではないからである（基判404頁参照）。そして、この問題が、**抗告訴訟では原告適格の問題**となるのに対し、**国賠訴訟においては、判例によれば、違法性（被害者との関係で違法か否か）の問題**とされる。これは、上述のとおり、判例が国賠法上の違法性を被害者との関係で相対的に捉えているからである。これに対し、公権力発動要件欠如説（違法性同一説）からは、法の保護する損害の有無の問題と説明される（塩野・行政法Ⅱ330頁、宇賀・概説Ⅱ478頁）。公権力発動要件欠如説によると、上述の例では、A社に対する免許更新はC社との関係でも国賠法上違法であるが、C社には宅建業法上保護される損害がないと説明されることになる。

　　＊　最判平成25年3月26日裁時1576号8頁（基判417頁、百選Ⅱ215）は、建築確認制度の目的には建築主の利益の保護も含まれ、建築主事は、確認の申請をする建築主との関係でも、違法な建築物の出現を防止すべく一定の職務上の法的義務を負うとした。そして、そのような解釈は、「国民の社会生活上の重要な要素としての公共性を有する建築物の適正を公的に担保しようとする建築基準法の趣旨に沿うものであり、建築物の適正を担保するためには専門技術的な知見が不可欠であるという実情にもかなう」として

いる。

　なお、以上の問題について、国賠訴訟においても反射的利益（→328頁）という語を用いるかどうかは、用語の問題であるが、抗告訴訟における原告適格論との混同を避けるため、使用しない方がよいと思われる（宅建業法事件最判は、反射的利益の語を用いていない）。

イ　業務停止・免許取消しの不作為——効果裁量の問題

　一般に、許認可等の停止や取消し（撤回）などの規制権限行使については、根拠法令上、「できる」規定（→132頁）になっていることが多く、**法の定める要件を満たす場合であっても、いつ、どのような内容の措置をとるか、またはとらないかについては、行政庁の裁量（効果裁量）に委ねられる**と考えられてきた。これは、二面関係を念頭に置く伝統的行政法の関心が、国家による介入に対して国民の自由を確保するところにあったので、行政庁が規制権限を行使しないことについては、行政庁の裁量であって違法になることはないと考えられていたこと（これを**行政便宜主義**という。検察官が犯人を起訴しない裁量を認められている起訴便宜主義〔刑訴248条〕と同様の考え方である）に対応する。しかし、現代的な三面関係においては、行政庁が規制権限を行使しないことによって被害を受ける者の救済が問題となり、**行政便宜主義の克服**が課題となる。これは、非申請型義務付け訴訟と共通の問題意識である。ただ、国賠訴訟で不行使が問題となる規制権限には、行政処分のほか、その前提となる行政立法の制定・改正や、行政指導等も含まれる。これは、国賠法1条の「公権力の行使」につき、判例が広義説をとっているためである（→419頁）。

　この問題に関するリーディングケースとして注目されるのが宅建業法事件最判である。同判決は、「業務の停止ないし免許の取消は、当該宅建業者に対する不利益処分であり、その営業継続を不能にする事態を招き、既存の取引関係者の利害にも影響するところが大きく、……これらの処分の選択、その権限行使の時期等は、知事等の専門的判断に基づく合理的裁量に委ねられているというべきである。したがって、当該業者の不正な行為により個々の取引関係者が損害を被った場合であっても、具体的事情の下において、知事等に監督処分権限が付与された趣旨・目的に照らし、その不行使が著しく不合理と認められるときでない限り、右権限の不行使は、当該取引関係者に対する関係で国家賠償法1条1項の適用上違法の評価を受けるものではない」とし、本件はそのような場合に当たらないから違法ではないとした。

(2) 判例の展開

その後の判例は、宅建業法事件最判の判断枠組みに従って展開した。

最判平成7年6月23日民集49巻6号1600頁（クロロキン薬害事件、基判417頁、百選Ⅱ217）は、当時のクロロキン網膜症に関する医学的・薬学的知見の下では、クロロキン製剤の有用性が否定されるまでには至っていなかったとして、厚生大臣が製造承認取消し等の措置をとらなかったことが著しく合理性を欠くとはいえないとした。

最判平成16年4月27日民集58巻4号1032頁（筑豊じん肺訴訟、基判418頁）は、宅建業法事件最判が立てた基準を、次のとおり一般論として定式化した。「国又は公共団体の公務員による規制権限の不行使は、**その権限を定めた法令の趣旨、目的や、その権限の性質等に照らし、具体的事情の下において、その不行使が許容される限度を逸脱して著しく合理性を欠くと認められるときは**、その不行使により被害を受けた者との関係において、国家賠償法1条1項の適用上違法となる」。そのうえで、鉱山保安法に基づく省令制定・改正権限につき、鉱山労働者の**生命・身体に対する危害の防止**等を主要な**目的**として（すなわち、鉱山保安法の保護範囲に鉱山労働者の生命・身体に対する危害の防止が含まれる）、**適時にかつ適切に**行使されるべきである（すなわち、規制権限行使の時および方法に関する裁量は狭い）として、権限不行使の違法性を認めた。この判決は、宅建業法事件最判の判断枠組みを適用して最高裁が規制権限不行使につき国賠請求を認容した初めての例であり、また、**行政立法（省令改正）権限の不行使**が違法とされた点でも注目される。

> ＊　行手法38条2項は、「命令等制定機関は、命令等を定めた後においても、当該命令等の規定の実施状況、社会経済情勢の変化等を勘案し、必要に応じ、当該命令等の内容について検討を加え、その適正を確保するよう努めなければならない」と規定している。この規定は努力義務を定めるものであるが、上掲最判平成16年4月27日（筑豊じん肺訴訟）によると、一定の場合には被害者との関係で命令等の改正が義務となり、その違反が国賠法上違法と評価されることになる。

最判平成16年10月15日民集58巻7号1802頁（熊本水俣病関西訴訟、基判419頁、百選Ⅱ219、CB18-11）も、上記判断枠組みを前提として、水質二法に基づく規制権限は、周辺住民の生命・健康の保護を主要な目的の1つとして、適時にかつ適切に行使されるべきであると述べて、国の賠償責任を認めた。さらに、熊本県の責任について、県漁業調整規則は水産動植物の繁殖保

護を直接の目的とするが、それを摂取する者の健康保持をもその究極の目的とするとして、同規則に基づく規制権限の不行使につき、賠償責任を認めた。これは、宅建業法が究極的には取引関係者の利益保護に資するとしつつ賠償責任を否定した宅建業法事件最判と、対照的であるように見えるが、「この判断は、水俣病による甚大な被害が継続しており、いかなる手段を使ってでも被害拡大を防ぐことが求められていたという当時の危機的状況を前提とするもの」（長谷川浩二・最判解民事篇平成16年度(下)576頁）と説明されている。

最判平成26年10月9日民集68巻8号799頁（泉南アスベスト訴訟、基判418頁、百選Ⅱ218）も、上掲最判平成16年4月27日（筑豊じん肺訴訟）の考え方を踏襲し、労働大臣が旧労働基準法に基づく省令制定権限を行使して、罰則をもって石綿工場に局所排気装置の設置を義務付けなかったことは、国賠法上違法であると認めた。

さらに、最判令和3年5月17日民集75巻5号1359頁（建設アスベスト訴訟、基判418頁）は、事業者に雇用されておらず、労働安全衛生法（安衛法）上の労働者に該当しない一人親方等との関係でも、安衛法上の規制権限不行使が国賠法上違法となるとした。根拠法令（安衛法）の**保護範囲**を柔軟に解して、被害者救済を図ったものと評価できる（国賠における保護範囲の問題につき、→434頁）。

なお、最判令和4年6月17日民集76巻5号955頁（福島第1原発事故国賠訴訟、基判419頁）は、国賠責任が認められるには、**規制権限を行使していれば被害者が被害を受けることはなかったであろうという関係**が認められなければならないとしている（当該事案では、想定されたよりもはるかに大規模な地震であったことから、規制権限を行使していれば事故が発生しなかったであろうという関係は認められないとして、国賠責任を否定した）。

(3) 実質的考慮要素——裁量権収縮論との関係

行政便宜主義を克服し、規制権限不行使の違法性を導く理論として、**裁量権収縮論**がある。これは、一定の場合には効果裁量がゼロに収縮して作為義務が生じるとするものであり、考慮要素として、①**被侵害法益**（生命・身体か財産か等）、②**予見可能性**、③**結果回避可能性**、④**期待可能性**（国民が規制権限行使を要請し期待しうる事情にあること）等が挙げられる。

裁量権収縮論は下級審判決に影響を与え、規制権限不行使の違法性を導くことに寄与したと考えられるが、最高裁は、(1)(2)で見たように、明示的にはそのような理論構成をとっていない。しかし、実質的には、最高裁の判断枠

組みの中で、上記①〜④が考慮されていると解される。すなわち、②および③は当然の前提になるとして、特に①および④の違いが、結論に影響を与えていると思われる。宅建業法事件では、被侵害法益は財産権であり、かつ、取引関係者自身が注意することにより、ある程度被害を防ぐことが可能である（その分、規制権限行使に対する期待可能性は相対的に低い）のに対し、じん肺や水俣病については、生命・身体の安全に関わり、かつ、労働者や住民が自らの注意で被害を防ぐことは困難であって、規制権限行使に対する期待は高いといえる。

> ＊ 薬害についても、生命・身体の安全に関わり、かつ、患者自らの注意で被害を防ぐことは困難であるから、規制権限行使に対する期待は高いといえるが、医薬品の副作用については、その性質上、医薬品の効能・効果との比較考量が必要であり、この点において、じん肺および水俣病の場合と異なると解される（ただし、クロロキン薬害事件最判におけるクロロキン製剤の有用性の判断については、学説上批判がある。宇賀・概説Ⅱ466頁）。

2　発展問題——公私協働における責任主体

伝統的行政法は、国家と市民社会の二元論を前提としていたが、現代においては、一方における国や地方公共団体の財政難、他方における行政ニーズの多様化等を背景として、国・地方公共団体以外の団体が公的任務を担ったり、国・地方公共団体と民間団体とが協働して公的任務にあたったりすることが広く行われている（→79頁以下）。これに対して、国家と市民社会の二元論を前提としてきた行政法学がどのように対処するかは困難な問題であり、国賠法上の取扱いについても、判例・学説による模索が続いている。

(1)　児童養護施設に入所した児童に対する養育看護行為と国賠責任

【設問2】
　Xは、社会福祉法人Aが設置運営する児童養護施設である甲学園において、施設長や職員（以下「職員等」という）が監督義務を怠ったため、児童4名から暴行を受けて傷害を負った。Xは、B県による児童福祉法27条1項3号に基づく入所措置（保護者のいない児童または保護者に看護させることが不適当と認める児童を発見した者からの通告を受け、児童相談所長が必要があると認めて都道府県知事に報告した児童について、都道府県がとらなければならないとされている措置のうちの1つ。以下「3号措置」という）により同施設に入所したものであり、加害児童についても同様である。Xは、Aおよび B県に賠償請求しうるか。

本問は、最判平成19年1月25日民集61巻1号1頁（基判419頁、百選Ⅱ226、CB18-13）をモデルとしている。

ア　B県の賠償責任

上掲平成19年判決は、児童養護施設に入所した児童に対する養育看護行為の国賠法上の位置づけについて、次のように述べ、B県の国賠責任を認めた。「〔児童福祉〕法は、保護者による児童の養育監護について、国又は地方公共団体が後見的な責任を負うことを前提に、要保護児童に対して都道府県が有する権限及び責務を具体的に規定する一方で、児童養護施設の長が入所児童に対して監護、教育及び懲戒に関しその児童の福祉のため必要な措置を採ることを認めている。上記のような法の規定及び趣旨に照らせば、3号措置に基づき児童養護施設に入所した児童に対する関係では、入所後の施設における養育監護は本来都道府県が行うべき事務であり、このような児童の養育監護に当たる児童養護施設の長は、3号措置に伴い、**本来都道府県が有する公的な権限を委譲されてこれを都道府県のために行使する**ものと解される」。「したがって、都道府県による3号措置に基づき社会福祉法人の設置運営する児童養護施設に入所した児童に対する当該**施設の職員等**による**養育監護行為は、都道府県の公権力の行使に当たる公務員の職務行為**と解するのが相当である」。

イ　社会福祉法人Aの賠償責任

上掲平成19年判決は、国賠法1条の適用がある場合には公務員個人は賠償責任を負わないこと（→418頁）を前提として、「この趣旨からすれば、国又は公共団体以外の者の被用者が第三者に損害を加えた場合であっても、当該被用者の行為が国又は公共団体の公権力の行使に当たるとして国又は公共団体が被害者に対して同項に基づく損害賠償責任を負う場合には、**被用者個人が民法709条に基づく損害賠償責任を負わないのみならず、使用者も同法715条に基づく損害賠償責任を負わない**」として、社会福祉法人Aの賠償責任を否定した。

ウ　結　論

以上の関係を図示すると、次のとおりである。通常の国賠法1条の構造（418頁の図「国賠法および使用者責任の基本構造の比較」の左欄）における「公務員」のところに、社会福祉法人における使用者・被用者の関係（同図右欄）が「入れ子」のように入っており、職員等による養育看護行為が国賠法上B県の公権力の行使に当たる公務員の職務行為と解されるために、B県が国賠責任を負う（上掲ア）一方で、国賠法上の公務員である職員等個人は

賠償責任を負わないため、使用者責任が代位責任であることからすると、使用者である社会福祉法人Aも賠償責任を負わないとされたものと解される（上掲イ）。

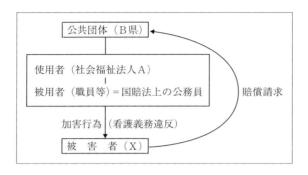

(2) 指定確認検査機関による建築確認と国賠責任

指定確認検査機関（建築基準法に基づく指定を受けて建築確認の権限を与えられている者。→81頁）である株式会社Aのした建築確認について、周辺住民がAを被告とする（→70頁）取消訴訟で争っているうちに、建築工事が完了し、取消訴訟の訴えの利益が消滅した（→356頁）ため、行訴法21条1項に基づき、B市（同建築物について確認権限を有する建築主事が置かれている）を被告とする損害賠償請求訴訟に変更する許可の申立てがされた事案で、最決平成17年6月24日判時1904号69頁（基判420頁、百選 I 5、CB18-12）は、次のように述べて、これを認めた。すなわち、建築基準法は、建築確認に関する事務を地方公共団体の事務とする前提に立ったうえで、指定確認検査機関をして、建築確認に関する事務を特定行政庁（本件ではB市長）の監督下において行わせることとしたと解されるから、指定確認検査機関による確認に関する事務は、建築主事による確認に関する事務の場合と同様に、地方公共団体の事務であり、**その事務の帰属する行政主体は、当該確認に係る建築物について確認をする権限を有する建築主事が置かれた地方公共団体である**。したがって、B市は、行訴法21条1項にいう「当該処分又は裁決に係る事務の帰属する国又は公共団体」に当たる。

　＊　この決定は、B市を被告とする国賠訴訟へと訴えを変更することを認めたものであり、B市が国賠責任を負うことや、Aが国賠責任を負わないことまで判断したわけではない。これらの点については学説上議論があり、指定確認検査機関は、自己の権限として、自己の計算によって建築確認を

行っているから、賠償責任も当該指定確認検査機関が負うべきである（塩野・行政法Ⅱ322頁）等の指摘がなされている。

3 公の営造物の設置管理の瑕疵（国賠法2条）

(1) 道　路

> 【設問3】
> 道路の設置管理の瑕疵の判断において、営造物の客観的状態以外に、管理者による結果回避可能性や管理者がとった措置等がどのように考慮されるかにつき、判例の考え方を説明せよ。

　国賠法2条1項の営造物の設置管理の瑕疵について、最判昭和45年8月20日民集24巻9号1268頁（高知落石事件、基判421頁、百選Ⅱ230、CB19-1）は、①**通常有すべき安全性の欠如**、②**無過失責任**、③**予算抗弁の排斥**という3原則を立てた。もっとも、上記判決は、本件事故が不可抗力ないし回避可能性のない場合であるとは認められない旨の原審の判断は正当として是認できると述べており、道路管理の瑕疵判断において**回避可能性**が考慮されうることを示唆している。なお、上記判決の射程は、河川管理の瑕疵判断には及ばないことが、後の判決によって明言されている（→【設問4】）。

　最高裁が道路の客観的状態以外に道路管理者による結果回避可能性を考慮していることを明確に示すものとして、最判昭和50年6月26日民集29巻6号851頁（基判421頁、CB19-3）がある。同判決は、道路管理者が設置した工事標識板、バリケードおよび赤色灯標柱が先行した他車によって道路上に倒され、その直後に事故が発生した事案で、「道路の安全性に欠如があった」と認めつつ、時間的に道路管理者において「遅滞なくこれを原状に復し道路を安全良好な状態に保つことは不可能であった」として、道路管理に瑕疵がなかったとした。

　また、最判昭和50年7月25日民集29巻6号1136頁（基判421頁、百選Ⅱ231、CB19-4）は、「故障した大型貨物自動車が87時間にわたって放置され、道路の安全性を著しく欠如する状態であったにもかかわらず、……〔道路管理者が〕故障車のあることを知らせるためバリケードを設けるとか、道路の片側部分を一時通行止めにするなど、道路の安全性を保持するために必要とされる措置を全く講じていなかった」から、道路管理に瑕疵があったとした。

このほか、最高裁判決ではないが、名古屋高判昭和49年11月20日高民集27巻6号395頁（飛騨川バス転落事件、CB19-2）は、「本件土石流を防止することは、現在の科学技術の水準ではなかなか困難であった……が、本件土石流による事故を防止するためには、防護施設が唯一のものではなく、避難方式たる事前規制その他の方法により、その目的を達し得たものであるから、……本件事故が不可抗力であったとはとうていい得ない」として、道路管理者の賠償責任を認めた。さらに、東京高判平成5年6月24日判時1462号46頁（日本坂トンネル事件、CB19-9）も、営造物（トンネル）の物的状態のみならず、管理作用（初期消火手段の機能の不完全、消防署に対する情報提供の遅延および不足、後続車両の運転者に対する情報提供の不十分）に着目して、道路管理者の賠償責任を認めた。

　以上のように、判例は、**営造物の客観的状態以外に、管理者の対応をも考慮**している。そして、これは、管理者の責任を拡大し、被害者に有利に働く場合（上掲名古屋高判昭和49年11月20日等）と、逆に、客観的に安全性に欠如があっても回避可能性がないことを理由に責任を認めない方向に働く場合（上掲最判昭和50年6月26日）とがある（塩野・行政法Ⅱ364頁）。このような考え方は、国賠法2条1項の文言が「営造物に瑕疵があった」とはされておらず、「営造物の設置又は管理に瑕疵があった」とされていることにも合致すると解される。

　なお、上掲最判昭和45年8月20日（高知落石事件）のいう予算抗弁の排斥は、予算措置に困却することから直ちに賠償責任を免れうるわけではないという趣旨であって、瑕疵判断において対策費用の問題が一切考慮されないという趣旨ではない。最判平成22年3月2日判時2076号44頁（基判406頁、CB19-10）は、瑕疵の有無は「事故当時における当該営造物の構造、用法、場所的環境、利用状況等諸般の事情を総合考慮して具体的個別的に判断すべきである」という一般的基準を前提として、北海道の高速道路でキツネとの衝突を避けようとして生じた死亡事故につき、小動物との接触自体による運転者等の死傷事故の危険性は高くなく、通常は適切な運転操作により死傷事故を回避できること、柵の隙間をなくす等の小動物侵入対策が全国や北海道内の高速道路で広くとられていたわけではないこと、そのような対策には多額の費用を要すること、本件道路には動物注意の標識が設置されていたこと等の事情を総合考慮して、瑕疵を否定した。

(2) 河　川

> **【設問4】**
> 　道路の設置管理の瑕疵、未改修河川の管理の瑕疵、改修済河川の管理の瑕疵のそれぞれに関する判例について、考え方の差異および相互関係を説明せよ。

ア　河川管理の瑕疵の判断基準（道路との違い）

　最判昭和59年1月26日民集38巻2号53頁（**大東水害訴訟**、基判422頁、百選Ⅱ232、CB19-5）は、「河川は、本来自然発生的な公共用物であって、管理者による公用開始のための特別の行為を要することなく自然の状態において公共の用に供される物であるから、通常は当初から人工的に安全性を備えた物として設置され管理者の公用開始行為によって公共の用に供される道路その他の営造物とは性質を異にし、もともと洪水等の自然的原因による災害をもたらす危険性を内包している」として、人工公物である道路と自然公物である河川との違いを強調する。

　そして、治水事業には莫大な費用を必要とするから、**財政的制約**の下で、それぞれの河川についての改修等の必要性・緊急性を比較しつつ、その程度の高いものから逐次これを実施していくほかない。また、原則として下流から上流に向けて行うことを要するなどの**技術的制約**もあり、さらに、宅地化や地価の高騰による用地の取得難等の**社会的制約**を伴う。しかも、河川の管理においては、道路の管理における一時閉鎖のような簡易、臨機的な危険回避手段をとることもできない。したがって、未改修河川または改修の不十分な河川の安全性としては、上記諸制約の下で一般に施行されてきた治水事業による**河川の改修、整備の過程に対応する過渡的な安全性**をもって足りるものとせざるをえない。その意味で、河川管理の瑕疵には上掲最判昭和45年8月20日（高知落石事件。→441頁）の射程は及ばない。

　以上の点を総合すると、**河川の管理についての瑕疵の有無**は、上記の**財政的・技術的・社会的制約の下での同種・同規模の河川の管理の一般水準および社会通念に照らして是認しうる安全性を備えているかどうかを基準として判断すべきである。**

イ　未改修河川の場合

　以上の判断を前提として、大東水害訴訟判決は、次のように述べる。既に改修計画が定められ、これに基づいて現に改修中である河川については、当

該改修計画が全体として上記アの見地からみて**格別不合理と認められないとき**は、その後の事情の変動により当該河川の未改修部分につき水害発生の危険性が特に顕著となり、当初の計画の時期を繰り上げる等しなければならない特段の事由が生じない限り、上記の部分につき改修がいまだ行われていないとの一事をもって河川管理に瑕疵があるとすることはできない。

　ウ　改修済河川の場合

　上記の大東水害訴訟判決は、それ以前の下級審裁判例において河川管理の瑕疵が広く認められる傾向にあったのに対してブレーキをかけるものであり、これによって、水害訴訟で原告が勝訴することは極めて困難になった。しかし、その後、最高裁は、いわば効きすぎたブレーキを緩和する方向を打ち出した。

　すなわち、最判平成2年12月13日民集44巻9号1186頁（**多摩川水害訴訟**、基判422頁、百選Ⅱ233、CB19-7）は、上掲アの判断基準は改修済河川にも適用されるとしたうえで、「工事実施基本計画が策定され、右計画に準拠して改修、整備がされ、あるいは右計画に準拠して新規の改修、整備の必要がないものとされた河川の改修、整備の段階に対応する安全性とは、同計画に**定める規模の洪水における流水の通常の作用から予測される災害の発生を防止するに足りる安全性をいう**」とした。その理由として、「改修、整備がされた河川は、その改修、整備がされた段階において想定された洪水から、当時の防災技術の水準に照らして通常予測し、かつ、回避し得る水害を未然に防止するに足りる安全性を備えるべきものである」ことを指摘する。これは、**大東水害訴訟判決の射程を未改修河川・改修の不十分な河川に限定し**、改修済河川に即した具体的判断基準を示したものである。

(3)　その他の営造物

　ア　新たに開発された安全設備の設置

　1973（昭和48）年に国鉄（当時）の駅のホームに点字ブロックが設置されていなかったことが瑕疵に当たるかが問題となった事案で、最判昭和61年3月25日民集40巻2号472頁（基判423頁、百選Ⅱ234、CB19-6）は、「点字ブロック等のように、新たに開発された視力障害者用の安全設備を駅のホームに設置しなかったことをもって当該駅のホームが通常有すべき安全性を欠くか否かを判断するに当たっては、その安全設備が、視力障害者の事故防止に有効なものとして、その素材、形状及び敷設方法等において**相当程度標準化されて全国的ないし当該地域における道路及び駅のホーム等に普及しているかどうか**……等の諸般の事情を総合考慮することを要する」とした（瑕疵が

あるとした原審判決につき、破棄差戻しとした）。

イ　本来の用法

町立中学校の校庭開放中に、幼児がテニス審判台に登った後、座席部分の背当てを構成している左右の鉄パイプを両手で握って審判台の後部から降りようとし、審判台が倒れその下敷きとなって死亡した事案で、最判平成5年3月30日民集47巻4号3226頁（基判423頁、百選Ⅱ235、CB19-8）は、審判台の通常有すべき安全性の有無は、**本来の用法**に従った使用を前提として決すべきであるとしたうえで、上記の当該幼児の行動は極めて異常なもので、審判台の本来の用法と異なることはもちろん、設置管理者の通常予測しえないものであったとし、幼児が異常な行動に出ないようにしつけるのは保護者の側の義務であるとして、賠償責任を否定した。

（4）機能的瑕疵（供用関連瑕疵）

【設問5】
空港、道路、鉄道等について、利用者にとって通常有すべき安全性を欠いているわけではないが、その供用により、利用者以外の第三者に対して騒音、振動、大気汚染等の被害を生じさせる場合も、国賠法2条にいう設置管理の瑕疵に含まれるか。

最大判昭和56年12月16日民集35巻10号1369頁（大阪空港訴訟、基判424頁、百選Ⅱ236。→277頁）は、「国家賠償法2条1項の営造物の設置又は管理の瑕疵とは、営造物が有すべき安全性を欠いている状態をいうのであるが、そこにいう安全性の欠如、すなわち、他人に危害を及ぼす危険性のある状態とは、……その営造物が供用目的に沿って利用されることとの関連において危害を生ぜしめる危険性がある場合をも含み、また、その危害は、営造物の利用者に対してのみならず、利用者以外の第三者に対するそれをも含む」とした（**機能的瑕疵**または**供用関連瑕疵**と呼ばれる）。最判平成7年7月7日民集49巻7号1870頁（国道43号線訴訟）もこの判断を踏襲している。

4　費用負担者の賠償責任（国賠法3条）

【設問6】
第25講【設問1】(1)（→417頁）の事案（甲市の設置する中学校の教諭Pによって生徒Aが体罰を加えられ負傷した）で、Pの給与は、市町村立学校職員給与負担法に基づき、丙県が負担している。Aは丙県にも賠償請求することができるか。また、丙県がAの請求に応じて賠償金を支払った場合、丙県

は甲市に対して求償できるか。

　国賠法3条1項は、**費用負担者も賠償責任を負う**ことを規定しており（費用負担者の意義につき、最判昭和50年11月28日民集29巻10号1754頁、基判424頁、百選Ⅱ237参照）、第25講【設問1】(1)については、AはPの給与を負担している丙県に対しても、賠償請求することができる。

　では、丙県がAの請求に応じて賠償金を支払った場合、甲市に対して求償できるか。国賠法3条2項は、損害を賠償した者は内部関係で求償権を有すると規定するのみで、最終的な負担者について定めていないので、その基準が問題となる。この点につき、最判平成21年10月23日民集63巻8号1849頁（基判424頁、百選Ⅱ238、CB18-14）は、**損害賠償のための費用も国または公共団体の事務を行うために要する経費に含まれるから、上記経費の負担について定める法令の規定に従うべき**ところ、市町村が設置する中学校の経費については、原則として、当該市町村がこれを負担すべきものとされており、市町村立学校職員給与負担法は、教諭の給与について都道府県の負担とするのみで、それ以外の費用の負担については定めていないから、損害賠償のための費用は、当該中学校を設置する市町村がその全額を負担すべきであるとした。したがって、丙県は甲市に対して、Aに支払った賠償金の全額を求償できる。

5　民法の適用（国賠法4条）

　国賠法4条は、民法の適用について定めている。これは、国賠法1条・2条が適用されない公共団体の私経済的活動等に民法が適用されることと、国賠法1条・2条が適用される場合に**過失相殺等の民法の規定が適用される**ことを意味する。

　国賠法4条にいう「民法の規定」には民法の付属法規も含まれると解されるが、消防署職員の消火活動が不十分だったため残り火が再燃して火災が発生した場合に、**失火責任法**（責任要件が故意・重過失に限定されている）が適用されるかについては、争いがある。判例（最判昭和53年7月17日民集32巻5号1000頁、基判425頁、百選Ⅱ239）は適用を肯定するが、学説上は、消防署職員の職務義務である消火作業には失火責任の適用は予定されていないと解する説も有力である。

6 他の法律の適用（国賠法5条）

　国賠法5条は、民法以外の他の法律に別段の定めがあるときは、これによるとしている。「他の法律」には、国賠法よりも責任を加重するものや、軽減するものがある。責任を軽減する場合については、憲法17条に違反しないかが問題となりうる。最大判平成14年9月11日民集56巻7号1439頁（基判425頁、百選Ⅱ240）は、**郵便法による書留郵便物および特別送達郵便物に関する国の賠償責任の免除・制限**につき、**憲法17条に反するとした**（→基本憲法Ⅰ318頁）。

7 相互保証主義（国賠法6条）

　国賠法6条は、被害者が外国人である場合の**相互保証主義**を定めている。これは、被害者である外国人の本国において、日本人が被害者となったときにこれを救済する国家賠償制度がある場合に限り、その外国人に日本の国賠法を適用して救済するものである。

第27講　損失補償

◆学習のポイント◆
　国家の適法行為によって生じた特別の損失を補償する制度を扱う。直接憲法29条3項に基づく補償請求の可否、補償の要否（どのような場合に補償が必要とされるか）および補償の内容が重要な論点である。
　なお、国家賠償と損失補償には、損害・損失の公平な負担という共通の理念があること、また、両者の谷間に落ち込んでしまう問題を認識するのに資することから、国家補償の概念の下に、国家賠償と損失補償とを包括して考察するという観点も重要である。

1　補償の根拠——憲法29条3項の直接適用の可否

　損失補償については、国家賠償と異なり、**一般的な法典はなく**、憲法29条3項の趣旨を具体化する補償規定が個別法（土地収用法等）に置かれている。したがって、補償を求めるためには、まず、それらの**個別法の補償規定**によることになる。そして、個別法に補償規定がない場合、または、個別法による補償のみでは不十分な場合に、直接**憲法29条3項に基づく補償請求**の可否が問題となる。

　現在のところ、最高裁が直接憲法に基づく補償請求を認容した例はない。しかし、最大判昭和43年11月27日刑集22巻12号1402頁（河川附近地制限令事件、基判444頁、百選Ⅱ247、CB20-1、基本憲法Ⅰ228頁、229頁）は、Xが河川附近の民有地で相当の資本を投入して砂利採取業を営んでいたところ、河川附近地制限令の規制対象となる「河川附近地」に指定され、砂利採取行為について知事の許可が必要となったにもかかわらず、Xがこれに違反して無許可で砂利採取を行ったとして起訴された事案で、「同令が補償規定を置かずに罰則を設けているのは憲法29条3項に違反し無効である」旨のXの主張に対して、同令はあらゆる場合について一切の損失補償を否定する趣旨とまでは解されず、Xは、別途、**直接憲法29条3項を根拠にして補償請求をす**

る余地が全くないわけではないから、同令の罰則規定は違憲無効ではないとした。このことから、最高裁は直接憲法に基づく補償請求の余地を認めていると解されている〔なお、後掲最判平成17年11月１日〔【設問２】(→451頁)〕の補足意見も、憲法29条３項に基づく補償請求の可能性に言及している）。

* もっとも、いまだ認容例がないことは、直接憲法に基づく補償請求に対する最高裁の消極姿勢を示唆している可能性もある。計画変更における信頼保護(→57頁)や、予防接種禍の救済(→459頁)については、最高裁は、損失補償ではなく損害賠償の問題として処理している。

なお、学説上は、補償規定が置かれていないのは立法者が補償を不要と判断したためであろうから、憲法上補償が必要と解される場合には、当該立法を違憲無効としたうえで、補償をしてまでも当該政策を遂行するか、それとも補償が必要なら当該政策を中止するかは、改めて国会で議論するのが合理的であるとの指摘がある（塩野・行政法Ⅱ384頁）。

2　補償の要否

次に、上記のような憲法上の損失補償、またはそれを具体化する個別法上の損失補償が、どのような場合に必要とされるか、すなわち補償の要否の基準が問題となる。この点につき、損失補償における公平負担の理念からは、損失が、**財産権の内在的制約として受忍すべき限度を超えた特別の犠牲**に当たる場合に、補償が必要と解される。その具体的な考慮要素としては、以下のように、①**規制目的**、②**規制の強度・期間**、③**既存の利用形態**、④**制限される権利の性質**を挙げることができる（ただし、これらは主要な判例から考慮要素を抽出したものであって、確立した要件というわけではない）。

上記のほか、⑤侵害行為の対象が一般的か特別かという形式的基準が挙げられることがある。この基準は、戦争損害につき、国民の等しく堪え忍ばなければならないやむをえない犠牲であって、補償は不要であるとする判例（最大判昭和43年11月27日民集22巻12号2808頁〔基判445頁〕、最判平成９年３月13日民集51巻３号1233頁〔基判446頁、百選Ⅱ249〕）の説明にはなりうるが、適用できる事例は少ないと考えられる。一般か特別かという区別は相対的であって、基準としての決め手を欠くからである。

(1)　規制目的への着目——警察制限と公用制限

【設問１】
　Xは、国道の交差点付近でガソリンスタンドを経営していたところ、国が

> 当該交差点に地下道を設置したため、ガソリンスタンドの地下に埋設されていたガソリンタンクの位置が、地下道から水平距離で10m以内となり、消防法令（消防法10条4項および危険物の規制に関する政令13条1号イ〔当時〕）に違反するとして消防局から警告を受けたため、タンクの移設工事を行った。Xは、移設に要した費用につき、道路法70条または憲法29条3項に基づき、国に対して補償請求することができるか（なお、消防法令には、上記規制に対する補償規定はない）。

◆道路法◆
（道路の新設又は改築に伴う損失の補償）
第70条 ……道路を新設し、又は改築したことに因り、当該道路に面する土地について、通路、みぞ、かき、さくその他の工作物を新築し、増築し、修繕し、若しくは移転し、又は切土若しくは盛土をするやむを得ない必要があると認められる場合においては、道路管理者は、これらの工事をすることを必要とする者（……）の請求により、これに要する費用の全部又は一部を補償しなければならない。（以下略）
2～4　略

　本問は、最判昭和58年2月18日民集37巻1号59頁（基判428頁、百選Ⅱ242、CB20-4）をモデルとしている。
　本件では、地下道の新設により、Xは工作物（ガソリンタンク）の移転を余儀なくされたから、道路法70条1項に基づき、これに要した費用の補償を請求できるようにも見える。
　しかし、本件の損失は、道路工事の施行による土地の形状の変更を直接の原因として生じたものではなく、道路工事が施行された結果、消防法令による離隔距離保持の規制に違反する状態が生じて、この規制に基づく損失が現実化したものである（上掲昭和58年判決参照）。したがって、損失補償の要否は、消防法令による上記規制との関係で判断されるべきと解される。
　消防法令には、上記規制に対する補償規定は置かれていないが、仮に、上記規制が憲法上補償を要するものであるとすれば、直接憲法29条3項に基づく補償請求が可能であると解される（→448頁）。そこで、上記規制に対する憲法上の補償の要否を検討すると、上記規制は、ガソリンタンクの危険性に着目した**警察規制（警察制限）**であり、**財産権に内在する社会的拘束の現われ**として、**補償は不要**であると解される。
　この点に関して、上掲昭和58年判決は、憲法上の補償については直接判断していないが、警察規制であるから憲法上補償を要しないという判断を前提としていると解される。警察制限について憲法上補償を要しないとした判例

として、最大判昭和38年6月26日刑集17巻5号521頁（奈良県ため池条例事件、基判444頁、百選Ⅱ246。→基本憲法Ⅰ223頁、230頁以下）がある。これは、父祖の代から引き続いて、ため池の堤とうを農作物の栽培に使用していたところ、これが条例上禁止されたにもかかわらず、栽培を継続した行為にかかる刑事事件である。

これに対し、例えば文化財保護のように、**特定の公益目的のために、財産権の本来の社会的効用とは無関係に偶然に課せられる制限（公用制限）**については、補償が必要と解される。

* なお、【設問1】においてXが不測の損失を被るのを避けるためには、あらかじめ離隔距離内の土地について所有権等を取得しておくべきであったと解される。もっとも、その場合でも、Xの土地が収用されて道路が設置されることにより、離隔距離が保持できなくなる可能性があるが、これについては、Xがあらかじめ対処することは不可能であるから、タンクの移転費用についても補償すべきと解される（基判433頁参照）。

(2) 規制の強度・期間の考慮

【設問2】
　Xは、第1種住居地域（容積率10分の20、建蔽率10分の6）内に有する土地（本件土地）のうち約4分の1の部分について、都市計画決定に基づく都市計画道路の予定区域内とされ、60年以上にわたって、木造2階建て以下等の容易に撤去できるものしか建築できないという制限を受けてきた。Xは、これによって生じた損失につき、補償請求をすることはできるか。なお、都市計画法その他の法令には、上記制限に対する補償規定はない。

本問は、最判平成17年11月1日判時1928号25頁（基判442頁、百選Ⅱ248、CB20-8）をモデルとしている。

都市計画法による建築制限には、様々なものがあるが、例えば、**用途地域における建築制限**（用途や容積率・建蔽率の制限等。→303頁）については、**補償は不要**と解される。(1)で見た規制目的との関係では、警察規制ではないが、無秩序な土地利用から生ずる住工混在や商工混在を防止して土地の利用効率を高め、相互に制限し合って相互の利益になるという相隣関係的規制の性格を有するからである（阿部・国家補償法270頁）。

これに対し、本問の都市計画道路予定区域における建築制限については、上記のような相隣関係的規制とは認められないから、規制目的との関係では、補償が不要であるということはできない。しかし、都市計画法その他の

法令には、上記制限に対する補償規定はないから、憲法29条3項に基づく補償の可否が問題となる（→448頁）。

その際、受忍限度を超える特別の犠牲といえるか否かの判断において、**制限の強度および期間を考慮すべき**と解される。本問では、60年以上の長きにわたって制限を受け続けているという事情は、補償が必要であるとする方向に作用する。しかし、本件土地がもともと第1種住居地域という、高度な土地利用が予定されていない地域にあり、かつ、予定区域内に含まれるのが本件土地の約4分の1にすぎず、残余の部分を最大限に利用することにより当該用途地域の容積率・建蔽率の上限に近い利用が可能であることから、いまだ、特別の犠牲とまではいえないと解される（上掲平成17年判決における藤田宙靖裁判官の補足意見を参照。なお、平成17年判決の法廷意見は、補償が不要であることの理由として、「一般的に当然に受忍すべきものとされる制限の範囲を超えて特別の犠牲を課せられたものということがいまだ困難である」とするのみで、具体的な理由を一切述べていない）。

(3) 既存の利用形態への配慮

【設問3】
　Xは、国立公園の特別地域内に所在する自己所有の土地（本件土地）に別荘を新築するため、環境大臣に対し自然公園法20条3項1号に基づき工作物の新築許可申請をしたところ、不許可となった。そこで、Xは、同法64条1項に基づき、国に対して補償請求をした。本件土地の周辺は、原生林による優れた風致・景観を有するところ、Xの別荘が建築されれば、現在の風致・景観は著しく毀損されることが予想され、また、同地域は、これまで特段の利用がされることなく原生林として放置され、別荘等の居宅が全く存在せず、樹木の繁茂する急斜面であって、道路も通じておらず、上下水道、電力等の供給もなされていない。Xの補償請求は認められるか。

◆自然公園法◆
（特別地域）
第20条　環境大臣は国立公園について……、当該公園の風致を維持するため、公園計画に基づいて、その区域（……）内に、特別地域を指定することができる。
2　略
3　特別地域（……）内においては、次の各号に掲げる行為は、国立公園にあっては環境大臣の……許可を受けなければ、してはならない。（ただし書略）
　一　工作物を新築し、改築し、又は増築すること。
　二～十八　略
4～9　略

（損失の補償）
第64条　国は国立公園について、……第20条第３項……の許可を得ることができない
　　ため……損失を受けた者に対して、通常生ずべき損失を補償する。
　２〜５　略

　本問は、東京地判平成２年９月18日行集41巻９号1471頁（CB20-6）をモデルとしている。
　本問の自然公園法による規制は、(1)（→449頁以下）で見た規制目的との関係では、警察制限ではなく公用制限に当たる。しかし、上掲平成２年判決は、自然公園法の補償規定につき、憲法29条３項の趣旨を具体化したものであるとしたうえで、【設問３】に掲げた本件土地の状況からすると、Xが本件土地を別荘用地とする意図で購入したとしても、これまで別荘用地として利用されていなかったことはもちろん、客観的に見て別荘用地として利用されることが全く予想されていなかった土地であるとして、本件の建築制限は、社会生活上一般に受忍すべき財産権の内在的制約の範囲内にあり、補償は不要であるとした。
　これは、土地所有権につき、抽象的で無制約な利用が既得権として認められるのではなく、その土地の置かれた客観的状況（風致・景観、従前の用途、客観的に予想されうる用途、等）に拘束されるという「**状況拘束性**」の考え方に基づくものと解される（塩野・行政法Ⅱ389頁）。
　なお、上掲最大判昭和43年11月27日（河川附近地制限令事件。→448頁）は、「Xは、……従来、賃借料を支払い、労務者を雇い入れ、相当の資本を投入して営んできた事業が営み得なくなるために相当の損失を被る筋合であるというのである。そうだとすれば、その財産上の犠牲は、……単に一般的に当然に受忍すべきものとされる制限の範囲をこえ、特別の犠牲を課したものとみる余地が全くないわけではなく、……その補償を請求することができるものと解する余地がある」としており、(1)（→449頁以下）で見た規制目的との関係では、**警察制限に当たるものであっても、従前の利用形態を考慮することにより、補償が認められうる**ことを示唆している。
　また、上掲最大判昭和38年６月26日（奈良県ため池条例事件。→451頁）に対しても、父祖の代から引き続いて、ため池の堤とうを農作物の栽培に使用していたという従前の利用形態を考慮すると、憲法上補償を要すると解する余地があるとの批判がなされている。

(4) 制限される権利の性質

> **【設問4】**
> Xは、東京都（Y）が東京都中央卸売市場内に所有する行政財産たる本件土地につき、使用期間の定めなく、目的外使用許可（地方自治法238条の4第7項）を受け、建物を建築して、喫茶店を営んでいた。しかし、その後、市場への入荷が急激に増加し、Y自ら本件土地を使用する必要が生じたため、Yは本件の使用許可を取り消し、Xは立退きを余儀なくされた。Xは、これにより生じた損失の補償を請求できるか。なお、地方自治法は、行政財産の目的外使用許可の取消しに対する補償規定を置いていないが、国有財産法は、普通財産を貸し付けた場合における貸付期間中の契約解除による損失補償の規定を置き（24条）、これを行政財産に準用している（19条）。

本問は、最判昭和49年2月5日民集28巻1号1頁（基判445頁、百選Ⅰ87、CB20-3）をモデルとしている。

前提として、国公有財産は、**行政財産**と**普通財産**とに分類される（国有財産法3条、地方自治法238条3項）。行政財産は、国または地方公共団体において公用（庁舎等）または公共用（道路等）に供される財産であり、その性質上、本来の用途または目的のために利用されるべきものであって、**その用途または目的を妨げない限度において使用を許可できる**とされている（国有財産法18条6項、地方自治法238条の4第7項。なお、最判平成18年2月7日民集60巻2号401頁〔呉市公立学校施設使用不許可事件、基判62頁、百選Ⅰ70、CB4-8〕も参照。→132頁）。これに対し、普通財産は、行政財産以外の一切の国公有財産であり、貸付、売払い等ができるとされている（国有財産法20条、地方自治法238条の5）。

公有行政財産の目的外使用許可が取り消された（講学上の行政処分の撤回）場合の損失補償について、地方自治法等の法令には規定がないため、憲法29条3項の直接適用が問題となりうる。しかし、上掲最判昭和49年2月5日は、国有財産法の補償規定を本件にも類推適用すべきであるから、憲法29条3項の直接適用について論ずるまでもないとしている。これは、最高裁が損失補償について、個別法に手がかりを求めうる限り、憲法29条3項の直接適用には消極的であることを示す例（→449頁＊）であると考えられる。

そのうえで、補償の要否について、上掲昭和49年判決は、「本件のような都有行政財産たる土地につき使用許可によって与えられた使用権は、それが期間の定めのない場合であれば、当該**行政財産本来の用途または目的上の必**

要を生じたときはその時点において原則として消滅すべきものであり、また、**権利自体に右のような制約が内在しているものとして付与されている**」。「その例外は、使用権者が使用許可を受けるに当たりその対価の支払いをしているが当該行政財産の使用収益により右対価を償却するに足りないと認められる期間内に当該行政財産に右の必要を生じたとか、使用許可に際し別段の定めがされている等により、行政財産についての右の必要にかかわらず使用権者がなお当該使用権を保有する実質的理由を有すると認めるに足りる特別の事情が存する場合に限られる」とした。

この判決は、行政財産の目的外使用許可によって与えられた使用権という、**制限される権利の性質に着目**して補償を不要としたものとして注目される。

3 補償の内容

(1) 完全補償

【設問5】
Xの所有する土地（本件土地）は、都市計画決定に基づく都市計画道路の予定区域内とされ、木造2階建て以下等の容易に撤去できるものしか建築できないという制限を受けた。その後、この道路事業が進み、本件土地の収用裁決に至ったが、土地収用法に基づく補償金額の算定において、本件土地は、上記建築制限を受けている土地として評価されたため、建築制限を受けていない近傍類地（本件土地周辺にある、本件土地と同等の土地）に比べて、低い額とされた。これに対し、Xは、本件土地が上記建築制限を受けていないとすれば有するであろうと認められる価格を補償すべきであると主張した。Xの主張は認められるか。

本問は、最判昭和48年10月18日民集27巻9号1210頁（基判438頁、百選Ⅱ245、CB20-2）をモデルとしている。

上掲昭和48年判決は、「土地収用法における損失の補償は、……**完全な補償、すなわち、収用の前後を通じて被収用者の財産価値を等しくならしめるような補償をなすべきであり、金銭をもって補償する場合には、被収用者が近傍において被収用地と同等の代替地等を取得することをうるに足りる金額の補償を要する**」とした。ここに、土地収用法の解釈としてではあるが、**完全補償説**の定式が示されたことが重要である。

　　＊　土地収用法による補償金の額は、完全補償の観点から客観的に認定すべ

きであり、収用委員会に裁量権は認められない（最判平成9年1月28日民集51巻1号147頁〔基判100頁、百選Ⅱ203、CB4-7〕）。

　そのうえで、上掲昭和48年判決は、上記趣旨からすれば、本件土地のような建築制限を受けている土地については、「補償すべき相当な価格とは、被収用地が、右のような**建築制限を受けていないとすれば、裁決時において有するであろうと認められる**価格をいうと解すべきである。……当該土地をかかる建築制限を受けた土地として評価算定すれば足りると解するのは、前記土地収用法の規定の立法趣旨に反し、被収用者に対し不当に低い額の補償を強いることになるのみならず、右土地の近傍にある土地の所有者に比しても著しく不平等な結果を招くことになり、到底許されない」とした。もともと、道路事業の円滑な施行のために建築制限が課されたのであるから、実際に道路事業が進捗し土地収用に至ったときは、建築制限による価格低落分も含めて補償されるべきであるという本判決の考え方は、妥当であると解される。

　なお、この判決を前提とすると、建築制限をかけられたまま、道路事業が進捗しないため、買収や収用がされずに長期間放置されている土地についても、（都市計画法や土地収用法には補償規定がないが、憲法上）建築制限による価格下落について補償する必要があるのではないかが問題となる（→【設問2】〔451頁〕）。

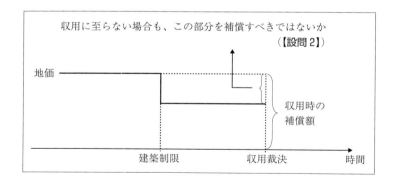

　以上の関係を図示すると、上記のとおりである。ただし、実際には、地価は様々な要因によって変動するものであり、上図は、建築制限の影響のみを考慮した概念図である。

(2) 事業認定時の価格固定制

> **【設問6】**
> Xの所有する土地（本件土地）が、新幹線駅の新設事業の対象地となり、起業者は、土地収用法に基づく事業認定を受けたうえで、Xと土地の買収交渉に臨んだ。しかし、交渉が不調に終わったため、本件土地につき、土地収用法に基づく収用裁決がなされた。その間に、本件土地の周辺では、新幹線駅の新設を見込んで土地取引が過熱し、地価が急騰した。Xに対する補償額は、収用裁決時の近傍類地の取引価格をもとに算定すべきか。

◆土地収用法◆
（土地等に対する補償金の額）
第71条　収用する土地……に対する補償金の額は、近傍類地の取引価格等を考慮して算定した事業の認定の告示の時における相当な価格に、権利取得裁決の時までの物価の変動に応ずる修正率を乗じて得た額とする。

　土地収用法71条は、補償金の額につき、事業認定時の近傍類地の取引価格をもとに算定する（それ以降については、物価変動のみが考慮され、近傍類地の取引価格の変動は考慮されない）としている（**事業認定時の価格固定制**）。これは、1967年の法改正によって導入された方式であり、その趣旨は、①事業の影響により生ずる土地価格の上昇（開発利益）は、起業者の投資（公共事業であれば、公金の投入）によって生じたものであるから、土地所有者ではなく起業者（公共事業であれば、国または公共団体）に帰属させるべきであること（開発利益の帰属の適正化）、②収用裁決時の土地取引価格を基準にすると、開発の期待で地価が上昇している場合には、早期に任意買収に応じるよりも、収用裁決時まで買収に応じない方が補償額が高くなるから、いわゆるゴネ得を誘発するおそれがあること、にあると解される。

　この仕組みについては、収用されない近傍の土地の所有者は、開発による地価上昇の恩恵を受ける（近傍の土地も含めて、開発利益を起業者に吸収させる仕組みは、十分に整備されていない）のに、被収用者だけ地価上昇の恩恵を受けられないのは、不公平ではないかが問題となる。これに対しては、事業認定がされた土地（本件では、新幹線駅の用地）は、収用される運命にあるから、一般の取引の対象となることはなく、したがって、収用されない近傍の土地（本件では、新幹線駅の駅前となる土地）と同様の価格変動を期待すべきではないと説明される（運命付け論）。

　また、事業認定時の近傍類地の取引価格を基準とした補償金を収用裁決時

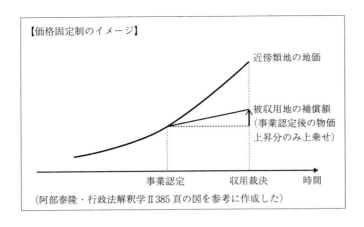

(阿部泰隆・行政法解釈学Ⅱ385頁の図を参考に作成した)

に受け取っても、既に近傍類地の価格は高騰しているから、近傍において被収用地と見合う代替地を取得できないのではないかが問題となる。これに対しては、事業認定後は、収用裁決前であっても、補償金の支払請求を認める（土地収用法46条の2・46条の4）という手当てがされ、これにより、被収用者は、早期に補償金の支払いを受け、近傍の土地が高騰する前に、被収用地と見合う代替地を取得することができると説明されている。

最判平成14年6月11日民集56巻5号958頁（基判446頁、CB20-7）は、以上のような立法関係者の説明（川合宏之「土地収用法の大改正」自治研究43巻10号〔1967年〕121頁）と同様の趣旨を述べて、土地収用法71条は憲法29条3項に違反しないとした。

なお、この判決は、合憲性判断の前提として、農地改革の事案で**相当補償説**をとった最大判昭和28年12月23日民集7巻13号1523頁（基判446頁、百選Ⅱ243）を引用し、この判例の趣旨に従って判断すべきであるとしている。しかし、結論部分においては、土地収用法71条の算定方法には「十分な合理性があり、これにより、被収用者は、収用の前後を通じて被収用者の有する財産価値を等しくさせるような補償を受けられる」として、**完全補償説**の定式（【**設問5**】）を示している（ただし、この判決は、上掲最判昭和48年10月18日を引用していない）。そこで、この判決が、判断基準として、農地改革の事案である昭和28年大法廷判決を持ち出した意図がどこにあるのか、疑問が提起されている（塩野・行政法Ⅱ393頁注(1)を参照）。この点につき、昭和28年大法廷判決のとる相当補償説は、補償は常に完全補償でなければならないわけではないとする説であって、完全補償となる場合がありうることを

排斥しておらず、平成14年最判は、憲法解釈論として相当補償説を採用しつつ、土地収用法レベルでは、実質的に完全な補償が必要であるとする趣旨であるとする見解がある（内野正幸・百選Ⅱ〔第6版〕256事件解説）。すなわち、この見解によると、3つの最高裁判決の関係は、次のようになる。
　①　最大判昭和28年12月23日：憲法29条3項の解釈、農地改革の事案
→相当補償説
　②　最判昭和48年10月18日：土地収用法の解釈、土地収用の事案
→完全補償説
　③　最判平成14年6月11日：憲法29条3項の解釈、土地収用の事案
→憲法解釈論としては相当補償説、土地収用に関しては完全補償を必要とする

4　国家補償の谷間

> 【設問7】
> 　法律に基づく強制により予防接種を受けた乳児Xは、重篤な後遺障害を被った。当時予防接種法に定められていた救済制度では、給付額が著しく低額で、救済として不十分であった。Xは、国家賠償または損失補償の請求をすることができるか。

　国家賠償と損失補償とは、原因となった国家行為が違法か適法かによって区別されるが、国家賠償には、違法以外にも、過失等の要件があり（また、客観的には違法であっても、国賠法上は違法でないとされることもありうる。→428頁）、他方、損失補償には、財産権を公のために用いるという要件がある。そこで、いずれの要件にも該当せず、両者の谷間に落ち込んで救済されない場合が生じうる。これを**国家補償の谷間**の問題という。この場合、救済の必要性があるとすれば、国家賠償と損失補償のいずれか、あるいは双方から、解釈の工夫により谷間を埋めていく作業が必要になる。
　国家補償の谷間の典型例が、**予防接種禍**の問題である。すなわち、感染症の発生および蔓延を予防するという公益目的のため、国が法律による強制または勧奨により予防接種を実施させた結果、ごく一部の者に重篤な後遺障害が生じるという問題である。谷間に対していずれからアプローチするかにより、損害賠償説と損失補償説とに分かれる。
　損害賠償説の課題は、被害発生の医学的メカニズムが十分に解明されていないため、違法性や過失を被害者が主張・立証することが困難であるという

```
【国家補償の谷間】
                （原因行為）
        ┌ 国家賠償：違法・過失      ┌ ①違法・無過失
国家補償 ┤                  谷間 ┤
        └ 損失補償：適法・財産権の収用 └ ②生命・身体の（適法）犠牲
                                   （予防接種禍）
```

点にある。判例は、後遺障害が発生した場合、特段の事情がない限り、被接種者が**禁忌者**（接種をしてはならない者）**に該当していたと推定**する（最判平成3年4月19日民集45巻4号367頁、基判420頁、百選Ⅱ211、CB18-6）とともに、担当**医師の過失を推定**したり（最判昭和51年9月30日民集30巻8号816頁）、禁忌を識別するための十分な措置をとらなかったことについての**厚生大臣の組織的過失**を問題にすること（東京高判平成4年12月18日判時1445号3頁、CB18-7）により、被害者救済を図っている。そして、損害賠償説から損失補償説に対しては、生命・身体はいかに補償を伴っても公共のために用いることはできないとの批判がなされている。ただし、十分な予診体制の下で真に不可避な事故についても救済できるかという問題が、なお残されている（小幡純子・百選Ⅱ211事件解説参照）。

これに対し、**損失補償説**は、公共の利益のために特定の個人が特別な犠牲を強いられる結果が生じているという点において、損失補償と共通の状況が生じていることに着目し、憲法は、国民の生命・身体を財産権より格段に厚く保障しているのだから、憲法29条3項の類推解釈ないし勿論解釈により、損失補償請求権が認められるとする（塩野・行政法Ⅱ408頁）。この立場をとった下級審裁判例も存在する（大阪地判昭和62年9月30日判時1255号45頁〔CB20-5〕）が、判例の大勢は、上記のとおり、損害賠償説をとっている。

終章

終章　事案解決の着眼点

◆学習のポイント◆
　本書における説明の順序は、（一般的な教科書と同様に）行政法の体系に沿っており、行政をめぐる紛争の訴訟による解決を考える際の順序にはなっていない。実際の手順としては、まず、当該行政活動の目的および法の定め方という実質・形式の両面を把握したうえで（本章1）、訴訟類型の選択（本章2）→訴訟要件の検討（本章3）→行政活動の違法性の検討（本章4）という流れが基本になる。そこで、本書の締めくくりとして、この手順に沿って、着眼点と本書中の掲載箇所を示す。復習に役立てていただきたい。

1　行政活動の目的と法形式への着目

(1)　行政活動の目的への着目

　行政をめぐる紛争の解決を考えるにあたっては、まず、当該事案において関係者間でどのような利害が対立しており、当該行政活動はそれをどのように調整することを目指すべきか、に着目すべきである。その前提として、当該行政活動の目的を具体的に考えることが重要であり、そのためには、仮にその行政活動が行われなければ、どのような弊害が生じるか、また、当該行政活動は、誰のどのような利益を保護するために行われるべきとされているか、を考えてみるのがよい（第1講）。日頃からニュース等に接して、様々な行政活動に興味をもつことも重要である。

(2)　法形式への着目

　次に、当該行政活動について、誰が（国会・地方議会か行政機関か）どのような形式で（法律・条例、法規命令、行政規則、等）決定しているか（または、決定していないか）に着目する必要がある。同じ内容の事柄を定めていても、それが法律か、条例か、政令か、通達か、等々によって、法的な意味は異なる。

関連する項目として、以下の点に注意してほしい。

① 制定法のピラミッド（→31頁）、法律と条例との関係（→35頁）

② 法律による行政の原理、法律の留保論（ある行政活動について法律が決定していないにもかかわらず当該行政活動が行われることが違憲・違法かという問題）（→37頁以下）

③ 行政立法（法規命令と行政規則との区別）（→第9講）

④ 法律が予定している仕組みと通達に基づく運用との間にズレがあるのではないかという問題（→148頁＊＊、284～285頁等）

2　訴訟類型（および仮の救済手段）の選択

(1) まず、①行政活動による不利益自体を排除・是正・予防したいのか（行政上の不服申立て・行政事件訴訟。第16講～第24講）、それとも、②金銭等による賠償・補償を求めたいのか（国家賠償・損失補償。第25講～第27講）によって、救済手段が異なる。

(2) 上記①の場合、一連の行政過程のうちで、1）既に行われた**行政処分**があり、それに対する不服がある場合は、**取消訴訟**（行訴法3条2項）、2）その際、取消訴訟の**出訴期間**（行訴法14条）を既に過ぎている場合は、原則として争えなくなるが、例外的に、処分に重大・明白な瑕疵があって**無効**であることを前提とする訴訟として、**争点訴訟**（行訴法45条）、**実質的当事者訴訟**（行訴法4条後段）または**無効確認訴訟**（行訴法3条4項）、3）**申請**に対してまだ処分が行われておらず、そのことの違法を確認してほしい場合は、**不作為の違法確認訴訟**（行訴法3条5項）、4）まだ行われていない一定の処分を求める場合は、**義務付け訴訟**（行訴法3条6項。申請の有無により、申請型と非申請型）、5）まだ行われていない一定の処分が今後も行われないことを求める場合は、**差止訴訟**（行訴法3条7項）、6）処分に関わらない行政上の法律関係について争いたい場合は、**実質的当事者訴訟**（行訴法4条後段）または民事訴訟を、それぞれ検討するのが基本である（以上につき、→第17講）。

なお、上記2）に関し、取消訴訟の出訴期間について検討することなく、漫然と無効確認訴訟を挙げるのは、不適切である。無効確認訴訟の実際の機能は、「時機に後れた取消訴訟」であり、本案において原告が勝訴することが非常に難しい訴訟類型であるから、出訴期間を過ぎている場合に、いわば最後の手段として用いるべきである（→266頁）。

(3) 提起すべき訴訟を示す際には、単に取消訴訟、義務付け訴訟、差止訴

訟、確認訴訟などとするのではなく、「何を」取り消したり義務付けたり差し止めたり確認したりするのかを、**具体的に特定・明示**すべきである（訴訟実務上は、訴状に「請求の趣旨」として記載される）。その際、（法定）抗告訴訟の対象は処分または裁決でなければならないこと（→271頁コラム）、また、（当事者訴訟としての）確認訴訟の対象は不定型なので、対象選択の適切さが特に問題となること（→408頁）、に注意すべきである。なお、訴訟の**被告**も明示すべきである。

　（4）　救済に緊急を要する場合、処分については、執行停止（→365頁以下）、仮の義務付け（→398頁）または仮の差止め（→406頁）を、処分に関わらない行政上の法律関係については、民事保全法の仮処分（→410頁）を検討する。

　（5）　**紛争の一挙的・一回的解決**を望むか。判決に第三者効（→380頁）のある取消訴訟は、紛争の一挙的解決に適する（→300頁）。また、申請拒否処分の取消訴訟のみを提起するよりも、申請認容処分の義務付け訴訟をも提起した方が、紛争の一回的解決に資する（→384頁）。

3　訴訟要件（および仮の救済の申立要件）の検討

　概略については第17講2〜11（→256〜275頁）を、詳細については第18講〜第24講を参照。なお、章末に、取消訴訟における訴訟要件および本案の審理の流れと本書中の関連個所を示す。

4　行政活動の違法性（本案）の検討

　行政処分については、必ず個別法に根拠規定があるから、問題となっている行政処分の根拠規定を（条・項・号まで正確に）特定したうえで、それが定める要件・効果を当該事案の事実関係に当てはめることにより、根拠法令違反の有無を論じることが基本である（→第2講1⑶）。その際に役立ちうる一般論として、以下のものがあるが、まず手がかりを求めるべきは個別法上の根拠規定（個別法に規制規範が置かれている場合には、それも含む）であって、個別法の規定をよく見ないまま一般論のみによって事案解決を図ろうとすることのないよう、注意すべきである。

　（1）　**行手法**が適用されるか（適用除外規定の有無）、必要とされている手続がとられたかに注意する。「申請に対する処分」と「不利益処分」の区別、行手法違反と処分の取消事由（第6講、第7講）等が重要である。

　（2）　**行政裁量論**（要件裁量と効果裁量）：処分の要件（基準）・効果がどの

ように定められているかに着目する。どの程度具体的に定められているか、どのレベル（法律、法規命令、行政規則）で定められているかに注意する。警察許可と公企業の特許の区別（本来の自由の侵害か、特権の賦与か。→137頁）、行政庁の政治的・専門技術的判断を要するかも考慮要素となりうる。

なお、処分要件を定める規定が抽象的な文言を用いている場合であっても、事柄の性質上、裁量が認められない場合があるので、注意が必要である（巻末の事項索引で「裁量が認められない場合」を参照）。

(3) 法規命令による基準の具体化と裁量基準（審査基準・処分基準）との違い、裁量基準に従うべき要請と個別事情考慮義務との関係（→147頁）に注意する。

(4) **法の一般原則**：行政活動が法令（の明文）に違反していないにもかかわらず違法であると主張するための「最後の手段」となる（→第3講）。

(5) 国賠訴訟の場合、根拠規範・規制規範に違反する処分等をしたことが国賠法上直ちに違法となるわけではなく、公務員の職務上の注意義務違反がある場合に限り違法となるとするのが判例の基本的な立場である（→426頁）。

【取消訴訟のプロセス】

```
            訴え提起
               │
               ▼      なし
          訴訟要件（訴訟の入口）─────→ 訴え却下
                                   （「門前払い」）
     あり   ・処分性（行訴法3条2項）（第5講、第18講、第19講）
          ・原告適格（行訴法9条1項・2項）（第20講）
          ・狭義の訴えの利益（行訴法9条1項）（350頁以下）
          ・被告適格（行訴法11条）（69頁）
          ・出訴期間（行訴法14条）（261頁コラム）
          ・不服申立前置（行訴法8条1項ただし書）（246頁）
               │
               ▼        処分が適法
           本　案（訴訟の中身）─────→ 請求棄却
    処分が  ・手続的瑕疵：行手法違反と処分の取消事由（第6講、第7講）
    違法   ・実体的瑕疵：個別法の解釈の基礎（第1講、第2講）
                      行政裁量（行訴法30条）（第8講）
                      法の一般原則（第3講）
          ・原告の主張制限：行訴法10条1項（371頁）・2項（248頁）、
                      違法性の承継（373頁）
          ・被告の主張制限：処分理由の差替え（382頁）
```

（原則）**請求認容＝取消判決**（行政処分を取り消す判決）

　　　　取消判決の効力（379頁以下）
　　　　　・既判力（行訴法7条、民事訴訟法114条）
　　　　　・形成力・第三者効（行訴法32条）
　　　　　・拘束力（行訴法33条）

（例外）**請求棄却＝事情判決**（行訴法31条）（360頁）

●事項索引●

【あ 行】

青色申告……………………………………59
青写真判決…………………………………310
空家等対策の推進に関する特別措置法……211
委員会（地方公共団体の）………………77
意見公募手続（パブリック・コメント）…161
意見陳述手続………………………104, 115
意見の聴取………………… 15, 19, 118, 345
一定の処分………………… 392, 396, 403
一般競争入札………………………………175
一般処分……………………103, 261, 294, 326
一般廃棄物処理計画………………………185
委任条例………………………………………36
委任命令…………………………… 13, 37, 153
違反是正命令（建築基準法）…… 22, 119, 355
違法性相対説…………… 426, 428, 430, 433
違法性同一説……………………… 429, 430
違法性の承継
　……………286, 290, 292, 301, 312, 322, 373
医療法………………………………………288
インカメラ審理………………………226, 378
運転免許………………………… 15, 137, 350
枝番号…………………………………………18
公の施設………………………………………54

【か 行】

概括主義……………………………………254
外形標準説…………………………………421
解釈基準…………………………… 148, 160
開発許可………………………… 281, 329, 357
核原料物質、核燃料物質及び原子炉の規制に
　関する法律（原子炉等規制法）…… 139, 371
確認訴訟（当事者訴訟としての）…… 92, 123,
　160, 174, 176, 218, 274, 286, 290, 390, 407
確認の利益…………………………………407
加算税………………………………………216
過失…………………………………………429

課税処分………… 199, 236, 247, 263, 389
課徴金………………………………………216
仮処分………………………………… 365, 410
仮の義務付け………………… 286, 366, 398
仮の差止め…………………………………406
過料…………………………………………215
管轄…………………………………………260
環境影響評価法……………………………335
関係法令…………………… 328, 331, 332, 335, 343
完結型（土地利用規制型）計画……… 301, 311
勧告………………………… 166, 173, 217, 287
監獄法………………………………………155
関税法………………………………………280
間接強制調査………………………………198
完全補償……………………………………135
――説……………………………… 455, 458
換地処分…………………………… 309, 358
関与の法定主義…………………………78, 159
関連請求……………………………………249
機関委任事務………………………………78
機関訴訟……………………………………275
期限…………………………………………150
規制規範………………………………… 41, 47
規制行政……………………………………24
――における契約………………………180
規制権限不行使……………………………432
規則（地方公共団体の長の）………… 36, 342
既存不適格建築物……………………295, 304
機能的瑕疵…………………………………445
既判力……………………………… 360, 379
義務付け裁決………………………… 243, 244
客観訴訟……………………………………255
給付行政…………………………… 24, 38, 87, 314
――における契約………………………178
競願……………………………………346, 360
狭義の訴えの利益………………… 259, 300, 348
競業者………………………… 138, 188, 327, 346, 434
教示………………………… 245, 249, 259, 260, 273
行政機関………………………………………66
――相互の行為………………………278

467

―――の保有する情報の公開に関する法律→情報公開法
行政規則……………………………… 154, 162
行政計画………………………… 57, 184, 301
行政刑罰の機能不全………………………213
行政契約……………………………………175
行政権の濫用………………………… 62, 264
行政行為………………………………… 85, 93
行政財産……………………………………454
行政裁判所…………………………………252
行政裁量→裁量
行政指導………………………………… 85, 164
　――指針……………………… 144, 154, 162, 172
　――の中止等の求め………………… 173, 233
　許認可等の権限に関連する――…………170
　申請に関連する――………………………168
　法律に基づく――…………………………166
行政上の強制執行…………………… 22, 206
　――の機能不全……………………………210
行政上の強制徴収………………… 210, 316
行政処分………………………………… 44, 85
　――の撤回…………………… 17, 47, 454
　――の取消し………………………………47
行政代執行法…………………… 206, 218, 219
行政庁………………………………………66
　――の第一次的判断権……………… 256, 268
行政調査……………………………………195
強制調査……………………………………198
行政手続……………………………… 17, 22, 90, 95
　――条例……………………………………100
　――の瑕疵と処分取消事由………………123
行政の定義…………………………………28
行政不服審査会……………………………241
行政便宜主義………………………………435
行政立法………………………… 32, 152, 154, 436
供用関連瑕疵………………………………445
許認可等の権限に関連する行政指導………170
国地方係争処理委員会……………………79
警察規制……………………………… 169, 450
警察許可……………………………… 135, 137, 183
警察作用……………………………………56
形式的当事者訴訟…………………………272
契約自由の原則……………………… 12, 178

経由機関……………………………………112
権限の委任…………………………………68
権限の代理…………………………………69
権限濫用……………………………………61
健康保険組合………………………… 81, 320
健康保険法………………………… 288, 320
原告適格
　………… 138, 188, 264, 326, 375, 392, 395, 405
原処分主義…………………………………248
原子炉等規制法→核原料物質、核燃料物質及び原子炉の規制に関する法律
建築確認…………………… 22, 354, 366, 374, 440
　――の留保…………………………………168
建築基準法
　……19, 118, 119, 168, 295, 302, 329, 355, 374
建築士法……………………………………108
原発訴訟……………………………… 139, 373, 379
建蔽率………………………………………303
権力留保説…………………………………44
項……………………………………………18
号……………………………………………18
行為規範……………………………… 126, 143
行為形式……………………………………84
行為訴訟……………………………………257
公害防止協定………………………………180
効果裁量（裁量も見よ）…… 131, 132, 137, 140, 435
公企業の特許……………………… 135, 137, 188, 347
合議制………………………………………67
公共組合……………………………………81
航空法………………………………… 328, 372
公権力……………………………… 87, 277, 313, 324
　――の行使（国賠法）……………………419
　――発動要件欠如説……………… 429, 430
公衆浴場法…………………………………136
更新…………………………………………362
更正処分…………………… 59, 107, 203, 383, 393, 425
更正の請求…………………………………393
公聴会………………………………………114
公定力………………………………… 256, 278
公表…………………………………… 46, 217
公文書等の管理に関する法律……………221
公法私法二元論……………………… 28, 273

公法上の当事者訴訟→当事者訴訟
公務員（国賠法）……………………419, 439
公用制限………………………………………451
考慮不尽………………………………………141
国税徴収法………………………210, 346, 372
国税通則法……………………………59, 196
国務大臣・行政長官同一人制………………75
国立大学法人…………………………………80
個人情報……………………………………222
　　——の保護に関する法律…………166, 227
　　——保護委員会………………………227
国家行政組織法………………………………72
国家公務員法……………………154, 250, 350
国家と市民社会の二元論………………26, 64
国家補償の谷間……………………………459
異なる理由による再処分…………………382
個別事情考慮義務……………………147, 365
個別法…………………………………………3
固有の資格……………………………101, 238
根拠規範………………………………………41

【さ　行】

裁決…………………………………………243
裁決主義………………………………248, 367
再審査請求…………………………………236
再調査の請求………………………………236
裁定的関与…………………………………239
裁判規範………………………………127, 143
財務会計行為…………………………411, 413
財務省設置法…………………………………40
裁量（効果裁量、専門技術の裁量、要件裁量
　も見よ）………32, 53, 56, 128, 159, 188, 193,
　　　　　　　　　　　　　　201, 342, 415
　　——が認められない場合
　　　…………………………49, 135, 169, 179, 223
　　——基準…………………144, 148, 342, 365
　　——権収縮論……………………………437
　　——権の逸脱・濫用の立証責任………379
　　——的開示……………………………224, 225
　　——時の…………………………………131
差止訴訟…………………………225, 271, 277, 403
作用法的行政機関概念…………………65, 74

3 段階構造モデル……………………86, 89
三面関係………14, 27, 114, 211, 268, 326, 435
市街化区域…………………………………357
市街化調整区域……………………………357
事業認定……………141, 192, 346, 377, 457
自己責任説…………………………………420
自己の法律上の利益に関係のない違法……371
事実行為（事実上の行為）
　…………………………………201, 218, 219, 243
事情裁決……………………………………243
事情判決………………………………311, 360, 390
私人……………………………………………27
自然公園法…………………………………452
自治事務………………………………………78
執行機関（作用法的行政機関概念としての）
　…………………………………………………66
執行機関（地方公共団体の）……………77
執行停止………………244, 301, 349, 356, 365
実効的な権利救済
　………………………289, 292, 300, 311, 320, 403
執行罰………………………………………210
執行不停止原則………………………244, 348, 366
執行命令…………………………………37, 153
実質的当事者訴訟（当事者訴訟も見よ）…273
質問検査……………………………………195
指定確認検査機関………………81, 374, 440
指定法人………………………………81, 101
自転車競技法………………………………338
児童福祉法………………………297, 395, 438
児童扶養手当法……………………………155
指導要綱……………………………………179
事務配分的行政機関概念………………72, 74
指名競争入札………………………………175
諮問機関………………………………66, 124
社会観念審査………………………………141
釈明処分の特則………………………320, 371
遮断効………………………………………322
修正裁決……………………………………249
自由選択主義………………………246, 254
重大な損害を生ずるおそれ…………393, 404
銃砲刀剣類所持等取締法…………………159
住民監査請求………………………………411
住民訴訟………………………………45, 71, 411

事項索引　469

重要事項留保説	43
主観訴訟	255
需給調整	347
首長主義	77
主張制限	371
出訴期間	259, 261, 321, 322, 376
受理	112, 120
準強制調査	198
準名宛人	346
準備行政における契約	175
照応の原則	309
状況拘束性	453
条件	150
条文の構造と引用方法	18
情報公開	
——・個人情報保護審査会	226, 228
——条例	221
——法	221, 377, 382
消防法	278
省令	31
条例	35, 100, 206, 208, 217, 219, 228, 238, 297, 342
食品衛生法	46, 283
職務行為基準説	423, 426, 428, 430
職務命令	402
所持品検査	203
職権証拠調べ	371
職権探知	241, 371
職権による処分	103, 119
処分→行政処分	
処分基準	104, 108, 144, 154, 162, 362
処分権主義	370
処分性の定式	276
処分等の求め	119, 233
処分の留保	168
処分不存在確認訴訟	389
知る権利	220, 221
侵害	39, 135
侵害留保説	38, 164, 218
審議会	67, 124
信義則	57, 60, 61, 141
申告納税方式	59
審査基準	104, 110, 144, 154, 162

審査請求	235
申請	87, 168
——権	113, 119, 267
——に関連する行政指導	168
——に対する処分	103, 111
——に対する審査・応答義務	112
申請型義務付け訴訟	113, 126, 226, 270, 286, 319, 384, 395
信頼保護原則	57
審理員	240
水道法	179
生活保護法	23
制裁	46, 48, 351
制裁的公表	217
成熟性	310, 409
正当な理由（行訴法14条）	260, 261
正当の理由（水道法）	135, 178
政令	31
接道義務	295, 373
説明責任	127, 220
先願主義	138
専決	70
全部留保説	42
専門技術的裁量（裁量も見よ）	135, 139, 148
総合設計許可	329
相互保証主義	447
争点訴訟	266, 387
相当補償説	458
訴願前置主義	253
即時確定の必要性	409
即時強制	199, 219
組織規範	40, 165
租税法律主義	49, 59
損失補償	58, 448
存否応答拒否	224

【た　行】

代位責任説	420
代決	71
第三者再審	380
第三者の訴訟参加	265, 380
代執行の戒告	209

代替的作為義務 …………………… 207, 208
ダイレクトアタック ………………… 257, 408
諾否の応答 ………………… 113, 121, 285
他事考慮 …………………………………141
地方公務員法 ……………………………55
地方自治法 ……………… 53, 157, 158, 176
地方支分部局 …………………………… 73
地方独立行政法人 ……………………… 80
懲戒処分 …… 55, 108, 129, 140, 145, 251, 367, 401
聴聞 ……………………… 101, 104, 115
　　──（広義の）………………………118
　　──主宰者 …………………………116
　　──調書 ……………………………116
直接強制 …………………………………210
通達 ……… 77, 85, 154, 160, 284, 319, 332, 402
通知 ……………………… 280, 282, 291
訂正請求（保有個人情報の）………………228
締約強制 …………………………………178
適用除外（行手法）………………… 82, 99
適用除外（行審法）………………………238
「できる」規定 ………………… 132, 138, 435
撤回→行政処分の撤回
撤回権の
　　──制限 …………………………… 48
　　──留保 ……………………………150
鉄道事業法 ……………… 34, 68, 120, 344
撤廃裁決 …………………………………243
等 …………………………………………162
当事者訴訟（確認訴訟〔当事者訴訟としての〕
　も見よ）……………………… 300, 323, 387
透明性 ……………………… 96, 105, 175
道路交通法 ………………… 15, 118, 350
道路法 …………………………………450
時の裁量 …………………………………131
特殊法人 ………………………… 81, 101
独任制 …………………………………… 67
毒物及び劇物取締法 ……………………133
特別行政主体 …………………………… 82
特別権力関係論 ………………… 99, 402
特別地方公共団体 ……………………… 76
匿名加工情報 ……………………………228
独立行政法人 …………………… 80, 101
　　──等の保有する情報の公開に関する法律
………………………………………… 81, 221
都市計画事業認可 ………………… 189, 334
都市計画法 ……… 189, 281, 301, 329, 334, 451
土壌汚染対策法 …………………………291
土地改良法 ………………………………358
土地区画整理組合 ……………………… 81
土地区画整理法 …………………………307
土地収用法 ……… 135, 141, 264, 272, 455, 457
届出 ……………………… 13, 120, 285
取消権の制限 …………………………… 48
取消裁決 …………………………………243
　　──の拘束力 ……………………244
取消訴訟の排他的管轄
　……………… 256, 262, 265, 278, 322, 376, 400
取消判決の
　　──拘束力 ……… 123, 125, 177, 268, 274, 320,
　　　　　　　　　　　361, 381, 384, 388, 398
　　──第三者効 … 265, 300, 323, 380, 390, 394
努力義務 ……………… 96, 105, 111, 115, 126

【な行】

内閣総理大臣の異議 ……………………368
内閣府 …………………………………… 76
内部行為 ………………………………… 85
二元代表制 ……………………………… 77
二項道路の一括指定 ……………………294
二重処罰の禁止 …………………………216
任意調査 …………………………………198
認可 ………………………………………13
認可法人 ………………………… 81, 101

【は行】

廃棄物の処理及び清掃に関する法律（廃棄物
　処理法）……………………… 181, 186, 391
バイパス理論 ……………………………211
配慮義務 ………………………………… 62
白紙委任の禁止 …………………………154
柱書 ……………………………………… 18
罰則 ……………………… 86, 93, 212, 316
パブリック・コメント→意見公募手続
番号法→マイナンバー法

事項索引　471

反射的利益	328
反則金	213
犯則調査	199
判断過程審査	141, 178, 193
判断代置（裁量が認められない場合も見よ）	130
反復禁止効	381, 384
非完結型（事業型）計画	307, 311
被告適格（取消訴訟の）	69, 259
被侵害利益	329, 331, 336, 339, 345
非申請型義務付け訴訟	120, 123, 151, 268, 356, 391
標準処理期間	111, 268
標準審理期間	239
平等原則	51, 141, 182
費用負担者の賠償責任	445
比例原則	55, 141, 147, 182, 201
風俗営業等の規制及び業務の適正化等に関する法律	263
不開示情報	222
不確定概念	132, 139
不可争力	260, 265
不可変更力	244
附款	149
不作為	236
——についての審査請求	113, 233
——の違法確認訴訟	111, 113, 267, 286
不受理	112, 120, 286
負担	150
普通財産	454
普通地方公共団体	76
不服申立期間	237, 247
不服申立前置	246, 250, 260, 318, 320, 321
部分開示	224
不利益処分	103, 115
不利益取扱いの禁止	165, 167
不利益変更の禁止	244
ふるさと納税	158
文書閲覧権	116
紛争の一回的解決	384
分担管理	75
変更裁決	243
弁明の機会の付与	104, 115, 117

返戻	112, 120
弁論主義	370
法規	37
法規命令	32, 153
放置違反金	216
法定外抗告訴訟（無名抗告訴訟）	272, 407
法定受託事務	78
法的保護に値する利益説	331
法律上の争訟	182, 212, 253, 275
法律上の利益	237, 326
法律上保護された利益説	237, 327
法律に基づく行政指導	166
法律による行政の原理	37, 53, 57, 59, 182, 258
法律の法規創造力	37, 153
法律の優位	37, 49
法律の留保	37
法令	152
保護範囲（国賠法）	433, 437
補充性（確認訴訟）	409
補充性（差止訴訟）	405
補充性（非申請型義務付け訴訟）	393
補充性（無効確認訴訟）	388
補助機関	66
補助金	25, 42, 51
補助金適正化法	41, 313
母体保護法	47
墓地、埋葬等に関する法律	341
本質性理論	43

【ま 行】

マイナンバー法（番号法）	229
民事差止訴訟	277, 388, 394
民事手続による強制	211
民事保全法	410
民衆訴訟	275
無効確認訴訟	388
予防訴訟としての——	389
無効等確認訴訟	386
無効の処分	264
無名抗告訴訟→法定外抗告訴訟	
命令	32, 161

──等·································161
申出······························119, 173
目的外使用許可·····················132, 454
目的規定···········169, 221, 234, 328, 333, 345
モザイク・アプローチ······················223

【や 行】

薬事法································157
誘導·····························43, 352
優良運転者制度························352
要件効果規定·····················33, 129
要件裁量（裁量も見よ）·····131, 132, 137, 139
容積率································303
用途地域··························303, 451
予防接種禍··························459

予防訴訟としての無効確認訴訟··············389

【ら 行】

立証責任·······························377
理由提示··························106, 224
　──と審査基準・処分基準との関係····108
　──と理由の差替え······················383
　──の程度······························107
　──の不備と処分取消事由···············124
　──不備の瑕疵の治癒····················107
理由の差替え····························382
令状主義·································199
列記主義·································253
労働者災害補償保険法····················317

●判例索引●

【昭　和】

最判昭和27年11月20日民集6巻10号1038頁
………………………………………261
最大判昭和28年2月18日民集7巻2号157頁
………………………………………29
最大判昭和28年12月23日民集7巻13号1523頁
………………………………………458,459
最判昭和28年12月24日民集7巻13号1604頁
………………………………………371
最判昭和29年5月28日民集8巻5号1014頁
………………………………………157
最判昭和29年10月14日民集8巻10号1858頁
………………………………………241
最判昭和30年4月19日民集9巻5号534頁
………………………………………418
最判昭和31年11月30日民集10巻11号1502頁
………………………………………421,422
最大判昭和33年4月30日民集12巻6号938頁
………………………………………216
最判昭和34年1月29日民集13巻1号32頁
………………………………………279,324
最判昭和35年3月31日民集14巻4号663頁
………………………………………29
最判昭和35年7月12日民集14巻9号1744頁
………………………………………320
最判昭和36年3月7日民集15巻3号381頁
………………………………………266
最判昭和36年4月21日民集15巻4号850頁
………………………………………262
最判昭和37年1月19日民集16巻1号57頁
………………………………………138,327
最判昭和37年12月26日民集16巻12号2557頁
………………………………………249
最大判昭和38年6月26日刑集17巻5号521頁
………………………………………451,453
最判昭和39年10月22日民集18巻8号1762頁
………………………………………394
最判昭和39年10月29日民集18巻8号1809頁
………………………………85,276,277,278,325
最大判昭和40年4月28日民集19巻3号721頁
………………………………………350
大阪高決昭和40年10月5日行集16巻10号
1756頁………………………208,209,210
最大判昭和41年2月23日民集20巻2号320頁
………………………………………211
最判昭和41年2月23日民集20巻2号271頁
………………………………………310,311,358
最判昭和42年3月14日民集21巻2号312頁
………………………………………391
最大判昭和43年11月27日刑集22巻12号1402頁
………………………………………448,453
最大判昭和43年11月27日刑集22巻12号2808頁
………………………………………449
最判昭和43年12月24日民集22巻13号3147頁
………………………77,135,149,160,280,324
最判昭和43年12月24日民集22巻13号3254頁
………………………………………361,362
最大判昭和45年7月15日民集24巻7号771頁
………………………………………320,325
最判昭和45年8月20日民集24巻9号1268頁
………………………………………441,442,443
最判昭和45年9月11日刑集24巻10号1333頁
………………………………………216
最判昭和45年12月24日民集24巻13号2243頁
………………………………………293,324
最判昭和46年10月28日民集25巻7号1037頁
………………………………………109,110,124
東京地判昭和46年11月8日行集22巻11＝12号
1758頁………………………160,161
最判昭和47年5月19日民集26巻4号698頁
………………………………………136
最大判昭和47年11月22日刑集26巻9号554頁
………………………………………200
最判昭和47年12月5日民集26巻10号1795頁
………………………………………107
最判昭和48年4月26日民集27巻3号629頁
………………………………………266,267
最決昭和48年7月10日刑集27巻7号1205頁
………………………………………198,201
東京高判昭和48年7月13日行集24巻6＝7号
533頁………………………141,142
東京地判昭和48年8月8日行集24巻8＝9号

763頁 …………………………………203
最判昭和48年10月18日民集27巻9号1210頁
　………………………455,456,458,459
最判昭和49年2月5日民集28巻1号1頁…454
名古屋高判昭和49年11月20日高民集27巻6号
　395頁 …………………………………442
最判昭和50年2月25日民集29巻2号143頁
　……………………………………………29
最判昭和50年5月29日民集29巻5号662頁
　………………………………………67,124
東京地判昭和50年6月25日行集26巻6号842頁
　…………………………………………134
最判昭和50年6月26日民集29巻6号851頁
　……………………………………441,442
最判昭和50年7月25日民集29巻6号1136頁
　…………………………………………441
最大判昭和50年9月10日刑集29巻8号489頁
　……………………………………………35
最判昭和50年11月28日民集29巻10号1754頁
　…………………………………………446
福井地判昭和51年1月23日判時826号34頁
　…………………………………………351
最判昭和51年4月27日民集30巻3号384頁
　…………………………………………389
最判昭和51年9月30日民集30巻8号816頁
　…………………………………………460
東京高判昭和52年9月22日行集28巻9号
　1012頁…………………………………134
名古屋高金沢支判昭和52年12月14日判時889号
　32頁 ……………………………………351
最判昭和52年12月20日民集31巻7号1101頁
　………………………………140,141,147
最判昭和53年3月14日民集32巻2号211頁
　………………………………237,328,329
最判昭和53年6月16日刑集32巻4号605頁
　………………………………………61,62,264
最判昭和53年6月20日刑集32巻4号670頁
　…………………………………………203
最判昭和53年7月17日民集32巻5号1000頁
　…………………………………………446
最大判昭和53年10月4日民集32巻7号1223頁
　………………………………139,141,145
最判昭和53年10月20日民集32巻7号1367頁
　…………………………………………423
最判昭和53年12月8日民集32巻9号1617頁

　…………………………………79,82,280,324
最判昭和54年12月25日民集33巻7号753頁
　……………………………………280,281,324
最判昭和55年11月25日民集34巻6号781頁
　…………………………………………351
最判昭和56年1月27日民集35巻1号35頁……58
最判昭和56年2月26日民集35巻1号117頁
　…………………………………………134
最判昭和56年7月14日民集35巻5号901頁
　…………………………………………383
最大判昭和56年12月16日民集35巻10号1369頁
　……………………………………277,445
大阪地判昭和57年2月19日行集33巻1＝2号
　118頁……………………………………69
最判昭和57年3月12日民集36巻3号329頁
　…………………………………………424
最判昭和57年4月1日民集36巻4号519頁
　……………………………………420,421
最判昭和57年4月22日民集36巻4号705頁
　………………………………303,306,325
最判昭和57年4月23日民集36巻4号727頁
　…………………………………………131
最判昭和57年5月27日民集36巻5号777頁
　……………………………………281,324
最判昭和57年7月15日民集36巻6号1169頁
　……………………………………214,324
最判昭和57年9月9日民集36巻9号1679頁
　……………………………………269,360
最判昭和58年2月18日民集37巻1号59頁…450
神戸地判昭和58年8月29日判時1097号32頁
　…………………………………………358
最判昭和59年1月26日民集38巻2号53頁
　……………………………………443,444
最判昭和59年3月27日刑集38巻5号2037頁
　…………………………………………200
東京地判昭和59年3月29日行集35巻4号476頁
　…………………………………………131
大阪高判昭和59年8月30日判例自治8号93頁
　…………………………………………358
最判昭和59年10月26日民集38巻10号1169頁
　…………………………………………356
最大判昭和59年12月12日民集38巻12号1308頁
　…………………………………………281
高松高判昭和59年12月14日行集35巻12号
　2078頁…………………………………131

判例索引　475

最判昭和60年1月22日民集39巻1号1頁
……………………………107,109,126
最判昭和60年7月16日民集39巻5号989頁
………………………………168,169,170
最判昭和60年11月21日民集39巻7号1512頁
………………………………424,425,433
最判昭和61年2月13日民集40巻1号1頁
…………………………………325,359
最判昭和61年3月25日民集40巻2号472頁
………………………………………444
最判昭和61年6月19日判時1206号21頁……245
東京地判昭和61年10月30日判時1217号44頁
………………………………………356
最判昭和62年2月6日判時1232号100頁…419
最判昭和62年4月17日民集41巻3号286頁
………………………………………388
最判昭和62年4月21日民集41巻3号309頁
……………………………………250,251
大阪地判昭和62年9月30日判時1255号45頁
………………………………………460
最判昭和62年10月30日判時1262号91頁……60
最判昭和63年3月31日判時1276号39頁……202
最判昭和63年6月17日判時1289号39頁
……………………………………48,352
最判昭和63年12月20日訟月35巻6号979頁
………………………………………198

【平　成】

最判平成元年1月20日刑集43巻1号1頁…138
最判平成元年2月17日民集43巻2号56頁
………………………………328,333,372
最判平成元年4月13日判時1313号121頁
……………………………………329,345
最判平成元年6月20日判時1334号201頁…330
最判平成元年9月19日民集43巻8号955頁
………………………………………29
最決平成元年11月8日判時1328号16頁……179
最判平成元年11月24日民集43巻10号1169頁
………………………433,434,435,436,437,438
最判平成2年2月1日民集44巻2号369頁
………………………………………159
大阪地決平成2年8月29日判時1371号122頁
………………………………………180
東京地判平成2年9月18日行集41巻9号

1471頁………………………………453
最判平成2年12月13日民集44巻9号1186頁
………………………………………444
最判平成3年3月8日民集45巻3号164頁
………………………………………208
最判平成3年4月19日民集45巻4号367頁
………………………………………460
最判平成3年7月9日民集45巻6号1049頁
……………………………155,429,430
最判平成3年12月20日民集45巻9号1455頁
…………………………………………71
最判平成4年1月24日民集46巻1号54頁
………………………………358,359,360
最大判平成4年7月1日民集46巻5号437頁
…………………………………………96,98
最判平成4年9月22日民集46巻6号571頁
………………………………………329
最判平成4年9月22日民集46巻6号1090頁
………………………………………389
最判平成4年10月29日民集46巻7号1174頁
……………………………………139,379
最判平成4年12月15日民集46巻9号2753頁
………………………………………414
東京高判平成4年12月18日判時1445号3頁
………………………………………460
最判平成5年2月18日民集47巻2号574頁
………………………………165,179,419
最判平成5年2月25日民集47巻2号643頁
………………………………………277
最判平成5年3月11日民集47巻4号2863頁
……………………………………426,427
最判平成5年3月30日民集47巻4号3226頁
………………………………………445
東京高判平成5年6月24日判時1462号46頁
………………………………………442
最判平成5年9月10日民集47巻7号4955頁
………………………………………357
最判平成6年2月8日民集48巻2号255頁
………………………………………378
新潟地判平成6年3月24日行集45巻3号304頁
………………………………………373
最判平成6年9月27日判時1518号10頁……330
最大判平成7年2月22日刑集49巻2号1頁
…………………………………………74
東京高判平成7年3月22日判時1529号29頁

……………………………………… 427, 431
最判平成7年3月23日民集49巻3号1006頁
……………………………………281, 282, 324
最判平成7年6月23日民集49巻6号1600頁
…………………………………………………438
最判平成7年7月7日民集49巻7号1870頁
…………………………………………………445
最判平成7年7月7日民集49巻7号2599頁
…………………………………………………278
最判平成8年3月8日民集50巻3号469頁
……………………………………………141, 142
最判平成9年1月28日民集51巻1号147頁
……………………………………………135, 456
最判平成9年1月28日民集51巻1号250頁
…………………………………………………329
最判平成9年3月13日民集51巻3号1233頁
…………………………………………………449
大津地判平成9年6月2日判例自治173号27頁
…………………………………………………385
大阪高判平成10年6月17日判タ994号143頁
…………………………………………………297
大阪高判平成10年6月30日判時1672号51頁
…………………………………………………385
最判平成10年10月13日判時1662号83頁……216
最判平成10年12月17日民集52巻9号1821頁
…………………………………………………330
最判平成11年1月21日民集53巻1号13頁…180
最判平成11年1月21日判時1675号48頁……427
最判平成11年7月19日判時1688号123頁
……………………………………………139, 148
最判平成11年11月19日民集53巻8号1862頁
…………………………………………………383
最判平成11年11月25日判時1698号66頁……334
最判平成12年3月17日判時1708号62頁
……………………………………………342, 343
東京地判平成12年3月22日判例自治214号25頁
…………………………………………………176
最判平成13年3月13日民集55巻2号283頁
…………………………………………………329
東京高判平成13年7月4日判時1754号35頁
…………………………………………………373
最判平成14年1月17日民集56巻1号1頁
……………………………………295, 296, 297, 325, 390
最判平成14年1月22日民集56巻1号46頁
……………………………………………329, 355

最判平成14年1月31日民集56巻1号246頁
…………………………………………………155
最判平成14年2月28日判時1782号10頁……378
最判平成14年4月25日判例自治229号52頁
……………………………………………299, 325
最判平成14年6月11日民集56巻5号958頁
……………………………………………458, 459
最判平成14年7月9日民集56巻6号1134頁
……………………………………182, 211, 212
最大判平成14年9月11日民集56巻7号1439頁
…………………………………………………447
最決平成14年9月30日刑集56巻7号395頁
…………………………………………………209
最判平成14年10月24日民集56巻8号1903頁
…………………………………………………261
東京高判平成15年5月21日判時1835号77頁
…………………………………………………46
最判平成15年9月4日判時1841号89頁
……………………………………318, 319, 320, 321, 325
最判平成16年1月15日判時1849号30頁
……………………………………………187, 188
最判平成16年1月15日民集58巻1号226頁
……………………………………………429, 430
最決平成16年1月20日刑集58巻1号26頁…202
最判平成16年4月26日民集58巻4号989頁
……………………………………121, 284, 285, 324, 332
最判平成16年4月27日民集58巻4号1032頁
……………………………………………436, 437, 438
最判平成16年7月13日判時1874号58頁……267
最判平成16年10月15日民集58巻7号1802頁
……………………………………………436, 438
最判平成16年11月25日民集58巻8号2297頁
…………………………………………………412
最判平成16年12月24日民集58巻9号2536頁
…………………………………………………62
最判平成17年4月14日民集59巻3号491頁
……………………………………………286, 287, 325
福岡高決平成17年5月27日判タ1223号155頁
…………………………………………………259
最決平成17年6月24日判時1904号69頁……440
最判平成17年7月15日民集59巻6号1661頁
……………………………………165, 288, 289, 290, 325
最判平成17年9月8日判時1920号29頁……289
最大判平成17年9月14日民集59巻7号2087頁
……………………………………408, 409, 410, 424, 425

判例索引 477

最判平成17年10月25日判時1920号32頁……290
最判平成17年11月1日判時1928号25頁
　………………………………449, 451, 452
最大判平成17年12月7日民集59巻10号2645頁
　…………………334, 335, 336, 337, 341
東京地決平成18年1月25日判時1931号10頁
　………………………………………396, 399
最判平成18年2月7日民集60巻2号401頁
　…………………………………132, 141, 454
最大判平成18年3月1日民集60巻2号587頁
　……………………………………………49
最判平成18年3月10日判時1932号71頁……229
東京高判平成18年6月28日民集63巻2号351頁
　……………………………………………353
最判平成18年7月14日民集60巻6号2369頁
　………………………………54, 298, 325
最判平成18年9月4日判時1948号26頁……143
東京地判平成18年10月25日判時1956号62頁
　…………………………………396, 397, 398
最判平成18年10月26日判時1953号122頁
　…………………………………176, 177, 178
最判平成18年11月2日民集60巻9号3249頁
　…………………………………142, 192, 193
最判平成19年1月25日民集61巻1号1頁…439
最判平成19年2月6日民集61巻1号122頁
　……………………………………………61
神戸地決平成19年2月27日賃金と社会保障
　1442号57頁………………………………406
大阪高決平成19年3月1日賃金と社会保障
　1448号58頁………………………………406
大阪地判平成19年3月14日判タ1252号189頁
　……………………………………271, 398
最判平成19年4月17日判時1971号109頁……224
東京高決平成19年7月19日判時1994号25頁
　……………………………………………367
最判平成19年11月1日民集61巻8号2733頁
　……………………………………………428
最判平成19年12月7日民集61巻9号3290頁
　……………………………………………143
最決平成19年12月18日判時1994号21頁……367
最判平成20年1月18日民集62巻1号1頁…415
東京地判平成20年1月29日判時2000号27頁
　……………………………………………122
最判平成20年2月19日民集62巻2号445頁
　……………………………………………428

広島地決平成20年2月29日判時2045号98頁
　……………………………………………406
大阪高判平成20年3月6日判時2019号17頁
　……………………………………………339
東京地判平成20年4月18日民集63巻10号
　2657頁……………………………………375
最大判平成20年9月10日民集62巻8号2029頁
　………192, 289, 300, 310, 311, 312, 325, 359
最決平成21年1月15日民集63巻1号46頁…226
最判平成21年2月27日民集63巻2号299頁
　…………………………………352, 353, 354
最判平成21年4月17日民集63巻4号638頁
　……………………………………120, 269
最判平成21年7月10日判時2058号53頁
　……………………………………182, 183
旭川地判平成21年9月8日判例自治355号38頁
　……………………………………………292
広島地判平成21年10月1日判時2060号3頁
　……………………………………405, 406
最判平成21年10月15日民集63巻8号1711頁
　…………………………………339, 340, 341, 344
最判平成21年10月23日民集63巻8号1849頁
　……………………………………………446
最大判平成21年11月18日民集63巻9号2033頁
　……………………………………………157
最判平成21年11月26日民集63巻9号2124頁
　………………………………298, 299, 300, 323, 325
最判平成21年12月17日民集63巻10号2631頁
　…………………………………375, 376, 377
最判平成21年12月17日判時2068号28頁……397
最判平成22年3月2日判時2076号44頁……442
最判平成22年4月20日裁判集民234号63頁
　……………………………………………419
最判平成22年6月3日民集64巻4号1010頁
　……………………………………………263
横浜地判平成22年10月6日判例自治345号25頁
　……………………………………………222
福岡高判平成23年2月7日判時2122号45頁
　……………………………………391, 395
札幌高判平成23年5月19日判タ1374号144頁
　……………………………………………151
最判平成23年6月7日民集65巻4号2081頁
　…………………………107, 108, 109, 124, 125
最判平成23年6月14日裁時1533号24頁……176
最判平成23年10月14日判時2159号53頁②…223

最判平成24年1月16日判時2147号127頁 ……147
最判平成24年1月16日判時2147号139頁 ……147
最判平成24年2月3日民集66巻2号148頁
　………………………………………291,292,325
最判平成24年2月9日民集66巻2号183頁
　………401,402,403,404,405,406,407,410
大阪地判平成24年2月29日判時2165号69頁
　……………………………………………………340
最判平成24年4月20日民集66巻6号2583頁
　……………………………………………………415
東京高決平成24年7月25日判時2182号49頁
　……………………………………………………411
最判平成24年12月7日刑集66巻12号1722頁
　……………………………………………………154
最判平成25年1月11日民集67巻1号1頁
　…………………………………………157,159,407
東京地判平成25年3月26日判時2209号79頁
　…………………………………………………345,346
最判平成25年3月26日裁時1576号8頁 ……434
最判平成25年4月16日民集67巻4号1115頁
　…………………………………………………135,398
最判平成25年7月12日判時2203号22頁 ……346
最判平成26年1月28日民集68巻1号49頁
　…………………………………………………188,347
東京高判平成26年2月19日訟月60巻6号
　1367頁…………………………………………345
最判平成26年7月24日判時2242号51頁 ……378
最判平成26年7月29日民集68巻6号620頁
　…………………………………………337,392,395
金沢地判平成26年9月29日判例自治396号69頁
　……………………………………………………116
最判平成26年10月9日民集68巻8号799頁
　……………………………………………………437
最判平成27年3月3日民集69巻2号143頁
　……………………………………105,146,364,365
最決平成27年4月21日判例集未登載 ………345
名古屋高金沢支判平成27年6月24日判例自治
　400号104頁……………………………………116

最判平成27年12月14日民集69巻8号2404頁
　……………………………………………………358
最大判平成27年12月16日民集69巻8号2427頁
　……………………………………………………425
最判平成28年12月8日民集70巻8号1833頁
　…………………………………………………277,404
最判平成28年12月20日民集70巻9号2281頁
　…………………………………………………48,79

【令　和】

最判令和元年7月16日民集73巻3号211頁
　……………………………………………………241
最判令和2年3月26日民集74巻3号471頁
　……………………………………………………238
最判令和2年6月30日民集74巻4号800頁
　…………………………………………………79,158
最判令和2年7月14日民集74巻4号1305頁
　……………………………………………………420
最判令和3年5月17日民集75巻5号1359頁
　……………………………………………………437
最判令和3年6月4日民集75巻7号2963頁
　……………………………………………………… 48
最判令和3年6月24日民集75巻7号3214頁
　……………………………………………………381
最判令和3年7月6日民集75巻7号3422頁
　……………………………………………………… 79
最大判令和4年5月25日民集76巻4号711頁
　…………………………………………………409,425
最判令和4年6月17日民集76巻5号955頁
　……………………………………………………437
最判令和4年12月8日民集76巻7号1519頁
　……………………………………………………239
最判令和4年12月13日民集76巻7号1872頁
　……………………………………………………320
最判令和5年5月9日民集77巻4号859頁
　……………………………………………36,342,343

◆執筆者

中原茂樹（なかはら・しげき）
 1968年 大阪府生まれ
 1992年 東京大学法学部卒業
 1997年 東京大学大学院法学政治学研究科博士課程単位取得退学
 1998年 大阪市立大学法学部助教授
 2009年 東北大学大学院法学研究科教授
 2020年 関西学院大学法科大学院教授

〈主著〉
『行政代執行の理論と実践』（共著、ぎょうせい、2015年）
『ブリッジブック行政法（第3版）』（共著、信山社、2017年）
『事例研究行政法（第4版）』（共著、日本評論社、2021年）
『ケースブック行政法（第7版）』（共編、弘文堂、2022年）
『基本行政法判例演習』（日本評論社、2023年）

基本 行政法 [第4版]

2013年12月10日 第1版第1刷発行
2015年 3月20日 第2版第1刷発行
2018年 3月25日 第3版第1刷発行
2024年 2月29日 第4版第1刷発行
2024年10月10日 第4版第2刷発行

著　者──中原茂樹
発行所──株式会社　日本評論社
    東京都豊島区南大塚 3-12-4
    電話 03-3987-8621（販売）, -8631（編集）
    振替 00100-3-16
印刷所──精文堂印刷株式会社
製本所──株式会社難波製本

Ⓒ S.Nakahara 2024
装丁／有田睦美　Printed in Japan
ISBN 978-4-535-52756-0

JCOPY ＜（社）出版者著作権管理機構　委託出版物＞
本書の無断複写は著作権法上での例外を除き禁じられています。複写される場合は、そのつど事前に、（社）出版者著作権管理機構（電話 03-5244-5088、FAX03-5244-5089、e-mail: info@jcopy.or.jp）の許諾を得てください。また、本書を代行業者等の第三者に依頼してスキャニング等の行為によりデジタル化することは、個人の家庭内の利用であっても、一切認められておりません。

基本行政法判例演習
中原茂樹[著]

『基本行政法』の判例学習を深く広く発展させ、完成させる。立体的で精緻、かつ明快な解説で、事例問題を正確に解く力が身につく。　　　　　　　　◆定価3,960円

事例研究 行政法[第4版]
曽和俊文・野呂 充・北村和生[編著]

問題を厳選して大幅に差し替え、より良く、よりわかりやすい解説をつけ、論点表も追加。随所に工夫を凝らした最高の演習書。　　　　　　　　　　◆定価3,850円

行政法 I 行政法総論 II 行政救済法
岡田正則[著]

著者の単独執筆による基本書。考え方の背景から丁寧に説きつつ、演習問題とその解説を付し、基礎から実践レベルまで導く。　　◆I：定価2,640円、II：定価2,970円

行政法 日評ベーシック・シリーズ
下山憲治・友岡史仁・筑紫圭一[著]

行政法の基本的な仕組みと考え方、なぜそうなるのかを、豊富な具体例を使った易しい文章で丁寧に解説。スイスイ読めます。　　　　　　　　　◆定価1,980円

基本憲法 I 基本的人権
木下智史・伊藤 建[著]

判例の示す「規範」とは何か。どう事例に当てはめるのか。各権利・自由につき、意義、内容、判断枠組み、具体的問題、「演習問題」という構成で明快に解説。　　◆定価3,300円

基本刑法 I 総論[第3版] II 各論[第3版]
大塚裕史・十河太朗・塩谷 毅・豊田兼彦[著]

絶大な人気を誇る定番の教科書。法改正・新判例を踏まえ、さらに明快にバージョンアップ。　　　　　　　　　　　　　◆I：定価4,180円、II：定価3,740円

応用刑法 I 総論 II 各論
大塚裕史[著]

『基本刑法』で学んだ法的知識を、より深く、より正確に理解させ、使いこなせる力に変える。実務刑法学入門の決定版。　　　　　　　◆I、II：定価4,400円

日本評論社
https://www.nippyo.co.jp/

※表示価格は税込み価格